Boeken van Gabriel García Márqu

Het kwade uur. Rom
Honderd jaar eenzaamheid
De kolonel krijgt nooit post. Roman
Afval en dorre bladeren. Novelle
De ongelooflijke maar droevige geschiedenis van de onschuldige Eréndira en haar harteloze grootmoeder. Verhalen
De uitvaart van Mamá Grande. Verhalen
De herfst van de patriarch. Roman
Ogen van een blauwe hond. Verhalen
Kroniek van een aangekondigde dood. Roman
Schetsen van de kust. Journalistiek proza 1
Schrijver in Bogotá. Journalistiek proza 2
De kampioen van Colombia. Journalistiek proza 3
Het verhaal van een schipbreukeling. Journalistiek proza 4
Op reis achter het IJzeren Gordijn. Journalistiek proza 5
Toen ik nog gelukkig was en ongedocumenteerd. Journalistiek proza 6
Gabriel García Márquez/Plinio Apuleyo Mendoza, *De geur van guave*. Gesprekken
De verhalen
De gijzeling. Filmscript
Liefde in tijden van cholera. Roman
De avonturen van Miguel Littín. Roman
De generaal in zijn labyrint. Roman
De zee van mijn verloren verhalen. Verhalen en essays
Twaalf zwerfverhalen
Over de liefde en andere duivels. Roman
Ontvoeringsbericht. Reportage
Alle verhalen 1947-1982
Leven om het te vertellen

Over Gabriel García Márquez
Dasso Saldívar, *Terug naar de oorsprong*. Biografie

Gabriel
García Márquez

Leven om het te vertellen

Uit het Spaans vertaald door
Aline Glastra van Loon, Mariolein Sabarte Belacortu,
Arie van der Wal & Mieke Westra

Meulenhoff Amsterdam

Woorden met een asterisk zijn opgenomen in de verklarende woorden- en namenlijst achter in het boek.

De vertalers ontvingen voor deze vertaling een beurs van de Stichting Fonds voor de Letteren, Amsterdam.

In de vertaling zijn correcties van de auteur op de eerste druk van de Spaanse uitgave verwerkt.

Eerste druk, in een gebonden editie, 2003; tweede druk 2003
Oorspronkelijke titel *Vivir para contarla*

Vormgeving omslag Koeweiden Postma
Vormgeving binnenwerk Adriaan de Jonge
Kaarten van Colombia Yde T. Bouma, Bureau voor Cartografie
Foto achterzijde omslag Ulf Andersen/Gamma/RBP Press

Meulenhoff Editie 1993
www.meulenhoff.nl
ISBN 90 290 7257 1 / NUR 302, 321

Het leven is niet het leven dat je hebt geleefd,
maar dat je je herinnert en hoe je het je herinnert
om het te vertellen.

CARIBISCHE ZEE
Cabo de la Vela
CURAÇAO
Riohacha
LA GUAJIRA
Santa Marta
Ciénaga
Barranquilla
Cartagena
Valledupar
PANAMA
Montería
Golfo de Urabá
VENEZUELA
El Darién
Atrato
Cauca
Magdalena
Orinoco
ANTIOQUIA
EL CHOCÓ
Rionegro
BOYACÁ
Medellín
Puerto Berrío
Quibdó
Sogamoso
Yuto
CALDAS
Puerto Salgar
Itsmina
Manizales
Zipaquirá
Andogoya
Condoto
VICHADA
Ambalema
Bogotá
San Juan
Quetame
Vichada
Melgar
GROTE OCEAAN
Buenaventura
Chaparral
VALLE DEL CAUCA
Cali
TOLIMA
Tarragona
Villarrica
HUILA
Neiva
Pasto
EQUADOR
BRAZILIË
PERU
Amazone
Leticia
0
200
400 km

Colombia

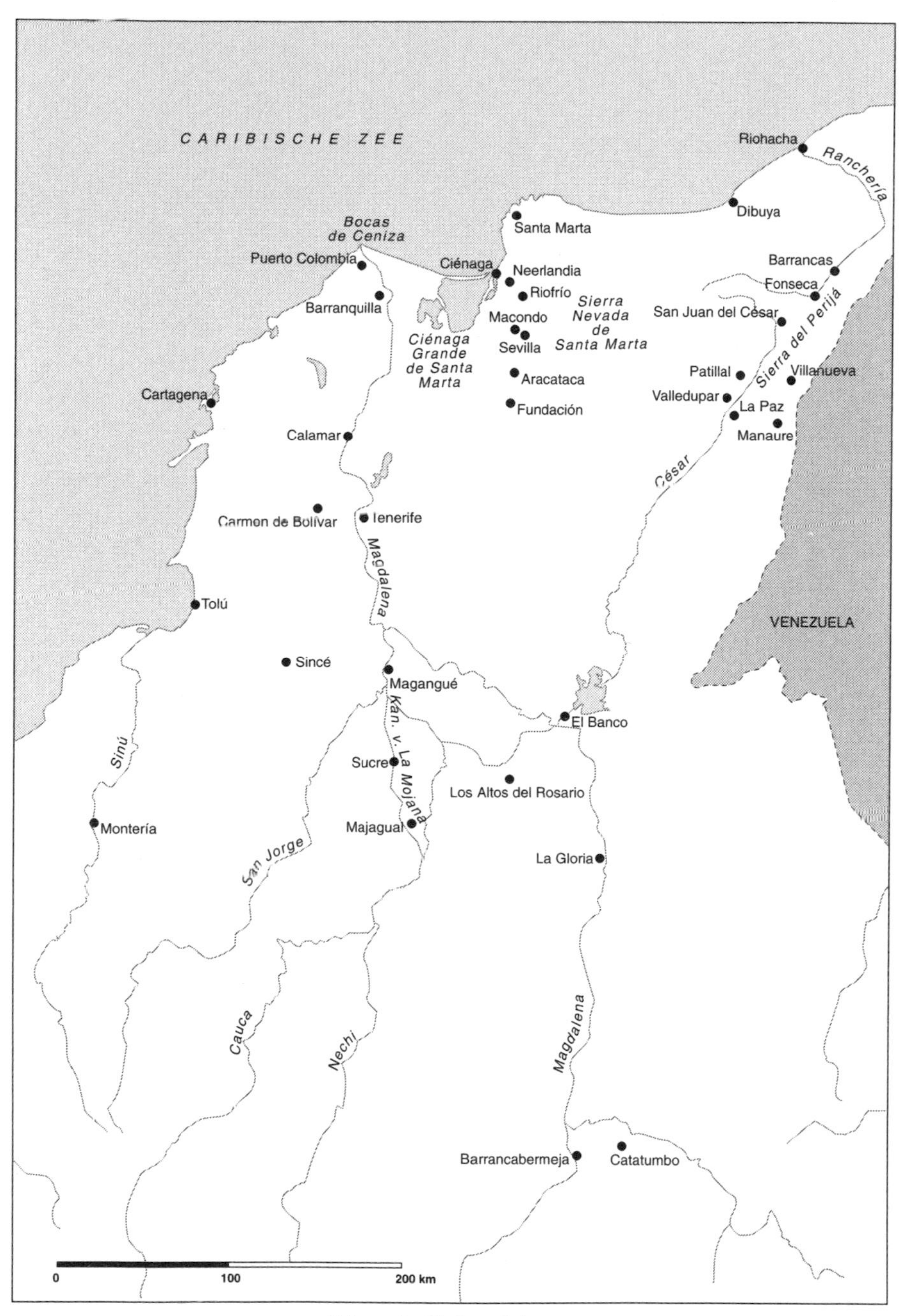

Noord-Colombia

I

Mijn moeder vroeg me met haar mee te gaan om het huis te verkopen. Ze was die ochtend uit het afgelegen dorp waar mijn familie woonde naar Barranquilla gekomen en had geen flauw idee hoe ze me moest vinden. Ze vroeg het hier en daar bij bekenden, die haar naar boekhandel Mundo of naar cafés in de buurt verwezen, omdat ik daar tweemaal per dag heen ging om met een groep bevriende schrijvers te kletsen. Degene die haar dit vertelde waarschuwde haar: 'Past u maar op, want die lui zijn hartstikke gek.' Ze arriveerde klokslag twaalf uur. Met haar snelle pas baande ze zich een weg tussen de tafels met uitgestalde boeken, bleef pal voor me staan, keek me met de ondeugende lach uit haar beste tijden recht in de ogen, en voordat ik kon reageren zei ze: 'Ik ben je moeder.'

Er was iets aan haar veranderd waardoor ik haar niet meteen herkende. Ze was vijfenveertig. Ze had elfmaal gebaard, was in totaal bijna tien jaar zwanger geweest, en had minstens nog eens zoveel jaar haar kinderen de borst gegeven. Ze was voortijdig helemaal grijs geworden, haar ogen leken groter en verbaasder achter de glazen van haar eerste leesbril en ze zag er ernstig uit in de zware rouw die ze droeg voor haar gestorven moeder, maar ze bezat nog altijd de Romeinse schoonheid zoals op haar huwelijksfoto, waaraan nu nog meer waardigheid werd verleend door de aura van haar herfst. Voordat er iets gebeurde, voordat ze me omhelsde, zei ze met haar gebruikelijke plechtstatigheid: 'Ik ben hier gekomen om je te vragen met me mee te gaan om het huis te verkopen.'

Ze hoefde me niet te zeggen welk huis of waar, want voor ons was er maar één huis op de wereld: het oude huis van mijn grootouders in Aracataca, waar ik tot mijn geluk geboren was, maar na mijn achtste niet meer had gewoond. Ik had net de rechtenfaculteit vaarwel gezegd na zes semesters waarin ik me vooral had beziggehouden met het lezen van alles wat in mijn handen kwam, en met het uit mijn hoofd voordragen van de onnavolgbare poëzie uit de Spaanse Gouden Eeuw. Alle boeken waaraan ik genoeg had gehad om de techniek van de romanschrijfkunst te leren, had ik al in geleende vertalingen gelezen en ik had in krantenbijlagen zes verhalen gepubliceerd, waar mijn vrienden enthousiast over waren en waar enkele critici aandacht aan hadden besteed. Ik zou de volgende maand drieëntwintig worden, ik was al een wetsovertreder omdat ik de militaire dienst had ontlopen en een veteraan omdat ik al tweemaal een druiper had gehad, en ik rookte elke dag zestig sigaretten van de inferieurste soort tabak zonder waarschuwende opschriften. Mijn vrije tijd bracht ik afwisselend door in Barranquilla en Cartagena de Indias aan de Caribische kust van Colombia, ik leidde een vorstelijk leventje van wat ik betaald kreeg voor mijn dagelijkse stukjes in *El Heraldo*, wat ongeveer minder dan niets was, en sliep overal waar ik maar werd overvallen door de nacht, en in zo goed mogelijk gezelschap. Alsof de onzekerheid over mijn ambities en de chaos in mijn leven nog niet genoeg waren, waren we met een groep onafscheidelijke vrienden bezig om een stoutmoedig tijdschrift uit te geven, waar we geen geld voor hadden, maar waarvoor Alfonso Fuenmayor al drie jaar plannen maakte. Wat wilde ik nog meer?

Eerder om redenen van geldgebrek dan omdat ik het zo mooi vond liep ik twintig jaar op de mode vooruit: woeste snor, verwarde haren, spijkerbroek, overhemden met foute bloemen en pelgrimssandalen. In de bioscoop hoorde ik op een keer een toenmalige vriendin, die in het donker niet merkte dat ik vlakbij zat, tegen iemand zeggen: 'Die arme Gabito is een hopeloos geval.' Dus toen mijn moeder me vroeg of ik met haar meeging om het huis te verkopen, was er voor mij geen enkele belemmering om ja tegen haar te zeggen. Ze zei meteen dat ze niet genoeg geld had voor de reis, en ik zei uit trots dat ik mijn eigen onkosten wel betaalde.

Op de krant waar ik werkte kon ik dit probleem niet oplossen. Ik kreeg drie peso per dagelijks stukje en vier peso voor een hoofdartikel dat ik schreef wanneer een van de vaste hoofdartikelenschrijvers niet aanwezig was, maar daar kon ik nauwelijks van rondkomen. Ik probeerde een lening te krijgen, maar de bedrijfsleider hielp me eraan herinneren dat mijn schuld al meer dan vijftig peso bedroeg. Die middag maakte ik misbruik van iemand en geen van mijn vrienden zou dat hebben gewaagd. Bij het verlaten van café Colombia, naast de boekhandel, sprak ik de oude Catalaanse boekhandelaar en onze leermeester don Ramón Vinyes aan en vroeg hem tien peso te leen. Hij had er maar zes.

Mijn moeder en ik hadden ons natuurlijk niet voor kunnen stellen dat dit onschuldige uitstapje, dat slechts twee dagen duurde, zó bepalend voor me zou worden dat het langste en werkzaamste van alle levens nog niet genoeg zou zijn om het helemaal te vertellen. Nu ik al over de vijfenzeventig ben, weet ik dat het de belangrijkste beslissing is geweest die ik in mijn schrijversloopbaan heb moeten nemen. Dat wil zeggen: in mijn hele leven.

Tot de puberteit heeft het geheugen meer belangstelling voor de toekomst dan voor het verleden, en vandaar dat mijn herinneringen aan het dorp nog niet waren geïdealiseerd door heimwee. Ik herinnerde het me zoals het was: een prima plaats om te wonen, waar iedereen elkaar kende, gelegen op de oever van een rivier met glashelder water dat snel stroomde door een bedding van gladde, witte stenen, zo groot als prehistorische eieren. Tegen de avond, vooral in december als de regens voorbij waren en de lucht als diamant werd, was het net alsof de Sierra Nevada de Santa Marta met zijn witte toppen tot vlak bij de bananenplantages op de andere oever kwam. Daar zag je de Arawak-indianen als mieren in lange rijen over de smalle paden door het gebergte achter elkaar aan hollen, met zakken vol gember op hun rug en op cocapruimen kauwend om de honger af te leiden. Als kind hoopten we ooit sneeuwballen te maken van de eeuwige sneeuw en oorlogje te spelen in de gloeiend hete straten. Want de hitte was zo onwaarschijnlijk, vooral tijdens de siësta, dat de volwassenen erover klaagden alsof het elke dag weer een verrassing was. Vanaf mijn geboorte heb ik onafgebroken horen herhalen dat de spoorrails en de kampementen van de United Fruit Company 's nachts waren aangelegd, omdat het overdag onmogelijk was de door de zon verhitte gereedschappen aan te raken.

De enige manier om vanuit Barranquilla in Aracataca te komen was door in een gammel motorbootje over een door slaven in de koloniale tijd gegraven kanaal te varen en daarna het desolate, troebele water van een uitgestrekt strandmeer over te steken naar het geheimzinnige dorpje Ciénaga. Hier nam je de armoedige trein, ooit de beste van het land, om het laatste traject dwars door de immense bananenplantages af te leggen, met talrijke nutteloze tussenstops op eenzame stations in stoffige, hete dorpen. Dit was de tocht waaraan mijn moeder en ik op 18 februari 1950 om zeven uur 's avonds begonnen, aan de vooravond van carnaval, midden in een zondvloedachtige regenbui, terwijl het daar helemaal het seizoen niet voor was, met tweeëndertig peso op zak, waar we net genoeg aan zouden hebben voor de terugreis, indien het huis niet op de beoogde voorwaarden werd verkocht.

De passaatwinden waren die avond zo fel dat het me in de rivierhaven moeite kostte mijn moeder ervan te overtuigen aan boord te gaan. Ze had geen ongelijk. De bootjes waren miniatuurimitaties van de stoomschepen uit New Orleans, maar de onze hadden een benzinemotor die op alles wat aan boord was een trilling overbracht, als bij zware koorts. Er was een kleine salon met pilaren om de hangmatten op verschillende hoogten te bevestigen, en er stonden houten bankjes waarop iedereen het zich met veel geduw gemakkelijk maakte tussen zijn overmatige hoeveelheid bagage, pakken handelswaar, korven met kippen en zelfs levende varkens. Er waren een paar smoorhete hutten, met twee soldatenbritsen erin, die bijna altijd bezet werden door armzalige hoertjes die noodhulp verleenden tijdens de reis. Omdat we op het laatste moment geen hut vonden die vrij was en mijn moeder en ik geen hangmat bij ons hadden, veroverden we twee ijzeren stoelen in de middengang en installeerden ons daar om er de nacht door te brengen.

Zoals mijn moeder al vreesde werd het roekeloze scheepje geteisterd door het noodweer toen we de Magdalena overstaken, die op zo korte afstand van zijn delta het temperament heeft van een oceaan. Ik had in de haven een grote voorraad sigaretten van het allergoedkoopste soort zware tabak gekocht, met een vloeitje eromheen dat bijna grauw papier leek, en ik rookte zoals in die tijd mijn gewoonte was, de ene sigaret aanstekend met de peuk van de vorige, terwijl ik intussen *Licht in augustus* van William Faulkner herlas, in die tijd mijn trouwste beschermduivel. Mijn moeder klampte zich vast aan haar rozenkrans alsof het een lier was waarmee een vastgelopen tractor kon worden losgetrokken of een vliegtuig in de lucht kon worden gehouden, en geheel volgens haar gewoonte vroeg ze niets voor zichzelf, maar alleen voorspoed en een lang leven voor haar elf weeskinderen. Haar smeekbede moet zijn aangekomen op de plek waar hij moest wezen, want de regen werd minder toen we het kanaal op voeren en er was amper nog wind om de muggen weg te blazen. Mijn moeder borg daarom haar rozenkrans weer op en zat een hele tijd te kijken naar het bruisende leven dat zich om ons heen afspeelde.

Ze was geboren in een eenvoudig huisje, maar ze groeide op in de vluchtige schittering van de bananenmaatschappij, waaraan ze als rijkeluisdochter in Santa Marta tenminste nog een goede opleiding op de Presentaciónschool had overgehouden. In de kerstvakantie borduurde ze samen met haar vriendinnen op het borduurraam, speelde klavichord tijdens liefdadigheidsbazaars en ging met een tante als chaperonne naar de meest uitgelezen dansfeesten van de preutse plaatselijke aristocratie, maar niemand had haar ooit met een vaste verkering gezien voordat ze, tegen de wil van haar ouders, met de telegrafist van het dorp trouwde. Sindsdien waren haar opvallendste deugden haar gevoel voor humor en haar ijzeren gestel, dat in haar hele lange leven niet is bezweken onder de aanvallen van de tegenspoed. Maar haar verrassendste en daarom ook minst verdachte eigenschap was haar bijzondere talent om de geweldige kracht van haar karakter te verhullen: een volmaakte Leeuw. Hierdoor heeft ze een matriarchale macht weten te ontwikkelen die reikte tot de verste familieleden op de meest onverwachte plaatsen, als een planetair stelsel dat ze met zachte stem en nauwelijks met haar ogen knipperend regeerde vanuit haar keuken terwijl de pan met bonen stond te koken.

Nu ik zag hoe ze zonder een spier te vertrekken die zware reis doorstond, vroeg ik me af hoe ze de onrechtvaardigheden van de armoede zo snel en met zoveel beheersing aan zich had weten te onderwerpen. Die vreselijke nacht was ideaal om haar op de proef te stellen. De bloeddorstige muggen, de dichte, misselijkmakende hitte die opsteeg uit de modder in het kanaal die de boot op zijn tocht omwoelde, het gedoe van de slapeloze passagiers die hun draai niet konden vinden, het leek allemaal afgesproken werk om het kalmste gemoed van zijn stuk te brengen. Mijn moeder verdroeg het onbeweeglijk in haar stoel, terwijl de huurmeisjes verkleed als mannen of als Spaanse schonen in de nabijgelegen hutten hun carnavalsoogst binnenhaalden. Een van hen was al enkele malen, steeds met een andere klant, haar hut in en uit gegaan, die zich precies naast de stoel van mijn moeder bevond. Ik dacht dat mijn moeder haar niet had gezien. Maar toen ze dat voor de vierde of vijfde keer in minder dan een uur deed, keek mijn moeder haar met een medelijdende blik na tot ze aan het eind van de gang was.

'Arme meisjes,' zei ze zuchtend. 'Wat zij moeten doen om te leven is erger dan werken.'

Ze bleef daar tot middernacht zo zitten, tot het ondraaglijke getril en de schaarse verlichting in de gang me het lezen onmogelijk maakten en ik naast haar een sigaret ging roken, in een poging los te komen uit het drijfzand van Yoknapatawpha County. Het jaar daarvoor had ik de universiteit verlaten met de vermetele illusie via de journalistiek en de literatuur in mijn levensonderhoud te kunnen voorzien, zonder ervoor te hoeven leren. Ik was hiertoe aangezet door een zinnetje dat ik, geloof ik, bij Bernard Shaw had gelezen: 'Ik was nog maar heel klein toen ik mijn opvoeding moest onderbreken om naar school te gaan.' Ik kon er met niemand over praten, omdat ik wist, zonder het te kunnen uitleggen, dat mijn motieven waarschijnlijk alleen voor mij geldig waren.

Ik kon proberen mijn ouders, die al hun hoop op mij hadden gevestigd en veel geld, dat ze niet bezaten, voor me hadden uitgegeven, van die waanzinnige stap te overtuigen, maar dat was verloren tijd. Vooral wat betreft mijn vader, die me alles zou hebben vergeven, behalve dat ik niet de een of andere academische bul, die hij zelf nooit had kunnen krijgen, aan de muur zou hangen. We hadden geen contact meer gehad. Bijna een jaar later, toen ik er nog steeds over dacht naar hem toe te gaan om hem mijn redenen uit te leggen, verscheen mijn moeder met de vraag of ik met haar meeging om het huis te verkopen. Ze maakte echter pas op de boot een toespeling op de zaak, na middernacht, toen ze als een bovennatuurlijke openbaring voelde dat dit eindelijk de juiste gelegenheid was om me datgene te zeggen wat ongetwijfeld het ware motief van haar reis was, en ze stak van wal op de toon en in de tot op de millimeter nauwkeurige bewoordingen die ze moest hebben uitgebroed in de eenzaamheid van haar slapeloze nachten, lang voordat ze aan deze reis was begonnen.

'Je vader heeft veel verdriet,' zei ze.

Daar hadden we het dan, de zo gevreesde hel. Ze begon zoals altijd, volkomen onverwacht en met een kalme stem die zich door niets in de war zou laten brengen. Louter en alleen om te voldoen aan het ritueel – ik wist namelijk maar al te goed wat het antwoord zou zijn – vroeg ik: 'En waarom dan wel?'

'Omdat je bent gestopt met je studie.'

'Ik ben niet gestopt,' zei ik. 'Ik ben alleen van richting veranderd.'

Ze veerde op bij de gedachte dat er een diepgaande discussie zou volgen.

'Je vader zegt dat dat op hetzelfde neerkomt,' zei ze.

Hoewel ik wist dat het niet waar was, zei ik toch: 'Hij is ook met zijn studie gestopt, om viool te gaan spelen.'

'Dat is iets anders,' antwoordde ze heel slim. 'Hij speelde alleen viool op feesten en bij serenades. Dat deed hij omdat hij niet eens geld had om eten te kopen. Maar binnen een maand heeft hij leren telegraferen, en dat was in die tijd een prima vak, vooral in Aracataca.'

'Ik kan ook rondkomen van mijn stukken in de krant,' zei ik.

'Dat zeg je om mij geen pijn te doen,' zei ze. 'Maar je ziet op een kilometer afstand dat het slecht met je gaat. Stel je voor, in de boekhandel herkende ik je niet eens toen ik je zag.'

'Ik herkende u ook niet,' zei ik.

'Niet om dezelfde reden,' zei ze. 'Ik dacht dat je een bedelaar was.' Ze keek naar mijn versleten sandalen en voegde eraan toe: 'En niet eens sokken.'

'Dat loopt lekkerder,' zei ik. 'Twee hemden en twee onderbroeken, de ene aan terwijl de andere droogt. Wat heeft een mens nog meer nodig?'

'Een beetje gevoel voor eigenwaarde,' zei ze. Maar ze zwakte haar woorden direct af en zei op andere toon: 'Ik zeg dit allemaal omdat we heel veel van je houden.'

'Dat weet ik wel,' zei ik. 'Maar zegt u eens eerlijk, zou u in mijn plaats niet hetzelfde doen?'

'Nee, dat zou ik niet doen als ik daarmee mijn ouders tegen de haren in streek,' zei ze.

Omdat ik me de koppigheid herinnerde waarmee ze erin was geslaagd de tegenstand te breken van haar familieleden, die tegen haar huwelijk waren, zei ik lachend: 'Kijkt u mij eens aan als u durft.'

Maar ze wendde haar ogen ernstig af, omdat ze maar al te goed wist waar ik aan dacht.

'Ik ben niet getrouwd zolang ik de zegen van mijn ouders niet kreeg,' zei ze. 'Wel afgedwongen, maar toch.'

Ze brak de discussie af, niet omdat mijn argumenten haar hadden overtuigd, maar omdat ze naar het toilet moest en de hygiënische situatie daar niet vertrouwde. Ik vroeg de purser of er misschien een gezondere plek was, maar hij zei dat hij zelf ook het gemeenschappelijke toilet gebruikte. En tot besluit zei hij, alsof hij net een boek van Conrad had gelezen: 'Op zee zijn we allemaal gelijk.' Dus onderwierp mijn moeder zich aan de wet die voor iedereen gold. In tegenstelling tot wat ik vreesde kon ze bij terugkomst amper haar lachen inhouden.

'Stel je voor,' zei ze, 'wat zal je vader wel niet denken als ik terugkom met een ziekte uit het rosse leven?'

Na middernacht hadden we drie uur vertraging, want de schroef liep vast in de dikke massa anemonen in het kanaal en de boot strandde in een mangrovebos, zodat een heel stel passagiers hem vanaf de oevers moest lostrekken met de touwen van hun hangmatten. De hitte en de muggen waren niet meer te harden, maar mijn moeder ontsnapte aan al die dingen door van tijd tot tijd een van haar hazenslaapjes te doen, waar ze in de familie beroemd om was omdat ze op die manier kon uitrusten zonder de draad van het gesprek kwijt te raken. Toen de reis werd voortgezet en er een frisse bries begon te waaien, werd ze helemaal wakker.

'Hoe het ook zij,' zei ze zuchtend, 'ik moet met een antwoord bij je vader aankomen.'

'Maakt u zich nou maar geen zorgen,' zei ik onschuldig. 'Ik kom in december naar huis en dan zal ik hem alles uitleggen.'

'Dat is pas over tien maanden,' zei ze.

'Ja, maar dit jaar valt er toch niets meer te regelen op de universiteit,' zei ik.

'Beloof je plechtig dat je komt?'

'Dat beloof ik,' zei ik.

Voor het eerst hoorde ik een zweem van verlangen in haar stem: 'Mag ik tegen je vader zeggen dat het ja wordt?'

'Nee,' antwoordde ik kortaf. 'Dat niet.'

Ze zocht duidelijk naar een andere uitweg. Maar die bood ik haar niet.

'Dan kan ik hem beter in één keer de hele waarheid vertellen,' zei ze. 'Dan lijkt het tenminste niet of ik hem bedrieg.'

'Mij best,' zei ik opgelucht. 'Doet u dat maar.'

Daar bleef het bij. Iemand die haar niet kende had kunnen denken dat het hiermee afgelopen was, maar ik wist dat het voor haar een wapenstilstand was, zodat ze op adem kon komen. Even later was ze diep in slaap. Een briesje verjoeg de muggen en verzadigde de nieuwe lucht met een geur van bloemen. De boot kreeg op dat moment de rankheid van een zeilschip.

We bevonden ons op de Ciénaga Grande, ook een mythe uit mijn jeugd. Ik had dat strandmeer enkele malen bevaren met mijn grootvader, kolonel Nicolás Ricardo Márquez Mejía, door zijn kleinkinderen Papalelo genoemd, die me meenam van Aracataca naar Barranquilla om op bezoek te gaan bij mijn ouders. 'Je moet geen angst, maar eerbied hebben voor het strandmeer,' had hij gezegd toen hij vertelde over het onvoorspelbare karakter van het water, dat zich als een meer of als een ontembare oceaan kon gedragen. In de regentijd was het de speelbal van het noodweer uit de bergen. Van december tot april, als het rustig weer hoorde te zijn, vielen de passaatwinden uit het noorden het met zo'n heftigheid aan dat elke nacht een avontuur was. Mijn grootmoeder van moederskant, Tranquilina* Iguarán, Mina, waagde zich slechts voor zeer dringende gevallen aan de overtocht sinds ze ooit aan het eind van een verschrikkelijke reis tot zonsopgang hadden moeten schuilen in de monding van de Riofrío.

Die nacht was het strandmeer gelukkig een stille poel. Gezien vanaf het voorschip, waar ik vlak voor zonsopgang naartoe was gegaan om een frisse neus te halen, waren de lichtjes van de vissersboten net sterren die op het water dreven. Ze waren ontelbaar en de onzichtbare vissers kletsten alsof ze bij elkaar op bezoek waren, en hun stemmen echoden spookachtig over het meer. Terwijl ik op de reling leunde en probeerde de contouren van de bergketen te onderscheiden, haalde tot mijn verrassing opeens het heimwee voor het eerst naar me uit.

Toen we op net zo'n vroege ochtend op de Ciénaga Grande voeren, had Papalelo mij slapend in de hut achtergelaten en was hij naar de bar gegaan. Ik weet niet hoe laat ik precies wakker werd van het geschreeuw van veel mensen, dat door het gezoem van de verroeste ventilator en het gekraak van de blikken hut heen drong. Ik moet niet ouder dan vijf zijn geweest en ik schrok vreselijk, maar de rust keerde al spoedig weer en ik dacht dat het misschien een droom was geweest. 's Ochtends, we lagen al aan de kade in Ciénaga, stond mijn grootvader zich met zijn mes te scheren, met de deur open en de spiegel aan de deurpost. Het is een glasheldere herinnering: hij had zijn overhemd nog niet aangetrokken, maar over zijn interlock droeg hij zijn eeuwige, brede elastieken bretels met de groene strepen. Onder het scheren praatte hij met een man die ik ook nu nog in één oogopslag zou herkennen. Hij had het onmiskenbare profiel van een kraai, een zeemanstatoeage op zijn rechterhand, enkele zware gouden kettingen om zijn hals en om beide polsen armbanden en slavenbanden, ook van goud. Ik had me net aangekleed en zat op bed mijn laarzen aan te trekken, toen de man tegen mijn grootvader zei: 'Geen twijfel mogelijk, kolonel. Ze waren beslist van plan u in het water te gooien.'

Mijn grootvader lachte terwijl hij doorging met scheren en antwoordde met zijn typische hooghartigheid: 'Des te beter voor hen dat ze het niet gedurfd hebben.'

Toen begreep ik wat het lawaai van de vorige nacht was geweest, en het idee dat iemand mijn grootvader in het strandmeer had kunnen gooien maakte diepe indruk op me.

De herinnering aan dit nooit opgehelderde voorval verraste me op de vroege ochtend dat ik met mijn moeder het huis ging verkopen, terwijl ik naar de sneeuw op de bergen stond te kijken, die blauw zag in het eerste zonlicht. De vertraging op het kanaal gaf ons de gelegenheid bij daglicht de zandbank met zijn lichtende zand te zien, die de smalle afscheiding vormde tussen de zee en het strandmeer, met vissersdorpjes waar netten op het strand lagen te drogen en waar vuile, magere jongetjes voetbalden met ballen van oude lappen. In de straten zag je opvallend veel vissers die een arm misten doordat ze de dynamietstaven niet op tijd hadden weggegooid. Toen onze boot voorbijvoer doken de jongens de muntstukken achterna die de passagiers voor hen in het water wierpen.

Even voor zeven uur gingen we voor anker in een stinkend moeras, op korte afstand van het dorpje Ciénaga. Groepen sjouwers die tot hun knieën in de modder stonden, namen ons in hun armen en droegen ons wadend door het water naar de aanlegsteiger, te midden van opvliegende aasgieren die met elkaar vochten om de viezigheid in de modderpoel. We zaten kalm te ontbijten aan een tafeltje in de haven en genoten van de heerlijke verse mojarras* uit het meer en van plakken gebakken banaan, toen mijn moeder een nieuwe aanval deed in haar persoonlijke oorlog.

'Nou, vooruit,' zei ze zonder op te kijken, 'wat zal ik tegen je vader zeggen?'

Ik probeerde tijd te winnen om na te denken. 'Waarover?'

'Over het enige wat hem interesseert,' zei ze enigszins geïrriteerd. 'Je studie.'

Tot mijn geluk was er een brutale klant wiens nieuwsgierigheid werd gewekt door de heftige toon van onze dialoog en die mijn motieven wilde weten. Het directe antwoord van mijn moeder verontrustte me niet alleen een beetje, maar het verbaasde me ook van haar omdat ze haar privé-leven altijd zo goed afschermde.

'Hij wil namelijk schrijver worden,' zei ze.

'Een goede schrijver kan goed geld verdienen,' antwoordde de man ernstig. 'Vooral als hij voor de regering werkt.'

Ik weet niet of mijn moeder van onderwerp veranderde uit discretie of uit angst voor de argumenten van de onverwachte gesprekspartner, maar het eind van het liedje was dat zij samen de onzekerheden van mijn generatie betreurden en hun heimwee met elkaar deelden. Door het spoor van de namen van gemeenschappelijke bekenden te volgen, ontdekten ze ook nog dat we van beide kanten, zowel via de Cotes als via de Iguaráns, familie van elkaar waren. In die tijd overkwam ons dat met twee op de drie mensen die we aan de Caribische kust tegenkwamen, maar mijn moeder vierde het altijd als een unieke gebeurtenis.

We reden naar het station in een victoria met één paard, wellicht het laatste exemplaar van een legendarisch geslacht dat in de rest van de wereld al was uitgestorven. Mijn moeder zat gebiologeerd naar de dorre, door de salpeter wit uitgeslagen vlakte te kijken, die in de modderpoel van de haven begon en samensmolt met de horizon. Voor mij was het een historische plaats: tijdens mijn eerste reis naar Barranquilla, toen ik een jaar of drie, vier was, was mijn grootvader met mij aan de hand, snel en zonder me te zeggen waarom, die brandend hete, kale vlakte overgestoken, tot we plotseling voor een enorme uitgestrektheid van groen water met schuimbellen stonden, waarin een massa verdronken kippen dreef.

'Dat is de zee,' zei hij.

Teleurgesteld vroeg ik hem wat er op de oever aan de overkant was, en hij antwoordde zonder aarzelen: 'Aan de overkant is geen oever.'

Nu ik van oost naar west en van noord naar zuid zoveel zeeën heb gezien, vind ik dit nog altijd een van zijn vele grandioze antwoorden. Hoe het ook zij, geen van de voorstellingen die ik me vooraf had gemaakt, kwam overeen met die smerige zee, waar je niet over het strand van wit uitgeslagen salpeter kon lopen vanwege de rotte mangrovestruiken en schelpensplinters. Het was afschuwelijk.

Mijn moeder dacht vast hetzelfde over de zee bij Ciénaga, want zodra ze die aan de linkerkant van de koets zag opdoemen, zei ze zuchtend: 'Er gaat niets boven de zee bij Riohacha!'

Bij die gelegenheid vertelde ik haar mijn herinnering aan de verdronken kippen, en net als alle andere volwassenen dacht ze dat het een kinderfantasie van me was. Ze ging vervolgens verder met het bestuderen van elke plaats waar we langs kwamen, en door de veranderingen in haar stilte wist ik steeds wat ze dacht. We kwamen langs de hoerenbuurt, die aan de andere kant van de spoorlijn lag, met zijn kleurige huisjes met verroeste daken en oude papegaaien uit Paramaribo die vanuit hun ring aan de dakrand de klanten aanriepen in het Portugees. We kwamen langs het waterstation van de locomotieven, onder een reusachtige ijzeren boog, waar trekvogels en verdwaalde meeuwen een slaapplaatsje zochten. We reden langs de rand van de stad, gingen er niet in, maar zagen de brede, verlaten straten en de lage huizen uit de tijd van de vergane glorie, met manshoge ramen waar vanaf de vroege ochtend onafgebroken vingeroefeningen op de piano werden gerepeteerd. Opeens wees mijn moeder met haar vinger.

'Kijk,' zei ze. 'Daar speelde zich het einde van de wereld af.'

Ik keek in de richting van haar wijsvinger en zag het station: een afgebladderd houten gebouw met schuine daken van golfplaat en doorlopende balkons, met ervóór een dor pleintje waarop onmogelijk meer dan tweehonderd mensen pasten. Daar had het leger in 1928, zoals mijn moeder me die dag vertelde, een nooit vastgesteld aantal dagloners van de bananenplantages doodgeschoten. Ik kende die geschiedenis alsof ik er zelf bij was geweest, omdat ik haar zolang het me heugde wel duizend keer door mijn grootvader had horen vertellen: de militair die het decreet voorlas waarin de stakende arbeiders tot een troep misdadigers werden verklaard; de drieduizend mannen, vrouwen en kinderen die onbeweeglijk in de barbaarse zon bleven staan nadat de officier hun vijf minuten de tijd had gegeven om het plein te ontruimen; het bevel te vuren, het geknetter van de geweren die wit vuur spuugden, de door de paniek in een hoek gedreven menigte die langzaam maar zeker kleiner werd door de methodische en onverzadigbare schaar van de mitrailleur.

De trein arriveerde 's morgens om negen uur in Ciénaga om de mensen op te halen die met de boten of uit de bergen waren gekomen en vervolgde een kwartier later zijn tocht, dieper het bananengebied in. Mijn moeder en ik kwamen over achten op het station aan, maar de trein had vertraging. Toch waren we de enige passagiers. Ze zag het meteen toen ze in de lege wagon stapte, en riep juichend uit: 'Wat een luxe! De hele trein voor ons alleen!'

Ik heb altijd gedacht dat ze maar deed alsof ze blij was, om haar teleurstelling te verhullen, want aan de toestand van de wagons zag je in één oogopslag de tand des tijds. Het waren de oude tweedeklaswagons, met ramen die omhoog en omlaag konden maar zonder glas erin, en geen rieten zitplaatsen maar houten bankjes die gepolijst waren door de gladde, warme achterwerken van de arme mensen. In vergelijking met hoe alles er vroeger uitzag, was niet alleen die wagon maar de hele trein een schim van zichzelf. Vroeger waren er drie klassen. De derde klas, waarin de allerarmsten reisden, bestond uit dezelfde houten kratten als waarin de bananen of het slachtvee werden vervoerd, maar ten behoeve van de reizigers waren ze aangepast door er in de lengte ruwe planken op te leggen zodat je erop kon zitten. In de tweede klas waren zitplaatsen met rieten zittingen en bronzen deurposten. In de eerste klas, waarin lui van de regering en hoge pieten van de bananenmaatschappij reisden, lag vloerbedekking in de gang en waren er met rood fluweel beklede, individuele zitplaatsen die konden draaien. Wanneer de hoogste directeur van de maatschappij of zijn gezin of belangrijke gasten meereisden, werd er achter de trein een luxewagon aangekoppeld met ramen van donker glas en vergulde kozijnen, en een open balkon met tafeltjes zodat onderweg thee kon worden gedronken. Ik ken geen sterveling die deze fantastische karos ooit vanbinnen heeft gezien. Mijn grootvader is tweemaal burgemeester geweest en hij had bovendien een vrolijke opvatting over geld, maar hij reisde alleen tweede klas wanneer hij in gezelschap was van een vrouwelijk familielid. En altijd als hem werd gevraagd waarom hij derde klas reisde, antwoordde hij: 'Omdat er geen vierde is.' Het gedenkwaardigste van de trein van vroeger was echter zijn punctualiteit. De dorpsklokken werden gelijkgezet als de fluit van de trein klonk.

Die dag vertrok hij om de een of andere reden met anderhalf uur vertraging. Op het moment dat hij zich in beweging zette, heel traag en met een angstaanjagend geknars, sloeg mijn moeder een kruis, maar ze keerde direct weer naar de realiteit terug.

'De veren van deze trein hebben olie nodig,' zei ze.

We waren de enige passagiers, misschien wel van de hele trein, en tot dan toe was er niets wat me echt interesseerde. Ik stortte me in de verstikkende hitte van *Licht in augustus*, aan één stuk door rokend en af en toe een snelle blik naar buiten werpend om te zien of ik de plaatsen herkende waar we voorbijkwamen. De trein reed onder langdurig gefluit door de moerassen van het strandmeer en dook met volle snelheid een dreunende tunnel van rode rots in, waar het geratel van de wagons ondraaglijk was. Maar na ongeveer een kwartier minderde hij vaart en reed met heimelijk gesnuif de frisse schaduw van de plantages binnen, waar de tijd zich verdichtte en de zeebries niet langer voelbaar was. Ik hoefde mijn lectuur niet te onderbreken om te weten dat we het gesloten koninkrijk van het bananengebied waren binnengereden.

Het was een andere wereld. Links en rechts van de spoorlijn strekten zich symmetrische en onafzienbare paden door de plantages uit, waar ossenkarren vol groene trossen reden. Op ongelegen plekken waar niets was geplant, stonden opeens kampen van rode baksteen, kantoren met zonwering voor de ramen en aan het plafond ventilatoren met wieken, en een ziekenhuis eenzaam in een klaprozenveld. Elke rivier had zijn dorp en zijn ijzeren brug waar de trein luid fluitend overheen reed, en de meisjes die zich in het ijskoude water baadden, sprongen als meivissen op wanneer hij voorbijkwam en brachten de reizigers het hoofd op hol met hun vluchtige borsten.

In het dorpje Riofrío stapten enkele Arawak-families in met rugzakken die uitpuilden van de avocado's uit de bergen, de lekkerste van het land. Ze liepen met sprongetjes door de wagon heen en weer op zoek naar een plaatsje, maar toen de trein zijn reis hervatte gingen er alleen twee blanke vrouwen met een pasgeboren baby en een jonge pater mee. De baby bleef de rest van de reis huilen. De pater droeg laarzen en een helm als een ontdekkingsreiziger, en een priestergewaad van grof linnen met vierkante verstellappen, als een zeeziekmakend scheepszeil, en terwijl de baby huilde praatte hij de hele tijd alsof hij op de kansel stond. Het onderwerp van zijn preek was de vraag of de bananenmaatschappij zou terugkeren. Sinds die was vertrokken, werd er nergens anders over gesproken in het gebied. Er waren twee kampen, sommige mensen wilden wel en andere wilden niet dat de maatschappij terugkwam, maar iedereen wist zeker dat het zou gebeuren. De pater was ertegen en daar had hij een geheel eigen redenatie voor, die de vrouwen onzinnig vonden: 'Overal waar de maatschappij komt blijft een puinhoop achter.'

Dit was het enige originele wat hij zei, maar hij kon het niet verder uitleggen, en de vrouw met de baby maakte hem uiteindelijk helemaal in de war met het argument dat God het niet met hem eens kon zijn.

Het heimwee had, zoals altijd, de slechte herinneringen uitgewist en de goede mooier gemaakt. Niemand kon aan de verwoestende werking ervan ontsnappen. Van achter het raam in de trein zag je mannen in hun huisdeur zitten en je hoefde hun gezicht maar te zien om te weten waar ze op hoopten. De vrouwen die de was deden op de salpeterstranden keken met dezelfde verwachting naar de voorbijrijdende trein. Van elke vreemdeling die daar met een aktetas aankwam, dachten ze dat het de man van de United Fruit Company was die het verleden kwam herstellen. Tijdens elke ontmoeting, bij elke visite en in elke brief doken vroeg of laat de sacramentele woorden op: 'Ze zeggen dat de maatschappij terugkomt.' Niemand wist wie het gezegd had of wanneer of waarom, maar niemand trok het in twijfel.

Mijn moeder dacht dat ze geen last meer had van spookverschijningen omdat ze, toen haar ouders overleden waren, alle banden met Aracataca had verbroken. Haar dromen verraadden haar echter. Als ze er al een had gehad die volgens haar de moeite waard was om aan het ontbijt te vertellen, bleek dat hij altijd iets te maken had met haar heimwee naar het bananengebied. Ze had de moeilijkste tijden overleefd zonder het huis te verkopen, in de hoop dat ze er wel viermaal meer voor kon krijgen wanneer de maatschappij terugkeerde. Uiteindelijk was ze bezweken voor de ondraaglijke druk van de werkelijkheid. Toen ze de pater in de trein echter hoorde zeggen dat de maatschappij op het punt stond terug te keren, maakte ze een gebaar van verslagenheid en fluisterde me in het oor:

'Jammer dat we niet een tijdje langer kunnen wachten om het huis voor nog meer geld te verkopen.'

Terwijl de pater aan het woord was, passeerden we een dorp waar een grote menigte op het plein stond, en ook een muziekkorps dat in de verzengende zon een vrolijke taptoe blies. Ik vond die dorpen er altijd allemaal precies hetzelfde uitzien. Toen Papalelo me meenam naar de nieuwe bioscoop van don Antonio Daconte, de Olympia, zag ik dat de treinstations in de cowboyfilms op die van onze trein leken. Later, in de tijd dat ik Faulkner begon te lezen, leken ook de dorpen in zijn romans op de onze. En dat was niet verwonderlijk, want die waren ook gebouwd onder invloed van de Messiaanse inspiratie van de United Fruit Company en vertoonden dezelfde tijdelijke stijl van een doorgangskamp. In mijn herinnering hadden ze allemaal een kerk op het plein en in primaire kleuren geschilderde sprookjeshuisjes. Ik herinnerde me de groepen zwarte dagloners, zingend in de avondschemering, en de schuren op de haciënda's waar de knechten naar de voorbijrijdende treinen zaten te kijken, en de hekken waar de bezopen bananenkappers 's ochtends vroeg hun roes lagen uit te slapen na de hele zaterdagnacht te hebben doorgefeest. Ik herinnerde me de privé-steden van de gringo's in Aracataca en Sevilla, aan de andere kant van de spoorlijn, als reusachtige, onder stroom staande kippenhokken met omheiningen van kippengaas, die op frisse zomerochtenden zwart zagen van de geroosterde zwaluwen. Ik herinnerde me hun lome, blauwe gazons met pauwen en kwartels, hun woonhuizen met rode daken en ramen met tralies ervoor, en ronde tafeltjes met klapstoelen zodat ze op hun terras konden eten tussen stoffige palmbomen en rozenstruiken. Soms zag je door de omheining mooie, kwijnende vrouwen in mousselinen jurken met grote gazen hoeden op, die met gouden scharen bloemen knipten in hun tuinen.

In mijn prille jeugd was het al niet gemakkelijk het ene dorp van het andere te onderscheiden. Maar twintig jaar later was het nog moeilijker, omdat de bordjes die op de stations onder de arcades hingen, met de idyllische namen Tucurinca, Guamachito, Neerlandia, Guacamayal, eraf gevallen waren, waardoor die arcades er nog troosteloozer bij stonden dan in mijn herinnering. De trein stopte om ongeveer halftwaalf in Sevilla, waar hij van locomotief wisselde en nieuw water innam, en dat duurde een kwartier waar geen eind aan leek te komen. Daar begon de hitte. De reis werd hervat en bij elke bocht zond de nieuwe locomotief ons een vlaag kolengruis door het glasloze raam, zodat we met een laagje zwarte sneeuw bedekt werden. De pater en de vrouwen waren in een dorp onderweg uitgestapt zonder dat we het hadden gemerkt, en daardoor werd mijn indruk dat mijn moeder en ik in een niemandstrein reisden nog sterker. Ze zat tegenover mij naar buiten te kijken en was al twee of drie keer in slaap gesukkeld, maar opeens was ze klaarwakker en vuurde opnieuw de gevreesde vraag op me af: 'Wat zal ik nou tegen je vader zeggen?'

Ik dacht dat ze het nooit zou opgeven en dat ze bleef proberen mij in de flank aan te vallen om mijn vastbeslotenheid te breken. Al eerder had ze een paar compromisvoorstellen gedaan, die ik zonder te argumenteren had afgewezen, maar ik wist dat haar terugtocht niet voor lang was. Toch kwam deze nieuwe poging als een verrassing. Voorbereid op een volgende vruchteloze veldslag antwoordde ik rustiger dan de vorige keren: 'Zegt u hem maar dat het enige wat ik wil in mijn leven is schrijver worden, en dat word ik ook.'

'Hij is er niet tegen dat je wordt wat je wilt,' zei ze, 'als je maar ergens in afstudeert.'

Ze keek niet naar me terwijl ze sprak, zogenaamd alsof ons gesprek haar minder interesseerde dan het leven dat langs het raam voorbijkwam.

'Ik begrijp niet waarom u zo aanhoudt, u weet best dat ik niet zal toegeven,' zei ik.

Meteen keek ze me recht in de ogen en vroeg nieuwsgierig: 'Waarom denk je dat ik dat weet?'

'Omdat u en ik hetzelfde zijn,' zei ik.

De trein stopte bij een station zonder dorp en even later reed hij langs de enige bananenplantage waarvan de naam op de toegangspoort stond: *Macondo*. Deze naam was me al opgevallen sinds de eerste reizen met mijn grootvader, maar pas als volwassene ontdekte ik dat ik de poëtische klank ervan mooi vond. Nooit heb ik iemand die naam horen uitspreken, en ik heb me zelfs niet afgevraagd wat hij betekende. Ik had hem al in drie boeken als naam voor een denkbeeldig dorp gebruikt, toen ik toevallig in een encyclopedie las dat het een tropische boom is die op de kapokboom lijkt, alleen draagt hij geen bloemen of vruchten en dient zijn sponzige hout om er kano's en huishoudelijke voorwerpen van te snijden. Later ontdekte ik in de *Encyclopaedia Britannica* dat in Tanganyika het nomadische volk der Makondo's bestaat, en dacht ik dat dit misschien wel de oorsprong van de naam was. Maar ik heb het nooit uitgezocht en ik heb die boom nooit gezien, hoewel ik er vaak naar heb gevraagd in het bananengebied, maar niemand kon me er iets over vertellen. Misschien heeft hij wel nooit bestaan.

De trein kwam altijd om elf uur langs de haciënda Macondo en stopte dan tien minuten later in Aracataca. Op de dag dat ik met mijn moeder meeging om het huis te verkopen, gebeurde dit met een vertraging van anderhalf uur. Ik was op het toilet toen de trein weer vaart begon te maken en door het kapotte raam een hete, droge wind naar binnen kwam, vermengd met het gedender van de oude wagons en het angstaanjagende gefluit van de locomotief. Mijn hart bonkte in mijn borst en een ijskoud gevoel van misselijkheid deed mijn binnenste bevriezen. Snel verliet ik het toilet, voortgedreven door de angst die je voelt tijdens een aardschok, maar ik trof mijn moeder onverstoorbaar op haar plaats, hardop de namen noemend van de plaatsen die ze door het raam voorbij zag komen als snelle flitsen van het leven zoals het was en nooit meer zou zijn.

'Dat zijn de percelen die ze aan je vader verkochten met het verhaal dat er goud zat,' zei ze.

Als een ademtocht vloog het huis van de adventisten voorbij met hun tuin vol bloemen en een bord op de poort: *The sun shines for all.*

'Dat was het eerste wat je leerde in het Engels,' zei mijn moeder.

'Niet het eerste,' zei ik, 'het enige.'

We reden over de betonnen brug en het bevloeiingskanaal met zijn troebele water uit de tijd dat de gringo's de rivier naar hun plantages hadden omgeleid.

'De buurt van de vrouwen uit het leven, waar de mannen tot 's morgens vroeg de cumbiamba* dansten bij het schijnsel van bundels brandende bankbiljetten in plaats van kaarsen,' zei ze.

De bankjes op het pad, de door de zon geschroeide amandelbomen, het park met het montessorischooltje waar ik had leren lezen. Even stond het totale beeld van mijn dorp op een zonnige februarizondag stralend in het treinraam.

'Het station!' riep mijn moeder uit. 'De wereld moet wel veranderd zijn dat er niemand meer op de trein staat te wachten.'

De locomotief staakte zijn gefluit, minderde vaart en bleef met een langdurig gekreun staan. Het eerste wat me opviel was de stilte. Het was een tastbare stilte die ik met geblinddoekte ogen zou herkennen te midden van alle andere stiltes van de wereld. De zindering van de hitte was zo sterk dat je alles als het ware door een golvende ruit zag. Zover het oog reikte was er niets wat aan menselijk leven deed denken, en niets wat niet bedekt was met een zachte dauw van gloeiend stof. Mijn moeder bleef nog enkele minuten zitten kijken hoe het dode dorp er met zijn verlaten straten bij lag, en ten slotte riep ze ontzet uit: 'Mijn god!'

Dat was alles wat ze zei voordat ze uitstapte.

Zolang de trein daar stond, had ik het gevoel dat we niet helemaal alleen waren. Maar toen hij met een onverwacht, hartverscheurend fluitsignaal wegreed, stonden mijn moeder en ik hulpeloos in de helse zon en viel de hele treurnis van het dorp boven op ons. Maar we zeiden niets tegen elkaar. Het oude houten station met zijn zinken dak en doorlopende balkon was de tropische versie van de stations die we uit cowboyfilms kenden. We liepen door het verlaten gebouw, waar de tegels op de grond begonnen te barsten onder de druk van het onkruid, en we doken in de loomheid van de siësta, steeds de beschutting van de amandelbomen zoekend.

Van jongs af verafschuwde ik die levenloze siëstatijd, omdat we niet wisten wat we dan moesten doen. 'Stil jullie, we slapen,' fluisterden de slapenden zonder wakker te worden. Winkels, kantoren, openbare gebouwen en scholen sloten om twaalf uur en gingen niet eerder dan even voor drie uur weer open. Binnen in de huizen leek het een slaapverwekkend vagevuur. Soms was de hitte zo ondraaglijk dat de mensen hun hangmat op de binnenplaats hingen of krukjes tegen de schaduwrijke amandelbomen aan zetten en midden op straat sliepen. De enige gebouwen die openbleven waren het hotel tegenover het station, met zijn bar en biljartzaal, en het telegraafkantoor achter de kerk. Alles was precies zoals in mijn herinnering, maar gekrompen en armoediger, alsof er een fatale windhoos overheen was gegaan: dezelfde door houtworm aangevreten huizen, de zinken daken met roestgaten, het pad met de brokstukken van de granieten bankjes, de treurige amandelbomen, maar alles van gedaante veranderd door het onzichtbare, gloeiend hete stof, waardoor de ogen werden bedrogen en de huid uitdroogde. Het privé-paradijs van de bananenmaatschappij aan de andere kant van de spoorlijn, waar nu geen hek met schrikdraad meer omheen stond, was een uitgestrekt braakland vol onkruid en dorre palmbomen, waar de ingestorte huizen tussen het puin van het afgebrande ziekenhuis en de klaprozen stonden. Er was geen deur of spleet in een muur of menselijk spoor dat geen bovennatuurlijke weerklank vond in mijn hart.

Mijn moeder liep kaarsrecht, met haar snelle pas, nauwelijks zwetend in haar rouwjapon en gehuld in een absolute stilte, maar haar dodelijke bleekheid en haar scherpe profiel verraadden wat er in haar omging. Aan het eind van het pad zagen we het eerste menselijke wezen: een klein, armoedig uitziend vrouwtje verscheen op de hoek van de calle Jacobo Beracaza en passeerde ons met een aluminium pannetje waarvan het deksel het ritme van haar stappen aangaf. Mijn moeder fluisterde zonder naar haar te kijken: 'Dat is Vita.'

Ik had haar herkend. Als klein meisje was ze bij mijn grootouders in de keuken komen werken, en al waren we nog zo veranderd, ze zou ons hebben herkend als ze zich verwaardigd had naar ons te kijken. Maar nee, ze passeerde ons in een andere wereld. Tot op de dag van vandaag vraag ik me af of Vita niet al lang voor die dag was overleden.

Toen we de hoek omsloegen, brandde het stof onder mijn voeten door het weefsel van mijn sandalen heen. Mijn gevoel van verlatenheid werd bijna ondraaglijk. Op dat moment bekeek ik mezelf en mijn moeder met dezelfde ogen als waarmee ik als kind de moeder en de zuster van de dief had gezien, die een week eerder door María Consuegra was neergeschoten toen hij de deur van haar huis probeerde te forceren.

Om drie uur 's nachts was ze wakker geworden doordat iemand die vanbuiten haar voordeur probeerde open te breken zo'n lawaai maakte. Ze stond op zonder het licht aan te doen, zocht op de tast in de klerenkast naar een oude revolver die niemand sinds de Oorlog van Duizend Dagen* meer had afgevuurd, en lokaliseerde in het donker niet alleen de deur maar ook precies de hoogte van het slot. Ze pakte het wapen met beide handen vast, richtte, sloot haar ogen en haalde over. Ze had nog nooit geschoten, maar het was een schot in de roos, dwars door de deur.

Het was de eerste dode die ik zag. Toen ik daar 's ochtends om zeven uur op weg naar school langsliep, lag het lichaam nog uitgestrekt op de stoep, op een droge bloedvlek, het gezicht gehavend door de kogel, die de neus eraf had geschoten en via een oor het hoofd had verlaten. De man droeg een zeemanshemd met kleurige strepen en een oude broek met een touw eromheen in plaats van een riem, en hij had geen schoenen aan. Naast hem op de grond werd de zelfgemaakte loper gevonden waarmee hij had geprobeerd het slot te forceren.

De notabelen van het dorp gingen naar María Consuegra's huis om haar te condoleren met het feit dat ze de dief had gedood. Ik ging er die avond met Papalelo naartoe en we troffen haar in een rieten stoel, die op een reusachtige pauw leek, te midden van haar opgewonden vrienden die het al duizend keer vertelde verhaal aanhoorden. Iedereen was het met haar eens dat ze louter uit angst had geschoten. Mijn grootvader vroeg haar bij die gelegenheid of ze iets had gehoord na het schot, en ze antwoordde dat ze eerst een grote stilte had gehoord, daarna het metalen geluid van de loper die op het cement viel en meteen daarop een dun, gepijnigd stemmetje dat zei: 'O, moeder!' Blijkbaar had María Consuegra deze hartverscheurende weeklacht niet bewust gehoord voordat mijn grootvader haar die vraag stelde. Pas op dat moment barstte ze in tranen uit.

Dit gebeurde op maandag. De dinsdag een week daarna was ik aan het tollen met Luis Carmelo Correa, mijn oudste vriend, toen het ons opviel dat de slapers voortijdig wakker werden en voor de ramen verschenen. In de verlaten straat zagen we een vrouw in zware rouw en een meisje van ongeveer twaalf dat een bosje verlepte bloemen met een krant eromheen in haar hand hield. Ze beschermden zich met een zwarte paraplu tegen de brandende zon, zich er totaal niet van bewust dat de mensen zo ongegeneerd naar hen stonden te kijken. Het waren de moeder en het jongste zusje van de dode dief, die met bloemen naar zijn graf gingen.

Dat beeld heeft me jarenlang achtervolgd als een gemeenschappelijke droom die het hele dorp door de ramen voorbij zag komen, tot de dag dat het me lukte het uit te drijven door middel van een verhaal. De omvang van het drama van die vrouw en het meisje en de onverstoorbare waardigheid van hun houding begreep ik pas echt op de dag dat ik met mijn moeder het huis ging verkopen en mezelf, tot mijn verrassing, op datzelfde uur van de dood door diezelfde straat zag lopen.

'Ik heb het gevoel alsof ík de dief was,' zei ik.

Mijn moeder begreep me niet. Sterker nog, toen we langs het huis van María Consuegra liepen keek ze niet eens naar de deur, waarop je nog het stukje hout kon zien waarmee het kogelgat was gerepareerd. Toen we jaren later herinneringen ophaalden aan die reis, stelde ik vast dat ze zich de tragedie wel degelijk herinnerde, maar er haar hele ziel en zaligheid voor zou hebben gegeven om die te vergeten. Dit werd nog duidelijker toen we langs het huis kwamen waar don Emilio had gewoond, beter bekend als de Belg, een veteraan uit de Eerste Wereldoorlog die zijn beide benen was kwijtgeraakt op een mijnenveld in Normandië, en die zich op een pinksterzondag met behulp van een rookoffer van goudcyanide* in veiligheid had gebracht voor de kwellingen van het geheugen. Ik was niet ouder dan zes, maar ik herinner me nog als de dag van gisteren wat een ophef dat bericht om zeven uur 's morgens veroorzaakte. Het was zo'n gedenkwaardige gebeurtenis dat mijn moeder op de dag dat we, twintig jaar later, in het dorp terugkeerden om het huis te verkopen, eindelijk het stilzwijgen verbrak.

'Die arme Belg,' zei ze zuchtend. 'Zoals jij al zei, hij heeft nooit meer een partij schaak gespeeld.'

We waren van plan rechtstreeks naar ons huis te gaan. Maar toen we vlakbij waren, bleef mijn moeder opeens staan en ging een zijstraat in.

'Laten we maar hierlangs gaan,' zei ze. Op mijn vraag waarom antwoordde ze: 'Omdat ik bang ben.'

Nu snapte ik ook de reden van mijn misselijkheid: het was angst, niet alleen voor de confrontatie met mijn spoken, maar angst voor alles. Dus liepen we door een parallelstraat om een omweg te maken, met als enige reden niet langs ons huis te hoeven. 'Ik had niet de moed het huis te zien als ik niet eerst iemand had gesproken,' zou mijn moeder later zeggen. Zo ging het. Zonder enige waarschuwing vooraf sleurde ze mij bijna de apotheek van dokter Alfredo Barboza binnen, een huis op de hoek, op ongeveer honderd passen van het onze.

Adriana Berdugo, de vrouw van de dokter, zat zo geconcentreerd te werken achter haar primitieve Domestic-handnaaimachine, dat ze pas merkte dat mijn moeder voor haar stond toen ze bijna fluisterend zei: 'Comadre.'*

Adriana keek op, haar blik vervormd door de dikke glazen van haar presbyterianenbril. Ze zette hem af, aarzelde even en sprong toen overeind met gespreide armen en de gesmoorde kreet: 'O, comadre!'

Mijn moeder was al achter de toonbank en zonder nog iets

te zeggen omhelsden ze elkaar huilend. Ik bleef aan de andere kant van de toonbank naar hen staan kijken en wist niet wat ik moest doen, ik was geschokt omdat ik zeker wist dat die lange omhelzing met stille tranen iets onherstelbaars was dat plaatsvond in mijn eigen leven en dat voor de eeuwigheid was.

Dit was de beste apotheek geweest in de tijd van de bananenmaatschappij, maar van het hele assortiment uit de apotheek van vroeger waren in de kale kasten nog maar een paar porseleinen potjes met opschriften in vergulde letters over. De naaimachine, de balans, de mercuriusstaf, de pendule-klok, die het nog altijd deed, het stukje linoleum met de eed van Hippocrates erop, de uit elkaar vallende schommelstoelen, alle dingen die ik als kind had gezien waren nog hetzelfde en stonden nog op dezelfde plaats, maar ze waren van gedaante veranderd door de tand des tijds.

Adriana zelf was ook een slachtoffer. Ze droeg weliswaar nog net als vroeger een jurk met grote tropische bloemen erop, maar er was nauwelijks nog iets te merken van haar kracht en het gevoel voor humor waarom ze zo beroemd was geweest toen ze al ver in de vijftig was. Het enige wat nog ongeschonden om haar heen hing was haar valeriaangeur, waar de katten dol op waren en waar ik de rest van mijn leven aan terugdacht met een gevoel alsof ik schipbreuk had geleden.

Toen Adriana en mijn moeder geen tranen meer hadden, klonk er een kort, zwaar gehoest achter de houten wand die ons van de kamer achter de winkel scheidde. Adriana kreeg iets van haar ondeugendheid van vroeger terug en zei met de bedoeling dat het door de wand heen drong: 'Raad eens wie er is, dokter.'

Een schorre stem, van een hard persoon, vroeg ongeïnteresseerd van de andere kant: 'Nou?'

Adriana gaf geen antwoord, maar beduidde ons naar de achterkamer te gaan. Ik verstijfde onmiddellijk door een kinderlijke angst, terwijl mijn mond zich met bleek speeksel vulde, maar toch ging ik met mijn moeder de kleurige ruimte binnen waar vroeger het laboratorium van de apotheker was geweest en die nu ingericht was als noodslaapkamer. Daar lag dokter

Alfredo Barboza, ouder dan alle oude mensen en dieren op de aarde en in het water bij elkaar, op zijn rug in zijn eeuwige hangmat, met blote voeten en in zijn legendarische, ruwkatoenen pyjama, die eerder een boetekleed leek. Hij keek strak naar het plafond, maar toen hij ons binnen hoorde komen draaide hij zijn hoofd om en fixeerde ons net zo lang met zijn doorzichtige gele ogen tot hij mijn moeder herkende.

'Luisa Santiaga!' riep hij uit.

Hij ging rechtop in zijn hangmat zitten als een vermoeid, oud meubelstuk, werd steeds menselijker en groette ons met een snelle druk van zijn gloeiende hand. Hij merkte dat ik daarvan schrok en zei: 'Ik heb al een jaar lang koorts zonder verklaarbare oorzaak.' Toen kwam hij uit de hangmat, ging op het bed zitten en zei in één adem: 'Jullie kunnen je niet voorstellen wat er hier in het dorp allemaal is gebeurd.'

Deze ene zin, waarin een heel leven besloten lag, was voor mij voldoende om hem te zien zoals hij misschien altijd was geweest: een eenzame, treurige man. Hij was lang en mager en had mooi metaalkleurig, slordig geknipt haar, en felle, gele ogen, die de grootste angst van mijn kindertijd waren geweest. Als we 's middags van school kwamen klommen we naar het raam van zijn slaapkamer, aangetrokken door de fascinatie van de angst. Daar lag hij te schommelen in zijn hangmat, grote slingerbewegingen makend om verlichting te zoeken voor de warmte. Ons spel bestond eruit net zo lang naar hem te kijken tot hij het merkte en zich omdraaide om ons met zijn gloeiende ogen opeens aan te kijken.

Ik zag hem voor het eerst toen ik vijf of zes was, toen ik op een ochtend met andere jongens van school naar het achtererf van zijn huis was geslopen om de enorme mango's te stelen die daar aan de bomen hingen. Opeens ging de deur van het houten toilet open, dat in een hoek van het erf was gebouwd, en kwam hij naar buiten terwijl hij nog bezig was zijn linnen onderbroek vast te maken. Ik zag een verschijning uit de andere wereld in een wit ziekenhuishemd, een bleke, magere vent met gele hellehondenogen, die me voor eeuwig en altijd aankeken. De anderen ontsnapten door de openingen in de muur, maar ik stond als versteend onder zijn onbeweeglijke blik, die gericht was op de net van de boom gerukte mango's. Hij stak zijn hand uit.

'Geef hier!' beval hij en terwijl hij me van top tot teen bekeek, voegde hij er met de grootst mogelijke minachting aan toe: 'Binnenplaatsdiefje.'

Ik gooide de mango's voor zijn voeten en ging er als een haas vandoor.

Hij was mijn privé-spook. Als ik alleen op straat liep maakte ik een grote omweg om niet langs zijn huis te hoeven. Als ik met volwassenen liep durfde ik nauwelijks een heimelijke blik op de apotheek te werpen. Ik zag Adriana levenslang tot haar naaimachine veroordeeld achter de toonbank, en ik zag hem door het slaapkamerraam met grote slingerbewegingen schommelen in zijn hangmat, en die aanblik alleen al bezorgde me kippenvel.

Hij was aan het begin van de eeuw in het dorp aangekomen als een van de talloze Venezolanen wie het was gelukt de grens met La Guajira over te steken om aan het wrede regime van Juan Vicente Gómez te ontsnappen. De dokter was een van de eersten die door twee tegengestelde krachten werden meegesleurd: de wreedheid van de despoot in eigen land en de illusie van de bananenvoorspoed in het onze. Hij verwierf zich na zijn komst direct een goede naam dankzij zijn klinische oog, zoals men in die tijd zei, en door zijn goedhartigheid. Hij was een van de trouwste bezoekers van het huis van mijn grootouders, waar de tafel altijd gedekt stond, ook al wist niemand wie er met de trein meekwam. Mijn moeder was peettante van zijn oudste zoon, en mijn grootvader leerde hem zijn vleugels uit te slaan. Ik groeide op te midden van hen, zoals ik later verder groeide te midden van de ballingen uit de Spaanse Burgeroorlog.

De laatste sporen van de angst die deze vergeten paria mij als kind had aangejaagd, waren opeens verdwenen toen mijn moeder en ik naast zijn bed zaten en de details hoorden van de tragedie die de dorpelingen had getroffen. Hij had een enorme verbeeldingskracht, zodat alles wat hij vertelde zichtbaar leek te worden in de smoorhete kamer. De oorzaak van alle ellende was natuurlijk de moord op de arbeiders door het openbaar gezag, maar er bestond nog altijd twijfel over de historische waarheid: ging het om drie of drieduizend doden? Misschien waren het er niet zoveel geweest, zei hij, maar iedereen verhoogde het aantal naargelang zijn eigen verdriet. De maatschappij was nu voorgoed vertrokken.

'Gringo's komen nooit terug,' was zijn conclusie.

Eén ding was zeker: ze hadden alles meegenomen, het geld, de decemberbriesjes, het broodmes, de donderslag van drie uur 's middags, de geur van de jasmijn en de liefde. Wat overbleef waren de stoffige amandelbomen, de blikkerende straten, de houten huisjes met hun verroeste zinken daken en hun zwijgzame, door de herinneringen verpletterde bewoners.

De eerste keer die middag dat de dokter aandacht aan me schonk, was toen hij zag dat ik me verbaasde over een kletterend geluid, alsof er verspreide regendruppels op het zinken dak vielen. 'Dat zijn de aasgieren,' zei hij. 'Die lopen de hele dag over de daken.' Vervolgens wees hij met een trage wijsvinger naar de gesloten deur en concludeerde: 'In de nacht is het veel erger, dan hoor je de doden door de straten lopen.'

Hij nodigde ons uit voor het middageten en daar was geen bezwaar tegen, omdat de kwestie van het huis louter een formele was. De huurders waren zelf de kopers, en over de details was al overeenstemming bereikt via de telegraaf. Zouden we tijd genoeg hebben?

'Meer dan genoeg,' zei Adriana. 'Tegenwoordig weet je niet eens meer hoe laat de trein teruggaat.'

Dus gebruikten we een eenvoudige inheemse maaltijd met hen. Dat had niets met armoede te maken, maar met een dieet van soberheid dat hij niet alleen zichzelf en aan tafel voorschreef, maar bij alle handelingen in het leven. Vanaf mijn eerste hap soep had ik het gevoel dat er een hele ingeslapen wereld in mijn geheugen wakker werd. Smaken die de mijne waren geweest toen ik klein was en die ik was kwijtgeraakt sinds ik het dorp had verlaten, kwamen ongeschonden terug met elke lepel soep die ik nam, en mijn hart kromp.

Vanaf het begin van het gesprek voelde ik me tegenover de dokter weer even oud als toen ik hem stond uit te lachen voor zijn slaapkamerraam, en vandaar dat hij me bang maakte toen hij zich met dezelfde ernst en genegenheid als waarmee hij tegen mijn moeder praatte, tot mij richtte. Wanneer ik me als kind in een moeilijke situatie bevond, probeerde ik mijn verwarring altijd te verbergen door snel aan één stuk door met mijn ogen te knipperen. Die onbeheersbare reflex kwam opeens terug toen de dokter me aankeek. De hitte was nu ondraaglijk geworden. Ik had me een tijdje afzijdig gehouden van het gesprek en me afgevraagd hoe het mogelijk was dat deze vriendelijke, nostalgische oude heer de schrik van mijn kindertijd was geweest. Opeens, na een lange stilte en vanwege een of andere triviale opmerking, keek hij me aan als een glimlachende grootvader.

'Dus jij bent de grote Gabito?' zei hij. 'Wat studeer je?'

Ik verborg mijn verwarring achter een schimmige opsomming van mijn studies: volledige middelbareschoolopleiding, met goede cijfers, op een officieel internaat, twee jaar en een paar maanden chaotische rechtenstudie, en empirische journalistiek. Mijn moeder hoorde me aan en zocht direct steun bij de dokter.

'Stelt u zich even voor, compadre,' zei ze, 'hij wil schrijver worden.'

De ogen van de dokter begonnen te glimmen.

'Wat geweldig, comadre!' zei hij. 'Een geschenk uit de hemel.' Hij wendde zich tot mij: 'Poëzie?'

'Romans en verhalen,' zei ik met angst in mijn hart.

Hij werd steeds enthousiaster: 'Heb je *Doña Bárbara* gelezen?'

'Natuurlijk,' antwoordde ik, 'en ook bijna alle andere boeken van Rómulo Gallegos.'*

Als herrezen door een plotseling enthousiasme vertelde hij ons dat hij de schrijver had leren kennen toen deze een lezing gaf in Maracaibo, en het leek hem een auteur die zijn boeken waardig was. Ik moet eerlijk zeggen dat ik in die tijd, onder invloed van de veertig graden koorts die de sagen van de Mississippi me bezorgden, de gebreken van onze inheemse romans begon in te zien. Maar ik vond het een wonder dat de communicatie met de man die de schrik van mijn kindertijd was geweest, zo eenvoudig en hartelijk verliep en daarom onderschreef ik zijn enthousiasme liever. Ik vertelde hem over 'De Giraf', zo heette mijn dagelijkse column in *El Heraldo*, en ik gunde hem de primeur dat we erover dachten binnenkort een tijdschrift te publiceren waar we grote verwachtingen van hadden. Ik voelde me nu veel zekerder en vertelde hem over het plan en noemde zelfs al de naam: *Crónica*.

Hij bekeek me onderzoekend van top tot teen.

'Ik weet niet hoe je schrijft,' zei hij, 'maar je praat al als een schrijver.'

Mijn moeder vertelde hem haastig hoe de vork in de steel zat: niemand was erop tegen dat ik schrijver werd, mits ik eerst een academische titel haalde om een goede basis te hebben. De dokter bagatelliseerde dit alles en sprak over schrijverscarrières. Hij had zelf ook schrijver willen worden, maar zijn ouders dwongen hem, met dezelfde argumenten als mijn moeder, medicijnen te studeren toen het hun niet was gelukt hem over te halen militair te worden.

'Kijkt u eens, comadre,' zei hij tot slot. 'Ik ben dokter geworden en ik zit hier voor u, maar ik heb er geen idee van hoeveel van mijn patiënten zijn gestorven door Gods wil en hoeveel door mijn medicijnen.'

Mijn moeder voelde dat ze had verloren.

'Het ergste is dat hij zijn rechtenstudie heeft opgegeven, na alle offers die we voor hem hebben gebracht.'

Maar dit leek de dokter juist het fantastische bewijs van een alles meesleurende roeping: de enige kracht die in staat was de liefde haar rechten te betwisten. En met name de artistieke roeping, de geheimzinnigste van allemaal, waar je je leven totaal aan wijdde zonder iets terug te verwachten.

'Het is iets wat je in je hebt vanaf je geboorte, en zoiets te dwarsbomen is funest voor de gezondheid,' zei hij. En ter afronding, met de charmante glimlach van een verstokte vrijmetselaar: 'Al was het de roeping om priester te worden.'

Ik was helemaal verrukt over de manier waarop hij iets had uitgelegd wat mij nooit was gelukt. Mijn moeder was het kennelijk met hem eens, want ze keek me in lome stilte aan en koos eieren voor haar geld.

'Wat zou de beste manier zijn om dit allemaal aan je vader te vertellen?' vroeg ze.

'Zoals we het net hebben gehoord,' zei ik.

'Nee, dat levert niets op,' zei ze. En nadat ze nogmaals had nagedacht concludeerde ze: 'Maak je maar geen zorgen, ik vind wel een goede manier om het hem te vertellen.'

Ik weet niet of ze het zo heeft gedaan of op een andere manier, maar dit was het einde van ons debat. De klok gaf het uur aan met twee slagen als twee druppels glas. Mijn moeder schrok. 'Mijn god,' zei ze. 'Ik was helemaal vergeten waarvoor we hierheen zijn gekomen.' Ze stond op. 'We moeten gaan.'

Op het eerste gezicht had het huis aan de overkant weinig te maken met mijn herinnering eraan en helemaal niets met mijn gevoelens van heimwee. Ze hadden de twee beschermende amandelbomen omgehakt, die jarenlang een onmiskenbaar herkenningsteken waren geweest, en het huis was blootgesteld aan weer en wind. Wat nog in de brandende zon overeind stond, was niet meer dan een dertig meter lange voorgevel: de helft van cement en met een pannendak, waardoor het deed denken aan een poppenhuis, en de andere helft van ruwe planken. Mijn moeder klopte eerst zachtjes, daarna harder op de gesloten deur en vroeg door het raam: 'Is er iemand?'

De deur ging langzaam op een kiertje open en vanuit het halfdonker vroeg een vrouw: 'Wat wilt u?'

Mijn moeder antwoordde op misschien onbewust autoritaire toon: 'Ik ben Luisa Márquez.'

Daarop ging de voordeur helemaal open en een magere, bleke, in het zwart geklede vrouw keek ons aan vanuit een ander leven. Achter in de kamer zat een oudere man in een invalidenstoel te schommelen. Het waren de huurders die na vele jaren hadden voorgesteld het huis te kopen, maar zij zagen er niet bepaald als kopers uit en het huis was niet in een zodanige staat dat ook maar iemand er belangstelling voor zou hebben. Volgens het telegram dat mijn moeder had ontvangen, stemden de huurders ermee in de helft van de prijs contant te betalen met een door de vrouw ondertekende kwitantie, en de rest in de loop van het jaar af te betalen nadat de papieren waren getekend. Maar niemand herinnerde zich dat er iets over een bezoek was afgesproken. Het enige wat na een lang dovemansgesprek duidelijk werd, was dat er niets was afgesproken. Omdat ze het benauwd kreeg van de onzinnige situatie en de verschrikkelijke hitte, keek mijn moeder badend in het zweet om zich heen en liet zich zuchtend ontvallen: 'Dit arme huis loopt op zijn laatste benen.'

'Het is veel erger,' zei de man. 'Dat het dak nog niet is ingestort, komt doordat wij zoveel geld hebben gespendeerd aan het onderhoud.'

Ze hadden een lijst van reparaties die nog moesten worden uitgevoerd, en van reparaties die ze al van de huur hadden afgetrokken, en uiteindelijk bleek dat wij hún geld schuldig waren. Mijn moeder was altijd snel in tranen, maar ze kon ook een angstaanjagende vastberadenheid vertonen tegenover de valkuilen van het leven. Ze voerde een goede discussie, maar ik bemoeide me er niet mee omdat ik vanaf de eerste aanvaring begreep dat de kopers gelijk hadden. Het telegram was niet duidelijk over het wanneer en het hoe van de verkoop, integendeel, je begreep er juist uit dat ze het daarover nog eens moesten worden. Deze situatie was een typisch voorbeeld van de manie van mijn familieleden om alles naar eigen inzicht te interpreteren. Ik kon me voorstellen hoe de beslissing tot stand was gekomen, aan tafel tijdens het middagmaal, direct nadat het telegram was gearriveerd. Buiten mij waren er tien broers en zusters met dezelfde rechten. Uiteindelijk had mijn moeder hier en daar wat peso's vandaan gehaald, haar schoolkoffertje gepakt en was vertrokken met alleen geld op zak voor de terugreis.

Mijn moeder en de huurster namen de hele zaak nog een keer van het begin af aan door, en binnen een halfuur waren we tot de conclusie gekomen dat de verkoop niet doorging.

Een van de onoverkomelijkheden was dat we waren vergeten dat er nog een hypotheek op het huis rustte, die pas jaren later is afgelost nadat de verkoop eindelijk was beklonken. Dus toen de huurster voor de zoveelste keer hetzelfde zwakke argument wilde herhalen, snoerde mijn moeder, tegen wier wil geen beroep mogelijk was, haar resoluut de mond.

'Het huis wordt niet verkocht,' zei ze. 'We moeten bedenken dat we hier allemaal zijn geboren en gestorven.'

De rest van de middag haalden we, terwijl we op de trein voor de terugreis wachtten, herinneringen op in het spookachtige huis. Het was helemaal van ons, maar alleen het verhuurde deel van het huis, dat aan de straatkant lag en vroeger het kantoor van mijn grootvader was geweest, werd gebruikt. Het restant was een skelet van tussenwanden vol houtworm en roestige zinken daken waar de hagedissen de baas waren. Mijn moeder, die als versteend op de drempel stond, slaakte de stellige kreet: 'Dit is ons huis niet!'

Maar welk huis het dan wel was zei ze niet. Gedurende mijn hele kindertijd werd ons huis op zoveel verschillende manieren beschreven dat het minstens drie huizen waren, die van vorm en betekenis veranderden afhankelijk van de persoon die erover vertelde. Het oorspronkelijke huis was, zoals ik mijn grootmoeder op haar minachtende toon hoorde zeggen, een indianenhut. Het tweede was door mijn grootouders zelf gebouwd en had bamboemuren en een dak van palmbladeren, en bestond uit een ruime zitkamer met goed licht, een terras dat als eetkamer diende met allerlei bloemen in vrolijke kleuren, twee slaapkamers, een binnenplaats met een reusachtige paranotenboom, een fraaie moestuin en een ren met geiten die vreedzaam samenleefden met varkens en kippen. Volgens de meest gehoorde versie van het verhaal was dit huis in de as gelegd doordat er een vuurpijl op het palmbladerendak viel tijdens de viering van Onafhankelijkheidsdag op een twintigste juli, in wie weet welk jaar gedurende al die oorlogen. Het enige wat ervan was overgebleven waren de betonnen vloeren en de twee aangrenzende kamers, met een deur die uitkwam op straat, waar Papalelo zijn kantoor had in de perioden dat hij gemeenteambtenaar was.

Op de nog warme puinhopen had de familie haar definitieve toevluchtsoord gebouwd. Een langwerpig huis met acht kamers achter elkaar aan een galerij met een balustrade met begonia's, waar de vrouwen van de familie op een borduurraam gingen zitten borduren en kletsen in de koelte van de middag. Het waren eenvoudige kamers, die onderling niet verschilden, maar ik hoefde er slechts één blik in te werpen of ik wist dat elk van de ontelbare details een cruciaal moment van mijn leven bevatte.

De eerste kamer diende voor het ontvangen van bezoek en als privé-kantoor van mijn grootvader. Er stonden een cilinderbureau, een draaistoel met springveren, een elektrische ventilator en een lege boekenkast met één heel groot boek erin, dat bijna uit elkaar viel: het woordenboek van de Spaanse taal. Daarnaast was de edelsmidswerkplaats, waar grootvader zijn mooiste uren doorbracht met het vervaardigen van gouden visjes met een beweegbaar lijfje en piepkleine smaragdjes als ogen, die hem meer plezier dan inkomsten opleverden. Hier zijn enkele mensen van naam ontvangen, vooral politici, werkeloze ambtenaren en oorlogsveteranen. Onder anderen, bij verschillende gelegenheden, twee historische bezoekers: de generaals Rafael Uribe Uribe en Benjamín Herrera, die tussen de middag met de familie meeaten. Mijn grootmoeder herinnerde zich de rest van haar leven echter vooral dat Uribe Uribe zo sober was aan tafel: 'Hij at als een vogeltje.'

Kantoor en werkplaats waren, overeenkomstig onze Caribische cultuur, verboden voor vrouwen, net zoals volgens de wet de kroegen in het dorp voor hen verboden waren. Beide kamers veranderden in de loop van de tijd echter in een ziekenkamer, waar tante Petra is gestorven en waar Wenefrida Márquez, de zuster van Papalelo, de laatste maanden van haar langdurige ziekbed doorbracht. Daarna begon het gesloten paradijs van de talloze vrouwen die inwoonden of voor een tijdje op bezoek kwamen toen ik klein was. Ik was de enige man die profiteerde van de voorrechten van beide werelden.

De eetkamer was niet meer dan een iets breder stuk van de

galerij met de balustrade waar de vrouwen altijd gingen zitten borduren, waar een tafel stond voor zestien verwachte of onverwachte eters die elke dag met de trein van tussen de middag aankwamen. Daar stond mijn moeder nu naar de kapotte potten van de begonia's, de verdorde stoppels en de door de mieren aangevreten stam van de jasmijnstruik te kijken, maar daarna kreeg ze weer moed.

'Soms konden we amper ademhalen door de hete geur van de jasmijnbloemen,' zei ze terwijl ze naar de verblindende hemel keek, en vervolgens verzuchtte ze uit het diepst van haar hart: 'Maar wat ik sindsdien het meest heb gemist is de donderslag van drie uur 's middags.'

Dit trof me, want ik herinnerde me ook nog altijd die daverende klap waardoor we uit onze siësta wakker schrokken als door een regen van stenen, maar ik had me nooit gerealiseerd dat hij alleen om drie uur plaatsvond.

Na de eetkamer kwam een ontvangstruimte, die alleen voor speciale gelegenheden bestemd was, want dagelijkse bezoekers werden in het kantoor ontvangen, met ijskoud bier als het mannen waren, of op de galerij met de begonia's als het vrouwen betrof. Daarna begon de mythische wereld van de slaapkamers. Eerst die van mijn grootouders, met een grote deur die op de tuin uitkwam, en een houtgravure van bloemen, met het jaartal van de bouw van het huis erop, 1925. In die kamer bezorgde mijn moeder mij een geweldige verrassing toen ze, zonder enige aankondiging, triomfantelijk uitriep: 'En hier ben jij geboren!'

Tot dan toe wist ik dat niet of was ik het vergeten, maar in de volgende kamer vonden we de wieg waar ik tot mijn vierde in had gelegen en die mijn grootmoeder altijd had bewaard. Ik was hem vergeten, maar zodra ik hem zag herinnerde ik me mezelf in mijn nieuwe hansopje met blauwe bloemetjes, dat ik voor het eerst aanhad, brullend tot er iemand zou komen om me van mijn poepluier te bevrijden. Ik kon nog nauwelijks staan en klampte me vast aan de spijlen van de wieg, die zo klein en breekbaar was als het mandje van Mozes. Dit verhaal is voor familieleden en vrienden regelmatig aanleiding tot discussie en spot, omdat ze mijn angst van toen veel te rationeel vinden voor iemand die nog zo jong was. En des te meer wanneer ik blijf volhouden dat het motief voor die benauwenis niet zozeer de walging voor mijn eigen uitwerpselen was, als wel de angst dat ik mijn nieuwe hansop vuil zou maken. Met andere woorden, er was geen sprake van een hygiënisch vooroordeel, maar van een esthetisch probleem, en gezien de vorm waarin dit verhaal in mijn geheugen is opgeslagen, denk ik dat dit mijn eerste ervaring als schrijver is geweest.

In die slaapkamer bevond zich ook een altaar met levensgrote heiligenbeelden, die realistischer en geheimzinniger waren dan die in de kerk. Daar sliep tante Francisca Simodosea Mejía, een nicht van mijn grootvader, die we tante Mama noemden en die nadat haar ouders waren overleden, bij ons in huis woonde en er de scepter zwaaide. Ik sliep in de hangmat naast haar, doodsbang voor de knipogende heiligen in het schijnsel van het lampje van Jezus, dat pas uitging toen iedereen dood was. Later ben ik te weten gekomen dat mijn moeder daar als ongetrouwde vrouw ook heeft geslapen, gekweld door angst voor de heiligen.

Aan het eind van de gang waren twee kamers waar ik niet mocht komen. In de eerste kamer woonde mijn nicht Sara Emilia Márquez, een dochter van mijn oom Juan de Dios van vóór zijn huwelijk, die door mijn grootouders werd opgevoed. Ze bezat van jongs af niet alleen een natuurlijke elegantie, maar ook een sterke persoonlijkheid, en zij stimuleerde als eerste mijn literaire honger met haar prachtige collectie verhalenbundels van Calleja* met kleurenillustraties. Ik mocht er echter nooit aankomen, omdat ze bang was dat ik ze vies zou maken. Dit was mijn eerste bittere teleurstelling als schrijver.

De laatste kamer was een opslagplaats voor afgedankte spullen en koffers, die jarenlang mijn nieuwsgierigheid wekten, maar waar ik nooit in mocht snuffelen. Later kwam ik erachter dat daar ook de zeventig po's stonden die mijn grootouders hadden gekocht toen mijn moeder haar klasgenootjes had uitgenodigd om de vakantie bij haar thuis door te brengen.

Tegenover die twee vertrekken was op de galerij zelf de grote keuken, waar primitieve verplaatsbare kachels van zwartgeblakerde steen stonden, en de grote oven van mijn grootmoeder, die van beroep brood- en banketbakster was en wier karamelbeestjes de vroegeochtendlucht doordrenkten met hun smakelijke geur. Dit was het koninkrijk van de vrouwen die in ons huis woonden of er in dienst waren, en die samen met mijn grootmoeder in koor zongen terwijl ze haar bij haar talloze werkzaamheden hielpen. Een andere stem was die van de honderdjarige Lorenzo de Geweldige, een van mijn overgrootouders geërfde papegaai die leuzen riep tegen Spanje en liederen uit de Onafhankelijkheidsoorlog zong. Hij was zo bijziend dat hij in de soeppan was gevallen, waar hij als door een wonder uit gered was omdat het water nog maar net warm begon te worden. Een keer zette hij op onze nationale feestdag op 20 juli, om drie uur 's middags, met panisch gekrijs het huis op stelten: 'De stier, de stier! Daar komt de stier!'

Alleen de vrouwen waren thuis, want de mannen waren naar het stierengevecht ter ere van Onafhankelijkheidsdag. Zij dachten dat het geschreeuw van de papegaai niets anders dan een aanval van seniele dementie was. De vrouwen, die met hem konden communiceren, snapten pas wát hij schreeuwde toen een uit de stallen van de arena ontsnapte stier, loeiend als de fluit van een stoomschip, de keuken binnenstormde en zich blindelings op het meubilair in de bakkerij en de pannen op het vuur stortte. Ik liep tegen de wervelwind van angstige vrouwen in en zij tilden me op en sloten mij en zichzelf op in de provisiekamer. Het gebrul van de in de keuken verdwaalde stier en het gebonk van zijn hoeven op het beton van de galerij deden het huis op zijn grondvesten schudden. Opeens verscheen hij voor een bovenlicht en mijn bloed stolde toen ik de vurige damp uit zijn neusgaten en zijn grote, blooddoorlopen ogen zag. Terwijl de picadors hem weer naar de stal terugbrachten, was thuis het feest ter ere van deze dramatische gebeurtenis al begonnen. Het duurde meer dan een week en er kwamen eindeloze hoeveelheden koffie en bruidstaarten aan te pas ter opluistering van het duizendmaal herhaalde en steeds heldhaftiger verhaal van de opgewonden vrouwen die het hadden overleefd.

De binnenplaats oogde niet zo ruim, maar er stond een grote verscheidenheid aan bomen, er was een badkamer voor algemeen gebruik, zonder dak en met een betonnen reservoir voor het regenwater, en een verhoging waar je via een wankele, ongeveer drie meter hoge trap naartoe moest klimmen. Daar stonden de twee grote tonnen die mijn grootvader bij het aanbreken van de dag met een handpomp vulde. Nog wat verderop lagen de van ruwhouten planken gebouwde paardenstal en de kamers van de dienstmeisjes, en als laatste het enorme achtererf met fruitbomen en de enige latrine, waar de indiaanse vrouwen die bij ons werkten dag en nacht alle po's uit het huis leegden. De meest bladerrijke en gastvrije boom was een paranotenboom, die bezijden de wereld en de tijd stond, met een archaïsch bladerdak waaronder minstens twee gepensioneerde kolonels uit de talloze burgeroorlogen in de vorige eeuw urinerend gestorven moeten zijn.

De familie was zeventien jaar voor mijn geboorte in Aracataca aangekomen, in de tijd dat de United Fruit Company met haar intriges was begonnen om het bananenmonopolie in handen te krijgen. Mijn grootouders hadden hun eenentwintigjarige zoon Juan de Dios bij zich en hun twee dochters Margarita María Miniata de Alacoque van negentien, en Luisa Santiaga, mijn moeder, die toen vijf was. Vóór haar geboorte hadden ze een tweeling verloren, twee meisjes, door een spontane abortus na vier maanden zwangerschap. Toen mijn grootmoeder mijn moeder kreeg, kondigde ze aan dat het haar laatste kind zou zijn, ze was toen al tweeënveertig. Bijna een halve eeuw later zei mijn moeder, op dezelfde leeftijd en in gelijke omstandigheden, precies hetzelfde toen Eligio Gabriel werd geboren, kind nummer elf.

De verhuizing naar Aracataca was door mijn grootouders bedoeld als een reis naar de vergetelheid. Ze hadden als personeel twee Guajiro-mannen* bij zich, Alirio en Apolinar, en een vrouw, Meme, die ze voor honderd peso per persoon in hun geboortestreek hadden gekocht, nadat de slavernij al was afgeschaft. De kolonel bracht alles mee wat hij nodig had om opnieuw te beginnen, zo ver mogelijk van zijn boze herinneringen, gekweld als hij werd door de vreselijke wroeging een man te hebben gedood in een duel om een erekwestie. Hij kende het gebied al van lang daarvoor, uit de tijd dat hij op oorlogscampagne naar Ciénaga onderweg was en als bevelhebber aanwezig was geweest bij de ondertekening van het verdrag van Neerlandia.*

Het nieuwe huis gaf hun echter niet hun rust terug, omdat hun geweten zó kwaadaardig knaagde dat een verdwaalde kleinzoon erdoor zou worden aangestoken. Degene die het vaakst de sterkste herinneringen ophaalde aan die gebeurtenis, op grond waarvan we een geordende versie hadden kunnen maken, was grootmoeder Mina, die toen al blind en half dement was. Te midden van de onverbiddelijke geruchten over de dreigende tragedie was zij echter de enige die pas iets over het duel hoorde nadat het had plaatsgehad.

Het drama speelde zich af in Barrancas, een vreedzaam en welvarend dorp in de uitlopers van de Sierra Nevada, waar de kolonel het vak van edelsmid had geleerd van zijn vader en zijn grootvader, en waarnaar hij was teruggekeerd om er voorgoed te blijven nadat het vredesverdrag was ondertekend. Zijn tegenstander was een reus van een vent die zestien jaar jonger was dan hij, liberaal in hart en nieren, net als hij, militant katholiek, een arme boer die pas was getrouwd en vader van twee kinderen was, met een naam die duidde op een goed mens: Medardo* Pacheco. Wat de kolonel vast het meest betreurde, was dat het niet om een van de talloze anonieme vijanden ging die op de slagvelden zijn pad hadden gekruist, maar om een oude vriend en medestander die als soldaat onder hem had gediend in de Oorlog van Duizend Dagen, en tegen wie hij het nu moest opnemen in een gevecht op leven en dood, terwijl ze allebei dachten dat het eindelijk vrede was.

Dit was voor het eerst dat een geval uit het echte leven mijn schrijversinstinct hevig in beroering bracht, en tot nu toe heb ik het nog niet kunnen kalmeren. Sinds ik de jaren des onderscheids had bereikt, wist ik dat dit drama een grote ramp was voor ons huis, maar de details ervan waren nog in nevelen gehuld. Mijn moeder, die in die tijd nog maar net drie was, herinnerde het zich als een onwaarschijnlijke droom. Als de volwassenen er in mijn bijzijn over spraken, haalden ze alles door elkaar om me op een dwaalspoor te brengen, en ik kon de puzzel nooit goed krijgen omdat beide partijen de stukken naar eigen willekeur neerlegden. De betrouwbaarste versie was dat Medardo Pacheco door zijn moeder was opgehitst om wraak te nemen, omdat haar eer was bezoedeld door een onheuse opmerking die aan mijn grootvader werd toegeschreven. Deze ontkende en zei dat het een leugen was en gaf de beledigden openbare genoegdoening, maar Medardo Pacheco volhardde in zijn wrok en veranderde uiteindelijk van beledigde in belediger door iets heel grofs te zeggen over het gedrag van mijn grootvader als liberaal. Ik heb nooit precies geweten wat het was. Mijn grootvader voelde zich in zijn eer aangetast en daagde hem uit voor een gevecht op leven en dood, zonder datum vast te stellen.

Het was typerend voor de aard van de kolonel dat hij tijd liet verstrijken tussen de uitdaging en het duel. Volledig in het geheim regelde hij zijn zaakjes om de veiligheid van zijn gezin te garanderen, gezien de enige alternatieven die het lot voor hem in petto had: de dood of de gevangenis. Het eerste wat hij deed was, zonder enige haast, de weinige middelen van bestaan verkopen die hij na de laatste oorlog nog overhad: de edelsmidswerkplaats en een kleine haciënda die hij van zijn vader had geërfd en waar hij geiten fokte voor de slacht en een perceel suikerriet verbouwde. Zes maanden lang bewaarde hij het gespaarde geld onder in een kast en wachtte in stilte op de dag die hij voor zichzelf had gekozen: 12 oktober 1908, de herdenkingsdag van de ontdekking van Amerika.

Medardo Pacheco woonde buiten het dorp, maar grootvader wist dat hij die middag niet mocht ontbreken bij de processie van La Virgen del Pilar. Voordat hij het huis verliet om naar hem op zoek te gaan, schreef hij zijn vrouw een korte, tedere brief waarin hij haar vertelde waar hij zijn geld had verstopt en haar enkele laatste instructies gaf voor de toekomst van hun kinderen. Hij legde de brief onder het gemeenschappelijke hoofdkussen, waar zijn vrouw hem ongetwijfeld zou vinden als ze die avond naar bed ging, en zonder van iemand afscheid te nemen ging hij naar buiten, zijn ongeluksuur tegemoet.

Zelfs volgens de minst geloofwaardige versies was het een typische Caribische maandag in oktober met een treurig regentje, laaghangende bewolking en een begrafeniswind. Medardo Pacheco was in zijn zondagse pak een doodlopende steeg ingeslagen toen kolonel Márquez op hem afkwam. Beide mannen waren gewapend. Jaren later zei mijn grootmoeder in haar half demente waanvoorstellingen: 'God gaf Nicolasito de kans het leven van die arme man te sparen, maar hij heeft er geen gebruik van gemaakt.' Dat dacht ze misschien omdat de kolonel haar had verteld dat hij een flits van droefheid in de ogen van zijn verraste tegenstander had zien oplichten. Hij vertelde haar ook dat toen het reusachtige lichaam als een kapokboom in het struikgewas stortte, de man een woordeloos gekreun uitstootte 'als een nat katje'. Volgens de mondelinge overlevering sprak Papalelo een retorische zin uit op het moment dat hij zich aan de burgemeester overgaf: 'De kogel van de eer heeft gewonnen van de kogel van de macht.' Deze uitspraak is geheel overeenkomstig de liberale stijl uit die tijd, maar ik kon hem niet rijmen met de aard van mijn grootvader. Feit is dat er geen getuigen waren. De officiële getuigenissen van mijn grootvader en tijdgenoten van hem uit beide partijen zouden een geautoriseerde verklaring hebben opgeleverd, maar zo er al een rapport was, is er geen spoor meer van te vinden. Onder de talloze versies van deze gebeurtenis die ik tot de dag van vandaag heb gehoord, heb ik er nog geen twee gevonden die overeenstemden.

De gebeurtenis bracht verdeeldheid onder de families van het dorp, ook in die van de dode. Een deel van zijn familie zwoer wraak, maar een ander deel nam Tranquilina Iguarán en haar kinderen in huis tot de dag dat het risico van wraak was verminderd. Deze feiten maakten al zoveel indruk op me toen ik nog klein was, dat ik niet alleen de voorvaderlijke schuld op mijn schouders nam alsof het de mijne was, maar dat ik zelfs nu, terwijl ik dit opschrijf, nog altijd meer medelijden heb met de familie van de dode dan met de mijne.

Voor alle zekerheid werd Papalelo eerst naar Riohacha overgeplaatst en later naar Santa Marta, waar hij tot een jaar werd veroordeeld: zes maanden achter de tralies en zes maanden open regime. Zodra hij weer vrij was, reisde hij met zijn gezin voor korte tijd naar het dorp Ciénaga en vandaar naar Panama, waar hij nog een dochter kreeg van een toevallige geliefde, en tot slot ging hij naar het ongezonde en stugge corregimiento* Aracataca, waar hij werk vond als departementaal belastingophaler. Hij liep nooit meer gewapend over straat, zelfs niet in de dagen van het hevigste bananengeweld, en hij had zijn revolver alleen onder zijn hoofdkussen om het huis te verdedigen.

Aracataca was allesbehalve de rustige plek waar ze van hadden gedroomd na de nachtmerrie met Medardo Pacheco. Oorspronkelijk was het een nederzetting van Chimila-indianen, vervolgens was het met het verkeerde been in de geschiedenis gestapt als afgelegen corregimiento dat onder de gemeente Ciénaga viel. De mensen leefden er zonder God of gebod en het was door de bananenkoorts eerder aan lagerwal geraakt dan rijk geworden. De naam Aracataca is niet de naam van een dorp, maar die van een rivier, *ara* in het Chimila, en *cataca* is de term waarmee door de gemeenschap een baas wordt aangeduid. Dus spreken wij als inboorlingen onder elkaar niet van Aracataca, maar zeggen we zoals het hoort: Cataca.

Toen mijn grootvader zijn familieleden enthousiast probeerde te maken met het fantastische verhaal dat het geld daar voor het oprapen lag, had Mina gezegd: 'Geld is stront van de duivel.' Voor mijn moeder was het dorp het koninkrijk van alle gruwelen. De oudste die ze zich herinnerde van toen ze nog heel klein was, was de sprinkhanenplaag waardoor de oogsten werden verwoest. 'Net of je een storm van steentjes voorbij hoorde komen,' vertelde ze toen we samen het huis gingen verkopen. De doodsbange bevolking moest zich in de huizen verschansen en de ramp kon alleen door hekserij worden bezworen.

In elke tijd van het jaar werden we verrast door droge orkanen, die de daken van hutten bliezen, tegen de jonge bananen tekeergingen en het dorp bedekten met een laagje sterrenstof. Het vee werd 's zomers gekweld door perioden van verschrikkelijke droogte, en in de winter vielen er gigantische regenbuien, waardoor de straten in woeste rivieren veranderden. De gringo-ingenieurs voeren in hun rubberboten tussen verdronken matrassen en dode koeien door. De United Fruit Company, die de wateroverlast veroorzaakte met haar kunstmatige irrigatiesysteem, liet de bedding van de rivier omleiden op de dag dat de lijken op het kerkhof werden opgegraven door zo'n reusachtige zondvloed.

De ergste plaag waren echter de mensen. Een trein die eruitzag als een speelgoedtrein loosde een massa avonturiers uit de hele wereld als afval en dorre bladeren op het gloeiende zand, en zij namen gewapenderhand de macht op straat over. Hun onbesuisde welvaart bracht een ongehoorde demografische groei en sociale chaos met zich mee. Het dorp lag op slechts vijfentwintig kilometer van de strafkolonie Buenos Aires aan de rivier de Fundación, en de gevangenen hadden de gewoonte elk weekend naar Aracataca te ontsnappen om daar angst te zaaien. We begonnen steeds meer op van die opkomende dorpen in wildwestfilms te lijken sinds de hutjes van palmbladeren en bamboestokken van de Chimila-indianen waren vervangen door de houten huizen van de United Fruit Company, met schuine, zinken daken, ramen met zonwering en loodsen versierd met klimplanten met stoffige bloemen. In die wervelwind van onbekende gezichten, eettentjes op de openbare weg, mannen die zich midden op straat verkleedden, vrouwen die onder geopende paraplu's op hutkoffers zaten en muilezels, muilezels en nog eens muilezels die van de honger omkwamen in de stallen van het hotel, waren de mensen die als eersten gekomen waren de laatsten. Wij waren de eeuwige vreemdelingen, de nieuwkomers.

De moordpartijen kwamen niet alleen door de ruzies op zaterdagavond. Op een middag hoorden we geschreeuw op straat en zagen we een man zonder hoofd op een ezel voorbijkomen. Zijn hoofd was tijdens een of andere afrekening op een bananenplantage afgeslagen met een machete en meegesleurd op de stroom van het ijskoude water van het bevloeiingskanaal. Die avond hoorde ik mijn grootmoeder zoals altijd verklaren: 'Zoiets verschrikkelijks, dat kan alleen een cachaco* hebben gedaan.'

Cachacos waren de mensen uit het hoogland, en we onderscheidden hen van de rest van de mensheid niet alleen door hun trage manier van doen en hun slechte uitspraak, maar ook omdat ze zich gedroegen als afgezanten van de Goddelijke Voorzienigheid. We hadden zo'n hekel aan die houding dat we de manschappen die de staking van de bananenarbeiders keihard hadden neergeslagen, niet langer soldaten noemden, maar cachacos. In onze ogen waren zij de enigen die de vruchten plukten van de politieke macht, en velen van hen gedroegen zich alsof dat zo was. Alleen hierdoor is de ontzetting over 'De zwarte nacht van Aracataca' te verklaren, een legendarische slachtpartij waarvan maar zo'n vaag spoor is achtergebleven in de herinnering van de bevolking dat er geen sluitend bewijs is dat ze inderdaad heeft plaatsgevonden.

Het begon op een zaterdag die nog erger was dan de andere zaterdagen, toen een brave dorpsbewoner wiens identiteit niet in de annalen van de geschiedenis is opgenomen, een kroeg binnenstapte en om een glas water vroeg voor het jongetje dat hij aan de hand had. Een vreemdeling die in zijn eentje aan de toonbank stond te drinken, wilde het kind dwingen een slok rum te nemen in plaats van water. De vader probeerde het te verhinderen, maar de vreemdeling drong net zo lang aan tot het kind, van schrik en niet expres, met zijn ene hand het glas drank omgooide. De vreemdeling schoot hem zonder pardon dood.

Dit was een van de spookbeelden uit mijn kindertijd. Papalelo had het er vaak over als we samen een kroeg binnenstapten om iets fris te drinken, maar het klonk dan zo irreëel dat het was alsof hij het verhaal zelf niet geloofde. Het moet kort nadat hij in Aracataca was aangekomen zijn gebeurd, want mijn moeder herinnerde het zich alleen vanwege de ontsteltenis die het bij haar ouders teweeggebracht had. Over de agressor was alleen bekend dat hij hetzelfde gekunstelde accent had als de andere Andesbewoners, en vandaar dat de door het dorp genomen represaillemaatregelen niet alleen tegen hem waren gericht, maar tegen elk van de talloze verafschuwde vreemden die zo spraken. Groepen dorpelingen gingen gewapend met machetes voor het kappen van bananen in het donker de straat op, grepen elke onzichtbare gedaante die ze in de duisternis tegenkwamen, en bevalen hem: 'Praten!'

Louter vanwege zijn uitspraak hakten ze hem in mootjes, zonder ook maar te denken aan de onmogelijke opgave om rechtvaardig te zijn te midden van al die uiteenlopende manieren van spreken. Don Rafael Quintero Ortega, de echtgenoot van mijn tante Wenefrida Márquez en de meest onschuldige en geliefde cachaco die we kenden, heeft nog bijna zijn honderdste verjaardag kunnen vieren, omdat mijn grootvader hem in een provisiekast had opgesloten totdat de gemoederen weer gekalmeerd waren.

Het toppunt van ongeluk voor mijn familie, toen die al twee jaar in Aracataca woonde, was de dood van Margarita María Miniata, het zonnetje in huis. Haar foto, een daguerreotypie, heeft jarenlang in de zitkamer gestaan en haar naam is van generatie op generatie doorgegeven als een van de vele herkenningstekens van de familie. De huidige generaties lijken niet zo ontroerd te worden door dat kleine meisje met haar plooirokje, haar witte laarsjes en de lange vlecht tot haar middel, dat voor hen nooit te rijmen zal zijn met het retorische beeld van een overgrootmoeder. Mijn grootouders leefden echter in een staat van voortdurende waakzaamheid als gevolg van hun gewetenslast en hun gefrustreerde illusies over een betere wereld, en ik heb de indruk dat dit voor hen het meest op vrede leek. Tot de dag van hun dood hebben ze zich overal vreemdelingen gevoeld.

Strikt genomen waren ze dat ook, maar in de mensenmassa's die overal uit de wereld per trein hiernaartoe kwamen, was het moeilijk direct onderscheid te maken. Ook de families Fergusson, Durán, Beracaza, Daconte en Correa waren, net als mijn grootouders en hun kroost, hier vol enthousiasme aangekomen op zoek naar een beter leven. Met die ongeordende mensenstroom bleven er voortdurend Italianen, Canariërs en Syriërs, die we Turken noemden, meekomen die illegaal de grenzen van de Provincie overstaken op zoek naar vrijheid en andere, in hun eigen land verdwenen levenswijzen. Het waren vogels van diverse pluimage. Sommigen waren gevlucht van Duivelseiland, de Franse strafkolonie in Guyana, waar ze vaker om hun ideeën dan vanwege een gewone misdaad naartoe waren gestuurd. Een van hen, René Belvenoit, een Franse journalist die om politieke redenen was veroordeeld, heeft als vluchteling het bananengebied bezocht en in een meesterlijk boek de gruwelen van zijn gevangenschap onthuld. Door al die mensen, zowel de goede als de slechte, was Aracataca van het begin af aan een land zonder grenzen.

Echt onvergetelijk was voor ons de Venezolaanse kolonie, waar op een dag twee jonge studenten logeerden die op vakantie waren, en die 's ochtends vroeg emmers ijskoud water uit het reservoir over elkaars hoofd gooiden: Rómulo Betancourt en Raúl Leoni, die een halve eeuw later na elkaar president van hun land zouden worden. Degene die we van al die Venezolanen het best kenden was mevrouw Juana de Freytes, een opvallende matrone die de bijbelse gave van het vertellen bezat. Het eerste echte korte verhaal dat ik leerde kennen was 'Geneviève de Brabant', dat ik uit haar mond hoorde, evenals alle andere meesterwerken uit de wereldliteratuur die door haar tot kinderverhalen werden teruggebracht: de *Odyssee*, *Orlando Furioso*, *Don Quichot*, *De graaf van Monte-Cristo* en talloze fragmenten uit de bijbel.

De kaste waartoe mijn grootvader behoorde was een van de eerbiedwaardigste en tegelijkertijd de minst machtige. Ze stond zelfs bij de inheemse directeuren van de bananenmaatschappij in aanzien. Het was de kaste der liberale veteranen uit de burgeroorlogen die, nadat de laatste twee verdragen waren gesloten, hier waren blijven wonen in navolging van het goede voorbeeld van generaal Benjamín Herrera, op wiens haciënda Neerlandia in de namiddag melancholieke walsen te beluisteren waren die hij zelf op zijn vredesklarinet speelde.

Mijn moeder groeide op in dat ongezonde oord, waar ze het voorwerp van ieders liefde werd nadat de tyfus een eind had gemaakt aan het leven van Margarita María Miniata. Ook zij was ziekelijk. Als klein meisje werd ze geplaagd door de derdendaagse koorts, maar nadat ze de laatste aanval had overleefd, was ze voor eeuwig en altijd gezond, zodat ze haar zesennegentigste verjaardag heeft kunnen vieren in gezelschap van haar elf kinderen, plus nog vier van haar echtgenoot, en vijfenzestig kleinkinderen, achtentachtig achterkleinkinderen en veertien achterachterkleinkinderen. Niet meegeteld zijn de kinderen van wie het bestaan onbekend is. Ze is op 9 juni 2002, om halfnegen 's avonds, een natuurlijke dood gestorven. We bereidden ons er eigenlijk al op voor dat ze haar eeuwfeest zou halen, en ik zette op diezelfde dag en bijna op hetzelfde uur, een punt achter deze memoires.

Ze was op 25 juli 1905 in Barrancas geboren, toen de familie zich nog maar net van de verschrikking van de oorlogen begon te herstellen. Haar eerste voornaam kreeg ze ter nagedachtenis van Luisa Mejía Vidal, de moeder van de kolonel, die op die dag precies een maand dood was. De tweede voornaam viel haar ten deel omdat het de dag van de apostel Santiago* was, die in Jeruzalem is onthoofd. Ze heeft die naam een halve eeuw verborgen gehouden omdat ze hem mannelijk en opzichtig vond, tot de dag dat een trouweloze zoon zijn moeder in een roman heeft verraden.

Ze was een ijverige leerlinge, behalve tijdens de pianoles, waartoe ze door haar moeder werd gedwongen omdat die zich geen fatsoenlijke jongedame kon voorstellen die geen virtuoze pianiste was. Luisa Santiaga studeerde drie jaar gehoorzaam, maar op een dag hield ze ermee op omdat ze de dagelijkse vingeroefeningen tijdens het hete siësta-uur zo vervelend vond. De enige eigenschap waar ze iets aan had in de bloei van haar twintig jaar, op de dag dat haar familie ontdekte dat ze smoorverliefd was op de jonge, trotse telegrafist van Aracataca, was haar sterke karakter.

De geschiedenis van deze gedwarsboomde liefde was ook een van de dingen waarover ik me al verbaasde toen ik jong was. Omdat ik mijn ouders het verhaal zo vaak heb horen vertellen, samen of ieder apart, had ik het bijna compleet toen ik op mijn zevenentwintigste *Afval en dorre bladeren* schreef, mijn eerste roman. Ik realiseerde me echter wel dat ik nog veel moest leren over de kunst van het romanschrijven. Ze waren allebei uitstekende vertellers, met een gelukkige herinnering aan de liefde, maar door hun verhalen raakten ze zo opgewonden dat ik de grens tussen leven en poëzie niet meer kon onderscheiden toen ik, al over de vijftig, eindelijk besloot er gebruik van te maken voor *Liefde in tijden van cholera*.

Volgens mijn moeders versie hadden ze elkaar voor het eerst ontmoet tijdens de dodenwake voor een kind van wie ze me geen van beiden meer precies konden zeggen wie het was. Ze stond op de binnenplaats met haar vriendinnen te zingen, want het was gebruikelijk om de negen nachten der onschuldigen door te brengen met liefdesliedjes, toen zich opeens een mannenstem bij het koor voegde. Ze keken allemaal om en stonden versteld van zijn knappe verschijning. 'Laten we met hem gaan trouwen,' zongen ze als refrein, ritmisch in hun handen klappend. Mijn moeder was niet zo van hem onder de indruk en dat zei ze ook: 'Hij leek me gewoon weer zo'n vreemdeling.' Dat was hij ook, want hij was net aangekomen uit Cartagena de Indias, waar hij wegens geldgebrek zijn studie medicijnen en farmacie had afgebroken. Sindsdien leidde hij als telegrafist, zijn nieuwe beroep, een vrij onbeduidend leventje in verschillende dorpen in de regio. Op een foto uit die tijd heeft hij het dubbelzinnige uiterlijk van een arm rijkeluiszoontje. Hij droeg een donker tafzijden pak met een jasje met vier knopen dat sterk getailleerd was volgens de mode in die tijd, een stijve boord, een brede das en een strooien hoed. Hij droeg tevens een modieuze, ronde bril met een smal montuur en onbewerkte glazen. In de ogen van de mensen die hem in die periode kenden, was hij een bohémien, een nachtbraker en een rokkenjager, maar de man heeft gedurende zijn hele, lange leven geen druppel alcohol gedronken en geen sigaret gerookt.

Dit was de eerste keer dat mijn moeder hem zag. Maar híj had haar 's zondags tijdens de mis van acht uur al gezien, bewaakt door tante Francisca Simodosea, haar chaperonne sinds ze van de middelbare school af was. De dinsdag daarop had hij hen opnieuw gezien toen ze onder de amandelbomen in de huisdeur zaten te borduren, en vandaar dat hij op de avond van de dodenwake al wist dat ze de dochter van kolonel Nicolás Márquez was, voor wie hij enkele aanbevelingsbrieven bij zich had. Zij wist sindsdien ook dat hij ongetrouwd en licht ontvlambaar was, en dat hij direct succes had door zijn onuitputtelijke woordenstroom, zijn poëtische behendigheid, de elegantie waarmee hij danste op de muziek die in de mode was, en de opzettelijke sentimentaliteit van zijn vioolspel. Mijn moeder vertelde me altijd dat je je tranen niet kon inhouden als je hem bij het krieken van de dag hoorde spelen. Zijn visitekaartje in de societykringen was 'Toen het bal ten einde was', een doodvermoeiende romantische wals die hij op zijn repertoire had staan en die bij geen enkele serenade mocht ontbreken. Door deze hartverwarmende vrijgeleiden en zijn persoonlijke innemendheid stonden de deuren van ons huis voor hem open en zat hij dikwijls aan bij de middagmaaltijd in familiekring. Tante Francisca, die uit Carmen de Bolívar kwam, adopteerde hem zonder enig voorbehoud zodra ze hoorde dat hij in Sincé was geboren, vlak bij haar geboortedorp. Luisa Santiaga vermaakte zich tijdens de dansfeesten met zijn verleiderskunsten, maar het kwam nooit bij haar op dat hij iets meer wilde. Integendeel, hun goede verstandhouding bleek uit het feit dat zij als dekmantel diende voor zijn geheime liefde voor een klasgenote van haar, en dat ze ermee instemde zijn peettante te zijn bij hun huwelijk. Sindsdien noemde hij haar peettante en zij hem peetzoon. Des te begrijpelijker was de verbijstering van Luisa Santiaga toen de vermetele telegrafist op een avond tijdens het dansen de bloem die hij in zijn knoopsgat droeg, eruit haalde en tegen haar zei: 'Met deze roos geef ik u mijn leven.'

Het was niet geïmproviseerd, zei hij me heel vaak, maar nadat hij alle vrouwen had leren kennen, was hij tot de conclusie gekomen dat Luisa Santiaga voor hem was geschapen. Ze vatte de roos op als een galante grap zoals hij er zoveel uithaalde met zijn vriendinnen. En dat ging zo ver dat ze de roos vergat toen ze wegging, maar hij zag het. Ze had één geheime vrijer gehad, een mislukte dichter en een goede vriend, wie het nooit was gelukt tot haar hart door te dringen met zijn vurige verzen. Maar de roos van Gabriel Eligio bezorgde haar een onverklaarbare woede, waardoor ze onrustig sliep. Tijdens ons eerste serieuze gesprek over haar liefdesleven, in een tijd dat ze al een heel stel kinderen had, bekende ze: 'Ik kon niet slapen, omdat ik zo razend was dat ik de hele tijd aan hem moest denken, maar wat me nog veel razender maakte was dat ik, hoe razender ik werd, steeds meer aan hem moest denken.' De rest van de week kon ze de angst hem terug te zien en de kwelling hem niet terug te zien nauwelijks onderdrukken. Zij die elkaar eerst als peettante en peetzoon hadden bejegend, gingen nu met elkaar om alsof ze onbekenden waren. Op een middag zaten ze onder de amandelbomen te borduren, toen tante Francisca met haar indiaanse valsheid veelbetekenend tegen haar nichtje zei: 'Ik heb gehoord dat je een roos hebt gekregen.'

Zoals dat meestal gaat zou Luisa Santiaga de laatste zijn die te weten kwam dat de stormen in haar hart reeds publiek geheim waren. Uit de talloze gesprekken die ik met haar en met mijn vader heb gevoerd, bleek dat ze het erover eens waren dat drie beslissende gebeurtenissen tot de coup de foudre hadden geleid. De eerste vond plaats op een Palmzondag tijdens de hoogmis. Ze zat met tante Francisca op een bankje aan de epistelzijde, toen ze de stap van zijn flamencohakken herkende op de stenen vloer en hem zo dicht langs haar zag lopen dat ze een vleugje van zijn bruidegomslotion rook. Tante Francisca had hem blijkbaar niet gezien en hij wekte evenmin de indruk hen te hebben gezien. Hij had alles echter voorbereid vanaf het moment dat hij de twee vrouwen langs het telegraafkantoor zag lopen. Hij bleef staan bij de pilaar die het dichtst bij de deur was, zodat hij haar op de rug zag maar zij hem niet kon zien. Na enkele spannende minuten kon Luisa Santiaga haar verlangen niet weerstaan en ze keek over haar schouder naar de deur. Ze dacht dat ze stierf van woede, want hij stond naar haar te kijken en hun blikken ontmoetten elkaar. 'Dat was precies mijn bedoeling,' zei mijn vader tevreden toen hij me op zijn oude dag het verhaal nog eens vertelde. Maar mijn moeder hield onvermoeibaar vol dat ze drie dagen lang de woede dat ze in de val was gelopen niet had kunnen beteugelen.

De tweede gebeurtenis was een brief die hij haar schreef. Niet de brief die ze had verwacht van een dichter en violist met heimelijke optredens in het ochtendgloren, maar een bazig briefje waarin hij een antwoord eiste voordat hij de week daarna naar Santa Marta terugreisde. Ze antwoordde niet, maar sloot zich op in haar kamer, vastbesloten de worm te doden die haar de moed ontnam om verder te leven, totdat tante Francisca haar begon over te halen zo snel mogelijk te capituleren voordat het te laat was. In een poging haar weerstand te breken vertelde haar tante als voorbeeld het verhaal van Juventino Trillo, de vrijer die elke avond van zeven tot tien op wacht stond onder het balkon van zijn onmogelijke geliefde. Die slingerde hem alle verwensingen naar het hoofd die ze kon bedenken, en het eindigde ermee dat ze avond in avond uit vanaf het balkon een volle po over hem leeggooide. Het lukte haar echter niet hem weg te jagen. Na al die doopwateraanvallen was ze, geroerd door de zelfverloochening van die onbuigzame liefde, met hem getrouwd. In de geschiedenis van mijn ouders is het niet tot zulke extremen gekomen.

De derde gebeurtenis tijdens het beleg was een huwelijksfeest met alles erop en eraan waarvoor ze allebei waren gevraagd als erepeetouders. Luisa Santiaga kon geen smoes verzinnen om onder de verplichting uit te komen, aangezien haar familie er nauw bij betrokken was. Gabriel Eligio had dezelfde overwegingen en ging, tot alles bereid, naar het feest. Ze kon haar hart niet de baas toen ze hem met overduidelijke vastberadenheid door de zaal zag lopen en hij haar voor de eerste dans vroeg. 'Mijn hart bonsde zo in mijn keel dat ik niet wist of het van woede of van schrik was,' vertelde ze mij. Hij merkte het en bracht haar een gevoelige slag toe: 'U hoeft geen ja te zeggen, want dat doet uw hart al.'

Ze liet hem zonder pardon halverwege het nummer midden in de zaal staan. Mijn vader interpreteerde dit echter op zijn manier. 'Ik was gelukkig,' zei hij.

Luisa Santiaga kon zich wel voor haar kop slaan toen ze de volgende ochtend voor dag en dauw wakker werd door de vleiende woorden van de giftige wals 'Toen het bal ten einde was'. Zodra ze was opgestaan stuurde ze onmiddellijk alle cadeautjes naar Gabriel Eligio terug. Door deze onverdiende vernedering en haar assepoesterachtige streek om hem op het trouwfeest te laten staan, was er, alsof ze vogels had losgelaten, geen weg terug. Iedereen was ervan overtuigd dat dit het roemloze einde was van een zomerstorm. Deze indruk werd nog versterkt door het feit dat Luisa Santiaga weer een aanval van derdendaagse koorts kreeg, net als toen ze klein was, en haar moeder met haar naar het dorp Manaure ging, een paradijselijke plek aan de voet van de Sierra Nevada, om tot rust te komen. Mijn vader en moeder hebben allebei altijd ontkend dat ze in die maanden enigerlei contact hadden, maar dat is niet zo geloofwaardig, want toen zij hersteld van haar kwalen terugkeerde, bleken ze allebei ook genezen te zijn van hun achterdocht. Mijn vader zei dat hij naar het station was gegaan om haar op te wachten, omdat hij het telegram had gelezen waarin Mina aankondigde dat ze naar huis terugkwamen, en door de manier waarop Luisa Santiaga hem bij de begroeting de hand drukte, voelde hij zoiets als een vrijmetselaarsteken dat hij opvatte als een liefdesboodschap. Zij ontkende, met het schaamrood op haar kaken, zoals altijd als ze herinneringen ophaalde aan die jaren. Feit is dat ze zich sindsdien minder terughoudend samen in het openbaar vertoonden. Nu ontbrak alleen nog de finale, die de week daarna door tante Francisca werd verzorgd toen ze op de galerij met de begonia's zaten te borduren.

'Mina weet het al.'

Luisa Santiaga heeft altijd gezegd dat door het verzet van haar familie de dijken doorbraken waarmee ze de rivier in haar hart tegenhield sinds de avond dat ze haar vrijer midden op het bal liet staan. Het was een verbitterde strijd. De kolonel probeerde zich afzijdig te houden, maar toen Mina ontdekte dat hij ook niet zo onschuldig was als hij eruitzag en hem in het gezicht slingerde dat het zijn schuld was, kon hij het niet ontkennen. Het leek iedereen een duidelijke zaak dat de onverdraagzaamheid niet van hem, maar van haar kwam, omdat die eigenlijk behoorde tot de wetten van haar clan, voor wie elke vrijer een indringer was. Door dit overgeërfde vooroordeel, waarvan de kooltjes nog nagloeien, werden we een uitgebreide gemeenschap van ongetrouwde vrouwen, hitsige mannen en talloze straatkinderen.

Hun vrienden waren naargelang hun leeftijd voor of tegen de geliefden, en wie geen radicale positie innam, kreeg die wel opgelegd door de feiten. De jongeren werden enthousiaste medeplichtigen, vooral van hem, en hij genoot volop van zijn gunstige positie als slachtoffer van de maatschappelijke vooroordelen. De meerderheid van de volwassenen echter beschouwde Luisa Santiaga als de kostbaarste schat van een rijke en machtige familie, naar wier hand niet uit liefde maar uit eigenbelang werd gedongen door de pas gearriveerde telegrafist. Ze was altijd een gehoorzaam en onderdanig meisje geweest, maar nu verzette ze zich met de felheid van een leeuwin met jongen tegen haar tegenstanders. Tijdens de venijnigste van de vele huiselijke discussies verloor Mina haar zelfbeheersing en hief haar bakkersmes tegen haar dochter. Luisa Santiaga keek haar onverschrokken aan. Mina realiseerde zich opeens dat haar woede een criminele wending nam, liet het mes vallen en schreeuwde ontzet: 'Mijn god!' En als genadeloze boetedoening legde ze haar hand op de gloeiende houtskool in de oven.

Een van de sterke argumenten tegen Gabriel Eligio was zijn status van onechte zoon van een ongehuwde moeder, die hem op de bescheiden leeftijd van veertien jaar had gebaard als gevolg van een toevallige ontmoeting met een schoolmeester. Ze heette Argemira García Paternina, een slanke blanke vrouw met een onafhankelijke geest, die nog vijf zonen en drie dochters van drie verschillende vaders kreeg, met wie ze nooit was getrouwd of onder hetzelfde dak had gewoond. Ze woonde in het dorpje Sincé, waar ze geboren was en waar ze haar kroost zo goed en zo kwaad als het ging grootbracht in een geest van onafhankelijkheid en vrolijkheid waarmee wij, haar kleinkinderen, graag een Palmzondag hadden gevierd. Gabriel Eligio was een waardig lid van die haveloze familie. Vanaf zijn zeventiende had hij vijf maagden bezeten, zoals hij bij wijze van boetedoening in een striemende storm aan mijn moeder onthulde tijdens hun huwelijksnacht aan boord van de gevaarlijke schoener naar Riohacha. Hij bekende haar dat hij op zijn achttiende, toen hij als telegrafist in het dorp Achí werkte, bij een van die meisjes een zoon had gekregen, Abelardo, die nu drie jaar zou worden. Als telegrafist in Ayapel kreeg hij op zijn twintigste bij een andere vrouw een dochtertje, dat nu enkele maanden oud was. Ze heette Carmen Rosa en hij had haar nog niet gezien. De moeder van dit meisje had hij beloofd terug te zullen keren om met haar te trouwen, en die belofte had hij gestand willen doen tot de dag waarop de loop van zijn leven was veranderd door zijn liefde voor Luisa Santiaga. Zijn oudste kind had hij bij de notaris erkend en dat zou hij later met zijn dochter ook doen, maar het waren onbeduidende formaliteiten zonder verdere gevolgen voor de wet. Het is verwonderlijk dat dit ongeoorloofde gedrag op morele bezwaren stuitte bij kolonel Márquez, want die kreeg, afgezien van zijn drie officiële kinderen, vóór en na zijn huwelijk nog negen kinderen bij verschillende moeders, en die werden door zijn vrouw binnengehaald alsof het haar eigen kinderen waren.

Ik kan niet bepalen wanneer ik voor het eerst over deze dingen heb gehoord, maar in ieder geval konden de misstappen van mijn voorvaderen me helemaal niets schelen. Ik was wel geïnteresseerd in de namen in de familie, want die leken me uniek. In de eerste plaats die van moederskant: Tranquilina, Wenefrida, Francisca Simodosea. Later de naam van mijn grootmoeder van vaderskant: Argemira, en de namen van haar ouders: Lozana en Aminadab. Daar komt misschien mijn vaste overtuiging vandaan dat de personages in mijn boeken nog niet op eigen benen staan zolang ze geen naam hebben die in overeenstemming is met hun karakter.

Een nog zwaarder argument tegen Gabriel Eligio was zijn actieve lidmaatschap van de Conservatieve Partij, waartegen kolonel Nicolás Márquez zijn oorlogen had gevoerd. Er heerste sinds de ondertekening van de verdragen van Neerlandia en Wisconsin maar een halve vrede, want het oorspronkelijke centralisme was nog altijd aan de macht en er zou nog heel wat tijd verstrijken voordat conservatieven en liberalen zouden ophouden elkaar hun tanden te laten zien. Misschien was het conservatisme van de vrijer eerder het gevolg van besmetting door zijn familie dan van doctrinaire overtuiging, maar het werd hem zwaarder aangerekend dan de bewijzen van zijn goede inborst, zoals zijn altijd waakzame geest en zijn onomstreden eerlijkheid.

Mijn vader was een moeilijk te doorgronden en te behagen man. Hij was altijd veel armer dan hij eruitzag, en voor hem was de armoede een verachtelijke vijand waaraan hij zich nooit heeft overgegeven, maar die hij ook nooit heeft kunnen verslaan. Met dezelfde moed en waardigheid verdroeg hij elke tegenslag in zijn liefde voor Luisa Santiaga in het achterkamertje van het telegraafkantoor in Aracataca, waar hij altijd een hangmat had hangen om er in zijn eentje te slapen. Maar hij had er ook een eenpersoonsbed staan, met goed geoliede springveren, voor het geval de nacht iets voor hem in petto had. In een bepaalde periode voelde ik me enigszins aangetrokken tot zijn heimelijke jagersgewoonten, maar het leven heeft me geleerd dat het de meest dorre vorm van eenzaamheid is, en sindsdien heb ik een diep medelijden met hem.

Tot vlak voor zijn dood heb ik hem horen vertellen dat hij op een van die moeilijke dagen met een paar vrienden bij de kolonel op bezoek moest en dat iedereen een stoel werd aangeboden, behalve hem. Haar familie heeft dit verhaal altijd ontkend en toegeschreven aan een restje rancune bij mijn vader, of aan een foutieve herinnering. Maar tijdens een van de gezongen ijlkoortsen van mijn grootmoeder, toen ze al bijna honderd jaar oud was en ze die honderd jaar opnieuw leek te beleven in plaats van ze zich te herinneren, heeft ze zich iets laten ontvallen. 'Daar staat die arme jongen op de drempel van de kamerdeur en Nicolasito heeft hem niet gevraagd plaats te nemen,' zei ze oprecht verdrietig.

Omdat ik altijd goed oplette tijdens haar hallucinerende onthullingen, vroeg ik wie die man was, en ze antwoordde kortaf: 'García, die man met de viool.'

Te midden van alle waanzin was het feit dat mijn vader een revolver had gekocht, voor het geval hem iets zou worden aangedaan door een krijger in ruste als kolonel Márquez, het minst te rijmen met zijn karakter. Het was een eerbiedwaardige Smith & Wesson .38 met lange loop, met wie weet hoeveel voorgaande eigenaren en hoeveel doden op zijn naam. Het enige wat ik zeker weet is dat hij er nooit mee heeft geschoten, niet eens uit voorzorg of nieuwsgierigheid. Wij, zijn oudste zonen, hebben het jaren later, met de oorspronkelijke vijf kogels er nog in, gevonden in een kast met oude spullen, naast de viool voor de serenades.

Gabriel Eligio noch Luisa Santiaga liet zich uit het veld slaan door de starheid van de familie. In het begin konden ze elkaar in het geheim ontmoeten in de huizen van vrienden, maar toen de kring rond haar was gesloten, bestond hun enige contact uit brieven die ze via ingenieuze wegen ontvingen en naar elkaar verstuurden. Ze zagen elkaar uit de verte wanneer zij niet naar de feesten mocht waarvoor hij was uitgenodigd.

Maar de repressie was zó streng dat niemand het waagde de woede van Tranquilina Iguarán te tarten, en de geliefden verdwenen uit het zicht van het publiek. Toen er geen kiertje meer was om geheime brieven in te stoppen, bedachten de geliefden hulpmiddelen alsof ze schipbreukelingen waren. Het lukte haar een felicitatiekaartje te verstoppen in een taart die iemand had besteld voor Gabriel Eligio's verjaardag, en deze liet op zijn beurt geen gelegenheid voorbijgaan om haar ongevaarlijke neptelegrammen te sturen waarin de ware boodschap in code of met onzichtbare inkt geschreven stond. Het was hierdoor zo duidelijk dat tante Francisca hun medeplichtige was – al ontkende ze het ten stelligste – dat haar autoriteit in huis voor het eerst werd aangetast, en ze mocht haar nicht alleen nog gezelschap houden wanneer ze in de schaduw van de amandelbomen zat te borduren. Daarna stuurde Gabriel Eligio liefdesboodschappen vanuit het raam van het huis van dokter Alfredo Barboza aan de overkant, door middel van de gebarentelegrafie der doofstommen. Ze leerde die zo goed te beheersen dat het haar lukte intieme gesprekken te voeren met haar vriendje wanneer haar tante even niet oplette. Dit was slechts een van de vele trucs die Adriana Berdugo had bedacht, de gezworen vriendin van Luisa Santiaga en haar inventiefste en dapperste medeplichtige.

Met behulp van deze troosthandelingen hadden ze nog lang op een laag pitje kunnen doorleven, als Gabriel Eligio niet een alarmerende brief van Luisa Santiaga had gekregen, waardoor hij werd gedwongen na te denken over een definitieve oplossing. Ze had die brief pijlsnel op wc-papier geschreven en hij bevatte het slechte nieuws dat haar ouders hadden besloten met haar naar Barrancas te gaan, van het ene dorp naar het andere reizend, als paardenmiddel tegen haar liefdesziekte. Het zou niet de gewone route worden met een akelige nacht in de schoener naar Riohacha, maar de primitieve, met muilezels en karren via de uitlopers van de Sierra Nevada, dwars door de uitgestrekte provincie Padilla.

'Ik was liever doodgegaan,' zei mijn moeder me op de dag dat we het huis gingen verkopen. En ze had het echt geprobeerd, in haar kamer met de deur op de knip en drie dagen op water en brood, tot de eerbiedige angst voor haar vader haar te veel werd. Gabriel Eligio merkte dat de spanning ten top was gestegen en nam ook een extreme, maar uitvoerbare beslissing. Hij stak met grote stappen de straat over van het huis van dokter Barboza naar de schaduw van de amandelbomen en ging voor de twee vrouwen staan, die angstig op hem zaten te wachten met hun handwerkje op hun schoot.

'Mag ik alstublieft even alleen zijn met de jongedame,' zei hij tegen tante Francisca. 'Ik moet haar iets belangrijks vertellen, maar onder vier ogen.'

'Brutale aap!' antwoordde tante. 'Er is niets wat ik niet ook mag horen.'

'Dan zeg ik het niet,' zei hij, 'maar ik waarschuw u dat u verantwoordelijk bent voor de gevolgen.'

Luisa Santiaga smeekte haar tante hen even alleen te laten en aanvaardde het risico. Gabriel Eligio deelde haar mee dat hij ermee akkoord ging dat ze met haar ouders die reis maakte, op welke manier en hoe lang ook, op voorwaarde dat ze hem onder ede zwoer dat ze met hem zou trouwen. Dit deed ze met genoegen en ze voegde er voor eigen rekening en risico aan toe dat alleen de dood het haar zou kunnen verhinderen.

Ze hadden bijna een jaar om te bewijzen dat hun beloften hun ernst waren, maar geen van beiden had er een voorstelling van hoeveel moeite dat zou kosten. Het eerste deel van de reis, met een karavaan muilezeldrijvers, ging veertien dagen lang op muilezelruggen over de smalle paden langs de afgronden door de Sierra Nevada. Ze werden vergezeld door Chon, koosnaam en afkorting van Encarnación, het dienstmeisje van Wenefrida dat in de familie was opgenomen sinds die uit Barrancas was vertrokken. De kolonel kende die zware route maar al te goed, want hij had er een spoor van nakomelingen achtergelaten in allerlei nachten verspreid over zijn oorlogen. Omdat zijn echtgenote echter zulke slechte herinneringen had aan de schoener, had zij voor die weg gekozen zonder hem te kennen. Voor mijn moeder, die nota bene voor het eerst op een muilezelrug zat, was het een nachtmerrie met naakte zonnen, verschrikkelijke regenbuien en angsten door de slaapverwekkende damp die uit de afgronden opsteeg. De gedachte aan een onzekere geliefde in zijn kostuum om middernacht en met zijn viool in de ochtendstond leek een grap van de verbeelding. De vierde dag hield ze het niet langer uit en dreigde haar moeder dat ze zich in de afgrond zou storten als ze niet teruggingen. Mina, die nog banger was dan zij, hakte de knoop door. Maar de baas van de kudde liet haar op de kaart zien dat het niets uitmaakte of ze teruggingen of doorreden. De redding kwam op de elfde dag, toen ze vanaf de laatste rand van de afgrond de stralende vlakte van Valledupar zagen.

Voordat de eerste etappe was volbracht, had Gabriel Eligio zich van permanent contact met zijn dolende geliefde verzekerd door middel van de medeplichtigheid van de telegrafisten in de zeven dorpen waar zij en haar moeder zouden verblijven, voordat ze in Barrancas zouden aankomen. Luisa Santiaga droeg ook haar steentje bij: de hele Provincie zat vol leden van de families Iguarán en Cotes, wier kastenbewustzijn de kracht van een ondoordringbaar struikgewas vertoonde, maar het was haar gelukt hen op haar hand te krijgen. Daardoor kon ze vanuit Valledupar, waar ze drie maanden bleef, een koortsachtige correspondentie voeren met Gabriel Eligio tot aan het einde van de reis, bijna een jaar later. In elk dorp hoefde ze alleen maar met een medeplichtig jong en enthousiast familielid bij het telegraafkantoor langs te gaan en haar boodschappen op te halen en te beantwoorden. De stille Chon speelde een onschatbare rol: ze verstopte boodschappen tussen haar oude kleren, zodat Luisa Santiaga zich niet ongerust hoefde te maken en haar schaamtegevoel niet werd gekwetst, want Chon kon niet lezen of schrijven en zou haar leven geven om een geheim te bewaren.

Bijna zestig jaar later probeerde ik mijn vader deze herinneringen te ontfutselen voor mijn vijfde roman, *Liefde in tijden van cholera*, en ik vroeg hem of er in het jargon van de telegrafisten een speciaal woord bestond voor het maken van de verbinding tussen twee telegraafkantoren. Hij hoefde er niet over na te denken: *inpluggen*. Dit woord staat in het woordenboek, niet voor het specifieke gebruik waarvoor ik het nodig had, maar het leek me prachtig te passen bij mijn twijfel, want de verbinding tussen de verschillende telegraafkantoren werd gelegd door een plug in een paneel van een ontvangststation te steken. Ik heb het er verder nooit met mijn vader over gehad. Kort voor zijn dood werd hem echter tijdens een interview voor een krant gevraagd of hij een roman had willen schrijven, en hij antwoordde ja, maar dat hij ervan afgezien had toen ik hem raadpleegde over het woord 'inpluggen', want toen ontdekte hij dat het boek waaraan ik bezig was het boek was dat híj van plan was te schrijven.

Bij diezelfde gelegenheid refereerde hij bovendien aan een geheim dat de loop van onze levens had kunnen veranderen. Mijn moeder was al zes maanden onderweg en ze was in San Juan del César, toen Gabriel Eligio het vertrouwelijke gerucht ter ore kwam dat Mina opdracht had voorbereidingen te treffen voor de definitieve terugkeer van de familie naar Barrancas zodra de wonden van de woede over de dood van Medardo Pacheco waren geheeld. Het leek hem absurd, aangezien de slechte tijden achter de rug waren en het absolute regime van de bananenmaatschappij op de droom van het beloofde land begon te lijken. Maar het was ook begrijpelijk dat de familie Márquez Iguarán zo ver ging in haar koppigheid dat ze het eigen geluk wilde opofferen om daarmee haar dochter uit de klauwen van de sperwer te houden. Gabriel Eligio besloot onmiddellijk zijn overplaatsing naar het telegraafkantoor in Riohacha te regelen, ongeveer tachtig kilometer van Barrancas. De baan was niet vrij, maar ze beloofden zijn sollicitatie in overweging te nemen.

Luisa Santiaga kon niet achter de geheime plannen van haar moeder komen, maar ze durfde ze ook niet te ontkennen, want het was haar opgevallen dat haar moeder steeds verlangender en vredelievender werd naarmate ze dichter in de buurt van Barrancas kwamen. Chon, de vertrouwelinge van iedereen, gaf haar ook geen enkele aanwijzing. Om de waarheid uit haar te krijgen zei Luisa Santiaga tegen haar moeder dat het haar fantastisch leek in Barrancas te blijven wonen. De moeder aarzelde heel even, maar besloot niets te zeggen, en daardoor had de dochter de indruk vlak bij het geheim te zijn gekomen. Omdat ze er niet gerust op was, gaf ze zich op straat op goed geluk over aan de kaarten van een zigeunerin, die haar geen enkele aanwijzing gaf over haar toekomst in Barrancas. Ze voorspelde haar echter wel dat er geen obstakel was voor een lang en gelukkig leven met een verre man, die ze amper kende, maar die tot zijn dood van haar bleef houden. De beschrijving die de vrouw van hem gaf maakte dat ze weer moed kreeg, want ze herkende gemeenschappelijke trekken met haar verloofde, vooral wat zijn karakter betrof. Tot slot voorspelde de vrouw haar zonder de geringste twijfel dat ze zes kinderen met hem zou krijgen. 'Ik schrok me dood,' zei mijn moeder de eerste keer dat ze me dit vertelde, toen ze er nog geen idee van had dat ze nóg vijf kinderen zou krijgen. Ze waren allebei zo blij met die voorspelling dat de correspondentie per telegram sindsdien niet langer een concert van illusoire bedoelingen was, maar methodisch en praktisch werd, en intensiever dan ooit. Ze stelden data vast, verzonnen manieren en verpandden hun leven ten behoeve van het gezamenlijke voornemen te trouwen zonder iemand te raadplegen, waar of hoe dan ook, zodra ze elkaar weer gevonden hadden.

Luisa Santiaga was zo trouw aan deze afspraak dat het haar, toen ze in het dorp Fonseca was, niet netjes leek naar een galabal te gaan zonder toestemming van haar verloofde. Gabriel Eligio lag met veertig graden koorts zwetend in zijn hangmat toen het belletje rinkelde voor een dringende telegrafische boodschap. Het was zijn collega uit Fonseca. Voor alle zekerheid vroeg zij wie er aan de andere kant van de lijn de seinsleutel bediende. Eerder verbijsterd dan gevleid zond de verloofde een zinnetje ter identificatie: 'Zegt u maar tegen haar dat ik haar peetzoon ben.' Mijn moeder herkende het wachtwoord en bleef tot zeven uur 's morgens op het bal, waarna ze zich vliegensvlug moest verkleden om niet te laat te komen voor de mis.

In Barrancas was niet het geringste spoor van wrok jegens de familie te bekennen. Integendeel, onder de verwanten van Medardo Pacheco bestond, zeventien jaar na het ongeluk, eerder een christelijke neiging tot vergiffenis en vergetelheid. De ontvangst bij de familie was zo hartelijk dat Luisa Santiaga nu ook dacht dat haar familie wel terug kon keren naar deze oase van rust in de siërra, heel wat anders dan de hitte, het stof, de bloedige zaterdagen en de spoken zonder hoofd in Aracataca. Het lukte haar dit plan aan Gabriel Eligio voor te stellen, mits hij zijn overplaatsing naar Riohacha zou krijgen, en hij was het ermee eens. In die dagen werd het echter eindelijk duidelijk dat het verhaal van de verhuizing niet alleen ongegrond was, maar dat niemand er minder zin in had dan Mina. Zo stond het zwart op wit in een brief die ze als antwoord aan haar zoon Juan de Dios stuurde, nadat deze haar geschrokken had gevraagd of ze nog voordat er twintig jaar voorbij was na de dood van Medardo Pacheco, naar Barrancas terug zouden gaan. Hij was ervan overtuigd dat de fatale wetten van La Guajira zich onherroepelijk zouden voltrekken, en vandaar dat hij zijn zoon Eduardo een halve eeuw later verbood zijn verplichting na te komen om als sociaal arts in Barrancas te gaan werken.

Ondanks alle angsten werden hier in drie dagen alle knopen doorgehakt. Op dezelfde dinsdag waarop Luisa Santiaga Gabriel Eligio de bevestiging stuurde dat Mina er niet over peinsde naar Barrancas te verhuizen, kreeg hij te horen dat het telegraafkantoor van Riohacha tot zijn beschikking stond door de plotselinge dood van de vaste telegrafist. De volgende dag haalde Mina de laden van de provisiekast leeg op zoek naar een vleesschaar, en lichtte ze onnodig het deksel van de Engelse koekjesdoos op waarin haar dochter haar liefdestelegrammen bewaarde. Ze werd zo razend dat ze alleen een van haar beroemde schimpscheuten kon uitbrengen, die spontaan in haar opkwamen als ze boos was: 'God vergeeft alles behalve ongehoorzaamheid.' Dat weekend reisden ze naar Riohacha om op zondag de schoener naar Santa Marta te nemen. Geen van beiden merkten ze iets van de vreselijke, door een februaristorm geteisterde nacht: de moeder niet omdat ze was geveld door de nederlaag, en de dochter niet omdat ze erg geschrokken maar gelukkig was.

Het vasteland gaf Mina de zelfverzekerdheid terug die ze door de vondst van de brieven was kwijtgeraakt. Ze reisde de volgende dag alleen door naar Aracataca en liet Luisa Santiaga in Santa Marta achter onder de hoede van haar zoon Juan de Dios, ervan overtuigd dat ze daar veilig was voor de duivels van de liefde. Het tegendeel was het geval: Gabriel Eligio reisde zo vaak hij kon van Aracataca naar Santa Marta om haar te zien. Oom Juanito, die onder dezelfde onbuigzaamheid van zijn ouders ten aanzien van zijn liefde voor Dilia Caballero had geleden, besloot geen partij te kiezen in het liefdesleven van zijn zuster. Maar op het uur van de waarheid zat hij in de val van de adoratie voor zijn zuster en de eerbied voor hun ouders. Hij nam zijn toevlucht tot een persoonlijke variatie op zijn spreekwoordelijke goedheid: hij vond het best dat de geliefden elkaar buiten zijn huis zagen, maar nooit alleen of zonder dat hij het wist. Zijn vrouw Dilia Caballero, die vergaf maar niet vergat, beraamde voor haar schoonzuster dezelfde feilloze, toevallige omstandigheden en meesterlijke foefjes als waarmee ze zelf de waakzaamheid van haar schoonouders had omzeild. Eerst zagen Gabriel en Luisa elkaar bij vrienden thuis, maar later waagden ze het elkaar steeds vaker in het openbaar te zien op plaatsen waar niet veel mensen kwamen. Op het laatst durfden ze door het raam met elkaar te praten als oom Juanito er niet was, de bruid in de kamer en de bruidegom op straat, trouw aan de afspraak dat ze elkaar niet binnenshuis zouden zien. Het raam leek speciaal te zijn gemaakt voor gedwarsboomde liefdes, met een manshoog Andalusisch traliehek en een omlijsting van klimplanten waar in slaperige nachten soms een jasmijngeur te bespeuren viel. Dilia had in alles voorzien, zelfs in de medeplichtigheid van enkele buren die gecodeerde fluitsignalen gaven om de geliefden te waarschuwen voor dreigend gevaar. Maar op een avond waren alle voorzorgsmaatregelen vergeefs en moest Juan de Dios de waarheid onder ogen zien. Dilia maakte van de gelegenheid gebruik om de geliefden uit te nodigen in de kamer te komen zitten, met alle ramen open zodat ze hun liefde konden delen met de wereld. Mijn moeder is de verzuchting die haar broer slaakte nooit vergeten: 'Wat een opluchting!'

In diezelfde tijd ontving Gabriel Eligio zijn officiële benoeming bij het telegraafkantoor in Riohacha. Omdat ze bang was voor een nieuwe scheiding, ging mijn moeder naar monseigneur Pedro Espejo, op dat moment de vicaris van het diocees, in de hoop dat hij haar zou trouwen zonder toestemming van haar ouders. De monseigneur had zoveel aanzien dat vele parochieleden het verwarden met heiligheid, en sommige mensen gingen alleen naar zijn missen om vast te stellen of het waar was dat hij zich enkele centimeters boven de grond verhief op het moment van de elevatie. Toen Luisa Santiaga zijn hulp inriep, leverde hij het zoveelste bewijs voor de stelling dat intelligentie een van de privileges is van de heiligheid. Hij weigerde tussenbeide te komen bij interne aangelegenheden van een familie die bijzonder op haar intimiteit was gesteld, maar hij koos voor een geheim alternatief en won via de curie inlichtingen in over de familie van mijn vader. De parochiepriester van Sincé stapte over de liberale ideeën van Argemira García heen en antwoordde met een welwillende formulering: 'Dit is een keurige familie, hoewel niet zo vroom.' De monseigneur voerde hierna een gesprek met de geliefden, met hen samen en met elk afzonderlijk, en schreef een brief aan Nicolás en Tranquilina waarin hij hun zijn ontroerde zekerheid meedeelde dat geen menselijke kracht in staat was deze verstokte liefde te vernietigen. Mijn grootouders, die overwonnen waren door Gods kracht, waren het erover eens dat ze de pijnlijke bladzijde moesten omslaan, en ze gaven Juan de Dios carte blanche om de bruiloft te organiseren in Santa Marta. Zelf waren ze niet aanwezig, maar ze stuurden Francisca Simodosea als peettante.

Ze trouwden op 11 juni 1926 in de kathedraal van Santa Marta, met veertig minuten vertraging omdat de bruid de datum was vergeten en ze wakker gemaakt moest worden nadat het al acht uur had geslagen. Diezelfde avond gingen ze aan boord van de gevreesde schoener naar Riohacha, waar Gabriel Eligio het telegraafkantoor zou bemannen. Geveld door zeeziekte brachten ze hun eerste nacht in kuisheid door.

Mijn moeder sprak later met zoveel heimwee over het huis waar ze haar wittebroodsweken had doorgebracht, dat we het als oudste kinderen kamer voor kamer hadden kunnen beschrijven alsof we er zelf hadden gewoond. Tot op de dag van vandaag is het een van mijn valse herinneringen. De eerste keer dat ik echt naar het schiereiland La Guajira ging, vlak voor mijn zestigste, zag ik tot mijn verbazing dat het huis waar het telegraafkantoor gevestigd was niets uitstaande had met het huis uit mijn herinnering. En het idyllische Riohacha dat ik van jongs af in mijn hart koesterde, met zijn salpeterstraten die naar een zee van modder afdaalden, was niets anders dan een van mijn grootouders geleende hersenschim. Sterker nog, nu ik Riohacha ken, lukt het me niet het zichtbaar te maken zoals het is, maar alleen zoals ik het steen voor steen in mijn verbeelding heb opgebouwd.

Twee maanden na de trouwerij ontving Juan de Dios een telegram van mijn vader waarin hij aankondigde dat Luisa Santiaga zwanger was. Dit bericht had het huis in Aracataca, waar Mina nog niet van haar verbittering was bekomen, op zijn grondvesten doen schudden, maar zowel zij als de kolonel legde de wapens neer om de pasgehuwden de gelegenheid te geven bij hen te komen wonen. Het was niet gemakkelijk. Na enkele maanden van waardige en weloverwogen tegenstand ging Gabriel Eligio ermee akkoord dat zijn echtgenote bij haar ouders thuis zou bevallen.

Kort daarna haalde mijn grootvader hen op van de trein met een uitspraak die sindsdien met een gouden lijstje eromheen deel uitmaakt van het historische repertoire van de familie: ‘Ik ben bereid u alle nodige genoegdoening te schenken.’ Mijn grootmoeder knapte de slaapkamer op die tot dan toe van haar was geweest, en installeerde mijn ouders daar. In de loop van het jaar gaf Gabriel Eligio zijn goede baan als telegrafist op en vanaf dat moment wijdde hij zijn autodidactische talent aan een in de versukkeling geraakte wetenschap: de homeopathie. Uit dankbaarheid of wroeging bepleitte mijn grootvader bij de autoriteiten dat de straat waar we in Aracataca woonden, de naam kreeg die hij nog steeds heeft, avenida Monseigneur Pedro Espejo.

Zo kwam het dat daar op 6 maart 1927, om negen uur 's morgens, de eerste van zeven zonen en vier dochters werd geboren, tijdens een ontzaglijke stortbui hoewel het helemaal het seizoen niet was, en terwijl zich het teken van de Stier aan de horizon verhief. Het kind was bijna gewurgd door de navelstreng, want de vroedvrouw van de familie, Santos Villero, wist op het moeilijkste moment niet meer wat ze doen moest. Tante Francisca was de kluts helemaal kwijt, want zij rende naar de voordeur en schreeuwde moord en brand: 'Een jongen, een jongen!' En meteen hierna, alsof ze de alarmklok luidde: 'Jenever, jenever, want hij stikt!'

De familie neemt aan dat de jonge jenever* niet bedoeld was om te toosten, maar om de pasgeborene ermee te masseren en te reanimeren. Mevrouw Juana de Freytes, die op dat moment god zij gedankt haar entree maakte in de slaapkamer, heeft me vaak verteld dat het grootste risico niet de navelstreng was, maar de verkeerde positie van mijn moeder in bed. Ze kon die op tijd corrigeren, maar het was niet eenvoudig mij te reanimeren, en vandaar dat tante Francisca uit nood dat doopwater over me heen gooide. Ik had Olegario moeten heten, want dat was de heilige van die dag, maar niemand had de heiligenkalender bij de hand en daarom kreeg ik in de gauwigheid de eerste naam van mijn vader en als tweede naam die van Jozef, de timmerman: dat was de beschermheer van Aracataca en maart was zijn maand. Mevrouw Juana de Freytes stelde nog een derde naam voor, ter nagedachtenis van de algehele verzoening tussen families en vrienden die tot stand was gebracht door mijn komst op de wereld. Maar in de officiële doopakte, die drie jaar later voor me werd opgesteld, zijn ze vergeten die naam op te nemen: Gabriel José de la Concordia.

2

Op de dag dat ik met mijn moeder meeging om het huis te verkopen, herinnerde ik me alles wat indruk op me had gemaakt in mijn kindertijd, maar ik wist niet zeker wat eerst kwam en wat later, en ook niet wat al die dingen te betekenen hadden in mijn leven. Ik was me er ook maar amper van bewust dat in de valse schittering van de bananenmaatschappij het huwelijk van mijn ouders onlosmakelijk verbonden was met het aftakelingsproces van Aracataca. Sinds ik met mijn geheugenonderzoek begonnen ben, heb ik het noodlottige zinnetje 'Ze zeggen dat de maatschappij weggaat' vaak horen herhalen, eerst heel omzichtig en later hardop en bezorgd. Maar niemand geloofde het of niemand durfde aan de verwoestende gevolgen ervan te denken.

In de versie van mijn moeder waren het zulke kleine aantallen en was het decor voor een grootscheeps drama, zoals ik het me had voorgesteld, zo armzalig dat ik zwaar teleurgesteld was. Later heb ik met overlevenden en getuigen gesproken en in krantenarchieven en officiële documenten gesnuffeld, en ontdekt dat de waarheid nergens te vinden was. De conformisten zeiden zoals te verwachten viel dat er geen doden waren. Mensen van het andere uiterste beweerden, zonder trilling in hun stem, dat het er meer dan honderd waren, dat ze hen op het plein hadden zien doodbloeden waarna ze in een goederentrein waren afgevoerd om als afgekeurde bananen in zee te worden gegooid. Vandaar dat mijn waarheid ergens op een onwaarschijnlijk punt tussen de twee uitersten voor eeuwig is verdwaald. Ze was echter zo hardnekkig dat ik de moordpartij in een van mijn romans heb beschreven, met de nauwkeurigheid en de verschrikking waarmee ik er in mijn verbeelding al die jaren op heb zitten broeden. Ik heb het aantal doden op drieduizend gehouden om de epische proporties van het drama te bewaren, en uiteindelijk heeft het echte leven me gelijk gegeven: kort geleden, toen de tragedie voor de zoveelste maal werd herdacht, vroeg de toenmalige spreker in de Senaat om een minuut stilte ter nagedachtenis van de drieduizend anonieme martelaren die door het openbaar gezag waren gedood.

De slachtpartij tijdens de staking van de bananenarbeiders was de laatste in een hele reeks. Als extra argument werd in dit geval aangevoerd dat de leiders communisten waren, en misschien waren ze dat ook wel. De meest vooraanstaande en zwaarst vervolgde van hen, Eduardo Mahecha, leerde ik toevallig kennen in de Modelogevangenis in Barranquilla, in de tijd dat ik met mijn moeder het huis ging verkopen. Ik stelde me aan hem voor als de kleinzoon van Nicolás Márquez, en sindsdien waren we goede vrienden. Híj heeft onthuld dat mijn grootvader niet neutraal was geweest, maar als bemiddelaar was opgetreden tijdens de staking van 1928, en hij beschouwde hem als een rechtvaardig man. Hiermee completeerde hij het idee dat ik had over die slachtpartij, en kreeg ik een objectiever beeld van het maatschappelijke conflict. Het enige punt waarop de herinnering van alle mensen verschilde, was het aantal doden, maar dat is ongetwijfeld niet de enige onbekende factor in onze geschiedenis.

Al die tegengestelde verhalen samen zijn de oorzaak van mijn valse herinneringen. De hardnekkigste is dat ik met een Pruisische helm en een speelgoedgeweertje in de deur van mijn huis sta te kijken naar een onder de amandelbomen defilerend bataljon van zwetende cachacos. Een van de bevelvoerende officieren in parade-uniform groette me in het voorbijgaan: 'Gegroet, kapitein Gabi.'

Het is een glasheldere herinnering, maar ze kan absoluut niet waar zijn. Het uniform, de helm en het geweer hebben tegelijkertijd bestaan, maar dat was ongeveer twee jaar na de staking, toen er in Cataca al geen oorlogstroepen meer waren. Allerlei van dit soort gevallen bezorgden me thuis de slechte reputatie dat ik baarmoederlijke herinneringen en voorspellende dromen had.

Zo stond de wereld ervoor in de tijd dat ik inzicht begon te krijgen in de omstandigheden bij ons thuis en ik kan ze me niet anders voor de geest halen dan als volgt: verdriet, heimwee en onzekerheid in de eenzaamheid van een enorm huis. Jarenlang leek het erop dat die periode voor mij de gedaante van een nachtmerrie had aangenomen die bijna elke nacht terugkeerde, want ik werd 's ochtends steeds wakker met hetzelfde gevoel van angst als in de kamer met de heiligenbeelden. Toen ik in mijn puberteit als intern op een ijskoude middelbare school in het Andesgebergte woonde, werd ik vaak midden in de nacht huilend wakker. Blijkbaar moest ik de hoge leeftijd bereiken die ik nu heb, en waarop een mens geen wroeging meer heeft, om te begrijpen dat mijn grootouders zich ongelukkig voelden in het huis in Cataca omdat ze vastgelopen waren in hun heimwee, en hoe meer ze hun best deden om het te bezweren, hoe erger het werd.

Eenvoudiger gezegd, ze bevonden zich in Cataca, maar ze woonden nog in de provincie Padilla, de Provincie, zoals we nog altijd zeggen zonder nadere precisering, alsof er geen andere provincie bestaat op de wereld. Ze hadden het huis in Cataca, misschien zonder erbij na te denken, gebouwd als een ceremoniële replica van het huis in Barrancas. Daar zag je vanuit de ramen het treurige kerkhof aan de overkant van de straat, waar Medardo Pacheco begraven lag. Mijn grootouders waren geliefd in Cataca en men was hun zeer ter wille, maar hun leven was slaafs onderworpen aan het gebied waar ze geboren waren. Ze verschansten zich in hun voorkeuren, hun geloof en hun vooroordelen en sloten de rijen voor alles wat anders was.

Hun beste vrienden waren in de eerste plaats mensen die uit de Provincie kwamen. De taal die thuis werd gesproken, was de taal die in de vorige eeuw door hun grootouders uit

Spanje via Venezuela hierheen was gebracht, verlevendigd met lokale Caribische uitdrukkingen, Afrikaanse zegswijzen van de slaven en flarden van de taal van de Guajiro-indianen, die langzaam binnendruppelden in de onze. Mijn grootmoeder maakte er gebruik van om me om de tuin te leiden, maar ze wist niet dat ik haar heel goed begreep door mijn directe contact met het personeel. Ik herinner me er nog heel wat van: *atunkeshi*, ik heb slaap; *jamusaitshi taya*, ik heb honger; *ipuwots*, de zwangere vrouw; *aríjuna*, de vreemdeling, een woord dat mijn grootmoeder op een bepaalde manier gebruikte als ze het over de Spanjaarden, de blanken, kortom over de vijand had. De Guajiros spraken een soort zacht Spaans waar de vonken afspatten, zoals het dialect dat Chon sprak, maar zij deed het met overdreven nauwkeurigheid, die mijn grootmoeder haar verbood omdat het onherroepelijk tot fouten leidde: 'De lippen van de mond.'

De dag was niet compleet zolang er geen berichten kwamen over wie er in Barrancas was geboren, hoeveel mensen er in de arena van Fonseca door de stier waren gedood, wie er getrouwd was in Manaure, wie er was overleden in Riohacha of hoe de ernstig zieke generaal Socarrás in San Juan del César die nacht geslapen had. In de winkel van de bananenmaatschappij was van alles te koop tegen een voordelige prijs, in vloeipapier gewikkelde appels uit Californië, in ijs versteende zeebrasems, Galicische hammen en Griekse olijven. Maar bij ons thuis werd niets gegeten wat niet was getrokken in de bouillon van het heimwee: de cassave voor de soep moest uit Riohacha komen, het maïsmeel voor de arrepas* bij het ontbijt uit Fonseca, de geiten moesten gefokt zijn op de zoutrijke grond van La Guajira, en de schildpadden en de zeekreeften werden levend aangevoerd uit Dibuya.

Vandaar dat de meeste bezoekers die elke dag met de trein arriveerden, uit de Provincie kwamen of door iemand van daar werden gestuurd. Altijd dezelfde achternamen: Riasco, Noguera, Ovalle, dikwijls gekruist met de traditionele clans der Cotes en Iguaráns. Ze waren op doorreis, met alleen een rugzak over hun schouder, en ook al kondigden ze hun bezoek niet aan, er werd altijd op gerekend dat ze tussen de middag bleven eten. Nooit ben ik de bijna rituele frase van mijn grootmoeder vergeten op het moment dat ze de keuken inliep: 'Er moet van alles worden klaargemaakt, want je weet maar nooit wat de gasten lekker vinden.'

Hun neiging tot afzijdigheid was gestoeld op een aardrijkskundige realiteit. De Provincie was een autonome, eigen wereld met een oude en compacte culturele eenheid, gelegen in een vruchtbare kloof tussen de Sierra Nevada de Santa Marta en de Sierra del Perijá, in het Caribische kustgebied. Verbinding met het buitenland was van daaruit makkelijker dan met de rest van het eigen land, en het dagelijkse leven leek het meest op dat van de Antillen omdat je zó op Jamaica of Curaçao was, en je zou bijna denken dat je in Venezuela woonde, omdat er een vrije grens was en er geen onderscheid werd gemaakt naar rang of kleur. Uit het binnenland, dat op een zacht vuurtje in zijn eigen sop gaar kookte, bereikte ons hoogstens de roest van de macht: wetten, belastingen, soldaten en al het slechte nieuws dat was uitgebroed op vijfentwintighonderd meter hoogte en op acht dagen varen over de Magdalena op een stoomschip waarvan de ketel met hout werd gestookt.

Dat eilandachtige karakter had een geheel eigen, potdichte cultuur voortgebracht die door mijn grootouders naar Cataca was overgeplant. Ons huis was meer een dorp dan een thuis. We gingen altijd bij toerbeurt aan tafel. Er waren veel plaatsen, maar de eerste twee waren vanaf mijn derde heilig: de kolonel ging aan het hoofd zitten en ik op het hoekje rechts van hem. De overige stoelen werden eerst door de mannen ingenomen en daarna door de vrouwen, maar altijd van elkaar gescheiden. Deze regel werd doorbroken op de nationale feestdag op 20 juli, want dan ging het middageten bij toerbeurt net zo lang door totdat iedereen klaar was. 's Avonds werd de tafel nooit gedekt, dan werden in de keuken koppen koffie met melk en de verrukkelijke gebakjes van mijn grootmoeder rondgedeeld. Wanneer de deuren op slot gingen, hing iedereen zijn hangmat waar hij maar kon, op verschillende hoogten, zelfs aan de bomen op de binnenplaats.

Een van de fantastische gebeurtenissen uit die jaren beleefde ik op een dag dat er een groep mannen bij ons thuis kwam, allemaal gekleed als ruiters, met dezelfde kleren, beenkappen en sporen, en allemaal met een askruisje op hun voorhoofd. Het waren de zonen die de kolonel in de loop van de Oorlog van Duizend Dagen overal in de Provincie had verwekt en die uit hun dorpen waren gekomen om hem, meer dan een maand te laat, te feliciteren met zijn verjaardag. Voordat ze naar ons huis gingen waren ze naar de mis van Aswoensdag geweest, waar pater Angarita een kruisje op hun voorhoofd had gezet, in mijn ogen een bovennatuurlijk embleem waarvan het mysterie me jarenlang zou achtervolgen, ook nog in de tijd dat ik al vertrouwd was met de liturgie in de stille week.

De meesten van hen waren geboren nadat mijn grootouders al waren getrouwd. Op de dag dat Mina bericht kreeg van hun geboorte registreerde zij ze met hun voor- en achternamen in een aantekenboekje, en uiteindelijk heeft ze hen allemaal met een moeilijk te begrijpen lankmoedigheid van harte opgenomen in de boekhouding van de familie. Maar vóór die luidruchtige visite, waarbij ze ons een voor een hun speciale manier van doen onthulden, was het noch voor haar noch voor iemand anders makkelijk geweest hen uit elkaar te houden. Het waren serieuze, hardwerkende lieden, echte huisvaders, vreedzame mannen, die echter niet bang waren het hoofd te verliezen in de draaikolk van een feest. Dan smeten ze het serviesgoed kapot, ruïneerden de rozenstruiken tijdens de achtervolging van een stiertje dat ze wilden jonassen, schoten de kippen dood om ze in de soep te stoppen en lieten een ingevet varken los, dat de bordurende vrouwen op de galerij omverliep, maar niemand klaagde over deze ongelukjes, omdat ze een orkaan van plezier met zich meebrachten.

Esteban Carrillo, de tweelingbroer van tante Elvira, zag ik regelmatig. Hij was heel handig en had altijd een gereedschapskist bij zich als hij op reis was, om in de huizen waar hij op bezoek ging alles wat kapot was gratis te repareren. Dankzij zijn gevoel voor humor en zijn goede geheugen heeft hij veel ogenschijnlijk onopvulbare leemten in de geschiedenis van mijn familie gedicht. Als puber ging ik ook vaak op bezoek bij mijn oom Nicolás Gómez, een man met lichtblond haar en rode sproeten, die heel trots was op zijn goede baan als marktkoopman in de vroegere strafkolonie in Fundación. Omdat hij onder de indruk was van mijn faam als hopeloos geval, gaf hij me bij het afscheid steeds een goedgevulde zak van de markt mee voor onderweg. Rafael Arias kwam steevast in rijkleding en op een muilezel, op doorreis en gehaast, zodat hij amper tijd had om staande in de keuken een kop koffie te drinken. De anderen heb ik her en der ontmoet tijdens de nostalgische reizen door de dorpen in de Provincie die ik later heb gemaakt voor het schrijven van mijn eerste romans, en ik miste dat askruisje op hun voorhoofd als onmiskenbaar teken van de familie-identiteit.

Jaren na de dood van mijn grootouders, toen het voorouderlijke huis al aan zijn lot was overgelaten, kwam ik een keer met de avondtrein in Fundación aan en ging ik in het station bij het enige eettentje zitten dat op dat uur nog open was. Er was niet veel meer te eten, maar de bazin improviseerde iets lekkers ter ere van mij. Ze was zeer spraakzaam en gedienstig, maar ik had het gevoel dat onder die brave trekjes het sterke karakter van de vrouwen van mijn clan schuilging. Jaren later kreeg ik de bevestiging: de mooie kokkin was Sara Noriega, een van de vele tantes die ik niet kende.

Apolinar, de vroegere slaaf, een kleine, stevige man die in mijn herinnering als een oom voor me was, verdween op een dag uit het huis en bleef jaren weg. Op een middag kwam hij terug, zonder verklaring en in de rouw, in een zwart kamgaren pak en met een enorme, eveneens zwarte hoed tot vlak boven zijn melancholieke ogen. Hij liep door de keuken en zei en passant dat hij voor de begrafenis kwam, maar niemand begreep hem, totdat we de volgende dag het bericht kregen dat mijn grootvader zojuist was overleden in Santa Marta, waar hij halsoverkop en in het geheim naartoe gebracht was.

Mijn enige oom die openbare bekendheid genoot, was de oudste van allemaal en als enige lid van de Conservatieve Partij, José María Valdeblánquez. Hij was senator tijdens de Oorlog van Duizend Dagen en was als zodanig aanwezig geweest bij het tekenen van de overgave door de liberalen in de nabijgelegen haciënda Neerlandia. Tegenover hem, aan de kant van de overwonnenen, zat zijn vader.

Ik geloof dat ik de essentie van mijn karakter en van mijn manier van denken eigenlijk te danken heb aan de vrouwen van de familie en aan de meisjes die bij ons werkten en die mijn hoedsters waren toen ik klein was. Ze hadden een sterk karakter en een zachtmoedig hart en ze behandelden me met de natuurlijkheid van het aardse paradijs. Van de vele meisjes die ik me herinner, was Lucía de enige die iets stouts met me heeft uitgehaald. Dat gebeurde toen ze me een keer meenam naar de steeg van de padden, waar ze haar schort tot haar middel optrok om me haar koperkleurige, warrige haartjes te laten zien. Maar wat me toen veel meer opviel was de grote schurftvlek op haar buik, die zich als een wereldkaart uitstrekte met rode duinen en gele oceanen. De andere meisjes leken aartsengelen van zuiverheid: ze kleedden zich aan en uit waar ik bij stond, wasten me terwijl ze zichzelf wasten, zetten me op de pot en gingen vóór me op de hunne zitten om zich te ontlasten van hun geheimen, hun verdriet en hun woedes, alsof ik er niets van begreep. Maar ze hadden niet in de gaten dat ik er alles van begreep, omdat ze me zelf de ingrediënten aanboden om te begrijpen hoe de vork in de steel zat.

Chon hoorde bij het personeel en bij de straat. Ze was met mijn grootouders uit Barrancas meegekomen toen ze nog een klein meisje was, ze was opgegroeid in de keuken, maar ze maakte deel uit van de familie, en sinds ze met mijn verliefde moeder de pelgrimsreis naar de Provincie had gemaakt, werd ze als een tante, een chaperonne behandeld. In de laatste jaren van haar leven was ze, bij de gratie van haar diepste verlangen, naar een eigen kamer in het armste deel van het dorp verhuisd en verdiende ze haar geld door bij het krieken van de dag op straat te venten met deegballetjes van maïsmeel voor de arrepas. Dat deed ze met een kreet die heel vertrouwd werd in de stilte van de vroege ochtend: ‘Koude deegjes van de oude Chon…’

Ze had een mooie indiaanse kleur, was altijd even broodmager en liep op blote voeten, gehuld in gesteven lakens en met een witte doek om haar hoofd. Ze liep altijd heel langzaam midden op straat, geëscorteerd door een troep makke, zwijgende honden die voor haar uit en om haar heen liepen. Op het laatst maakte ze deel uit van de dorpsfolklore. Op een keer tijdens een carnavalsfeest verscheen er iemand in dezelfde vermomming als zij, met dezelfde lakens en dezelfde kreet, maar het was niet gelukt om honden te temmen tot een lijfwacht zoals zij die had. Haar kreet van de koude deegjes werd zo populair dat accordeonisten er een liedje over maakten. Op een kwade ochtend vielen twee wilde honden de hare aan, die zich echter zo woedend verweerden dat Chon op de grond viel en haar ruggengraat brak. Ze overleefde het niet, ondanks alle medische hulp waar mijn grootvader voor zorgde.

Een andere onthullende herinnering uit die tijd was de bevalling van Matilde Armenta, een wasvrouw die bij ons werkte toen ik een jaar of zes was. Ik ging een keer per ongeluk haar kamer binnen en zag haar naakt en met haar benen wijd op een bed vol lakens liggen, gillend van de pijn, te midden van een troep radeloze en redeloze vrouwen die haar lichaam onder elkaar hadden verdeeld om haar luid schreeuwend te helpen bij de bevalling. De ene wiste met een vochtige handdoek het zweet van haar gezicht, anderen hielden haar armen en benen stevig vast en masseerden haar buik om de bevalling te bespoedigen. Santos Villero, die geen spier vertrok in die chaos, mompelde met haar ogen dicht gebeden voor een behouden vaart, terwijl ze tussen de dijen van de barende vrouw leek te graven. Het was ondraaglijk warm in de kamer vol damp van de pannen kokend water die uit de keuken werden aangedragen. Ik bleef geschrokken en nieuwsgierig tegelijk in een hoekje staan totdat de vroedvrouw iets levends aan de enkels tevoorschijn haalde, als een pasgeboren kalf dat als een bloederig ingewand aan de navelstreng hing. Op dat moment ontdekte een van de vrouwen me in mijn hoekje en sleurde me de kamer uit.

'Dat is een doodzonde wat jij daar deed,' zei ze, en met een dreigende vinger beval ze: 'Denk nooit meer terug aan wat je hebt gezien.'

Maar de vrouw die me echt mijn onschuld heeft ontnomen, was het niet van plan en heeft het nooit geweten. Ze heette Trinidad en ze was de dochter van iemand die bij ons thuis werkte, een pas ontluikende bloem in een sterfelijke lente. Ze zal dertien zijn geweest, maar ze droeg nog dezelfde jurken als toen ze negen was, en die zaten zo strak om haar lichaam dat ze er bloter uitzag dan zonder kleren. Op een avond waren we samen op de binnenplaats en opeens klonk er muziek uit het huis van de buren. Trinidad ging met me dansen en pakte me zó stevig beet dat ik bijna geen adem meer kon halen. Ik weet niet hoe het nu met haar is, maar ik word tot de dag van vandaag midden in de nacht wakker van verwarring over de hevige emotie, en ik weet dat ik haar in het donker op de tast zou herkennen aan elke millimeter van haar lichaam en haar dierlijke geur. In één seconde was ik me van mijn lichaam bewust met een helderziendheid der instincten zoals ik daarna nooit meer heb beleefd, en die ik me waag te herinneren als een verrukkelijke dood. Sindsdien wist ik op een vage en onwerkelijke manier dat er een ondoorgrondelijk mysterie bestond dat ik niet kende, maar dat me verontrustte alsof ik het eigenlijk wel wist. Mijn vrouwelijke familieleden daarentegen hebben me altijd over het dorre pad der kuisheid geleid.

Tegelijk met het verlies van mijn onschuld leerde ik dat niet het kindeke Jezus ons met Kerstmis cadeautjes bracht, maar ik keek wel uit om het te zeggen. Op mijn tiende onthulde mijn vader, in de overtuiging dat ik dit geheim al kende, dat het iets van volwassenen was en nam hij me mee naar de winkels om voor de kerst speelgoed uit te zoeken voor mijn broertjes en zusjes. Hetzelfde was me overkomen met het mysterie van de bevalling, nog voordat ik bij die van Matilde Armenta aanwezig was: ik stikte altijd van het lachen als ons werd verteld dat de kindertjes door een ooievaar uit Parijs werden gebracht. Ik moet bekennen dat het me net als indertijd nog steeds niet goed afgaat baren en paren met elkaar in verband te brengen. Hoe het ook zij, ik denk dat mijn intieme contact met de dienstmeisjes het begin kan zijn geweest van een geheime communicatielijn die, naar ik meen, tussen mij en vrouwen bestaat en waardoor ik me mijn hele leven al prettiger en zekerder voel in hun gezelschap dan in dat van mannen. Daar komt wellicht ook mijn overtuiging vandaan dat vrouwen de steunpilaren van de wereld zijn, terwijl wij mannen er door onze historische bruutheid een zootje van maken.

Ook Sara Emilia Márquez had, zonder dat ze het wist, iets met mijn bestemming te maken. Van jongs af werd ze al belaagd door vrijers, maar ze keurde hun geen blik waardig en koos voor de eerste die haar goed leek, en dat was voor altijd. De uitverkorene had iets met mijn vader gemeen, want ook hij was een vreemde van wie niemand wist waar hij vandaan kwam of hoe hij was gekomen, hij had een goed curriculum, maar zijn bron van inkomsten was onbekend. Hij heette José del Carmen Uribe Vergel, maar soms tekende hij alleen met J. del C. Het duurde een tijdje voor we wisten wie hij echt was en waar hij vandaan kwam, maar op een dag werd duidelijk dat hij toespraken schreef in opdracht van mensen in openbare functies, en liefdespoëzie die hij in zijn eigen culturele tijdschrift publiceerde, waarvan de frequentie van verschijning afhing van Gods wil. Vanaf de dag dat hij bij ons over de vloer kwam, had ik grote bewondering voor zijn faam als schrijver, de eerste die ik in mijn leven leerde kennen. Ik wilde meteen net zo zijn als hij en ik was pas tevreden nadat tante Mama had geleerd hoe ze mijn haar moest kammen zodat het op zijn kapsel leek.

Ik was de eerste van de familie die iets wist van zijn geheime liefde, omdat hij op een avond binnenkwam in het huis aan de overkant, waar ik met vriendjes aan het spelen was. Hij nam me apart, duidelijk heel gespannen, en overhandigde me een brief voor Sara Emilia. Ik wist dat ze thuis was en dat ze samen met een vriendin die op bezoek was, in onze huisdeur zat. Ik stak de straat over, verstopte me achter een van de amandelbomen en gooide de brief naar haar toe, zó goed gemikt dat hij op haar schoot viel. Ze schrok en stak haar handen omhoog, maar de schreeuw stokte in haar keel toen ze het handschrift op de envelop herkende. Sara Emilia en J. del C. waren vanaf die dag mijn vrienden.

Elvira Carrillo, de tweelingzuster van oom Esteban, kon met twee handen een rietsuikerstengel ombuigen tot het sap tevoorschijn kwam, alsof ze een suikermolen was. Ze stond meer bekend om haar ruwe openhartigheid dan om de tederheid waarmee ze de kinderen bezig wist te houden, vooral in het geval van mijn broer Luis Enrique, die een jaar jonger was dan ik. Ze speelde de baas over hem en was tegelijk zijn medeplichtige, en hij doopte haar met de ondoorgrondelijke naam tante Pa. Haar specialiteit waren onoplosbare problemen. Zij en Esteban waren de eersten die in het huis in Cataca gingen wonen, maar terwijl hij zijn weg vond via allerlei winstgevende baantjes en zaken, bleef zij bij ons en was onze tante die voor alles inzetbaar was zonder dat ze het zelf ooit in de gaten had. Ze verdween wanneer we haar niet nodig hadden, maar wanneer dat wel het geval was verscheen ze weer zonder dat iemand ooit wist waar ze vandaan kwam. Als ze in een slechte bui was, praatte ze tegen zichzelf terwijl ze in de pan roerde, en onthulde hardop waar de dingen waren waarvan we dachten dat die verdwenen waren. Ze bleef in het huis wonen nadat ze alle oudere mensen had begraven. En in de tussentijd verorberde het onkruid stukje bij beetje de ruimte, dwaalden er dieren door de slaapkamers en werd ze na middernacht opgeschrikt door een gehoest uit het hiernamaals in de kamer naast de hare.

Francisca Simodosea, tante Mama, de generaal van de clan, die op haar negenenzeventigste als maagd is gestorven, was qua gewoonten en taalgebruik anders dan alle anderen. Haar cultuur stamde namelijk niet uit de Provincie, maar uit het feodale paradijs van de savannen van Bolívar, waar haar vader, José María Mejía Vidal, die de kunst van het edelsmeden beheerste, al heel jong vanuit Riohacha naartoe was getrokken. Haar stugge, zwarte haar, dat tot op hoge leeftijd weigerde grijs te worden, kwam tot haar knieholten. Ze waste het eenmaal per week met reukwater en dan ging ze in haar slaapkamerdeur zitten om het te kammen, een sacrale ceremonie die enkele uren duurde, en intussen rookte ze achter elkaar de ene peuk zware tabak na de andere, die ze omgekeerd in haar mond stak, met het vuur in haar mond, zoals de liberale troepen deden om in het nachtelijke donker niet door de vijand te worden ontdekt. Ze was ook anders door de manier waarop ze zich kleedde, ze droeg onderjurken en bh's van onbevlekt linnen, en ribfluwelen sloffen.

Het onvervalste taalpurisme van mijn grootmoeder stond in schril contrast met de populaire uitdrukkingen die tante Mama met haar losse tong bezigde. Ze verborg die voor niets en voor niemand en zei iedereen recht in zijn gezicht hoe ze erover dacht. Zelfs tegenover een non, de lerares van mijn moeder op het internaat in Santa Marta, die ze de mond snoerde vanwege een onnozele brutaliteit: 'U bent iemand die het verschil niet kent tussen billen en vastendagen.' Maar ze wist de dingen toch altijd zo te zeggen dat het nooit grof of beledigend leek.

Ze was haar halve leven de bewaarster van de sleutels van het kerkhof, ze nam overlijdensberichten op en verstuurde ze, en ze bakte thuis de hosties voor de mis. Ze was de enige in de hele familie, van beide seksen, wier hart kennelijk niet was verscheurd van verdriet om een gedwarsboomde liefde. Hier kwamen we pas achter op een avond dat de dokter voorbereidingen trof om een sonde bij haar in te brengen, wat zij hem verhinderde om een reden die ik toen niet vatte: 'Ik moet u erop wijzen, dokter, dat ik nooit een man heb gekend.'

Sindsdien hoorde ik haar dat regelmatig zeggen, maar het klonk nooit trots of spijtig, eerder als een voldongen feit dat geen spoor had nagelaten in haar leven. Ze was daarentegen een op-en-top koppelaarster en ze moet het moeilijk hebben gehad met haar dubbelrol toen ze een kamer klaarmaakte voor mijn ouders, zonder haar loyaliteit tegenover Mina te verloochenen.

Ik denk dat ze een betere verstandhouding had met kinderen dan met volwassenen. Ze zorgde voor Sara Emilia tot de dag dat die in haar eentje naar de kamer met de boeken van Calleja verhuisde. Daarna kreeg ze Margot en mij onder haar hoede, maar mijn grootmoeder bleef zich met mijn lichamelijke verzorging bezighouden, en mijn grootvader met mijn ontwikkeling als man.

De onrustbarendste herinnering die ik aan die tijd heb, is de herinnering aan de oudste zuster van mijn grootvader, tante Petra, die Riohacha verliet en bij mijn grootouders kwam wonen toen ze blind was geworden. Haar kamer lag naast het kantoor waar later de edelsmidswerkplaats was, en ze had een magische handigheid ontwikkeld om zich zonder stok en zonder hulp van wie dan ook in haar duisternis te bewegen. Ik herinner me nog als de dag van gisteren hoe ze liep alsof ze haar ogen gewoon kon gebruiken, zonder stok, langzaam maar zonder te aarzelen, zich alleen oriënterend op de verschillende geuren. Ze herkende haar kamer aan de chloordamp uit de naastgelegen werkplaats, de galerij aan de jasmijngeuren uit de tuin, de slaapkamer van mijn grootouders aan de geur van houtgeest, die beiden gebruikten om hun lichaam mee in te wrijven voordat ze gingen slapen, de kamer van tante Mama aan de geur van de olie uit de lampjes op het altaar, en ze herkende het eind van de galerij aan de smakelijke geur uit de keuken. Ze was een slanke, stille vrouw, met een huid als verwelkte lelies en met prachtig, glanzend paarlemoerkleurig loshangend haar dat tot haar middel kwam en dat ze zelf verzorgde. Het licht in haar groene, heldere jongemeisjespupillen veranderde naargelang haar stemming. Haar wandelingen waren hoe dan ook sporadisch, want ze zat de hele dag op haar kamer met de deur op een kier, bijna altijd alleen. Soms neuriede ze liedjes voor zichzelf, en dan kon je haar stem met die van Mina verwarren, maar haar liedjes waren anders, treuriger. Ik heb iemand horen beweren dat het romances uit Riohacha waren, maar als volwassene ben ik er pas achter gekomen dat ze ze zelf al zingend verzon. Twee of drie keer kon ik de verleiding niet weerstaan haar kamer binnen te gaan zonder dat iemand het merkte, maar ik trof haar nooit. Jaren later, toen ik een keer tijdens mijn middelbareschooltijd in de vakantie thuis was, heb ik deze herinneringen aan mijn moeder verteld en ze haastte zich me te bezweren dat ik me vergiste. Ze had absoluut gelijk en dat viel te bewijzen zonder een spoortje twijfel: tante Petra was overleden toen ik nog geen twee jaar oud was.

Tante Wenefrida werd door ons Nana genoemd, en ze was de vrolijkste en aardigste van de hele clan, maar ik herinner me haar alleen op haar ziekbed. Ze was getrouwd met Rafael Quintero Ortega, oom Quinte, een advocaat voor arme mensen die geboren was in Chía, een dorp op ongeveer vijfenzestig kilometer van Bogotá, op dezelfde hoogte boven zeeniveau. Maar hij had zich zo goed aan het Caribische leven aangepast dat hij in de hel van Cataca warmwaterkruiken nodig had voor zijn voeten om in de koelte van december te kunnen slapen. De familie was net geheel hersteld van de ramp met Medardo Pacheco, toen oom Quinte iets dergelijks overkwam omdat hij tijdens een rechtsgeding de advocaat van de tegenpartij doodde. Hij had het imago van een aardige en vredelievende man, maar zijn tegenstander was hem de hele tijd zo aan het treiteren dat er niets anders voor hem op zat dan zich te bewapenen. Hij was zo klein en knokig dat hij kinderschoenen droeg, en zijn vrienden lachten hem goedaardig uit omdat de bobbel van de revolver onder zijn overhemd net een kanon leek. Mijn grootvader waarschuwde hem ernstig met zijn beroemde uitspraak: 'U weet niet hoe zwaar een dode weegt.' Maar oom Quinte had geen tijd om hierover na te denken toen de vijand hem, schreeuwend als een dolleman, in de wachtkamer van het gerechtsgebouw de pas afsneed en zich met zijn reusachtige lichaam op hem stortte. 'Ik heb niet eens gemerkt dat ik mijn revolver trok en met mijn handen tegen elkaar en met mijn ogen dicht in de lucht schoot,' vertelde oom Quinte me vlak voordat hij als honderdjarige zou sterven. 'Toen ik mijn ogen opende,' vertelde hij, 'zag ik hem nog staan, heel groot en bleek, en het was net alsof hij langzaam begon in te storten, net zo lang tot hij op de grond zat.' Eerst had oom Quinte niet begrepen dat hij hem midden in zijn voorhoofd had geraakt. Ik vroeg wat hij voelde toen hij hem zag vallen, en ik stond versteld van zijn openhartigheid: 'Een geweldige opluchting!'

Het laatste wat ik me van zijn vrouw Wenefrida herinner, is dat er op een avond dat het verschrikkelijk regende een geest bij haar werd uitgedreven door een heks. Het was geen stereotiepe toverkol, maar een aardige vrouw die gekleed was volgens de laatste mode en die met een bosje brandnetels de kwade sappen uit haar lichaam dreef terwijl ze een bezwering zong die net een slaapliedje leek. Opeens begon Nana's lichaam te kronkelen door een zware stuiptrekking, en er kwam een vogel zo groot als een kip met tweekleurige veren tussen de lakens tevoorschijn. De vrouw ving hem met een meesterlijke greep in de lucht en rolde hem in de zwarte lap die ze klaarhield. Ze gaf opdracht een vuurtje te stoken op het achtererf, en zonder enige plichtpleging gooide ze het hoen in de vlammen. Nana herstelde echter niet van haar kwalen.

Korte tijd later werd er weer een vuur gemaakt op het erf, omdat een kip een fantastisch ei had gelegd, net een pingpongbal met een naar voren gebogen punt eraan, als een Frygische muts. Mijn grootmoeder herkende het meteen: 'Dat is het ei van een basilisk.' Ze gooide het zelf in het vuur terwijl ze bezwerende gebeden mompelde.

Ik heb me mijn grootouders nooit voor kunnen stellen op een andere leeftijd dan die ze hadden in mijn herinneringen aan die tijd. Dezelfde als op de foto's die aan het begin van hun oude dag van hen zijn gemaakt en waarvan de steeds blekere afdrukken door vier kinderrijke generaties als een clanritueel aan elkaar zijn doorgegeven. Vooral de foto's van grootmoeder Tranquilina, de goedgelovigste en beïnvloedbaarste vrouw die ik ooit heb gekend, gezien de angst die de mysteries van het dagelijkse leven haar inboezemden. Ze probeerde haar werkzaamheden altijd te verlichten door luidkeels oude liefdesliederen te zingen, maar kon die opeens onderbreken met haar strijdkreet tegen het noodlot: 'Ave Maria Purissima!'

Dan zag ze dat de schommelstoelen vanzelf schommelden, dat het spook van de kraamvrouwenkoorts de slaapkamers van kraamvrouwen binnendrong, dat de geur van de jasmijnstruiken in de tuin als het ware een onzichtbaar spook was, dat een zomaar op de grond gegooid touw de vorm aannam van het getal dat de eerste prijs in de loterij kon winnen, of dat er in de eetkamer een vogel zonder ogen was verdwaald, die alleen kon worden verjaagd door het zingen van het *Magnificat*. Ze geloofde dat ze via geheime codes de identiteit kon vaststellen van hoofdpersonen en plaatsen in de liedjes die uit de Provincie tot haar kwamen. Ze stelde zich rampen voor die vroeg of laat gebeurden, ze voorvoelde wie uit Riohacha zou komen met een witte hoed op, of wie uit Manaure met een koliek die alleen te genezen was met aasgierengal, want behalve beroepszieneres was ze stiekem ook nog genezeres.

Ze had een heel persoonlijk systeem om haar eigen en andermans dromen uit te leggen, die het dagelijkse gedrag van ieder van ons stuurden en het leven bij ons thuis bepaalden. Maar ze was zonder voortekenen bijna gestorven op de dag dat ze met een ruk de lakens van het bed trok, waardoor de revolver, die de kolonel altijd onder zijn hoofdkussen had liggen om hem bij de hand te hebben wanneer hij sliep, vanzelf afging. Op grond van de baan van de kogel die zich in het plafond drong, werd vastgesteld dat het projectiel vlak langs mijn grootmoeders gezicht was gescheerd.

Zover mijn geheugen reikt herinner ik me de ochtendmarteling dat Mina mijn tanden poetste, terwijl zíj het magische voorrecht genoot de hare uit haar mond te halen om ze schoon te maken en ze voor het slapengaan in een glas water te leggen. In de overtuiging dat het haar echte tanden waren die ze met behulp van Guajiro-toverkunsten in- en uitdeed, vroeg ik haar of ik haar mond vanbinnen mocht zien om te weten te komen hoe de achterkant van haar ogen, hersens, neus en oren eruitzag, maar tot mijn teleurstelling zag ik niets anders dan een verhemelte. Niemand verklaarde me het wonder en ik heb nog een hele tijd volgehouden dat de tandarts bij mij hetzelfde moest doen als bij mijn grootmoeder, want dan kon ze mijn tanden poetsen terwijl ik op straat speelde.

We hadden een soort geheime code waardoor we allebei in contact stonden met een onzichtbaar universum. Overdag fascineerde haar magische wereld me, maar 's nachts was ik alleen maar bang: de angst voor het donker, die van vóór onze geboorte stamt, heeft me mijn hele leven achtervolgd op eenzame wegen en zelfs in dansholen over de hele wereld. Bij mijn grootouders thuis had elke heilige zijn kamer en elke kamer zijn dode. Maar het enige dat officieel bekendstond als 'Het huis van de dode' was het huis naast ons, en de dode aldaar had zich tijdens een spiritistische seance als enige bekendgemaakt met zijn menselijke naam: Alfonso Mora. Iemand uit zijn directe omgeving had de moeite genomen die naam in doop- en dodenregisters op te zoeken, en hij vond talloze naamgenoten, maar geen van allen gaf een teken waaruit bleek dat hij de onze was. Het huis was jarenlang pastorie geweest en dit gaf voedsel aan het gerucht dat pater Angarita zelf het spook was waarmee hij nieuwsgierige lieden die hem op zijn nachtelijke tochten bespioneerden schrik aanjoeg.

Wie ik nooit heb gekend was Meme, de Guajiro-slavin die de familie uit Barrancas had meegebracht en die er op een stormachtige nacht vandoor was gegaan met haar jongere broertje Alirio. Maar ik heb altijd gehoord dat de manier van praten bij ons thuis het meest door hen is gelardeerd met woorden uit hun moedertaal. Haar verhaspelde Spaans sloeg iedereen met dichterlijke stomheid op de gedenkwaardige dag dat ze de lucifers vond die oom Juan de Dios kwijt was en hem die teruggaf met de triomfantelijke woorden: 'Hier ben ik, lucifer van je.'

Het kostte moeite te geloven dat grootmoeder Mina, samen met haar verstrooide vrouwen, de economische steunpilaar van het huis bleek te zijn toen het aan financiële middelen begon te ontbreken. De kolonel bezat hier en daar stukken grond waarop cachaco-pachters woonden, maar hij weigerde hen weg te jagen. Om de eer van een van zijn zonen te redden raakte hij in nood en moest hij een hypotheek nemen op het huis in Cataca. Het heeft hem een fortuin gekost dit niet te verliezen. Toen er geen cent meer was, hield Mina het huishouden draaiende met behulp van haar bakkerij, haar karamelbeestjes die ze in het hele dorp verkocht, de tweekleurige kippen, de eendeneieren en de groenten van het achtererf. Ze zette radicaal het mes in het huishoudelijke personeel en hield alleen de nuttigste meisjes. Contanten betekenden niets meer in de orale traditie van het huis. Dus toen er een piano moest worden gekocht voor mijn moeder, die na school weer thuis kwam wonen, berekende tante Pa de exacte prijs in ons huis-, tuin- en keukengeld: 'Een piano kost vijfhonderd eieren.'

Te midden van die troep evangelische vrouwen betekende mijn grootvader voor mij de totale veiligheid. Alleen als ik in zijn gezelschap was verdween mijn angst en voelde ik dat ik met beide benen op de grond en in het echte leven stond. Nu ik er goed over nadenk is het merkwaardig dat ik net zo wilde zijn als hij, realistisch, dapper en zelfverzekerd, maar dat ik nooit de voortdurende verleiding kon weerstaan een kijkje te nemen in de wereld van mijn grootmoeder. Ik herinner me hem als een dikke man met een rood aangelopen gezicht, enkele grijze haren op zijn glimmende schedel, een goedverzorgd borstelsnorretje, en een ronde bril met gouden montuur. Hij sprak op langzame, begrijpelijke en verzoenende toon in tijden van vrede, maar zijn vrienden van de Conservatieve Partij herinnerden zich hem als een gevreesde vijand in de moeilijke tijden van oorlog.

Hij heeft nooit een militair uniform gedragen, want hij had een revolutionaire en geen academische graad, maar tot ver na de oorlogen heeft hij een liquilique* gedragen, zoals algemeen gebruik was bij de veteranen in het Caribisch gebied. Op de dag dat de Wet op de Oorlogspensioenen werd afgekondigd, vulde hij alle daartoe vereiste papieren in, maar zowel hij als zijn echtgenote en zijn directe erfgenamen konden er tot hun laatste snik op blijven wachten. Grootmoeder Tranquilina, die ver van ons huis is overleden, blind, afgetakeld en lichtelijk in de war, vertelde me in haar laatste heldere momenten: 'Ik sterf rustig, want ik weet dat jullie het pensioen van Nicolasito zullen krijgen.'

Het was voor het eerst dat ik het mythische woord hoorde dat in mijn familie de kiem voor haar eeuwige illusies legde: het pensioen. Het was al vóór mijn geboorte het huis binnengekomen, nadat de regering de pensioenen voor de veteranen van de Oorlog van Duizend Dagen had vastgesteld. Mijn grootvader stelde zelf het dossier op, met een overmaat aan getuigenissen onder ede en ondersteunende documenten, en hij bracht het hoogstpersoonlijk naar Santa Marta om het protocol van overdracht te tekenen. Volgens de minst vrolijke berekeningen ging het om een bedrag dat voldoende was voor hem en zijn nakomelingen tot in het tweede geslacht. 'Maken jullie je maar geen zorgen,' zei mijn grootmoeder altijd, 'met het geld van het pensioen kunnen we alles kopen.' De post, die in onze familie nooit iets dringends was geweest, veranderde in een afgezant van de Goddelijke Voorzienigheid.

Ik kon er zelf ook niet aan ontkomen, omdat ik in mijn diepste wezen zo'n grote onzekerheid voelde. En soms was Tranquilina in een bui die totaal niet met haar naam te rijmen viel. Tijdens de Oorlog van Duizend Dagen werd mijn grootvader gevangengezet in Riohacha, door toedoen van een neef van haar die officier was in het leger van de conservatieven. De liberale familieleden en ook zijzelf vatten dit op als een oorlogsdaad waar de familiemacht in het geheel niet tegenop kon. Maar zodra mijn grootmoeder erachter kwam dat haar man als een gewone misdadiger in de nor zat, verscheen ze met een hondenvanger bij haar neef en dwong hem haar man gezond en wel aan haar uit te leveren.

De wereld van mijn grootvader was heel anders. Tot in de laatste jaren van zijn leven leek hij nog heel lenig wanneer hij zich met zijn gereedschapskist door het hele huis bewoog om dingen te repareren die kapot waren, of wanneer hij urenlang op het achtererf met de hand stond te pompen om het water naar de badkamer te leiden, of wanneer hij de steile trap opklom om vast te stellen hoeveel water er nog in de tonnen zat, maar hij vroeg altijd of ik de veters van zijn laarzen wilde vastmaken, want hij raakte buiten adem als hij het zelf deed. Het was een wonder dat hij niet stierf op de ochtend dat hij de bijziende papegaai wilde pakken, die helemaal naar de watertonnen was geklommen. Hij had hem net bij zijn nek vast toen hij uitgleed op de vlonder en van vier meter hoogte op de grond viel. Niemand begreep hoe hij het had overleefd met zijn negentig kilo en vijftig jaar en nog wat. Dit was de voor mij gedenkwaardige dag waarop de dokter hem naakt op zijn bed centimeter voor centimeter onderzocht en hem vroeg wat dat oude litteken van anderhalve centimeter was dat hij in zijn lies ontdekte.

'Een kogel uit de oorlog,' zei mijn grootvader.

Ik ben de emotie nog steeds niet te boven. Zoals ik er ook nog niet overheen ben dat hij op een dag voor het raam aan de straatkant van zijn kantoor ging staan om een beroemd paard te bekijken, een telganger die ze hem wilden verkopen, en dat hij plotseling merkte dat zijn ene oog volliep. Hij probeerde zich te beschermen door zijn hand ervoor te houden en er vielen wat druppels van een of ander doorzichtig vocht op zijn handpalm. Hij verloor niet alleen zijn rechteroog, maar mijn grootmoeder verbood hem ook nog het door de duivel bezeten paard te kopen. Hij heeft korte tijd met een piratenlapje voor zijn vertroebelde oog gelopen, tot de dag dat de oogarts het verving door een bril van de juiste sterkte en hem een zalmhouten stok voorschreef, die een herkenningsteken werd, evenals het kleine vestzakhorloge met een gouden ketting en een deksel dat met een muzikaal schokje opensprong. Het is altijd een publiek geheim geweest dat de verraderlijkheden van de leeftijd, waar hij zich zorgen over begon te maken, totaal geen invloed hadden op zijn vaardigheden als geheime verleider en goede minnaar.

Tijdens het rituele bad om zes uur 's morgens, dat hij in zijn laatste levensjaren samen met mij nam, gooiden we water uit het reservoir over elkaar heen met een kalebas, maar op het laatst dropen we van de eau de cologne van het merk Lanman & Kemps, die met dozen tegelijk aan huis werd verkocht door smokkelaars uit Curaçao, net als de brandy en de overhemden van Chinese zijde. We hadden hem weleens horen zeggen dat dit het enige reukwater was dat hij gebruikte, omdat je het alleen zelf rook. Dat geloofde hij echter niet meer nadat iemand het op een vreemd kussen had herkend. Een ander verhaal dat ik jarenlang steeds opnieuw heb horen vertellen, was dat grootvader op een avond toen de elektriciteit was uitgevallen, een fles inkt over zijn hoofd gooide in de veronderstelling dat het zijn eau de cologne was.

Bij de dagelijkse werkzaamheden thuis droeg hij een denim broek met zijn eeuwige elastieken bretels, soepele schoenen en een ribfluwelen pet met klep. Bij de zondagse mis, waar hij alleen noodgedwongen, of als hij naar een bijzondere gelegenheid of een herdenking moest, verstek liet gaan, droeg hij een geheel wit linnen pak, een celluloid boord en een zwarte das. Deze gelegenheden waren zeldzaam, maar ze bezorgden hem ongetwijfeld zijn faam als geldsmijter en ijdeltuit. Tegenwoordig denk ik dat het huis met alles erin eigenlijk alleen ten behoeve van hem bestond, want het was een voorbeeldig machistisch huwelijk binnen een matriarchale maatschappij, waarin de man de absolute heerser is in zijn huis, maar waarin de vrouw regeert. Kortom, hij was het mannetje. Dat wil zeggen in het privé-leven een heel zachtaardige man die zich ervoor schaamde zich zo in het openbaar te tonen, terwijl de echtgenote opbrandde om hem gelukkig te maken.

Mijn grootouders reisden in december 1930 opnieuw naar Barranquilla, in de dagen dat het eerste eeuwfeest ter nagedachtenis van de dood van Simón Bolívar werd gevierd. Ze gingen erheen om aanwezig te zijn bij de geboorte van mijn zusje Aida Rosa, het vierde kind van het gezin. Toen ze naar Cataca terugreisden namen ze Margot mee, die iets meer dan een jaar oud was, en Luis Enrique en de pasgeborene bleven bij mijn ouders. Het kostte me moeite aan de verandering te wennen, want Margot kwam in huis als een wezen uit een andere wereld, ze was mager en wild en had een ondoordringbare binnenwereld. Toen Abigaíl, de moeder van Luis Carmelo Correa, haar zag begreep ze niet waarom mijn grootouders die taak op zich hadden genomen. 'Dit meisje is stervende,' zei ze. Overigens zeiden ze van mij hetzelfde omdat ik zo weinig at, omdat ik met mijn ogen knipperde en omdat de dingen die ik vertelde de anderen zo verbijsterend in de oren klonken dat ze dachten dat het leugens waren, maar ze kwamen niet op het idee dat die dingen op een andere manier waar waren. Jaren later hoorde ik pas dat dokter Barboza de enige was die me verdedigde met een wijze redenering: 'De leugens die kinderen vertellen zijn tekenen van een groot talent.'

Het duurde lang voordat Margot zich aan het gezinsleven overgaf. Ze ging altijd op de gekste plaatsen in haar schommelstoeltje op haar duim zitten zuigen. Niets trok haar aandacht, alleen het slaan van de klok, waar ze ieder uur naar zocht met haar grote, betoverde ogen. Het lukte enkele dagen niet haar aan het eten te krijgen. Ze weigerde haar eten zonder misbaar en gooide het soms in een hoek. Niemand begreep hoe ze kon leven zonder te eten, tot ze merkten dat ze alleen van de vochtige grond op de binnenplaats hield en van de koekjes van kalk die ze met haar nagels van de muren krabde. Zodra mijn grootmoeder dit ontdekte, legde ze ossengal in de smakelijkste hoekjes van de tuin en verstopte ze scherpe pepers in de bloempotten. Pater Angarita doopte haar tijdens dezelfde ceremonie waarmee hij de nooddoop bekrachtigde die vlak na mijn geboorte op mij was toegepast. Ik stond daarvoor op een stoel en verdroeg met burgerlijke moed het keukenzout dat de pater op mijn tong legde en de kan water die hij over mijn hoofd leeggoot. Margot daarentegen verzette zich tegen die twee dingen met een gebrul als van een gewond wild dier, en met zo'n opstandigheid van haar hele lichaam dat de peetooms en de peettantes haar amper in bedwang konden houden boven de doopvont.

Tegenwoordig denk ik dat zij heel wat verstandiger met mij omging dan de volwassenen met elkaar. We hadden een eigenaardige solidariteit en meer dan eens raadden we elkaars gedachten. Op een ochtend waren we samen in de tuin aan het spelen toen het gefluit van de trein klonk, zoals elke ochtend om elf uur. Maar toen ik het die keer hoorde, kreeg ik de onverklaarbare openbaring dat de dokter van de bananenmaatschappij, die me maanden daarvoor een drankje met rabarber had gegeven waar ik vreselijk van had moeten kotsen, met die trein zou meekomen. Alarmkreten brullend rende ik het hele huis door, maar niemand geloofde het, behalve mijn zusje Margot, die zich samen met mij net zo lang schuilhield tot de dokter klaar was met eten en de trein terug nam. 'Ave

Maria Purissima!' riep mijn grootmoeder uit toen we onder haar bed werden gevonden. 'Met zulke kinderen heb je geen telegrammen nodig.'

Ik heb de angst voor het alleenzijn nooit kunnen overwinnen, en voor het alleenzijn in het donker al helemaal niet, maar ik geloof dat er een concrete oorzaak voor is: 's nachts kwamen de fantasieverhalen en de voorspellingen van mijn grootmoeder tot leven. Nu ik al in de zeventig ben, zie ik in mijn dromen soms nog de gloed van de jasmijn bij de galerij en het spook in de donkere slaapkamers, en nog altijd met het gevoel dat mijn kindertijd heeft verpest: angst voor het donker. Heel vaak denk ik, waar ter wereld ik 's nachts maar wakker lig, dat ook ik de doem van dat mythische huis achter me aan sleep in een gelukkige wereld waarin we elke nacht doodgingen.

Het vreemdste is dat mijn grootmoeder met haar gevoel voor het irreële de steunpilaar was van het huis. Hoe is het mogelijk dat ze die manier van leven handhaafde met zo weinig middelen? Er is geen verklaring voor. De kolonel had het vak van zijn vader geleerd, die het op zijn beurt weer van zijn vader had geleerd, en al waren zijn gouden visjes nog zo beroemd en zag je ze overal, het was geen goede handel. Sterker nog, als kind had ik de indruk dat hij ze maar zo af en toe maakte, of alleen als huwelijkscadeau. Grootmoeder zei altijd dat hij alleen werkte om weg te geven. Toch werd zijn faam als goed functionaris definitief bevestigd op het moment dat de Liberale Partij aan de macht kwam, en hij jarenlang penningmeester en verschillende keren administrateur van een haciënda was.

Ik kan me geen familieschoot voorstellen die gunstiger was voor mijn roeping dan dat waanzinnige huis, met name vanwege het karakter van de talloze vrouwen door wie ik ben opgevoed. Mijn grootvader en ik waren de enige mannen. Hij heeft me in de treurige realiteit van de volwassenen ingewijd met verhalen over bloedige veldslagen en met wetenschappelijke verklaringen voor het vliegen van de vogels en de donderslagen in de namiddag. Maar hij heeft me ook aangemoedigd in mijn liefde voor het tekenen. Eerst deed ik het op de muren, tot de vrouwen van het huis alarm sloegen: gekken en dwazen schrijven hun namen op muren en glazen. Mijn grootvader ontstak in woede, gaf opdracht een muur in zijn werkplaats wit te kalken, kocht kleurpotloden voor me en later nog een etui met aquarelverf, zodat ik naar hartelust kon verven terwijl hij zijn beroemde gouden visjes fabriceerde. Ik heb hem weleens horen zeggen dat zijn kleinzoon schilder zou worden, maar daar sloeg ik geen acht op omdat ik dacht dat alleen mannen die deuren schilderden schilders waren.

Mensen die mij als vierjarige hebben gekend, zeggen dat ik bleek en in mezelf gekeerd was en dat ik alleen mijn mond opendeed om onzin te vertellen, maar mijn verhalen waren voornamelijk eenvoudige voorvallen uit het dagelijkse leven die ik met fantastische details opsierde om de aandacht van de volwassenen te trekken. Mijn grootste inspiratiebron waren de gesprekken die de volwassenen in mijn bijzijn voerden in de veronderstelling dat ik ze niet begreep, of die ze opzettelijk in geheimtaal voerden om ervoor te zorgen dat ik ze niet begreep. Het was precies andersom: ik zoog die gesprekken op als een spons, demonteerde ze en gooide de stukjes door elkaar om hun oorsprong te camoufleren, en als ik die verhalen dan weer aan dezelfde mensen vertelde die ze hadden verteld, waren ze stomverbaasd over de overeenkomst tussen wat ik zei en wat zij dachten.

Soms kon ik mijn gewetensnood niet de baas en dan probeerde ik die te verbergen door snel met mijn ogen te knipperen. Dit nam zulke vormen aan dat een verstandig familielid besloot dat ik voor controle naar de oogarts moest. Volgens hem was mijn geknipper een gevolg van een aandoening aan de amandelen, en hij gaf me mierikswortelsiroop die mij goed van pas kwam om de volwassenen gerust te stellen. Maar mijn grootmoeder trok de goddelijke conclusie dat haar kleinzoon waarzegger was. Hierdoor werd zij mijn favoriete slachtoffer, tot de dag dat ze een flauwte kreeg omdat ik werkelijk had gedroomd dat er een levende vogel uit mijn grootvaders mond vloog. De schrik dat het mijn schuld zou zijn dat ze zou sterven, was het eerste temperende element voor mijn vroegrijpe ongebreideldheid. Tegenwoordig denk ik dat er geen sprake was van kinderlijke slechtheid, zoals je zou kunnen denken, maar van rudimentaire technieken waarmee een ontluikende verteller de werkelijkheid grappiger en begrijpelijker wilde maken.

Mijn eerste stap in het echte leven was de ontdekking van het voetballen, op straat of ergens in de buurtuinen. Mijn leermeester was Luis Carmelo Correa, die een aangeboren sporttalent had en ook nog een wiskundeknobbel. Ik was vijf maanden ouder dan hij, maar hij lachte me uit omdat hij sneller groeide dan ik en groter werd. We begonnen met ballen van oude lappen, en ik werd een goede keeper. Maar toen we overgingen op een officiële bal trapte hij die op een keer zo keihard in mijn maag dat het daarna afgelopen was met mijn ijdelheid. Altijd als we elkaar tegenwoordig als volwassenen ergens tegenkomen, gaan we tot mijn grote vreugde nog net zo met elkaar om als toen we klein waren. Wat in die tijd echter de meeste indruk op me heeft gemaakt was de prachtige auto met open dak waarin de hoogste directeur van de bananenmaatschappij snel voorbijschoot, met naast zich een vrouw met lang, goudkleurig haar, wapperend in de wind, en een Duitse herder als een koning op de ereplaats. Het waren kortstondige verschijningen uit een verre, onwaarschijnlijke wereld, waartoe gewone stervelingen zoals wij geen toegang hadden.

Ik begon bij de mis te helpen, zonder erg gelovig te zijn, maar met een toewijding die hopelijk als een wezenlijk ingrediënt van het geloof wordt erkend. Vermoedelijk als gevolg van die braafheid brachten ze me op mijn zesde naar pater Angarita om te worden ingewijd in de mysteries van de eerste communie. Mijn leven veranderde. Ik werd nu als volwassene behandeld en de bejaarde koster leerde me hoe ik bij de mis moest helpen. Het enige probleem was dat ik maar niet begreep wanneer ik precies de altaarbel moest luiden en ik het dus deed volgens mijn eigen inspiratie, gewoon als ik er zin in had. De derde keer draaide de pater zich om en beval me op ruwe toon dat niet meer te doen. Het leukste deel van de dienst was het moment waarop de andere misdienaar, de koster en ik alleen achterbleven om de sacristie op te ruimen en we de resterende hosties opaten met een glas wijn erbij.

Aan de vooravond van de eerste communie nam de pater me zonder verdere plichtplegingen de biecht af, als een echte paus op zijn troon en ik vóór hem op mijn knieën op een fluwelen kussen. Mijn kennis van goed en kwaad was tamelijk simpel, maar de pater hielp me met een waslijst aan zonden, zodat ik kon antwoorden welke ik had begaan en welke niet. Ik dacht dat ik de goede antwoorden gaf, totdat hij me vroeg of ik geen vieze dingen had gedaan met dieren. Ik had een vage notie dat sommige volwassenen weleens een zonde begingen met ezelinnen, waar ik nooit iets van had begrepen, maar die avond leerde ik pas dat het ook met kippen kon. Vandaar dat mijn eerste stap op weg naar de eerste communie de zoveelste grote sprong in het verlies van mijn onschuld werd, en hierna voelde ik geen enkele aandrang meer om misdienaar te blijven.

De vuurproef was voor mij de verhuizing van mijn ouders met mijn broertje en mijn zusje, Luis Enrique en Aida, naar Cataca. Margot kon zich haar vader nauwelijks herinneren en ze was doodsbang voor hem. Ik ook, maar tegenover mij was hij altijd voorzichtiger. Hij heeft maar één keer zijn riem afgedaan om me een aframmeling te geven. Ik sprong in de houding, beet op mijn lippen en keek hem in de ogen, bereid alles te doorstaan zonder een traan te laten. Hij liet zijn arm zakken en begon zijn riem weer om te doen terwijl hij me binnensmonds uitfoeterde om wat ik had gedaan. Tijdens onze lange gesprekken als volwassenen heeft hij me bekend dat hij het vreselijk vond ons te slaan, maar dat hij het misschien deed uit angst dat we krom zouden groeien. Als hij in een goed humeur was, was hij grappig. Hij hield ervan aan tafel moppen te vertellen, en sommige waren heel goed, maar hij herhaalde ze zo vaak dat Luis Enrique op een dag opstond en zei: 'Jullie waarschuwen me wel als jullie klaar zijn met lachen.'

Het echte gedenkwaardige pak rammel werd gegeven op de avond dat Luis Enrique niet thuiskwam en ook niet in het huis van mijn grootouders opdook en het halve dorp naar hem werd afgezocht. Ze vonden hem ten slotte in de bioscoop. Celso Daza, de sapjesverkoper, had hem om acht uur 's avonds een glas zapotesap* verkocht, en Luis Enrique was verdwenen zonder te betalen en met medeneming van het glas. De vrouw van het eetstalletje had hem een empanada verkocht en hem kort daarna met de portier van de bioscoop zien praten. Deze had hem gratis binnengelaten omdat hij had gezegd dat zijn vader daar op hem wachtte. De film in kwestie was *Dracula*, met Carlos Villarías en Lupita Tovar, in de regie van George Melford. Luis Enrique heeft me jarenlang verteld dat hij zich rot schrok toen de lichten in de bioscoop aangingen precies op het moment dat graaf Dracula zijn vampiertanden in de hals van het mooie meisje zou zetten. Hij zat op het meest verborgen plaatsje dat hij op het balkon had kunnen vinden, en vandaar zag hij mijn vader en mijn grootvader rij voor rij de stalles afzoeken, samen met de bioscoopeigenaar en twee politieagenten. Ze wilden het juist opgeven, toen Papalelo hem op de achterste rij van het balkon zag zitten. Hij wees met zijn stok naar hem en riep: 'Daar is ie!'

Mijn vader sleurde hem aan zijn haren naar buiten en het pak rammel dat hij hem thuis gaf, leefde als een legendarische afstraffing voort in de familieannalen. Mijn vrees en bewondering voor die daad van onafhankelijkheid van mijn broer stonden voorgoed in mijn geheugen gegrift. Hij leek alles op steeds heldhaftiger wijze te doorstaan. Nu vraag ik me echter af waarom hij geen opstandigheid vertoonde in de schaarse perioden dat mijn vader niet thuis was.

Ik verschool me meer dan ooit in de schaduw van mijn grootvader. We waren altijd samen, 's morgens in de werkplaats of op zijn administrateurskantoor, waar hij me een prettig karweitje liet doen: ik moest de ijzers tekenen waarmee de koeien werden gebrandmerkt voor de slacht, en dat vatte ik zo ernstig op dat hij me zijn plaats aan het bureau afstond. Tijdens het middageten, met veel gasten, gingen we altijd samen aan het hoofd van de tafel zitten, hij met de grote aluminium beker voor zijn ijswater, en ik met een zilveren lepel die overal voor te gebruiken was. Het viel op dat ik, als ik een stukje ijs wilde, mijn hand in zijn beker stak en het pakte, waardoor er een vettig laagje op het water kwam. Mijn grootvader verdedigde me altijd: 'Hij mag alles.'

Om elf uur vertrokken we om de trein op te wachten, want zijn zoon Juan de Dios, die nog in Santa Marta woonde, gaf elke dag een brief voor hem mee met de dienstdoende conducteur, die daar vijf centavo voor vroeg. Mijn grootvader stuurde het antwoord met de avondtrein terug, ook weer voor vijf centavo. 's Middags, tegen zonsondergang, nam hij me aan de hand mee om zijn privé-zaken af te handelen. We gingen naar de kapper, het langste kwartier van mijn hele kindertijd, we gingen op de nationale feestdag naar het vuurwerk kijken, waar ik doodsbang voor was, en in de stille week naar de processies met een dode Jezus, terwijl ik altijd had gedacht dat hij van vlees en bloed was. Ik droeg in die tijd een pet met Schotse ruit, net zo een als mijn grootvader had en die Mina voor me had gekocht opdat ik nog meer op hem zou lijken. Dat werkte zo goed dat we in de ogen van oom Quinte één persoon van twee verschillende leeftijden waren.

Op een willekeurig uur van de dag nam mijn grootvader me mee naar de heerlijke winkel van de bananenmaatschappij, waar we boodschappen deden. Daar leerde ik zeebrasems kennen en daar heb ik voor het eerst mijn hand op een brok ijs gelegd en gerild van schrik toen ik ontdekte dat het koud was. Ik was daar gelukkig omdat ik alles mocht eten waar ik zin in had, maar ik verveelde me tijdens de schaakpartijen met de Belg en de gesprekken over politiek. Nu snap ik eigenlijk pas goed dat we tijdens die lange wandelingen twee verschillende werelden zagen. Mijn grootvader zag de zijne met zijn horizon, en ik de mijne op mijn ooghoogte. Hij groette zijn vrienden op hun balkons en ik verlangde naar het door de snuisterijenverkopers op de trottoirs uitgestalde speelgoed.

Aan het begin van de avond bleven we een hele tijd in de

heidense herrie van Las Cuatro Esquinas, waar hij praatte met don Antonio Daconte, die hem staande in de deur van zijn kleurrijke winkel ontving, terwijl ik mijn ogen uitkeek naar al die nieuwe dingen uit de hele wereld. Ik was stapelgek op goochelaars die konijnen uit hun hoed haalden, op vuurslikkers, op buiksprekers die hun dieren lieten spreken, en op accordeonisten die in hun liederen luidkeels bezongen wat er allemaal in de Provincie gebeurde. Een van hen, een oude man met een witte baard, was misschien de legendarische Francisco el Hombre,* denk ik nu.

Altijd wanneer don Antonio Daconte dacht dat een film geschikt voor ons was, nodigde hij ons uit voor de vroege voorstelling in zijn Olympiabioscoop, tot ontsteltenis van mijn grootmoeder, die film beschouwde als iets losbandigs dat ongeschikt was voor een onschuldige kleinzoon. Maar Papalelo hield voet bij stuk, liet me de volgende dag aan tafel de film navertellen, corrigeerde me wanneer ik iets vergat of me vergiste en hielp me met de reconstructie van moeilijke gedeelten. Het waren tekenen van een gevoel voor dramatische kunst die ongetwijfeld ergens goed voor zijn geweest, vooral toen ik strips begon te tekenen, nog voordat ik had leren schrijven. In het begin werd ik geprezen om mijn kinderlijke grappen, maar de gemakkelijke applausjes van de volwassenen bevielen me zo goed dat die er uiteindelijk vandoor gingen zodra ze me aan hoorden komen. Later overkwam me hetzelfde met de liedjes die ze me dwongen te zingen tijdens bruiloften en verjaardagspartijtjes.

Voor het slapengaan brachten mijn grootvader en ik een flinke tijd door in de werkplaats van de Belg, een angstaanjagende oude man die na de Eerste Wereldoorlog in Aracataca was opgedoken. Ik twijfel er niet aan dat hij een Belg was, gezien zijn verwarde accent en zijn zeemansheimwee. Het andere levende wezen in zijn huis was een grote Deense dog, een dove pederast die net zo heette als de president van de Verenigde Staten: Woodrow Wilson. Ik leerde de Belg kennen toen ik vier was en mijn grootvader met hem ging schaken, zwijgende partijen waar geen eind aan leek te komen.

Vanaf de eerste avond verbaasde het me dat er bij hem thuis niets was waarvan ik begreep waar het voor diende. Hij was namelijk een kunstenaar die van alles wat maakte en die leefde in de chaos van zijn eigen werk: zeegezichten van pastelkrijt, foto's van kinderen tijdens verjaardagspartijtjes en eerste communies, kopieën van Aziatische sieraden, figuurtjes van koeienhoorns en op elkaar gestapelde meubels uit allerlei tijden en in allerlei stijlen.

Wat me opviel was de strak tegen zijn schedel geplakte huid van dezelfde zongele kleur als zijn haar, waarvan een lok over zijn gezicht viel, die hem hinderde bij het spreken. Hij rookte een zeerobbenpijp die hij alleen opstak bij het schaken en waarvan mijn grootvader altijd zei dat het een valstrik was om zijn tegenstander in de war te brengen. Hij had een buitensporig groot, glazen oog, dat meer op de gesprekspartner gericht leek dan zijn gezonde oog. Hij had een mismaakt onderlijf, liep voorovergebogen en scheef naar links, maar hij navigeerde als een vis tussen de klippen in zijn werkplaats door, meer hangend dan steunend op zijn houten krukken. Nooit heb ik hem over zijn zeereizen horen vertellen, het moeten vele, moedige ondernemingen zijn geweest. De enige hartstocht waaraan hij zich, voorzover men wist, buitenshuis overgaf was de bioscoop, hij sloeg geen weekend over en zag alle soorten films die er gedraaid werden.

Ik heb hem nooit gemogen, en al helemaal niet tijdens de schaakpartijen, waarbij hij er uren over deed om een stuk te verplaatsen, terwijl ik omviel van de slaap. Op een avond vond ik dat hij er zo krachteloos uitzag dat ik ineens het voorgevoel kreeg dat hij spoedig zou overlijden, en toen had ik medelijden met hem. Maar uiteindelijk zat hij zo lang na te denken over zijn zetten dat ik uit de grond van mijn hart wenste dat hij dood zou gaan.

In diezelfde periode hing mijn grootvader in de eetkamer een schilderij op dat onze bevrijder Simón Bolívar in de rouwkapel voorstelde. Ik begreep niet goed waarom hij niet met een lijkkleed was bedekt, zoals ik tijdens de dodenwaken had gezien, maar in het uniform uit zijn gloriedagen op een schrijftafel lag opgebaard. Mijn grootvader ontraadselde de zaak voor me met een afdoende uitspraak: 'Hij was anders.'

Vervolgens las hij met een trillende stem die niet de zijne leek, een lang gedicht voor dat naast het schilderij hing en waarvan ik alleen de laatste regels heb onthouden: 'Santa Marta, gij, stad die hem gastvrij ontving en hem in uw schoot het stukje strand schonk waar hij kon sterven.' Sindsdien heb ik jarenlang gedacht dat ze Bolívar dood op het strand hadden gevonden. Mijn grootvader heeft me geleerd en me bezworen nooit te vergeten dat Bolívar de grootste man was die ooit is geboren. Ik raakte in de war omdat dit heel iets anders was dan wat mijn grootmoeder met eenzelfde nadrukkelijkheid tegen me had gezegd, en ik vroeg mijn grootvader of Bolívar groter was dan Jezus Christus. Hij antwoordde hoofdschuddend en zonder de overtuiging van daarvóór: 'Het een heeft niets met het ander te maken.'

Ik weet nu dat het mijn grootmoeder was die haar echtgenoot aanspoorde mij mee te nemen op zijn avondwandelingen, want ze was ervan overtuigd dat dat smoesjes waren om op bezoek te gaan bij zijn echte of veronderstelde minnaressen. Het is best mogelijk dat ik weleens als alibi voor hem heb gediend, maar hij heeft me echt nooit meegenomen naar een plaats die afweek van de uitgestippelde route. Toch staat me glashelder het beeld voor ogen van een avond waarop ik toevallig aan de hand van iemand anders langs een onbekend huis liep en daar mijn grootvader als heer des huizes in de kamer zag zitten. Ik heb nooit begrepen waarom het met een siddering van helderziendheid door mij heen schoot dat ik het aan niemand moest vertellen. Tot op de dag van vandaag.

Ik heb het ook aan mijn grootvader te danken dat ik op mijn vijfde in aanraking kwam met het geschreven woord, op een middag dat we naar de dieren gingen kijken van een circus dat op doorreis was in Cataca, met een tent zo groot als een kerk. Ik was het meest onder de indruk van een eenzame herkauwer met een bochel en met de blik van een bange moeder in haar ogen.

'Dat is een kameel,' zei mijn grootvader.

Iemand die bij ons in de buurt stond sprak hem tegen: 'Neemt u me niet kwalijk, kolonel, het is een dromedaris.' Ik kan me nu wel voorstellen hoe mijn grootvader zich gevoeld moet hebben toen iemand hem in het bijzijn van zijn kleinzoon corrigeerde. Zonder er ook maar over na te denken overtrof hij de man met een waardige vraag: 'Wat is het verschil?'

'Dat weet ik niet,' zei de ander, 'maar dit is een dromedaris.'

Mijn grootvader was geen hoogontwikkeld man en dat pretendeerde hij ook niet, want in Riohacha was hij van school weggelopen om te gaan schieten in een van de talloze burgeroorlogen in het Caribisch gebied. Hij heeft nooit meer gestudeerd, maar hij was zich zijn leven lang van zijn leemten bewust en nam met zo'n gretigheid allerlei feiten op dat hij die daarmee voldoende compenseerde. Die middag van het circus kwam hij terneergeslagen in zijn kantoor terug en raadpleegde met kinderlijke aandacht het geïllustreerde woordenboek. Sindsdien wisten hij en ik voorgoed wat het verschil was tussen een kameel en een dromedaris. Hij legde de glorieuze vijand van de ezels op mijn schoot en zei: 'Dit boek weet niet alleen álles, het is ook het enige dat zich nooit vergist.'

Het was een enorme pil met op de rug de afbeelding van een reusachtige Atlas op wiens schouders de hemelboog rustte. Ik kon niet lezen of schrijven, maar ik kon me indenken dat de kolonel groot gelijk had, want het waren bijna tweeduizend grote pagina's met veel kleuren en prachtige tekeningen. In de kerk had ik versteld gestaan van de omvang van het missaal, maar het woordenboek was nog dikker. Het was alsof ik voor de eerste keer zicht had op de hele wereld.

'Hoeveel woorden zouden erin staan?' vroeg ik.

'Allemaal,' zei mijn grootvader.

Ik had in die tijd eigenlijk helemaal geen behoefte aan het geschreven woord, omdat ik alles wat indruk op me maakte in tekeningen kon uitdrukken. Op mijn vierde had ik een goochelaar getekend die het hoofd van zijn vrouw afzaagde en het er weer aan plakte, net zoals Richardine dat in de Olympia in de film had gedaan. Het getekende verhaal begon met de onthoofding met zaag, vervolgens kwam de triomfantelijke vertoning van het bloedende hoofd, en het eindigde met de vrouw, wier hoofd er weer op zat, die bedankte voor het applaus. Er bestonden allang stripverhalen, maar ik leerde ze pas later kennen in de zondagse kleurenbijlagen van de kranten. Nu begon ik getekende verhalen zonder dialoog te verzinnen. Maar nadat mijn grootvader me dat woordenboek cadeau had gedaan, werd ik zó nieuwsgierig naar woorden dat ik het las als een roman, op alfabetische volgorde en bijna zonder er iets van te begrijpen. Zo verliep mijn eerste contact met het boek dat essentieel zou worden voor mijn schrijverschap.

Kinderen hebben echt aandacht voor het eerste verhaaltje dat je ze vertelt, maar het kost heel wat moeite hen zover te krijgen dat ze er nog een willen horen. Ik geloof dat dit niet opgaat voor kinderen die zelf vertellers zijn, en het gold in elk geval niet voor mij. Ik wilde meer. Ik luisterde gretig naar verhalen, maar hoopte dat ik de volgende dag nog een beter verhaal zou horen, vooral als ze te maken hadden met de mysteries uit de bijbelse geschiedenis.

Alles wat me op straat overkwam vond thuis enorme weerklank. De vrouwen in de keuken vertelden het de vreemden die met de trein meekwamen, die op hun beurt ook allerlei verhalen te vertellen hadden, en al die dingen werden opgenomen in de stroom van de orale traditie. Sommige feiten hoorden we voor het eerst omdat de accordeonisten erover zongen tijdens de feesten, waarna de reizigers ze navertelden en rijkelijk aanvulden. De indrukwekkendste gebeurtenis uit mijn kindertijd overkwam me op een zondagochtend toen we heel vroeg naar de mis zouden gaan en mijn grootmoeder me op het verkeerde been zette met de volgende uitspraak: 'Voor die arme Nicolasito is er geen pinkstermis.'

Ik was blij, want de zondagsmissen waren veel te lang voor jongens van mijn leeftijd en ik vond de preken van pater Angarita, van wie ik veel had gehouden toen ik klein was, slaapverwekkend. Ik had echter te vroeg gejuicht, want ik werd in mijn groene ribfluwelen pak, dat ze me voor de mis hadden aangetrokken en dat te strak zat in het kruis, door mijn grootvader zo ongeveer meegesleurd naar de werkplaats van de Belg. De dienstdoende agenten herkenden mijn grootvader al uit de verte en hielden de deur voor hem open met het rituele zinnetje: 'Gaat u binnen, kolonel.'

Daar hoorde ik pas dat de Belg goudcyanidedamp had ingeademd, eerlijk gedeeld met zijn hond, nadat hij *All Quiet on the Western Front* had gezien, de film van Lewis Milestone naar de roman van Erich Maria Remarque. De man in de straat, die intuïtief op de onmogelijkste plaatsen de waarheid ontdekt, begreep en verkondigde dat de Belg het gruwelijke beeld om zichzelf en zijn hele patrouille in de pan gehakt in een moeras in Normandië te zien liggen, niet had kunnen verdragen.

In de kleine kamer waar ze ons binnenlieten, was het donker omdat de ramen gesloten waren, maar de vroegeochtendzon op de binnenplaats verlichtte de slaapkamer waar de burgemeester en twee andere agenten op mijn grootvader wachtten. Daar lag het lijk op een brits met een deken eroverheen en de krukken binnen handbereik, op de plek waar de eigenaar ze had neergezet voordat hij op bed was gaan liggen om te sterven. Naast hem op een houten bankje stond het bakje waar de cyanide in was verdampt, met een papier ernaast waarop met een penseel in grote hanenpoten was geschreven: 'Geven jullie niemand de schuld, ik dood mezelf omdat ik een stommeling ben.' De formaliteiten en de voorbereidingen voor de begrafenis werden snel door mijn grootvader afgehandeld en namen niet meer dan tien minuten in beslag. Het waren voor mij echter de tien indrukwekkendste en dus onvergetelijkste minuten van mijn leven.

Het eerste waar ik bij binnenkomst van schrok was de geur in de slaapkamer. Ik kwam pas veel later te weten dat het de geur van bittere amandelen was, van de cyanide die de Belg had ingeademd om te kunnen sterven. Maar geen beeld is me beter bijgebleven dan de aanblik van het lijk op het moment dat de burgemeester de deken optilde om het aan mijn grootvader te laten zien. Het was naakt, stijf en mismaakt, de ruwe huid overdekt met blonde haartjes en de ogen als stille poelen, die ons aankeken alsof ze nog leefden. De angst te worden gezien vanuit de dood heeft me tot in lengte van jaren doen huiveren wanneer ik langs de graven van zelfmoordenaars kwam, die geen kruis op hun graf hebben staan en op bevel van de kerk buiten het kerkhof worden begraven. Wat echter veel vaker en met evenveel afkeer als bij het zien van het lijk in mijn herinnering terugkwam, waren de vervelende avonden bij de Belg thuis. Misschien zei ik daarom wel tegen mijn grootvader toen we het huis verlieten: 'De Belg zal nooit meer een partij schaak spelen.'

Het was een simpele gedachte, maar mijn grootvader vertelde het thuis alsof het iets geniaals was. De vrouwen vertelden het zo enthousiast door dat ik een tijdlang elke bezoeker ontvluchtte uit angst dat ze het in mijn bijzijn zouden vertellen of dat ze me zouden dwingen het nog eens te zeggen. Hierdoor ontdekte ik bovendien een eigenschap van volwassenen die heel nuttig voor mij als schrijver zou blijken te zijn: iedereen vertelde het verhaal met nieuwe, zelfverzonnen details, en dat ging zo ver dat de verschillende versies uiteindelijk anders waren dan het origineel. Niemand kan zich voorstellen wat een medelijden ik sindsdien heb met al die arme kinderen die volgens hun ouders geniaal zijn en vervolgens worden gedwongen voor het bezoek te zingen, vogelgeluiden na te doen en zelfs te liegen om te amuseren. Ik begrijp nu echter dat dit simpele zinnetje mijn eerste literaire succes was.

Zo was mijn leven in 1932, het jaar waarin bekendgemaakt werd dat troepen uit Peru, dat onder het militaire bewind stond van generaal Luis Miguel Sánchez Cerro, het onverdedigde dorp Leticia hadden ingenomen op de oever van de Amazone in het uiterste zuiden van Colombia. Het bericht sloeg overal in het land in als een bom. De regering kondigde een nationale mobilisatie af en een openbare huis-aan-huiscollecte om de waardevolste familiejuwelen in te zamelen. Door de brutale aanval van de Peruaanse troepen was onze vaderlandsliefde tot het uiterste geprikkeld, en het volk reageerde daarop zoals nog nooit was vertoond. De collectanten kwamen handen tekort om de vrijwillige bijdragen per huis in ontvangst te nemen, met name trouwringen, die zowel om hun reële prijs als om hun symbolische waarde zoveel betekenden.

Voor mij was het juist een van de leukste perioden omdat het zo'n chaos was. De steriele strengheid van alle dagen naar school werd doorbroken en vervangen door menselijke inventiviteit op straat en in huis. Er werd een burgerbataljon gevormd met de crème de la crème van de jeugd, zonder onderscheid van klasse of kleur, er werden vrouwenbrigades van het Rode Kruis opgericht, er werden oorlogsliederen verzonnen met dood aan de vermaledijde aanvallers, en in het hele land weerklonk eenstemmig de kreet: 'Leve Colombia, weg met Peru!'

Ik heb nooit geweten hoe dit heldenepos is afgelopen, want na verloop van tijd kwamen de gemoederen zonder afdoende verklaringen weer tot rust. De vrede werd geconsolideerd door de moord op generaal Sánchez Cerro, gepleegd door een tegenstander van zijn bloedige bewind, en de oorlogskreet veranderde in een routineuze kreet die we aanhieven als we op school wonnen met voetballen. Maar mijn ouders, die met hun trouwring hebben bijgedragen aan de oorlog, hebben zich nooit hersteld van hun naïeve daad.

Voorzover ik me herinner openbaarde mijn liefde voor de muziek zich in diezelfde tijd, want ik was dol op de rondtrekkende accordeonisten en hun liederen. Ik kende er een paar uit mijn hoofd, die de vrouwen in de keuken ook zongen, maar dan wel stiekem omdat mijn grootmoeder ze zo ordinair vond. Mijn drang om te zingen om het gevoel te hebben dat ik leefde, werd me echter ingegeven door de tango's van Carlos Gardel, waar bijna iedereen door werd aangestoken. Ik liet me net zo aankleden als hij, met vilthoed en zijden sjaal, en er hoefde niet lang gesmeekt te worden voordat ik uit volle borst een tango ten gehore bracht. Tot de rampzalige ochtend dat tante Mama me wakker maakte met het bericht dat Gardel was omgekomen bij een botsing van twee vliegtuigen in Medellín. Maanden daarvoor had ik 'Cuesta abajo' ('Bergafwaarts') gezongen op een benefietfeest, begeleid door de zusters Echeverri, twee rasechte Bogotaanse dames, beiden pianolerares, en de spil van alle benefietconcerten of vaderlandse herdenkingsbijeenkomsten die er maar in Cataca werden gehouden. Ik zong met zoveel overgave dat mijn moeder me niet durfde tegen te spreken toen ik haar zei dat ik piano wilde leren spelen in plaats van de door mijn grootmoeder verafschuwde accordeon.

Diezelfde avond nog nam ze me opgewekt mee naar de dames Echeverri voor de eerste les. Terwijl zij zaten te praten keek ik met de devote blik van een hond zonder baasje vanuit de andere hoek van de kamer naar de piano, schatte of ik met mijn voeten bij de pedalen kon, betwijfelde of mijn duim en pink de buitensporige intervallen konden omspannen en vroeg me af of ik in staat zou zijn de hiëroglyfen op de notenbalk te ontcijferen. Het was een bezoek vol fraaie verwachtingen van twee uur. Maar het was zinloos, want de dames zeiden ons op het laatst dat de piano buiten gebruik was en dat ze niet wisten tot wanneer. Het idee werd uitgesteld tot de pianostemmer voor de jaarlijkse beurt zou komen, maar er werd pas een half leven later weer over gesproken toen ik mijn moeder er in een gesprek aan herinnerde dat ik het zo jammer vond dat ik geen piano had leren spelen. Ze zei zuchtend: 'En het ergste was nog wel dat hij niet vals was.'

Toen wist ik dus dat zij met de pianoleraressen had afgesproken dat ze zouden zeggen dat de piano vals was, om mij te behoeden voor de marteling die ze zelf op de Presentaciónschool had moeten ondergaan, waar ze vijf jaar lang stomme vingeroefeningen had moeten doen. Gelukkig voor mij was er in diezelfde tijd een montessorischool geopend in Cataca, waar de juffen de vijf zintuigen stimuleerden met praktische oefeningen en ons zangles gaven. Dankzij het talent en de schoonheid van de directrice, Rosa Elena Fergusson, was leren net zoiets fantastisch als spelen dat we leefden. Ik leerde de waarde kennen van het reukvermogen, met zijn verpletterende nostalgische kracht, en ook die van het smaakvermogen, dat ik zó verfijnde dat ik zelfs drankjes heb geproefd die naar raam, oude broodjes die naar koffer, en kruidentheeën die naar mis smaakten. In theorie is het moeilijk dit soort subjectieve genoegens te begrijpen, maar wie ze heeft beleefd zal meteen snappen wat ik bedoel.

Volgens mij is het montessorisysteem het beste om kinderen gevoelig te maken voor alle mooie dingen op de wereld en om hun nieuwsgierigheid naar de geheimen van het leven te prikkelen. Het krijgt weleens het verwijt dat het de neiging tot onafhankelijkheid en individualiteit bevordert, wat in mijn geval misschien wel waar is. Maar ik heb nooit leren delen of worteltrekken en ik kan ook niet omgaan met abstracte ideeën. We waren toen nog zo klein dat ik me maar twee medeleerlingen herinner. De ene was Juanita Mendoza, die op haar zevende aan tyfus overleed, vlak nadat de nieuwe school was geopend, en ik was daar zo van onder de indruk dat ik nooit ben vergeten hoe ze met een kransje en een sluier, als een bruid, in haar doodskist lag. De andere is Guillermo Valencia Abdala, mijn vriend sinds het eerste speelkwartier en mijn onmisbare arts voor de katers op maandag.

Mijn zusje Margot was blijkbaar heel ongelukkig op die school, hoewel ik me niet kan herinneren dat ze dat ooit heeft gezegd. In de eerste klas ging ze op haar stoel zitten en bleef daar, zelfs tijdens het speelkwartier, zonder iets te zeggen naar een onbepaald punt kijken, totdat de laatste bel ging. Ik had niet op tijd in de gaten dat ze, terwijl ze alleen in die lege klas zat, op aarde uit onze tuin zat te kauwen die ze in haar schortzak verstopt had.

Het heeft me veel moeite gekost te leren lezen. Ik vond het niet logisch dat de letter m werd uitgesproken als 'em', en dat je niet 'emma' moest zeggen als er een klinker achter kwam, maar 'ma'. Ik kon zo niet lezen. Toen ik eindelijk op de montessorischool kwam, leerde de juffrouw me niet de namen, maar de klanken van de medeklinkers. Daardoor kon ik mijn eerste boek lezen, dat ik in een stoffige kist in de schuur had gevonden. Het was uit elkaar gevallen en incompleet, maar ik werd er zo totaal door in beslag genomen dat de verloofde van Sara een angstaanjagende voorspelling deed toen hij langsliep: 'Dat joch wordt verdomme nog een schrijver!'

Het feit dat hij het zei, iemand die leefde van het schrijven, maakte diepe indruk op me. Het heeft enkele jaren geduurd voordat ik wist dat het om het boek *Duizend-en-één-nacht* ging. Het verhaal dat ik indertijd het beste vond, een van de kortste en simpelste die ik ooit heb gelezen, heb ik de rest van mijn leven ook het beste gevonden, hoewel ik er nu niet zeker meer van ben of ik het in dat boek heb gelezen, en niemand heeft het kunnen bevestigen. Het verhaal gaat als volgt: een visser beloofde een buurvrouw dat hij de eerste vis die hij zou vangen aan haar zou geven, als ze hem een loodje voor zijn net leende. Toen de vrouw de vis opensneed om hem te bakken, zat er een diamant in zo groot als een amandel.

Ik heb de oorlog met Peru en het verval van Cataca altijd met elkaar in verband gebracht, want nadat de vrede was gesloten raakte mijn vader verdwaald in een labyrint van onzekerheid, en het eind van het verhaal was dat de hele familie naar Sincé verhuisde, zijn geboortedorp. Voor Luis Enrique en mij, die met hem meegingen op zijn onderzoekingstocht, was het in feite een nieuwe levensschool, want er heerste daar een cultuur die zo anders was dan de onze, dat het leek of ze van een andere planeet kwam. De dag na onze komst werden we meegenomen naar de nabijgelegen akkers en daar leerden we op een ezel klimmen, koeien melken, kalveren castreren, vallen maken om kwartels te vangen, vissen met een dobber en begrijpen waarom de honden op hun vrouwtjes vast bleven zitten. Luis Enrique was me altijd een heel eind vóór bij het ontdekken van de wereld die Mina voor ons verborgen had gehouden, terwijl grootmoeder Argemira in Sincé ons er zonder enige boosaardigheid over vertelde. Al die ooms en tantes, al die neven en nichten van verschillende huidskleur, en al die andere familieleden met hun rare achternamen en hun rare manier van praten, brachten ons in het begin eerder in verwarring dan dat we het leuk en nieuw vonden. Totdat we het opvatten als een andere manier van liefhebben. De vader van mijn vader, don Gabriel Martínez, was een legendarische schoolmeester en hij ontving Luis Enrique en mij op zijn binnenplaats, waar enorm hoge bomen stonden met de beroemdste mango's van het dorp qua smaak en formaat. Hij telde ze elke dag een voor een, vanaf de eerste mango van de jaarlijkse oogst, en hij plukte ze eigenhandig een voor een en verkocht ze meteen daarna voor het fabelachtige bedrag van een centavo per stuk. Bij het afscheid, na een vriendschappelijk gesprek over zijn herinneringen als brave schoolmeester, plukte hij van de volste boom één mango, die voor ons samen was.

Mijn vader had ons die reis verkocht als een belangrijke stap voor de familie-integratie, maar direct bij aankomst hadden we al in de gaten dat hij stiekem van plan was een apotheek te beginnen op het grote plein midden in het dorp. Mijn broer en ik werden ingeschreven op de school van meester Luis Gabriel Mesa, waar we ons vrijer voelden en beter opgenomen in de nieuwe gemeenschap. Op de mooiste hoek van het plein huurden we een enorm huis met twee verdiepingen en een doorlopend balkon dat uitkeek op het plein, en met het onzichtbare spook van een griel* die de hele nacht zong in de verlaten slaapkamers.

Alles stond klaar voor de voorspoedige ontscheping van mijn moeder en mijn zusjes, toen het telegram kwam met het nieuws dat grootvader Nicolás Márquez was overleden. Hij had onverhoeds een aandoening aan zijn keel gekregen en de diagnose was terminale kanker. Ze hadden nauwelijks de tijd gehad om hem naar Santa Marta te brengen om er te sterven. De enige van ons die hij in zijn doodsstrijd nog heeft gezien was mijn zes maanden oude broertje Gustavo, die door iemand op grootvaders bed was gelegd zodat hij afscheid van hem kon nemen. Mijn stervende grootvader aaide hem vaarwel. Ik heb heel wat jaren nodig gehad om me te realiseren wat dat onbegrijpelijke sterfgeval voor mij betekende.

De verhuizing naar Sincé ging in ieder geval door, niet alleen de kinderen verhuisden mee, maar ook grootmoeder Mina en tante Mama, die toen al ziek was, en beiden kwamen onder de hoede van tante Pa. Maar de vrolijke opwinding over de nieuwigheid en de mislukking van het hele plan vielen vrijwel samen, en binnen het jaar waren we allemaal weer terug in het oude huis in Cataca, 'met een klap op je hoed', zoals mijn moeder altijd zei in situaties waar niets aan te doen viel. Mijn vader bleef in Barranquilla, waar hij de mogelijkheid bestudeerde om zijn vierde apotheek op te zetten.

Mijn laatste herinnering aan het huis in Cataca in die afschuwelijke dagen is de brandstapel op de binnenplaats, waar grootvaders kleren werden verbrand. Zijn oorlogsoverhemden en zijn witlinnen pakken die hij droeg als kolonel in burger leken op hem, alsof hij in die kledingstukken voortleefde terwijl ze verbrandden. Vooral zijn talloze ribfluwelen petten in allerlei kleuren, waaraan je hem uit de verte het best herkende. Tussen al die petten zag ik de mijne met de Schotse ruit, die per ongeluk ook werd verbrand, en opeens rilde ik bij het inzicht dat dit vernietingsceremonieel mij beslist een hoofdrol liet spelen bij de dood van mijn grootvader. Ik zie het nu pas duidelijk: tegelijk met hem was er iets van mij doodgegaan. En ik geloof ook vast en zeker dat ik op dat moment al een lagereschoolschrijver was die alleen nog maar hoefde te leren schrijven.

Eenzelfde soort gemoedstoestand hield me op de been toen ik samen met mijn moeder het huis verliet dat we niet konden verkopen. Omdat de trein terug op elk uur van de dag kon arriveren, gingen we naar het station en het kwam niet eens bij ons op nog bij iemand anders op bezoek te gaan. 'We komen nog weleens terug voor langere tijd,' zei ze en dit was het enige eufemisme dat ze kon bedenken om aan te geven dat ze nooit meer terug zou gaan. Voor mij was het duidelijk dat ik de rest van mijn leven heimwee zou blijven houden naar de donderslag van drie uur 's middags.

We waren de enige schimmen op het station, afgezien van de beambte in overall die de kaartjes verkocht en alles deed waarvoor in onze tijd twintig of dertig haastige mannen nodig zijn. De hitte voelde aan als gloeiend staal. Aan de andere kant van de rails waren alleen nog de resten van de verboden stad van de bananenmaatschappij, de vroegere woonhuizen zonder de rode pannendaken, de dorre palmbomen tussen het onkruid en de brokstukken van het ziekenhuis, en aan het eind van het pad het verlaten gebouw van de montessorischool omringd door oude amandelbomen, en het wit uitgeslagen pleintje voor het station, waar niet het geringste spoor van historische grootheid te bekennen was.

Elk ding riep, zodra ik het zag, een onweerstaanbaar verlangen bij me op erover te schrijven om niet te sterven. Zo'n verlangen had ik al eerder beleefd, maar op dat moment herkende ik het pas als inspiratie, een afgrijselijk woord, maar zó reëel dat ze alles wat ze onderweg tegenkomt meesleurt om op tijd te zijn vóór ze sterft.

Ik herinner me niet of we het nog ergens over hebben gehad, zelfs niet in de trein terug. Toen we 's maandags in alle vroegte weer op de boot zaten met een frisse bries op het slapende strandmeer, merkte mijn moeder dat ik ook niet sliep, en ze vroeg: 'Waar denk je aan?'

'Ik schrijf,' antwoordde ik. En om niet zo onvriendelijk te klinken voegde ik er haastig aan toe: 'Liever gezegd, ik zit te bedenken wat ik ga schrijven als ik weer op kantoor ben.'

'Ben je niet bang dat je vader doodgaat van verdriet?'

Ik ontweek haar met een fraaie wending, als een stierenvechter.

'Hij heeft al zoveel redenen gehad om dood te gaan dat deze vast de minst dodelijke zal zijn.'

Het was niet de beste periode om me in het avontuur van een tweede roman te storten, nadat ik in de eerste was vastgelopen en met wisselend succes andere vormen van fictie had beproefd. Ik legde het mezelf echter diezelfde avond op als een strijdkreet: die roman schrijven of sterven. Of zoals Rilke had gezegd: 'Als u denkt dat u kunt leven zonder te schrijven, schrijf dan niet.'

Vanuit de taxi die ons naar de kade bracht, zag mijn oude stad Barranquilla er vreemd en treurig uit in het ochtendlicht van die door de voorzienigheid beschikte februarimaand. De kapitein van de Eline Mercedes nodigde me uit met mijn moeder mee te varen tot het dorp Sucre, waar mijn familie sinds tien jaar woonde. Ik piekerde er niet over. Ik nam met een zoen afscheid van haar, ze keek me in de ogen, lachte voor het eerst sinds de vorige middag tegen me en vroeg op haar oude vertrouwde plagerige toon: 'Nou, wat zal ik tegen je vader zeggen?'

Ik antwoordde met de hand op mijn hart: 'Zegt u maar dat ik veel van hem houd en dat ik het aan hem te danken heb dat ik schrijver word.' En om elk alternatief vóór te zijn voegde ik er meedogenloos aan toe: 'En niets anders dan schrijver.'

Ik heb het altijd leuk gevonden om het te zeggen, soms voor de grap en soms in ernst, maar ik heb het nooit met zoveel overtuiging gedaan als op die dag. Ik bleef op de kade staan, de trage afscheidsgebaren van mijn moeder aan de reling beantwoordend, totdat de schoener tussen scheepswrakken was verdwenen. Daarna snelde ik onmiddellijk naar het kantoor van *El Heraldo*, opgewonden van een verlangen dat in mijn binnenste knaagde, en bijna zonder adem te halen begon ik aan mijn nieuwe roman met het zinnetje dat mijn moeder had gezegd: 'Ik ben hier gekomen om je te vragen met me mee te gaan om het huis te verkopen.'

Ik gebruikte indertijd een andere methode dan ik later als professioneel schrijver zou toepassen. Ik typte slechts met mijn wijsvingers, wat ik nog altijd doe, maar ik herschreef niet elke alinea totdat ze me helemaal beviel, zoals nu, maar gooide alles eruit wat ik als ruw materiaal in mijn hoofd had. Ik denk dat dit systeem mij werd opgelegd door de afmeting van het papier, verticale repen die van de rollen voor de drukkerij waren afgesneden en die wel vijf meter lang konden zijn. Het resultaat waren lange, smalle originelen als papyrusrollen, die als een waterval uit de schrijfmachine kwamen en op de vloer steeds langer werden naarmate ik meer schreef. De hoofdredacteur gaf nooit opdracht voor een artikel van zo- en zoveel velletjes papier, woorden of letters, maar van zoveel centimeter papier. 'Een reportage van anderhalve meter,' werd er gezegd. Als volwassen schrijver dacht ik vaak met heimwee aan dat formaat terug, totdat ik me realiseerde dat het in de praktijk eigenlijk hetzelfde was als het beeldscherm van een computer.

Ik was met zo'n onweerstaanbare drift aan mijn roman begonnen dat ik elk besef van tijd verloor. Om tien uur 's ochtends had ik waarschijnlijk al meer dan een meter geschreven, toen Alfonso Fuenmayor opeens de voordeur opendeed en als versteend bleef staan met de sleutel in het slot, alsof hij dacht dat het de deur van het toilet was. Toen herkende hij me.

'Wat doet u hier verdomme op dit uur van de dag?' zei hij verbaasd.

'Ik schrijf de roman van mijn leven,' zei ik.

'Alweer?' zei Alfonso met zijn onbarmhartige gevoel voor humor. 'U heeft blijkbaar meer levens dan een kat.'

'Het is dezelfde roman, maar op een andere manier,' zei ik om hem geen zinloze verklaringen te geven.

Wij tutoyeerden elkaar niet, omdat we in Colombia de vreemde gewoonte hebben vanaf de eerste ontmoeting 'jij' tegen elkaar te zeggen en later op 'u' over te gaan, maar alleen wanneer er een groter vertrouwen is ontstaan, als tussen echtgenoten.

Uit zijn gehavende koffertje haalde hij boeken en papieren tevoorschijn en hij legde ze op het bureau. Intussen luisterde hij met zijn onverzadigbare nieuwsgierigheid naar de emotionele schok die ik op hem probeerde over te brengen met het koortsachtige verhaal van mijn reis. Ik kon echter niet voorkomen dat ik verviel in mijn ongelukkige gewoonte tot slot in één pregnante zin samen te vatten wat ik niet kan uitleggen. 'Dit is het mooiste wat me ooit van mijn leven is overkomen,' zei ik.

'Gelukkig is het niet het laatste,' zei Alfonso.

Hij zei het zonder erbij na te denken, want ook hij was niet in staat een idee te aanvaarden zonder het tot zijn juiste proporties te hebben teruggebracht. Ik kende hem echter goed genoeg om te beseffen dat mijn opwinding over de reis hem misschien niet zo had ontroerd als ik hoopte, maar hij was ongetwijfeld geïntrigeerd. Zo was het inderdaad: vanaf de volgende dag begon hij me langs zijn neus weg allerlei slimme vragen te stellen over het verloop van mijn schrijverij, en een simpele gezichtsuitdrukking van hem was voor mij voldoende om te bedenken dat er iets moest worden gecorrigeerd.

Onder het praten had ik mijn papieren opgeruimd om het bureau vrij te maken, want Alfonso moest die ochtend het eerste redactionele stuk voor *Crónica* schrijven. Hij had echter een nieuwtje voor me dat mijn hele dag goedmaakte: het eerste nummer, dat de week daarop zou verschijnen, was voor de vijfde keer uitgesteld wegens problemen met de papierlevering. Als we geluk hadden, zei Alfonso, zouden we over drie weken uitkomen.

Ik dacht dat ik aan dit wonderbaarlijke uitstel voldoende zou hebben om definitief het begin van mijn boek te bepalen, want ik was nog zo'n groentje dat ik niet in de gaten had dat romans niet beginnen zoals jij wilt, maar zoals zij willen. Vandaar dat ik, toen ik zes maanden later dacht dat ik op het laatste rechte stuk was, de eerste tien pagina's grondig moest herschrijven om ervoor te zorgen dat de lezer ze geloofwaardig zou vinden, en eigenlijk vind ik ze nog steeds niet goed. Voor Alfonso was het uitstel blijkbaar ook een opluchting, want in plaats van erom te treuren trok hij zijn jasje uit, ging aan zijn bureau zitten en vervolgde het correctiewerk van de laatste druk van het woordenboek van de Koninklijke Academie van de Spaanse Taal, die net bij ons was gearriveerd. Het was zijn favoriete hobby sinds de dag dat hij bij toeval een fout had ontdekt in een Engels woordenboek en zijn correctie goed gedocumenteerd naar de uitgevers in Londen had gestuurd, met waarschijnlijk als enige genoegdoening zo'n typisch geintje in het begeleidende schrijven: 'Eindelijk staat Engeland eens bij ons Colombianen in het krijt.' De uitgevers schreven hem een heel vriendelijke bedankbrief waarin ze hun fout toegaven en Alfonso vroegen of hij met hen wilde blijven samenwerken. Hij deed dat inderdaad nog enkele jaren en ontdekte niet alleen nog meer fouten in hetzelfde woordenboek, maar ook in andere woordenboeken in andere talen. Toen de relatie eenmaal tot het verleden behoorde, leed hij inmiddels aan de eenzame ondeugd van het corrigeren van Spaanse, Engelse of Franse woordenboeken. En wanneer hij op iemand moest wachten of op de bus, of in een van de talloze rijen stond die we in ons leven moeten verdragen, vermaakte hij zich met de pietepeuterige jacht op zetfouten in het struikgewas van de talen.

Om twaalf uur was de hitte ondraaglijk. De rook van onze sigaretten had het weinige licht, dat via de enige twee ramen binnenkwam, in nevelen gehuld, maar geen van beiden namen we de moeite het kantoor te ventileren, misschien omdat we toch tot onze laatste snik dezelfde rook zouden inademen, als een soort secundaire verslaving. Met de hitte was het anders. Ik heb het aangeboren geluk dat ik de hitte kan vergeten zelfs al is het dertig graden in de schaduw. Alfonso daarentegen trok naarmate de hitte toenam zijn kleren een voor een uit, zonder zijn werk te onderbreken: zijn das, zijn overhemd, zijn onderhemd. Het bijkomende voordeel was dat zijn kleren droog bleven terwijl hij droop van het zweet en dat hij die kleren nog even fraai gestreken en fris als bij het ontbijt weer kon aantrekken wanneer de zon onderging. Dit was vast het geheim waardoor hij altijd en overal in zijn witlinnen pak kon verschijnen, met zijn scheef zittende das en midden op zijn schedel een meetkundig verantwoorde scheiding in zijn stugge indianenhaar. Zo zag hij er om één uur 's middags ook weer uit toen hij van het toilet kwam alsof hij net een verkwikkend dutje had gedaan. In het voorbijgaan vroeg hij me: 'Zullen we gaan lunchen?'

'Geen honger, maestro,' antwoordde ik.

Een direct antwoord volgens de codes van de clan: als ik ja zei, betekende het dat ik ernstig geldgebrek had, misschien twee dagen op water en brood had geleefd, en dan zou ik zonder verder commentaar met hem meegaan en was het duidelijk dat hij iets zou verzinnen om voor me te betalen. Mijn antwoord, 'geen honger', kon van alles betekenen, maar het was mijn manier om hem te zeggen dat het middageten geen probleem vormde. We spraken af dat we elkaar 's middags zoals altijd in boekhandel Mundo zouden zien.

Na het middaguur arriveerde een jongeman die op een filmster leek: heel blond, een door weer en wind getaande huid, mysterieuze blauwe ogen en een warme harmoniumstem. Terwijl we over het tijdschrift spraken dat binnenkort zou verschijnen, zette hij met zes meesterlijke streken het profiel van een woeste stier op het bureaublad, en ondertekende het met een boodschap voor Fuenmayor. Vervolgens wierp hij het potlood op tafel en knalde ten afscheid de deur dicht. Ik was zo bezeten aan het schrijven dat ik niet eens naar de naam onder de tekening keek. Ik schreef de rest van de dag zonder te eten of te drinken, en toen het daglicht verdwenen was, moest ik op de tast naar buiten met de eerste schetsen van mijn nieuwe roman. Maar ik was gelukkig, omdat ik zeker wist dat ik eindelijk een andere werkwijze had gevonden dan die waarmee ik zonder enige hoop al meer dan een jaar bezig was.

Pas die avond kwam ik erachter dat de bezoeker van die middag de schilder Alejandro Obregón was, net teruggekeerd van een van zijn vele reizen naar Europa. Hij was niet alleen een van de grote schilders van Colombia, maar ook een man die zeer geliefd was bij zijn vrienden, en hij was speciaal eerder teruggekomen om aanwezig te zijn bij de lancering van *Crónica*. Ik vond hem en zijn boezemvrienden in de callejón de la Luz, midden in de Barrio Abajo, in een naamloze kroeg die Alfonso Fuenmayor had gedoopt met de titel van een van de laatste boeken van Graham Greene: El Tercer Hombre ('De Derde Man'). Het waren altijd historische gebeurtenissen als Obregón terugkwam van een reis, en het hoogtepunt van die bewuste avond was een voorstelling met een getemde krekel die als een menselijk wezen de bevelen van zijn baas gehoorzaamde. Het diertje ging op twee poten staan, spreidde zijn vleugels, zong met ritmisch gefluit en dankte met theatrale buigingen voor het applaus. Voor de ogen van de temmer, die betoverd was door het salvo van applaus, pakte Obregón de krekel met zijn vingertoppen bij de vleugels, stopte hem tot ieders verbijstering in zijn mond en kauwde hem met sensueel genot levend op. Het was niet eenvoudig de ontroostbare temmer op te monteren met allerlei verwennerijen en cadeautjes. Later hoorde ik dat het niet de eerste levende krekel was die Obregón in het openbaar had opgegeten, en het zou ook niet de laatste zijn.

In die dagen voelde ik me meer dan ooit helemaal opgenomen door de stad en de stuk of zes vrienden die in journalistieke en intellectuele kringen in het hele land bekend begonnen te worden als de groep van Barranquilla. Het waren jonge schrijvers en kunstenaars die een soort leidende positie innamen in het culturele leven in de stad, aan de hand van de Catalaanse leermeester don Ramón Vinyes, een legendarische dramaturg en boekhandelaar die sinds 1924 in de Espasa-encyclopedie vermeld staat.

Ik had hen een jaar eerder in september leren kennen, toen ik, op uitdrukkelijke aanbeveling van Clemente Manuel Zabala, de hoofdredacteur van het dagblad *El Universal*, waarvoor ik mijn eerste redactionele artikelen schreef, van mijn woonplaats Cartagena naar Barranquilla was gegaan. We praatten de hele nacht over van alles en nog wat en daarna bleven we enthousiast en regelmatig contact met elkaar houden, leenden elkaar boeken en wisselden literaire tips uit, zodat ik uiteindelijk met hen ging werken. Drie leden van de oorspronkelijke groep onderscheidden zich door hun onafhankelijkheid en de kracht van hun roeping: Germán Vargas, Alfonso Fuenmayor en Álvaro Cepeda Samudio. We hadden zoveel dingen met elkaar gemeen dat er uit baloriigheid werd gezegd dat we zonen van dezelfde vader waren, maar we vielen op en in sommige kringen hield men niet erg van ons vanwege onze onafhankelijkheid, onze onweerstaanbare roeping, onze creatieve vastberadenheid, en een verlegenheid die ieder van ons op zijn eigen manier oploste, zij het niet altijd even gelukkig.

Alfonso Fuenmayor was een voortreffelijk schrijver en journalist van achtentwintig jaar, die lange tijd een vaste column had in *El Heraldo*, genaamd 'Wind van de dag', die hij ondertekende met het shakespeariaanse pseudoniem Puck. Hoe beter we zijn informele gedrag en zijn gevoel voor humor leerden kennen, des te minder begrepen we dat hij zoveel boeken over alle mogelijke onderwerpen had gelezen, en nog wel in vier talen. Toen hij al bijna vijftig was beleefde hij zijn laatste grote levenservaring in een enorme, gehavende slee waarin hij met de riskante snelheid van twintig kilometer per uur rondreed. De taxichauffeurs, die zijn beste vrienden en verstandigste lezers waren, herkenden hem van verre en maakten ruim baan voor hem.

Germán Vargas Cantillo was columnist bij de avondkrant *El Nacional*. Hij was een trefzeker en scherp literair criticus, met een zo gedienstig proza dat hij de lezers ervan kon overtuigen dat de dingen alleen gebeurden omdat hij ze vertelde. Hij was een van de beste radio-omroepers en zonder enige twijfel de meest ontwikkelde in die mooie tijden van nieuwe beroepen, en een moeilijk te evenaren voorbeeld van het soort natuurlijke reporter dat ik graag had willen zijn. Blond, stevige botten en ogen van een gevaarlijk blauw, en het was onbegrijpelijk hoe hij de tijd vond om zich op de hoogte te stellen van alles wat de moeite waard was om gelezen te worden. Hij had een niet-aflatende obsessie om als eerste literaire talenten te ontdekken die verstopt zaten in verre, vergeten oorden in de Provincie en hen voor het voetlicht te brengen. Het was maar goed dat hij nooit heeft leren autorijden in die broederschap van verstrooide professoren, want we waren bang dat hij dan de verleiding niet had kunnen weerstaan al rijdend te lezen.

Álvaro Cepeda Samudio daarentegen was in de eerste plaats een chauffeur die zowel bezeten was van auto's als van boeken. Hij was een prima korteverhalenschrijver als hij bereid was ervoor te gaan zitten en ze te schrijven, verder was hij een meesterlijk filmcriticus en ongetwijfeld de meest erudiete, en bovendien gangmaker van gewaagde polemieken. Hij leek net een zigeuner uit de Ciénaga Grande met zijn getaande huid, zijn prachtige hoofd met warrige, zwarte krullen en zijn bezeten ogen, waardoor echter niet aan het zicht onttrokken werd dat hij een toegankelijk hart had. Hij liep het liefst op het goedkoopste soort stoffen sandalen, en hij had een grote, bijna altijd gedoofde sigaar tussen zijn tanden. Zijn eerste journalistieke werk deed hij voor *El Nacional* en in die krant publiceerde hij ook zijn eerste verhalen. Dat bewuste jaar was hij in New York om een vervolgstudie journalistiek af te maken aan de Columbia University.

Een reizend lid van de groep, dat samen met don Ramón het meest in aanzien stond, was de vader van Alfonso, José Félix Fuenmayor, een beroemd journalist en een van onze grote vertellers. In 1910 publiceerde hij een poëziebundel, *Musas del trópico* ('Muzen in de tropen'), in 1927 de roman *Cosme* ('Cosme'), en in 1928 de roman *Una triste aventura de catorce sabios* ('Het treurige avontuur van veertien wijzen'). De boeken waren geen van drieën een verkoopsucces, maar de gespecialiseerde kritiek heeft José Félix altijd als een van de beste korteverhalenschrijvers van het land beschouwd, wiens stem werd gesmoord door het gebladerte in de Provincie.

Ik had nooit van hem gehoord voor de dag dat ik hem leerde kennen in de Happy, waar we op een keer tussen de middag toevallig met z'n tweeën waren. Ik was direct onder de indruk van de wijsheid en eenvoud waarmee hij zich uitdrukte. Hij was oorlogsveteraan en had in de Oorlog van Duizend Dagen een gruwelijke tijd beleefd in de gevangenis. Hij was niet zo ontwikkeld als Vinyes, maar door zijn manier van doen en zijn Caribische natuur stond hij dichter bij me. Wat ik het meest in hem waardeerde was zijn merkwaardige talent zijn kennis op anderen over te brengen alsof het zoiets was als naaien en zingen. Hij was een onvermoeibare causeur en een levenskunstenaar, en zijn manier van denken was anders dan ik tot dan toe had gekend. Álvaro Cepeda en ik konden uren naar hem luisteren, vooral vanwege zijn basisprincipe dat de wezenlijke verschillen tussen het leven en de literatuur gewoon vormfouten waren. Later deed Álvaro, ik weet niet meer waar, een treffende uitspraak: 'We zijn allemaal afstammelingen van José Félix.'

De groep had zich spontaan, bijna door de zwaartekracht, gevormd als gevolg van een onverwoestbare, maar op het eerste gezicht moeilijk te begrijpen affiniteit. Ons werd vaak gevraagd waarom we het altijd met elkaar eens waren terwijl we toch zo verschillend waren, en dan moesten we een antwoord verzinnen om niet de waarheid te hoeven zeggen: we waren het niet altijd eens, maar we begrepen elkaars redeneringen. We wisten best dat we buiten ons kringetje beschouwd werden als arrogante narcisten en anarchisten. Vooral om onze politieke overtuigingen. Alfonso werd gezien als een orthodoxe liberaal, Germán als een morrende vrijdenker, Álvaro als een eigenmachtige anarchist, en ik als een ongelovige communist en potentiële zelfmoordenaar. Ik ben er echter volstrekt van overtuigd dat ons grootste geluk was dat we in de ellendigste omstandigheden misschien wel ons geduld, maar nooit ons gevoel voor humor verloren.

De weinige ernstige meningsverschillen die we hadden bespraken we alleen met elkaar, en soms steeg de temperatuur tot een gevaarlijke hoogte, maar we waren alles onmiddellijk weer vergeten zodra we van tafel opstonden of als er een andere vriend verscheen. De onvergetelijkste les leerde ik op een avond toen ik nog niet zo lang in Barranquilla was, in café Los Almendros, waar Álvaro en ik verstrikt raakten in een discussie over Faulkner. De enige getuigen aan tafel waren Germán en Alfonso, maar die hielden zich afzijdig en hulden zich in een ijzige stilte die bijna ondraaglijk werd. Ik herinner me niet wanneer ik, over mijn toeren van woede en door de sterkedrank, Álvaro uitdaagde dat we de discussie dan maar op de vuist moesten beslissen. We maakten allebei al een beweging om van tafel op te staan en de straat op te rennen, toen Germán Vargas ons met zijn onverschillige stem tegenhield met een les voor de eeuwigheid: 'Wie het eerst opstaat heeft al verloren.'

We waren nog geen dertig. Ik was met mijn drieëntwintig jaar de jongste van de groep en ze hadden me in december geadopteerd nadat ik in Barranquilla was aangekomen om er niet meer weg te gaan. Als we bij don Ramón Vinyes aan tafel zaten gedroegen we ons alle vier als de verspreiders en uitdragers van het geloof, we waren altijd samen, praatten altijd over hetzelfde, staken overal de draak mee en waren zó eensgezind tegen alles dat we op het laatst als één persoon werden gezien.

De enige vrouw die we als lid van de groep beschouwden was Meira Delmar, die net ingewijd begon te raken in de kracht van de poëzie, maar we spraken haar slechts bij de weinige gelegenheden dat we ons buiten de kring van onze slechte gewoonten waagden. Gedenkwaardig waren de avondjes bij haar thuis, waar beroemde schrijvers en schilders kwamen die de stad bezochten. Een andere vriendin, die nog minder tijd had en die we nog minder vaak zagen, was de schilderes Cecilia Porras. Ze kwam af en toe uit Cartagena over en vergezelde ons op onze nachtelijke zwerftochten, want het kon haar geen barst schelen dat het niet netjes was om als vrouw in cafés vol dronkelappen of in de huizen van ontucht te worden gezien.

Als groep ontmoetten we elkaar tweemaal per dag in boekhandel Mundo, die een centrum voor literaire bijeenkomsten was geworden. Het was een oase van rust te midden van het geraas in de calle San Blas, de lawaaiige, warme, commerciële slagader waar om zes uur 's avonds het stadscentrum in leegstroomde. Alfonso en ik zaten tot het begin van de avond in ons kantoor naast de redactieruimte van *El Heraldo* als ijverige leerlingen te schrijven, hij zijn verstandige hoofdartikelen en ik mijn chaotische stukjes. We wisselden regelmatig ideeën uit van de ene schrijfmachine naar de andere, deden elkaar bijvoeglijke naamwoorden cadeau en raadpleegden elkaar over feiten, waardoor het af en toe moeilijk was vast te stellen wie welke alinea had geschreven.

Ons dagelijkse leven was bijna altijd voorspelbaar, behalve op vrijdagavonden, want dan waren we overgeleverd aan onze inspiratie en kwamen we elkaar soms pas weer tegen bij het ontbijt op maandag. Als we alle vier in de ban van iets waren, ondernamen we met z'n allen een ongeremde en mateloze literaire pelgrimstocht. Die begon in El Tercer Hombre samen met de handwerkslieden uit de buurt, de monteurs van een garage en ontspoorde ambtenaren en andere lieden, die iets minder uit de pas liepen. De vreemdste van al die lui was een inbreker die altijd vlak voor middernacht in zijn beroepskleding binnenkwam: balletmaillot, gymschoenen, baseballpet en een koffertje met licht gereedschap. Iemand had hem op heterdaad betrapt in zijn huis, en had een foto van hem gemaakt, die in de krant werd gezet voor het geval iemand de man kon identificeren. Het enige resultaat waren enkele brieven van verontwaardigde lezers die vonden dat het een smerige streek was tegenover die arme dieven.

Deze inbreker was zich duidelijk bewust van zijn literaire roeping en hij miste geen woord van onze gesprekken over kunst en boeken. We wisten dat hij de beschaamde auteur was van liefdesgedichten, die hij voor de klanten declameerde als wij er niet waren. Na middernacht ging hij naar de rijke buurten om er te stelen alsof het een baantje was, en drie of vier uur later deed hij ons wat snuisterijen cadeau die hij uit de hoofdbuit apart had gehouden. 'Voor jullie vriendinnetjes,' zei hij altijd, zonder te vragen of we die wel hadden. Als een boek hem interessant leek kwam hij ermee aanzetten als cadeautje, en als het de moeite waard was schonken wij het weer aan de provinciale bibliotheek die werd geleid door Meira Delmar.

Onze wisselende standplaatsen hadden ons een nogal duistere reputatie bezorgd onder de brave dames die we om vijf uur tegenkwamen bij het uitgaan van de mis. Ze gingen op de andere stoep lopen om niet het pad te hoeven kruisen van dronkelappen die tot de vroege ochtend hadden doorgehaald. Maar eerlijk gezegd waren er geen eerbaarder en vruchtbaarder feesten dan de onze. Als er iemand was die het uit de eerste hand kan weten was ik het wel, want in de bordelen nam ik ook deel aan de luidkeels gevoerde gesprekken over het werk van John Dos Passos, of de gemiste kansen van Deportivo Junior. Totdat een van de charmante hetaeren in El Gato Negro genoeg had van de hele avond gratis discussies, en in het voorbijgaan schreeuwde: 'Als jullie evenveel neukten als jullie schreeuwen, dan zwommen we in het goud!'

Vaak bleven we tot zonsopgang in een naamloos bordeel in de rosse buurt, want daar woonde Orlando Rivera, bijgenaamd Figuurtje, in de jaren dat hij er een muurschildering maakte die heel beroemd is geworden. Ik herinner me niemand die meer onzin uitkraamde dan hij, met zijn bezeten blik en zijn sikje, maar hij deed geen vlieg kwaad. Op de lagere school was het al in zijn bol geslagen en dacht hij dat hij een Cubaan was, en hij werd een fanatiekere en betere dan hij geweest zou zijn wanneer hij echt als Cubaan geboren was. Hij sprak, at, schilderde, kleedde zich, werd verliefd, danste en leefde als een Cubaan, en ten slotte stierf hij als een Cubaan, zonder ooit een voet op Cuba te hebben gezet.

Hij sliep nooit. Wanneer we hem bij het aanbreken van de dag opzochten kwam hij van de steigers gesprongen, zelf meer onder de verf dan de muurschildering, en in de naweeën van de marihuana vloekte hij als een mambise.* Alfonso en ik brachten hem artikelen en verhalen om ze door hem te laten illustreren, maar die moesten we in onze eigen woorden navertellen, want hij had geen geduld om ze in voorgelezen vorm te bevatten. Hij maakte de tekeningen stante pede, als een karikaturist, want dat was de enige techniek waarin hij geloofde. Ze werden bijna altijd goed, maar Germán Vargas zei vaak om hem te pesten dat ze veel beter waren als ze slecht uitvielen.

Dat was Barranquilla, een stad als geen andere, vooral van december tot maart, wanneer de passaatwinden uit het noorden de helse dagen compenseerden met nachtelijke stormen die over de binnenplaatsen van de huizen wervelden en de kippen mee de lucht in namen. Er was alleen leven in de doorgangshotels en de kroegen in de havenbuurt waar de bemanningen van de stoomschepen kwamen. Nachtvlindertjes stonden hele nachten op altijd ongewisse klanten van de rivierboten te wachten. Een orkest van koperblazers speelde een trage wals in de alameda,* maar niemand kon het horen vanwege het geschreeuw van de taxichauffeurs die over voetballen stonden te praten tussen de in slagorde opgestelde taxi's op de stoep van de paseo Bolívar. Het enige lokaal waar we heen konden was café Roma, een typische kroeg van Spaanse ballingen die nooit dichtging om de eenvoudige reden dat er geen deuren waren. Er zat ook geen dak op, en dat in een stad met indrukwekkende regenbuien, maar je hoorde nooit dat iemand vanwege de regen zijn aardappelomelet liet staan of zijn zakengesprek afbrak. Het was een oase in de openlucht, met witgeschilderde ronde tafeltjes en ijzeren stoeltjes onder een bladerdak van bloeiende acacia's. Om elf uur 's avonds, wanneer de ochtendbladen *El Heraldo* en *La Prensa* sloten, kwamen de redacteuren van de avonddienst er samen eten. De Spaanse vluchtelingen zaten er al vanaf zeven uur, nadat ze thuis eerst naar de gesproken brief van professor Juan José Pérez Domenech hadden geluisterd, die nog altijd over de Spaanse Burgeroorlog berichtte, twaalf jaar nadat ze die verloren hadden. Op een avond ging de schrijver Eduardo Zalamea daar, op de terugweg naar La Guajira, toevallig voor anker en schoot zich een kogel door de borst, zonder ernstige gevolgen. De tafel werd een legendarisch relikwie dat door obers aan de toeristen werd getoond, maar ze mochten er niet aan gaan zitten. Jaren later publiceerde Zalamea het getuigenis van dit avontuur in *Cuatro años a bordo de mí mismo* ('Vier jaar aan boord van mijzelf'), een roman die voor onze generatie onvermoede horizonten opende.

Ik was de behoeftigste van de broederschap en zocht vaak mijn toevlucht in café Roma, waar ik tot het ochtendgloren in een afgelegen hoekje zat te schrijven, want de paradoxale situatie deed zich voor dat mijn twee baantjes allebei belangrijk waren, maar allebei slecht werden betaald. Ik werd door de dageraad verrast terwijl ik genadeloos zat door te lezen, en wanneer de honger ondraaglijk werd nam ik een stevige kop chocolademelk en een broodje goede Spaanse ham, en daarna maakte ik in het eerste daglicht een wandeling onder de bloeiende muizenmoordenaars* langs de paseo Bolívar. De eerste weken in Barranquilla bleef ik tot heel laat op de redactie van de krant zitten schrijven en sliep daarna enkele uren in het lege redactielokaal of op de rollen krantenpapier, maar na verloop van tijd zag ik me gedwongen een minder origineel plekje te zoeken.

De oplossing werd me verschaft, zoals in de toekomst nog herhaaldelijk zou gebeuren, door de vrolijke taxichauffeurs op de paseo Bolívar: een doorgangshotel, vlak bij de kathedraal, waar je alleen of in gezelschap kon slapen voor anderhalve peso. Het was een heel oud gebouw, dat goed werd onderhouden op kosten van de hoertjes die vanaf zes uur 's avonds in vol ornaat over de paseo Bolívar zwierven op zoek naar verdwaalde liefdes. De portier heette Lácides. Hij had een glazen oog met een scheve iris en hij stotterde van verlegenheid, maar vanaf de eerste avond dat ik daar kwam denk ik met eeuwige dankbaarheid aan hem terug. Hij gooide de munt van vijftig centavo in de la van de toonbank, die al vol lag met losse, gekreukelde bankbiljetten van het eerste deel van de avond, en gaf me de sleutel van kamer zes.

Ik was nog nooit op zo'n rustige plek geweest. Je hoorde er hoogstens gedempte voetstappen, een onbegrijpelijk gemompel en heel af en toe het angstige gekraak van roestige springveren. Maar geen gefluister of gekreun: niets. Het was er alleen zo heet als in een oven omdat het raam was afgesloten met kruiselings geplaatste planken. Maar al de eerste nacht heb ik daar bijna tot 's ochtends vroeg prima kunnen lezen in William Irish.

Het was vroeger de villa van een redersfamilie geweest, met friezen van klatergoud en met albast ingelegde pilaren rondom een binnenplaats die overdekt was met een wereldsgebrandschilderd raam, waardoor een kasachtige lichtval ontstond. Op de begane grond hadden de notarissen van de stad hun kantoor. Elk van de drie verdiepingen van het oorspronkelijke huis bevatte zes grote marmeren vertrekken, die waren volgebouwd met kartonnen kamertjes, zoals het mijne, waar de nachtvlinders uit de buurt hun oogst binnenhaalden. Dit gelukkige huis van de vrije val had ooit de naam hotel New York gedragen, en was later door Alfonso Fuenmayor De Wolkenkrabber genoemd, ter nagedachtenis aan de zelfmoordenaars die in die tijd van het dak van het Empire State Building afsprongen.

Hoe het ook zij, om twaalf uur 's middags en om zes uur 's avonds was de spil van ons leven boekhandel Mundo in het drukst bezochte deel van de calle San Blas. Germán Vargas, die heel goed bevriend was met de eigenaar don Jorge Rondón, had hem indertijd overgehaald deze zaak te beginnen, en in korte tijd was het hét ontmoetingspunt voor jonge journalisten, schrijvers en politici geworden. Rondón had geen ervaring in deze branche, maar hij leerde snel, en door zijn enthousiasme en zijn generositeit werd hij een onvergetelijke mecenas. De bestellingen, vooral die van de nieuwe boeken uit Buenos Aires, waar de uitgevers begonnen waren de nieuwste literaire werken uit de hele wereld van na de Tweede Wereldoorlog te laten vertalen, drukken en massaal te distribueren, werden echter door Germán, Álvaro en Alfonso gedaan. Dankzij hen konden we op tijd de boeken lezen die anders nooit in deze stad zouden komen. Zij waren het ook die zelf de klanten enthousiasmeerden en erin slaagden Barranquilla weer tot het centrum van de leescultuur te maken, dat jaren daarvoor was ingestort doordat de legendarische boekhandel van don Ramón was opgehouden te bestaan.

Kort na mijn aankomst in Barranquilla was ik dus toegetreden tot deze broederschap, die op de vertegenwoordigers van Argentijnse uitgeverijen zat te wachten alsof het afgezanten van de hemel waren. Daardoor waren we vroege bewonderaars van Jorge Luis Borges, Julio Cortázar, Felisberto Hernández* en de Engelse en Noord-Amerikaanse schrijvers die goed vertaald werden door de groep rond Victoria Ocampo.* De roman *La forja de un rebelde* ('De smidse van een rebel') van Arturo Barea* was het eerste hoopvolle bericht uit het verre Spanje, dat na twee oorlogen tot stilte was vervallen. Een van die vertegenwoordigers, de trouwe Guillermo Dávalos, had de goede gewoonte deel te nemen aan onze nachtelijke uitspattingen en ons de nieuwste boeken, die hij als leesproeven bij zich had, cadeau te doen nadat hij zijn zaken in de stad had afgehandeld.

De groep, die ver buiten het centrum woonde, ging 's avonds alleen om heel concrete redenen naar café Roma. Maar voor mij functioneerde het als het huis dat ik niet had. 's Ochtends werkte ik in het vredige redactielokaal van *El Heraldo*, en tussen de middag at ik waarvan, wanneer en waar ik maar kon, maar ik werd bijna altijd met de hele groep uitgenodigd door goede vrienden of door geïnteresseerde politici. 's Middags schreef ik 'De Giraf', mijn dagelijkse column, en elke andere tekst die maar gevraagd werd. Om twaalf uur 's middags en om zes uur 's avonds kwam ik altijd als eerste in Mundo. Jarenlang had de groep het aperitief voor de lunch in café Colombia gedronken, maar dat werd later naar café Happy verplaatst, aan de overkant van de straat, omdat het het best geventileerde en vrolijkste café in de calle San Blas was. We gebruikten het om ons bezoek te ontvangen, als kantoor, voor zaken, voor interviews en als een gemakkelijke plaats om elkaar te ontmoeten.

Aan tafel bij don Ramón in de Happy golden enkele door de gewoonte ingegeven, onveranderlijke wetten. Hij was zelf altijd de eerste die arriveerde omdat hij als onderwijzer tot vier uur lesgaf. Aan die tafel pasten maar zes mensen. Elk van ons stemde zijn plaats af op die van don Ramón, en het getuigde niet van goede smaak er stoelen bij te zetten terwijl er geen ruimte was. Vanwege de status van zijn oude vriendschap ging Germán vanaf de eerste dag rechts van hem zitten. Hij had tevens de taak de materiële zaken van don Ramón te behartigen. Hij loste ze voor hem op, maar probeerde ze hem niet uit te leggen, omdat de wijze man de aangeboren roeping had niets te begrijpen van de praktische kant van het leven. De hoofdzaak was in die dagen de verkoop van don Ramóns boeken aan de provinciale bibliotheek en de veiling van andere spullen voordat hij naar Barcelona zou vertrekken. Germán leek meer een brave zoon dan een secretaris.

De verhouding tussen don Ramón en Alfonso was echter op ingewikkelder literaire en politieke problemen gebaseerd. Wat Álvaro betrof had ik altijd het gevoel dat hij ineenkromp wanneer hij don Ramón alleen aantrof aan de tafel, en dat hij de aanwezigheid van anderen nodig had om los te komen. Het enige menselijke wezen dat het recht had vrijelijk ergens aan tafel plaats te nemen, was José Félix. 's Avonds ging don Ramón niet naar de Happy, dan trok hij met zijn Spaanse vrienden in ballingschap naar het nabije café Roma.

De laatste die erbij kwam aan zijn tafel was ik, en vanaf de eerste dag bezette ik onrechtmatig Álvaro Cepeda's stoel zolang deze in New York was. Don Ramón ontving me als de zoveelste leerling, want hij had mijn verhalen in *El Espectador* gelezen. Ik had nooit gedacht dat ik nog eens zo vertrouwd met hem zou worden dat ik hem geld te leen zou vragen voor de reis met mijn moeder naar Aracataca. Kort daarna voerden we puur toevallig ons eerste en enige gesprek onder vier ogen. Ik was namelijk eerder naar de Happy gegaan dan de anderen om hem, zonder getuigen, de zes peso terug te betalen die ik van hem had geleend.

'Hallo, genie,' zei hij zoals altijd ter begroeting. Maar er was iets aan mijn gezicht wat hem zorgen baarde. 'Bent u ziek?'

'Ik geloof het niet, meneer,' zei ik ongerust. 'Hoezo?'

'U ziet er uitgemergeld uit,' zei hij, 'maar trekt u zich er niets van aan, in deze dagen lopen we er allemaal als *fotuts del cul** bij.'

Hij stopte de zes peso met tegenzin in zijn portemonnee, alsof hij het geld liever niet wilde aanpakken.

'Ik neem het in ontvangst,' legde hij blozend uit, 'ter herinnering aan een heel arme jongeman die bereid was een schuld af te lossen zonder dat het hem werd gevraagd.'

Ik zat met mijn mond vol tanden, verzonken in een stilte die ik onderging als een loden put te midden van de herrie in het lokaal. Ik had nooit durven dromen dat ik het geluk zou hebben hem te ontmoeten. Als de hele groep zat te praten, droeg naar mijn idee iedereen zijn steentje bij aan de chaos en mengden de grappen en gebreken van elk van ons zich met die van de anderen, maar het was nooit bij me opgekomen dat ik in mijn eentje over kunst en ander genot zou kunnen praten met een man die al jaren in een encyclopedie woonde. Als ik vroeg in de ochtend in mijn eenzame kamer zat te lezen, stelde ik me vaak opwindende dialogen over mijn literaire twijfels voor die ik met hem wilde voeren, maar die smolten als sneeuw voor de zon. Mijn verlegenheid nam ernstiger vormen aan wanneer Alfonso met een van zijn waanzinnige ideeën op de proppen kwam, of Germán een overhaaste mening van onze leermeester afkeurde, of Álvaro zich schor schreeuwde als hij het over een plan had waarvan we door het dolle heen raakten.

Gelukkig nam don Ramón die dag in de Happy het initiatief en vroeg me wat ik las. Ik had alles wat ik over *the lost generation* in het Spaans kon vinden gelezen, maar Faulkner behandelde ik met speciale zorg en ik kamde hem met bloedige ernst uit alsof ik een scheermes hanteerde, omdat ik merkwaardigerwijs vreesde dat hij uiteindelijk niets dan een slimme retoricus zou blijken te zijn. Nadat ik dit had gezegd beving me het beschaamde gevoel dat het een provocatie zou lijken, en ik probeerde het te nuanceren, maar don Ramón gaf me daar niet de tijd voor.

'Maakt u zich geen zorgen, Gabito,' antwoordde hij onverstoorbaar. 'Als Faulkner in Barranquilla was geweest, had hij hier aan deze tafel gezeten.'

Het viel hem verder op dat ik zó geïnteresseerd was in Ramón Gómez de la Serna* dat ik hem in 'De Giraf' had geciteerd, samen met andere ontegenzeggelijke romanschrijvers. Ik legde uit dat het niet was vanwege zijn romans, want afgezien van *El chalet de las rosas* ('Het chalet met de rozen'), dat ik heel goed vond, was ik meer geïnteresseerd in zijn gewaagde inventiviteit en zijn verbale talent, maar louter als ritmische gymnastiek om te leren schrijven. Wat dat betrof bestond er naar mijn idee geen scherpzinniger genre dan zijn beroemde aforismen. Don Ramón viel me met zijn sarcastische glimlachje in de rede: 'Het gevaar is dat u, zonder dat u het in de gaten heeft, ook slecht leert schrijven.'

Maar alvorens het onderwerp af te sluiten erkende hij dat Gómez de la Serna binnen zijn fosforescerende chaos een goede dichter was. Zo waren al zijn antwoorden, direct en wijs, maar ik kon ze van de zenuwen bijna niet onthouden, verblind als ik was door de angst dat iemand deze unieke gelegenheid zou komen verstoren. Maar hij wist hoe hij ermee om moest gaan. Zijn vaste ober bracht hem zijn Coca-Cola van halftwaalf en hij leek zelf niet te merken dat hij die, zonder zijn uitleg te onderbreken, door een papieren rietje opslorpte. De meeste klanten groetten hem luid vanuit de deuropening: 'Hoe maakt u het, don Ramón.' Zonder naar hen te kijken antwoordde hij met een wuivend gebaar van zijn kunstenaarshand.

Al pratend wierp don Ramón steelse blikken op de leren map die ik met beide handen vasthield terwijl ik naar hem luisterde. Toen hij zijn eerste cola op had, draaide hij het rietje als een schroevendraaier en vroeg om de tweede. Ik bestelde er ook een, wetend dat iedereen aan deze tafel voor zichzelf betaalde. Eindelijk vroeg hij me wat er in die geheimzinnige map zat waar ik me aan vastklemde als een schipbreukeling aan zijn balk.

Ik vertelde hem de waarheid: het eerste hoofdstuk, nog in klad, van de roman waaraan ik was begonnen nadat ik met mijn moeder uit Cataca was teruggekomen. Met een stoutmoedigheid waartoe ik bij een kwestie van leven of dood nooit meer in staat zou zijn, legde ik de geopende map voor hem op tafel, als een onschuldige provocatie. Hij richtte zijn gevaarlijk blauwe, heldere pupillen op mij en vroeg een beetje verbaasd: 'Mag ik?'

Het was het typoscript met ontelbaar veel correcties erin, op vellen krantenpapier die waren gevouwen als de plooien van een accordeon. Hij zette zonder haast zijn leesbril op, vouwde de vellen als een volleerd vakman uit en legde ze netjes op tafel. Hij las zonder een spier te vertrekken, zonder de geringste verkleuring van zijn huid, zonder merkbare verandering aan zijn ademhaling, alleen een kaketoeachtig plukje haar bewoog even op het ritme van zijn gedachten. Nadat hij twee hele vellen had gelezen, vouwde hij ze in stilte en met middeleeuwse kunstvaardigheid weer op en sloot de map. Vervolgens stopte hij zijn bril in de doos en deed die in zijn borstzakje.

'Het is duidelijk nog ruw materiaal en dat is logisch,' zei hij eenvoudig. 'Maar u bent op de goede weg.'

Hij maakte enkele zijdelingse opmerkingen over het gebruik van de tijd, dat voor mij een probleem van leven of dood was en ongetwijfeld het allermoeilijkste, en hij voegde eraan toe: 'U moet bedenken dat het drama al heeft plaatsgehad, en dat de personages alleen bestaan om het in het geheugen terug te roepen, vandaar dat u met twee tijden moet vechten.'

Na een hele reeks technische details, die ik door mijn onervarenheid niet op waarde kon schatten, raadde hij me aan de stad in de roman niet Barranquilla te noemen, zoals ik in het klad had besloten te doen, omdat het een naam was die zo door de werkelijkheid was bepaald dat de lezer te weinig ruimte zou krijgen om te dromen. En tot slot zei hij op zijn spottende toon: 'Of doet u net als de boeren en wacht u rustig tot er iets uit de lucht komt vallen. Per slot van rekening was het Athene van Sophocles niet dezelfde stad als die van Antigone.'

Maar ik heb mijn hele leven letterlijk toegepast wat hij zei toen hij die middag afscheid nam: 'Ik dank u voor het vertrouwen en in ruil daarvoor geef ik u een raad: laat nooit iemand het klad zien van wat u aan het schrijven bent.'

Dit was het eerste en tevens laatste gesprek onder vier ogen dat ik met hem had, want op 15 april 1950 reisde hij naar Barcelona, zoals al meer dan een jaar vaststond, magerder door zijn zwarte lakense pak en zijn magistratenhoed. Het was alsof we een schoolkind wegbrachten. Hij had een goede gezondheid en was helder van geest voor iemand van achtenzestig, maar op het vliegveld namen we afscheid van iemand die naar zijn geboorteland terugging om aanwezig te zijn bij zijn eigen begrafenis.

Toen we de volgende dag bij onze tafel in de Happy kwamen, merkten we de leegte op zijn stoel, waar pas weer iemand op wilde gaan zitten nadat we het erover eens waren dat het Germán moest zijn. We hadden enkele dagen nodig om te wennen aan het nieuwe ritme van het dagelijkse gesprek, totdat de eerste brief van don Ramón kwam. Het was alsof hij hem hardop had geschreven in zijn fraaie, kleine handschrift en met paarse inkt. Dit was het begin van een regelmatige en intensieve correspondentie met ons allen, via Germán. Hij vertelde heel weinig over zijn eigen leven en heel veel over Spanje, dat hij als een vijandig gebied zou blijven beschouwen zolang Franco leefde en het Spaanse gezag over Catalonië gehandhaafd bleef.

Het idee voor het weekblad was van Alfonso Fuenmayor en het dateerde al van lang daarvoor, maar ik geloof dat het in een stroomversnelling raakte door het vertrek van de Catalaanse geleerde. Drie avonden daarna kwamen we in café Roma bij elkaar om over dit plan te praten en Alfonso vertelde dat hij alles al gereed had voor de lancering. Het zou een journalistiek en literair weekblad worden van twintig pagina's op tabloidformaat, met een naam die niemand veel zou zeggen: *Crónica*. We vonden het allemaal ongelooflijk dat Alfonso Fuenmayor, die vier jaar lang geen geld had losgekregen van mensen die het in overvloed hadden, het nu wel had ontvangen van handwerkslieden, automonteurs, gepensioneerde ambtenaren van het gerecht en zelfs van bevriende kroegbazen die bereid waren met rietsuikerrum voor hun advertenties te betalen. Er waren dan ook redenen om aan te nemen dat het weekblad goed zou worden ontvangen in een stad waar dichters, ondanks de industriële invasie en de grotestadsallures, nog altijd in hoog aanzien stonden.

Afgezien van ons vieren zouden er weinig vaste medewerkers zijn. De enige die al heel wat beroepservaring had, was Carlos Osío Noguera, bijgenaamd de Bard Osío, een dichter en journalist, een heel aardige kerel met een reusachtig lichaam, een ambtenaar die censor was bij *El Nacional*, waar hij met Álvaro Cepeda en Germán Vargas had samengewerkt. Verder was er Roberto (Bob) Prieto, een zeldzaam erudiete man uit de hoogste kringen, die even goed in het Engels of Frans kon denken als in het Spaans, en die uit zijn hoofd werk van grote componisten op de piano speelde. De man die het minst thuishoorde op de door Alfonso Fuenmayor samengestelde lijst, was Julio Mario Santodomingo. Alfonso had hem er zonder enig voorbehoud op gezet omdat het een man was die absoluut 'anders' wilde zijn. Maar we begrepen niet zo goed waarom hij op de lijst van de redactieraad moest staan terwijl hij gedoemd leek een Latijns-Amerikaanse Rockefeller te worden, een intelligente, ontwikkelde en hartelijke man, maar onherroepelijk veroordeeld tot de nevelen van de macht. Behalve de vier initiatiefnemers van het blad wisten maar weinig mensen dat het op zijn vijfentwintigste zijn geheime droom was schrijver te worden.

Alfonso zou vanzelfsprekend directeur worden, Germán Vargas de grote verslaggever van wie ik het vak hoopte te leren, niet wanneer hij tijd had, want dat hadden we nooit, maar wanneer mijn droom om het te leren in vervulling zou gaan. Álvaro Cepeda zou zijn bijdragen, die hij in zijn vrije uren op Columbia University schreef, vanuit New York opsturen. Ik was de laatste in de rij en niemand voelde zich zo vrij en vol verlangen als ik om tot hoofdredacteur van een onafhankelijk en onzeker weekblad te worden benoemd, en zo gebeurde het.

Alfonso had jarenlang stukken geschreven die hij in reserve hield en de laatste zes maanden heel wat vooruitgewerkt aan redactionele artikelen, literair materiaal, prachtige reportages en toezeggingen voor advertenties van zijn rijke vrienden. Als hoofdredacteur zonder vaste werktijden en met een beter salaris dan welke andere journalist in mijn categorie dan ook, weliswaar afhankelijk van de winst die we zouden maken, was het ook mijn taak ervoor te zorgen dat het blad in orde was, en op tijd kwam. Toen ik dan eindelijk op zaterdag om vijf uur 's middags ons kamertje van *El Heraldo* binnenstapte, keek Alfonso Fuenmayor niet eens op, want hij moest zijn stuk afmaken.

'U moet een beetje opschieten met uw spullen, maestro,' zei hij, 'volgende week komt *Crónica* uit.'

Ik schrok niet, want ik had dat zinnetje al twee keer eerder gehoord. De derde keer was het echter menens. Verreweg de grootste gebeurtenis van de week in journalistiek opzicht was de aankomst van de Braziliaanse voetballer Heleno de Freitas, die voor Deportivo Junior ging spelen. We zouden ons echter niet opstellen als concurrenten van de gespecialiseerde pers, maar het onderwerp brengen als nieuws met een grote sociale en culturele waarde. *Crónica* zou zich niet in een hokje laten plaatsen door hierin onderscheid te maken, en al helemaal niet als het om populaire onderwerpen als voetbal ging. De beslissing was unaniem en het werk efficiënt.

We hadden van tevoren al zoveel materiaal klaargemaakt dat alleen Germán Vargas, de expert op dit gebied en een voetbalfanaat, zijn reportage over Heleno nog moest schrijven. Op zaterdag 29 april 1950, de dag van de Heilige Catharina van Siena,* schrijfster van blauwe brieven op het mooiste plein van de wereld, lag het eerste nummer precies op tijd op de verkooppunten. Onder de naam *Crónica* werd op het laatste moment nog een devies van mij afgedrukt: 'Su mejor weekend' ('Uw beste weekend'). We wisten dat het een uitdaging was aan het benauwende taalpurisme dat in die jaren in de Colombiaanse pers heerste, maar met dat devies bedoelden we iets wat in het Spaans geen equivalent met dezelfde nuances kende. Op het omslag stond een pentekening van Heleno de Freitas gemaakt door Alfonso Melo, de enige portrettekenaar onder onze drie illustratoren.

Ondanks de haast en het ontbreken van enige reclame was de oplage al lang uitverkocht voordat de voltallige redactie de volgende dag, zondag 30 april, in het plaatselijke voetbalstadion aankwam, waar de derby tussen Deportivo Junior en Sporting, allebei uit Barranquilla, werd gespeeld. Het blad zelf was ook verdeeld, want Germán en Álvaro waren aanhangers van Sporting, en Alfonso en ik van Junior. Het misverstand dat *Crónica* eindelijk het grote sportblad zou zijn waar Colombia al zo lang op wachtte, berustte alleen op de naam Heleno en de uitstekende reportage van Germán Vargas.

Het stadion was tot aan de vlaggen op het dak gevuld. In de zesde minuut van de eerste helft maakte Heleno de Freitas zijn eerste goal in Colombia met een schot op doel van links vanaf het middenveld. Hoewel Sporting uiteindelijk met 3-2 won, was de middag voor Heleno, en in de tweede plaats ook voor ons, omdat we goed zaten met onze voorspellende voorpagina. Maar geen menselijke of goddelijke kracht kon het publiek ervan overtuigen dat *Crónica* geen sportblad, maar een cultureel weekblad was dat Heleno de Freitas eerde als een van de grote gebeurtenissen van het jaar.

Het was geen beginnersgeluk. Drie van ons hadden in hun algemene columns altijd al over voetbal geschreven, inclusief Germán Vargas. Alfonso Fuenmayor was een toegewijd liefhebber van voetballen en Álvaro Cepeda had jarenlang gewerkt als Colombiaans correspondent van *Sporting News* in Saint Louis, Missouri. Onze ideale lezers ontvingen de volgende nummers echter niet met open armen, en de fanatieke stadionbezoekers lieten ons zonder pardon in de steek.

In een poging het gat te dichten werd in de redactievergadering besloten dat ik een grote reportage over Sebastián Berascochea zou schrijven, een Uruguayaanse ster van Deportivo Junior. Daarmee hoopten we voetbal en literatuur met elkaar te verzoenen, zoals ik in mijn dagelijkse column al zo vaak met andere occulte wetenschappen had pogen te doen. De voetbalkoorts waarmee Luis Carmelo Correa me op de weilanden in Cataca had aangestoken, was bijna tot nul gezakt. Bovendien was ik een vroegtijdig aanhanger van het Caribische baseball, oftewel *pelota*, zoals wij het in ons dialect noemden. Ik nam de uitdaging echter aan.

Mijn voorbeeld was natuurlijk de reportage van Germán Vargas. Voor de zekerheid las ik ook nog andere reportages, en na een lang gesprek met Berascochea voelde ik me opgelucht, want hij was een intelligente, vriendelijke jongen die heel goed wist hoe hij zichzelf aan het publiek wilde tonen. Het stomme was dat ik hem alleen op grond van zijn achternaam als een voorbeeldige Bask beschouwde en hem als zodanig beschreef, zonder stil te staan bij het feit dat hij pikzwart was en van zuivere Afrikaanse komaf. Het was de grootste flater van mijn leven, op het meest ongelegen moment voor ons blad. Ik was tot in het diepst van mijn ziel getroffen door de brief van een lezer die me beschouwde als een journalist die niet in staat was een voetbal van een tram te onderscheiden. Zelfs Germán Vargas, die heel voorzichtig was met zijn oordelen, bevestigde jaren later in een gedenkboek dat de reportage over Berascochea het slechtste was wat ik ooit had geschreven. Ik vind dat hij overdreven heeft, maar niet zo heel erg, want niemand kende het vak zo goed als hij met zijn kronieken en reportages die zo'n vloeiende toon hebben dat het lijkt of hij ze hardop aan de linotypezetter heeft gedicteerd.

We bleven over voetbal en baseball schrijven, want het waren allebei populaire sporten aan de Caribische kust, maar we vergrootten het aantal actuele onderwerpen en het literaire nieuws. Het was allemaal zinloos: het is ons nooit gelukt het misverstand te ontzenuwen dat *Crónica* een sportblad zou zijn. De voetbalfanatici kwamen echter wel over hun vergissing heen en lieten ons aan ons lot over. En dus bleven we het blad maken zoals het ons voor ogen had gestaan, al zweefde het vanaf zijn derde levensweek in het voorgeborchte van zijn dubbelzinnigheid.

Ik verloor de moed niet. De reis met mijn moeder naar Cataca, het historische gesprek met don Ramón Vinyes en mijn innige band met de groep van Barranquilla hadden me nieuwe moed gegeven, en die was genoeg voor de rest van mijn leven. Sindsdien heb ik op geen andere manier mijn geld verdiend dan met mijn werk op de schrijfmachine, en dat is een grotere verdienste dan menigeen zou denken, want de eerste auteursrechten waardoor ik van mijn verhalen en romans kon leven, werden me uitbetaald toen ik al over de veertig was en nadat ik al vier boeken had gepubliceerd, die amper een cent opleverden. Daarvóór was mijn leven altijd vertroebeld door een grote warwinkel van trucs, slimmigheden en illusies om aan de talloze lokvogels te ontkomen, die van alles van me probeerden te maken behalve een schrijver.

3

Nadat de ramp in Aracataca zich had voltrokken en met de dood van grootvader alles was verdwenen wat er van zijn wisselvallige macht over was, waren wij, die met de herinnering leefden, ten prooi aan heimwee. Nu er niemand meer met de trein terugkwam, was het huis zielloos. Elvira Carrillo had Mina en Francisca Simodosea onder haar hoede genomen en verzorgde hen met slaafse toewijding. Toen grootmoeder haar gezichtsvermogen en haar verstand verloor, namen mijn ouders haar mee, zodat ze tenminste een beter leven zou hebben alvorens te sterven. Tante Francisca, maagd en martelares, bleef zichzelf met haar vrijpostigheden en haar vinnige uitspraken, en haar weigering om de sleutels van de begraafplaats en het hostiefabriekje af te geven, met als reden dat als het Gods wil was, Hij haar wel zou hebben geroepen. Op een dag ging ze met een paar van haar smetteloze lakens voor de deur van haar kamer zitten en begon ze haar eigen, op maat geknipte doodskleed te naaien, en wel zo zorgvuldig dat de dood ruim twee weken op de voltooiing ervan moest wachten. Diezelfde avond ging ze naar bed zonder van iemand afscheid te nemen en zonder dat ze zich ziek voelde of ergens pijn had, en begon ze zo gezond als een vis te sterven. Pas later kwam men erachter dat ze de avond tevoren de overlijdenspapieren had ingevuld en de formaliteiten voor haar eigen begrafenis had geregeld. Zo bleef Elvira Carrillo, die eveneens uit vrije wil ongetrouwd was gebleven, alleen achter in de immense eenzaamheid van het huis. Om middernacht schrok ze dan wakker van het eeuwige gehoest in de aangrenzende slaapkamers, maar ze trok zich er nooit iets van aan, omdat ze gewend was ook de angsten van het bovennatuurlijke leven te ondergaan.

Esteban Carrillo, haar tweelingbroer, bleef daarentegen tot op hoge leeftijd helder van geest en energiek. Toen ik op een keer samen met hem aan het ontbijt zat, herinnerde ik me met alle visuele details hoe zijn vader op de boot naar Ciénaga door de menigte op de schouders was genomen en hoe ze hem, als een door de muilezeldrijvers gejonaste Sancho Panza, overboord probeerden te gooien. Toen ik oom Esteban over dat incident vertelde, was Papalelo al dood. Ik vond het wel grappig, maar hij sprong op, woedend omdat niemand het meteen had verteld toen het was gebeurd, en met de vurige hoop dat ik de naam van de man met wie mijn grootvader bij die gelegenheid had staan praten uit mijn geheugen kon opvissen, zodat hij hem kon vragen wie geprobeerd hadden zijn vader te laten verdrinken. Hij begreep ook niet waarom Papalelo zich niet had verweerd, terwijl hij toch zo'n goede schutter was die tijdens de twee burgeroorlogen vele malen in de vuurlinie had gestaan, met de revolver onder zijn kussen sliep en in een duel een vijand had gedood terwijl het al vrede was. Hoe dan ook, zei Esteban, voor hem en zijn broers was het nooit te laat om een belediging te wreken. Zo was de Guajirowet: als een familielid beledigd werd, moesten alle mannelijke familieleden van de agressor daarvoor boeten. Oom Esteban was zo vastbesloten dat hij de revolver uit zijn riem trok en op tafel legde om geen tijd te verliezen zodra hij klaar was mij te ondervragen. Elke keer dat we elkaar daarna op onze dooltochten weer tegenkwamen, hoopte hij opnieuw dat de naam me te binnen was geschoten. In de periode waarin ik bezig was om voor mijn eerste roman, die ik niet heb voltooid, naspeuringen te doen naar het verleden van mijn familie, kwam hij op een avond mijn kamertje op de krant binnenlopen en stelde me voor om samen een onderzoek in te stellen naar de aanslag. Hij heeft het nooit opgegeven. De laatste keer dat ik hem in Cartagena de Indias zag, al oud en met een hart vol barsten, nam hij met een trieste glimlach afscheid van me: 'Ik snap niet dat iemand met zo'n slecht geheugen als jij schrijver heeft kunnen worden.'

Toen er in Aracataca niets meer te doen viel, verkaste mijn vader weer eens met ons naar Barranquilla om opnieuw een apotheek te openen, zonder dat hij een cent bezat, maar met een behoorlijk krediet van de groothandelaren die in vorige zaken zijn compagnons waren geweest. Het was niet de vijfde apotheek, zoals we onder elkaar zeiden, maar steeds dezelfde die we naargelang de zakelijke voorgevoelens van mijn vader van de ene stad naar de andere brachten: tweemaal naar Barranquilla, tweemaal naar Aracataca en eenmaal naar Sincé. In al die plaatsen had hij karige winsten en aflosbare schulden gemaakt. Zonder grootouders, ooms en tantes of bedienden was de familie toen teruggebracht tot de ouders en zes kinderen: drie jongens en drie meisjes uit negen jaar huwelijk.

Ik maakte me nogal zorgen over die nieuwe situatie in mijn leven. Als kind was ik verschillende keren in Barranquilla geweest om mijn ouders te bezoeken, maar altijd op doorreis, en ik heb slechts fragmentarische herinneringen aan die tijd. Ik was drie toen ze me voor het eerst meenamen, bij de geboorte van mijn zusje Margot. Ik herinner me de stank van het slik 's morgens vroeg in de haven, de koets met een enkel paard in de verlaten en stoffige straten, en de koetsier, die met zijn zweep de kruiers verjoeg die op de bok probeerden te klimmen. Ik herinner me de okergele muren en het groene hout van de deuren en ramen van de kraamkliniek waar het meisje was geboren, en de sterke medicijnlucht die in het vertrek hing. De pasgeborene lag in een eenvoudig ijzeren bed achter in een naargeestige kamer, en er was een vrouw die zonder enige twijfel mijn moeder was en van wie ik me alleen een gezichtloze gestalte kan herinneren, die me een slappe hand gaf en verzuchtte: 'Jij weet niet meer wie ik ben.'

Dat was alles. Want het eerste concrete beeld dat ik van haar heb is van enkele jaren later, een scherp en duidelijk omlijnd beeld, dat ik echter niet in de tijd heb kunnen plaatsen.

Het moet geweest zijn tijdens een bezoek dat ze na de geboorte van Aida Rosa, mijn tweede zusje, aan Aracataca bracht. Ik was op de binnenplaats aan het spelen met een pasgeboren lammetje dat Santos Villero op haar arm voor me had meegebracht uit Fonseca, toen tante Mama eraan kwam rennen en mij met een schreeuw waarin schrik doorklonk, waarschuwde: 'Je moeder is er!'

Ze sleepte me bijna mee naar de woonkamer, waar alle vrouwen van het huis en een paar buurvrouwen als bij een dodenwake op een rij stoelen langs de muur zaten. Het gesprek werd onderbroken door mijn plotselinge binnenkomst. Ik bleef verstijfd bij de deur staan, zonder te weten wie van al die vrouwen mijn moeder was, tot ze haar armen voor me opende en met de liefste stem die ik ooit gehoord had zei: 'Maar je bent al een hele kerel!'

Ze had een mooie Romeinse neus, en ze was waardig en bleek en deftiger dan ooit door de mode van dat jaar: een japon van ivoorkleurige zijde met de taille op haar heupen, een parelsnoer dat verscheidene malen om haar hals was geslagen, hooggehakte zilverkleurige schoenen met gesp, en een klokvormige fijnstrooien hoed, zo een als in stomme films. Toen ze me omhelsde, werd ik omhuld door die typische geur die ik altijd bij haar heb geroken, en mijn hart sidderde door een vlaag van schuldgevoel, want ik wist dat ik van haar moest houden, maar dat deed ik niet echt.

De vroegste herinnering die ik aan mijn vader heb, is glashelder en concreet en dateert van 1 december 1934, de dag waarop hij drieëndertig werd. Ik zag hem met grote, vrolijke stappen het huis van mijn grootouders in Cataca binnenkomen, in een witlinnen pak en met een strohoed. Hij werd gefeliciteerd door iemand die hem omhelsde en die hem vroeg hoe oud hij was geworden. Ik ben zijn antwoord nooit vergeten, omdat ik het toen niet begreep: 'Net zo oud als Christus.'

Ik heb me altijd afgevraagd waarom die herinnering aan mijn vader mijn vroegste lijkt te zijn, want het lijdt geen twijfel dat ik in die tijd toch vaak bij hem moet zijn geweest.

We hadden nooit in een en hetzelfde huis gewoond, maar na de geboorte van Margot namen mijn grootouders mij regelmatig mee naar Barranquilla, zodat het al minder vreemd voor me was toen Aida Rosa geboren werd. Ik denk dat het een gelukkig huis was. Mijn ouders hadden in die stad een apotheek, en later openden ze er nog een in de winkelbuurt. We zagen grootmoeder Argemira – mama Gime – toen vaker, en ook haar twee kinderen, Julio en Ena, die beeldschoon was maar in de familie bekendstond om haar tegenspoed. Ze stierf toen ze vijfentwintig was, het is onduidelijk waaraan, maar men beweert nog steeds dat het kwam door de vloek van een afgewezen vrijer. Hoe groter we werden, hoe aardiger en vrijmoediger we mama Gime vonden.

In diezelfde periode bezorgden mijn ouders me een emotionele schok die een blijvend litteken bij me achterliet. Dat was toen mijn moeder zich in een vlaag van heimwee aan de piano zette om 'Toen het bal ten einde was' te spelen, de gedenkwaardige wals van haar geheime liefde, en mijn vader op het romantische en kwajongensachtige idee kwam de viool onder het stof vandaan te halen en haar te begeleiden, hoewel er een snaar aan het instrument ontbrak. Ze paste zich soepel aan zijn stijl van vroegeochtendromantiek aan en speelde beter dan ooit, tot ze hem een tevreden blik over haar schouder toewierp en zag dat zijn ogen vol tranen stonden. 'Aan wie denk je?' vroeg mijn moeder hem op een genadeloos onschuldige toon. 'Aan de eerste keer dat we dit samen speelden,' zei hij, geïnspireerd door de wals. Mijn moeder timmerde toen met beide handen op de toetsen. 'Dat was niet met mij, huichelaar!' krijste ze. 'Je weet heel goed met wie het was, en je huilt om haar.'

Ze zei niet wie het was, toen niet en later niet, en wij, die op verschillende plekken in het huis zaten, verstijfden van paniek door haar geschreeuw. Luis Enrique en ik, die altijd wel verborgen redenen hadden om bang te zijn, kropen weg onder de bedden. Aida vluchtte naar de buren en Margot werd overvallen door een plotselinge koorts en lag drie dagen te ijlen. Ook de jongere kinderen waren gewend aan die woedeexplosies van mijn moeder, met haar vlammende ogen en messcherpe Romeinse neus. We hadden gezien hoe ze met eigenaardige kalmte de schilderijen in de woonkamer van de muur haalde en ze onder oorverdovend glasgerinkel een voor een op de grond smeet. We hadden haar betrapt toen ze mijn vaders kleren stuk voor stuk besnuffelde voordat ze die in de wasmand deed. Na de avond van het tragische duet gebeurde er verder niets, maar de Florentijnse stemmer nam de piano mee om hem te verkopen en de viool lag samen met de revolver in de klerenkast te vergaan.

Barranquilla was in die tijd een voorpost van burgerlijke vooruitgang, bedaard liberalisme en politieke harmonie. Beslissende factoren voor de groei en welvaart van de stad waren het einde van ruim een eeuw burgeroorlogen, die het land sinds de onafhankelijkheid van Spanje hadden geteisterd, en later de teloorgang van het bananengebied, dat zwaar was aangetast door de wrede onderdrukking die zich na de grote staking had ontketend.

Tot die tijd was er echter niets wat de ondernemingsgeest van de inwoners kon tegenhouden. In 1919 had de jonge industrieel Mario Santodomingo, de vader van Julio Mario, in het hele land roem verworven door de nationale luchtpostdienst te openen met zevenenvijftig brieven in een canvas zak, die hij vanuit een primitief vliegtuig dat bestuurd werd door de Amerikaan William Knox Martin, uitwierp op het strand van Puerto Colombia, op acht kilometer van Barranquilla. Aan het eind van de Eerste Wereldoorlog was een groep Duitse vliegeniers – onder wie Helmuth von Krohn – naar Barranquilla gekomen en had de eerste luchtroutes ingevoerd met Junkers F-13, de amfibievliegtuigen die als wonderbaarlijke sprinkhanen met zes onverschrokken passagiers en de postzakken langs de Magdalena vlogen. Dat was het begin van de SCADTA, de Colombiaans-Duitse maatschappij voor luchttransporten, een van de oudste ter wereld.

Onze laatste verhuizing naar Barranquilla betekende voor mij geen simpele verandering van stad en van huis, maar een verandering van vader op mijn elfde. De nieuwe vader was een bijzondere man, maar iemand met een heel andere opvatting over het vaderlijk gezag dan die waaronder Margot en ik in het huis van onze grootouders zo gelukkig waren geweest. Omdat we gewend waren eigen baas te zijn, hadden we moeite ons aan andermans regime aan te passen. De bewonderenswaardigste en ontroerendste kant van mijn vader was dat hij een absolute autodidact was en de gulzigste lezer die ik ooit heb gekend, hoewel ook de minst systematische. Sinds hij zijn medische studie had opgegeven, wijdde hij zich op eigen kracht aan die van de homeopathie, waarvoor destijds geen universitaire opleiding nodig was, en hij verkreeg met lof de vergunning voor een praktijk. Hij miste echter het elan waarmee mijn moeder crisissituaties doorstond. Als het water hun tot de lippen kwam, lag hij in de hangmat in zijn kamer alle drukwerk dat hem in handen viel te lezen en kruiswoordpuzzels op te lossen. Zijn probleem met de werkelijkheid was onoplosbaar. Hij koesterde een bijna mythische verering voor de rijken, niet voor hen die op een onduidelijke manier rijk waren geworden, maar voor degenen die hun geld hadden verdiend dankzij hun talent en onkreukbaarheid. Terwijl hij ook midden op de dag slapeloos in zijn hangmat lag, verdiende hij in zijn verbeelding enorme fortuinen met zaken die zo simpel waren dat hij niet begreep waarom hij niet eerder op het idee gekomen was. Als voorbeeld noemde hij graag de bizarste vorm van rijkdom waarvan hij ooit had gehoord, die in El Darién:* duizend kilometer zeugen met pasgeboren biggetjes. Dat soort bijzondere handelscentra bevond zich echter niet in de plaatsen waar wij woonden, maar in verloren paradijzen waarover hij tijdens zijn dooltochten als telegrafist had horen praten. Door zijn fatale gebrek aan werkelijkheidszin laveerden we tussen mislukkingen en misstappen, maar er waren ook langdurige perioden waarin zelfs niet de dagelijkse kruimels brood uit de hemel kwamen vallen. Hoe dan ook, onze ouders leerden ons dat we zowel in goede als in slechte tijden met ouderwetse katholieke gelatenheid en waardigheid de goede moesten vieren en de slechte moesten verdragen.

De enige proef die ik nog moest afleggen, hield in dat ik alleen met mijn vader op reis ging, en die doorstond ik toen hij me meenam naar Barranquilla, waar ik hem moest helpen de apotheek te installeren en voorbereidingen te treffen voor de aankomst van de familie met de boot. Het verbaasde me dat hij me als ik alleen met hem was met genegenheid en respect als volwassene behandelde, zodat hij me zelfs taken opdroeg die niet eenvoudig waren voor mijn leeftijd. Maar ik deed het goed en met graagte, hoewel hij het niet altijd eens was met de uitvoering ervan. Hij had de gewoonte ons verhalen uit zijn jeugd in zijn geboortedorp te vertellen, maar hij vertelde ze jaar na jaar steeds maar weer aan de nieuwe kinderen die geboren werden, waardoor wij, die ze al kenden, er langzamerhand genoeg van kregen. Dat ging zo ver dat wij, de oudste kinderen, opstonden als hij na het eten van wal stak met zijn verhalen. Luis Enrique kwetste hem diep toen hij wegliep en in een vlaag van vrijmoedigheid opmerkte: 'Waarschuw me maar als grootvader weer gaat sterven.'

Mijn vader voelde zich getergd door dat soort spontane uitlatingen en ze kwamen nog bij de redenen die hij al aan het verzamelen was om Luis Enrique naar de tuchtschool in Medellín te sturen. Maar in Barranquilla ontpopte hij zich tegenover mij als iemand anders. Hij liet zijn repertoire van populaire anekdoten in de kast en vertelde me interessante voorvallen uit zijn moeilijke leven met zijn moeder, over de legendarische gierigheid van zijn vader en zijn problemen om te kunnen gaan studeren. Door die herinneringen kon ik sommige van zijn nukken beter verdragen en me iets beter verplaatsen in zijn onbegrip.

In die periode spraken we over boeken die we hadden gelezen en die we nog moesten lezen, en haalden we bij de armetierige stalletjes op de markt een rijke buit aan Tarzan-, detective- en sciencefictionstrips binnen. Maar ik werd ook bijna het slachtoffer van zijn praktische instelling, vooral toen hij besloot dat we maar één maaltijd per dag zouden gebruiken. We hadden onze eerste aanvaring toen hij me erop betrapte dat ik zeven uur na de lunch met frisdrank en zoete broodjes de gaten van de avond aan het opvullen was, en ik wist niet hoe ik hem moest zeggen waar ik het geld vandaan had om die dingen te kopen. Ik durfde hem niet te vertellen dat mijn moeder me stiekem een paar peso had gegeven, met het oog op het trappistenregime dat hij tijdens zijn reizen oplegde. Die samenzwering met mijn moeder ging door zolang ze er de middelen voor had. Toen ik als intern op de middelbare school zat, stopte ze allerhande toiletspullen in mijn koffer en een fortuin van tien peso in een doos met Reuterzeep, in de hoop dat ik die op een moment van nood zou openmaken. En aldus gebeurde, want we studeerden ver van huis en het was fantastisch om op wat voor moment dan ook tien peso te vinden.

Mijn vader zorgde ervoor dat hij me 's avonds niet alleen hoefde te laten in de apotheek in Barranquilla, maar zijn oplossingen waren niet altijd de leukste voor iemand van twaalf. Ik raakte uitgeput door de avondlijke bezoeken aan bevriende families, want als ze kinderen van mijn leeftijd hadden, stuurden ze hen om acht uur naar bed en dan bleef ik gekweld door verveling en slaap achter in de woestenij van de sociale prietpraat. Op een avond moet ik tijdens een bezoek aan de familie van een bevriende dokter in slaap zijn gevallen, en ik heb geen idee hoe of op welk uur ik in een onbekende straat lopend wakker ben geworden. Ik had geen flauw benul waar ik mij bevond of hoe ik daar gekomen was, en het enige wat ik kon bedenken was dat ik had geslaapwandeld. Er was geen enkel precedent in de familie en tot nu toe heeft het zich ook niet herhaald, maar het blijft nog steeds de enig mogelijke verklaring. Het eerste wat me verraste toen ik tot mezelf kwam, was de etalage van een kapperszaak met schitterende spiegels, waar ze drie of vier klanten aan het knippen waren onder een klok die op tien over acht stond, voor een kind van mijn leeftijd een onmogelijk tijdstip om alleen op straat te zijn. Verward door de schrik haalde ik de namen van de familie waar we op bezoek waren door elkaar en kon ik me ook het adres niet precies herinneren, maar enkele voorbijgangers wisten een en ander te combineren en brachten me naar het goede huis. Ik trof de hele buurt in paniek aan terwijl iedereen van alles suggereerde over mijn verdwijning. Ze wisten alleen maar dat ik midden in het gesprek was opgestaan van mijn stoel, en ze dachten dat ik naar de wc was gegaan. Niemand geloofde dat ik had geslaapwandeld, en mijn vader al helemaal niet, want hij nam zonder meer aan dat het een mislukte kwajongensstreek was.

Gelukkig wist ik me een paar dagen later in een ander huis, waar hij me had achtergelaten omdat hij een zakenetentje had, te rehabiliteren. De voltallige familie werd in beslag genomen door een populair programma op radio Atlántico, waarin een raadsel werd opgegeven dat ditmaal onoplosbaar leek: 'Welk dier wordt een ander dier als je hem iets afneemt?' Door een eigenaardig toeval had ik diezelfde middag de oplossing in de laatste editie van de *Bristol-almanak* gelezen en ik vond het een flauwe grap: het enige dier dat een ander dier wordt als je hem iets afneemt is de schildpad, want als je hem het schild afneemt wordt het een pad. Ik vertelde dit in het geheim aan een van de meisjes van de familie, waarop de oudste naar de telefoon rende en het antwoord aan radio Atlántico doorgaf. Ze won de eerste prijs, honderd peso, een bedrag dat voldoende was geweest om drie maanden de huur van het huis te betalen. De kamer liep vol met lawaaierige buren die naar het programma hadden geluisterd en gauw de winnares kwamen feliciteren, maar meer dan in het geld was de familie geïnteresseerd in de overwinning op zich, in een wedstrijd die aan de hele Caribische kust een groot succes was. Niemand dacht nog aan mijn bestaan. Toen mijn vader terugkwam om me op te halen, deelde hij in de opgetogenheid van de familie en toostte op de overwinning, maar niemand vertelde hem wie de ware winnaar eigenlijk was.

Nog een overwinning in die periode was dat mijn vader me toestemming gaf om in mijn eentje naar de zondagse matinee in de Colombiabioscoop te gaan. Voor het eerst draaiden er films met elke zondag een nieuwe aflevering, waardoor er een spanning werd gecreëerd die je door de week geen moment rust gunde. *Perils from the Planet Mongo* was het eerste interplanetaire epos, dat jaren later in mijn hart alleen vervangen kon worden door *2001: A Space Odyssey* van Stanley Kubrick. Maar de Argentijnse cinema, met films van Carlos Gardel en Libertad Lamarque, overtrof uiteindelijk alles.

Binnen twee maanden hadden we de apotheek opgezet en hadden we een huis voor de familie gevonden en het gemeubileerd. De apotheek bevond zich op een drukke hoek midden in de winkelbuurt en op maar vier straten van de paseo Bolívar. Daarentegen stond het woonhuis in een achterafstraat van de verloederde en vrolijke Barrio Abajo, tegen een huurprijs die niet overeenkwam met wat het huis wás, maar met wat het pretendeerde te zijn: een gotisch herenhuis met twee oorlogsminaretten erop en muren beschilderd met gele en rode cirkels.

Nog op de dag waarop men ons het pand van de apotheek overdroeg, hingen we de hangmatten aan de balken in de achterkamer en sliepen daar, zacht sudderend in een soep van zweet. Toen we het woonhuis betrokken, ontdekten we dat er geen haken voor hangmatten waren en dus legden we de matrassen op de grond, en nadat we een kat geleend hadden om de muizen te verjagen sliepen we daar zo goed en zo kwaad als het ging. Op de dag dat mijn moeder met de rest van de clan arriveerde, was het meubilair nog niet compleet en ontbraken er keukenspullen en vele andere levensbenodigdheden.

Ondanks de artistieke pretenties was het een heel gewoon huis, dat nauwelijks groot genoeg voor ons was, met een woonkamer, een eetkamer, twee slaapkamers en een betegeld binnenplaatsje. Eigenlijk was het hoogstens een derde van de huur waard die we ervoor betaalden. Mijn moeder schrok toen ze het zag, maar haar man suste haar met het lokaas van een gouden toekomst. Zo waren ze altijd. Je kon je onmogelijk twee wezens voorstellen die zo verschillend van elkaar waren en die elkaar zo goed begrepen en zo veel van elkaar hielden.

Ik was geschokt door de aanblik die mijn moeder bood. Ze was voor de zevende maal zwanger en haar oogleden en haar enkels leken me net zo gezwollen als haar buik. Ze was toen drieëndertig jaar oud en het was het vijfde huis dat ze moest inrichten. Ik was geschokt door haar sombere gemoedstoestand. Vanaf de eerste nacht verergerde die omdat ze doodsangsten uitstond bij de gedachte aan het zelfverzonnen idee, waarvoor geen enkele grond was, dat mevrouw X daar had gewoond voordat ze met messteken was omgebracht. De moord had zeven jaar eerder plaatsgevonden, tijdens het eerste verblijf van mijn ouders in Barranquilla, en was zo verschrikkelijk dat mijn moeder zich had voorgenomen nooit meer naar die stad terug te keren. Waarschijnlijk was ze dat vergeten toen ze die keer terugkwam, maar ze werd er vanaf de eerste nacht in het sombere huis in één klap opnieuw door overvallen, omdat ze er onmiddellijk iets van de sfeer van het kasteel van Dracula had bespeurd.

Het eerste nieuws dat we over mevrouw X hoorden, was de vondst van haar naakte en – door de staat van ontbinding waarin het verkeerde – onherkenbare lichaam. Men kon amper vaststellen dat het een vrouw van nog geen dertig was, met zwart haar en een aantrekkelijk uiterlijk. Iedereen dacht dat ze levend begraven was, omdat ze in een gebaar van doodsangst haar linkerhand voor haar ogen hield en haar rechterarm boven haar hoofd. Twee blauwe linten en een sierkam, voor wat een vlechtenkapsel kon zijn geweest, waren de enige sporen die naar haar identiteit konden leiden. De waarschijnlijkste van de vele hypothesen luidde dat het om een Franse danseres van lichte zeden ging, die verdwenen was sinds de mogelijke datum waarop de misdaad had plaatsgevonden.

Barranquilla genoot terecht de faam dat het de meest gastvrije en vreedzame stad van het land was, maar dat er wel elk jaar een gruwelijke moord plaatsvond. Nog nooit was er echter een moord geweest die zo diep en zo langdurig de publieke opinie had geschokt als die op de naamloze neergestoken vrouw. Het dagblad *La Prensa*, in die tijd een van de belangrijkste kranten van het land, werd als de pionier van de zondagse stripverhalen beschouwd – Buck Rogers, Tarzan van de Apen – en vanaf het begin deed het blad zich ook gelden als een van de grote voorlopers van de roddelpers. Maandenlang hield de krant de stad in spanning met grote koppen en verrassende onthullingen, die de nu vergeten kroniekschrijver, al dan niet terecht, beroemd maakten in het hele land.

De autoriteiten probeerden de informatie tegen te houden, met het argument dat het onderzoek erdoor werd belemmerd, maar de lezers hechtten uiteindelijk minder geloof aan de autoriteiten dan aan de onthullingen in *La Prensa*. Door die confrontatie hielden de mensen verscheidene dagen hun hart vast, en minstens eenmaal werden de rechercheurs gedwongen een andere weg in te slaan. Het beeld van mevrouw x had zich toen zo diep in de volksverbeelding geplant dat in veel huizen de deuren met kettingen werden beveiligd en er 's nachts speciale bewakingsdiensten waren, voor het geval de loslopende moordenaar meer gruwelijke moorden zou willen plegen, en men bepaalde dat jongeren na zes uur 's avonds niet meer alleen de straat op mochten.

De waarheid werd echter niet door iemand ontdekt, maar na enige tijd door de dader zelf onthuld. Het was Efraín Duncan, die bekende dat hij op de door de gerechtelijke artsen berekende datum zijn echtgenote, Ángela Hoyos, had omgebracht en haar had begraven op de plek waar het lijk was gevonden. Familieleden herkenden de blauwe linten en de sierkam die Ángela droeg toen ze op 5 april samen met haar echtgenoot het huis verliet om, naar ze veronderstelde, naar Calamar te reizen. Door een laatste, onvoorstelbaar toeval, dat uit de mouw van een schrijver van fantastische romans geschud leek te zijn, werd de zaak definitief gesloten: Ángela Hoyos had een identieke tweelingzuster, zodat ze zonder enige twijfel geïdentificeerd kon worden.

De mythe van mevrouw x verbleekte tot een gewone crime passionnel, maar het mysterie van de identieke zuster bleef in de huizen hangen, want men dacht zelfs dat het mevrouw x zelf was, die door hekserij opnieuw tot leven was gewekt. De deuren werden met balken en verschansingen van meubels gebarricadeerd om te verhinderen dat de door toverkunsten uit de gevangenis ontsnapte moordenaar 's nachts binnen zou dringen. In de villawijken raakte het in de mode om afgerichte jachthonden in te zetten tegen moordenaars die dwars door muren konden komen. Mijn moeder raakte eigenlijk pas over haar angst heen toen de buren haar ervan konden overtuigen dat het huis in de Barrio Abajo nog niet was gebouwd in de tijd dat mevrouw x leefde.

Op 10 juli 1939 schonk mijn moeder het leven aan een meisje met een prachtig indiaans profiel, dat bij de doop de naam Rita ontving vanwege de onuitputtelijke verering die men bij ons thuis voor de heilige Rita van Casia* koesterde, een verering die, behalve op vele andere barmhartigheden, gebaseerd was op het geduld waarmee deze vrouw het slechte karakter van haar op het verkeerde pad geraakte man had verdragen. Mijn moeder vertelde ons dat hij op een nacht buiten zinnen door de drank thuiskwam, een minuut nadat een kip haar uitwerpselen op de tafel in de eetkamer had gedeponeerd. De vrouw, die geen tijd had om het besmeurde tafelkleed schoon te maken, bedekte de poep met een bord om te vermijden dat haar man het zou zien en leidde hem gauw af met de obligate vraag: 'Wat wil je eten?'

'Stront.'

De vrouw tilde toen het bord op en zei met haar engelachtige liefheid: 'Alsjeblieft.'

Volgens de overlevering raakte de man toen zelf ook overtuigd van de heiligheid van zijn echtgenote en bekeerde zich tot het christendom.

De nieuwe apotheek in Barranquilla werd een grandioze mislukking, die nauwelijks werd verzacht door de snelheid waarmee mijn vader dit voelde aankomen. Nadat hij zich verscheidene maanden staande had proberen te houden met de handel in kleine artikelen en door het ene gat met het andere te vullen, bleek hij zwerflustiger dan men tot dan toe had gedacht. Op een dag pakte hij zijn zadeltassen en ging op zoek naar de fortuinen die in de meest onwaarschijnlijke dorpen langs de Magdalena zouden liggen. Voordat hij vertrok nam hij me mee naar zijn compagnons en vrienden, en liet hun met een zekere plechtstatigheid weten dat ik zijn plaats zou innemen tijdens zijn afwezigheid. Het is me nooit duidelijk geworden of hij een grap maakte, zoals hij zelfs in treurige situaties graag deed, of dat hij het in ernst zei, wat hem in alledaagse situaties amuseerde. Ik neem aan dat iedereen het opvatte zoals hij wilde, want op mijn twaalfde was ik een rachitisch, bleek jongetje dat tamelijk goed kon tekenen en zingen. De vrouw die ons melk op krediet verkocht, zei zonder een greintje boosaardigheid tegen mijn moeder waar ik en iedereen bij was: 'Neemt u me niet kwalijk dat ik het zeg, mevrouw, maar ik denk dat dit kind niet oud zal worden.'

Van schrik verwachtte ik lange tijd dat ik een plotselinge dood zou sterven en ik droomde vaak dat ik als ik in de spiegel keek niet mezelf zag, maar de foetus van een kalf. De schoolarts stelde de diagnose malaria, amandelontsteking en zwarte gal als gevolg van overdadig gebruik van verkeerde lectuur. Ik deed geen enkele poging de ongerustheid van wie dan ook te verminderen. Integendeel, om mijn plichten te ontduiken, overdreef ik mijn verzwakte toestand. Mijn vader trok zich echter niets van de medische wetenschap aan en verkondigde voor hij vertrok dat ik tijdens zijn afwezigheid de verantwoordelijkheid in huis en voor de familie op me zou nemen: 'Alsof ik het zelf was.'

Op de dag van vertrek riep hij ons in de woonkamer bij elkaar en gaf ons instructies en bij voorbaat al standjes voor wat we in zijn afwezigheid fout zouden kunnen doen, maar we realiseerden ons dat het trucs waren om niet te hoeven huilen. Hij gaf ieder van ons een munt van vijf centavo, wat in die tijd voor elk kind een klein fortuin was, en beloofde ons dat hij ze voor twee van diezelfde munten zou inruilen als ze bij zijn terugkeer nog onaangeroerd waren. Tot slot richtte hij zich op evangelische toon tot mij: 'In jouw handen laat ik hen achter, moge ik hen in jouw handen terugvinden.'

Het sneed me door de ziel toen ik hem met zijn beenkappen en dubbele zadeltassen over de schouder zag weggaan, en ik was de eerste die in tranen uitbarstte toen hij alvorens de hoek om te slaan een laatste blik op ons wierp en met een zwaai van zijn hand afscheid nam. Pas toen, en voorgoed, besefte ik hoeveel ik van hem hield.

Het was niet moeilijk om zijn opdracht uit te voeren. Mijn

moeder begon al aan die ongelegen en onzekere perioden van eenzaamheid te wennen en ging er met tegenzin, maar heel gemakkelijk mee om. Zelfs de kleinere kinderen moesten meehelpen met huishoudelijke taken als koken en het opruimen van het huis, en dat deden ze goed. Omstreeks die tijd beving me voor het eerst een gevoel van volwassenheid, toen het tot me doordrong dat mijn broers en zusters me als een oom begonnen te behandelen.

Ik heb mijn verlegenheid nooit goed kunnen hanteren. Toen ik in eigen persoon de opdracht moest uitvoeren die mijn ronddolende vader voor ons had achtergelaten, leerde ik dat verlegenheid een onoverwinnelijk spook is. Elke keer dat ik krediet moest vragen, zelfs in winkels van vrienden met wie van tevoren een afspraak was gemaakt, bleef ik urenlang in de buurt van het huis treuzelen, terwijl ik mijn tranen en de krampen in mijn buik probeerde te onderdrukken, tot ik ten slotte, met mijn kaken zo vast opeengeklemd dat ik geen woord kon uitbrengen, de stoute schoenen aantrok. Een harteloze winkelier wist me volkomen van streek te brengen door te zeggen: 'Stom joch, met een dichte mond kun je niet praten.' Meer dan eens kwam ik met lege handen en met een zelfverzonnen excuus thuis. Maar ik heb me nooit meer zo ongelukkig gevoeld als toen ik voor het eerst in de winkel op de hoek wilde telefoneren. De winkelier hielp me met de telefoniste, want automatisch bellen bestond nog niet. Ik voelde de ademtocht van de dood toen hij me de hoorn gaf. Ik verwachtte een hulpvaardige stem, maar wat ik hoorde was het geblaf van iemand die tegelijk met mij in het donker sprak. Ik dacht dat mijn gesprekspartner mij ook niet verstond en begon zo luid mogelijk te praten. De ander was woedend en verhief ook haar stem: 'Hé zeg, waarom schreeuw je verdomme tegen mij!'

Halfdood van schrik hing ik op. Ik moet toegeven dat ik ondanks mijn koortsig verlangen naar communicatie nog steeds mijn angst voor de telefoon en het vliegtuig moet bedwingen, en ik weet niet of het uit die tijd stamt. Hoe kon ik mezelf ertoe zetten iets te doen? Gelukkig gaf mijn moeder vaak het antwoord hierop: 'Om te dienen moet je lijden.'

Na twee weken hoorden we voor het eerst iets van mijn vader in een brief die meer bedoeld was om ons te vermaken dan om ons te informeren. Zo vatte mijn moeder dat althans op en die dag zong ze bij het afwassen om ons moreel op te vijzelen. Zonder mijn vader was ze anders: ze vereenzelvigde zich als een oudere zuster met haar dochters. Ze paste zich zo goed bij hen aan dat ze met kinderspelletjes, en zelfs met poppen, de beste was, en ze verloor haar kalmte en ruziede met hen als gelijken. Er kwamen nog twee brieven van mijn vader in dezelfde toonaard, met plannen die zo veelbelovend waren dat we er beter door sliepen.

Een groot probleem was de snelheid waarmee we uit onze kleren groeiden. Van Luis Enrique erfde niemand iets, en dat was ook uitgesloten, want hij kwam altijd smerig en met gescheurde kleren van de straat en we begrepen maar niet hoe dat kwam. Mijn moeder zei dat het net leek of hij voortdurend tussen prikkeldraad door liep. Mijn zusters, die tussen de zeven en de negen waren, regelden het onderling zo goed als ze konden en verrichtten wonderen van vernuft, maar ik denk dat onze armoede in die tijd hen vroegtijdig volwassen heeft gemaakt. Aida was vindingrijk en Margot, die haar verlegenheid grotendeels had overwonnen, was lief en hulpvaardig voor het pasgeboren zusje. Ik was de moeilijkste, en niet alleen omdat ik gewichtige dingen moest doen, maar ook omdat mijn moeder, beschermd door het enthousiasme van iedereen, het risico nam me ten koste van het gezinsbudget in te schrijven op de Cartagena de Indias-school, op ongeveer tien straten van ons huis.

Overeenkomstig de oproep kwamen wij, een twintigtal aspirant-leerlingen, om acht uur 's morgens naar het toelatingsexamen. Gelukkig was het geen schriftelijk examen, maar waren er drie onderwijzers die ons in de volgorde waarin we ons de week daarvoor hadden ingeschreven, naar binnen riepen. Op grond van onze diploma's van vorige scholen namen ze ons een beknopt examen af. Ik was de enige die geen papieren had, omdat de tijd te kort was om ze bij de montessorischool en de lagere school in Aracataca op te vragen, en mijn moeder dacht dan ook dat ik zonder de diploma's niet zou worden toegelaten. Maar ik besloot me van den domme te houden. Toen ik bekende dat ik ze niet had, haalde een van de onderwijzers me uit de rij, maar een ander nam de verantwoordelijkheid voor mijn lot en bracht me naar zijn kamer, waar hij me zonder voorafgaande voorwaarden examineerde. Hij vroeg me hoeveel een gros was, hoeveel jaren een lustrum en een millennium waren, liet me de hoofdsteden van de departementen, de belangrijkste rivieren van het land en de aangrenzende landen opzeggen. Ik vond het allemaal routinevragen, tot hij me vroeg welke boeken ik had gelezen. Het viel hem op dat ik op mijn leeftijd zoveel en zulke uiteenlopende boeken opsomde en dat ik de *Duizend-en-één-nacht* in een editie voor volwassenen had gelezen, waarin enkele scabreuze en voor pater Angarita choquerende gedeelten niet waren weggelaten. Het verbaasde me te horen dat het een belangrijk boek was, want ik had nooit gedacht dat serieuze volwassenen konden geloven dat er geesten uit flessen kwamen of dat deuren door bezwerende woorden opengingen. De aspirant-leerlingen die me waren voorgegaan, waren elk niet langer dan een kwartier binnen geweest en aangenomen of afgewezen, maar ik had langer dan een halfuur met de onderwijzer over allerlei onderwerpen gepraat. We inspecteerden samen een volle boekenplank achter zijn bureau, waarop, door het nummer dat erop stond en de prachtige band, *El tesoro de la juventud* ('De schat van de jeugd') opviel. Ik had weleens van dat boek gehoord, maar de onderwijzer overtuigde me ervan dat ik op mijn leeftijd meer aan *Don Quichot* had. Hij kon dit boek niet in de bibliotheek vinden, maar hij beloofde me dat ik het later van hem mocht lenen. Nadat we in een halfuur snel onze mening over *Sindbad de zeeman* en *Robinson Crusoë* uitgewisseld hadden, liep hij met me mee naar de deur zonder te zeggen of ik was toegelaten of niet. Ik dacht natuurlijk van niet, maar op het terras nam hij met een handdruk afscheid van me 'tot maandagmorgen acht uur'. Dan moest ik me inschrijven voor de bovenbouw van de lagere school: het vierde jaar.

Hij was de directeur van de school en hij heette Juan Ventura Casalins. Ik denk aan hem terug als een vriend uit mijn jeugd, en hij had niets van het afschrikwekkende beeld van de onderwijzers uit die tijd. Zijn onvergetelijke verdienste was dat hij ons allemaal op dezelfde manier als volwassenen behandelde, hoewel ik nog steeds geloof dat hij voor mij speciale aandacht had. In de les stelde hij mij gewoonlijk meer vragen dan de anderen en hij hielp me om vlot de juiste antwoorden te geven. Ik mocht van hem boeken uit de schoolbibliotheek mee naar huis nemen om te lezen. Twee daarvan, *Schateiland* en *De graaf van Monte-Cristo*, waren in die hachelijke jaren mijn gelukzalig makende drug. Ik verslond ze letter voor letter en keek halsreikend uit naar wat er in de volgende zin zou gebeuren, en tegelijk wilde ik het niet weten om de betovering niet te verbreken. Van die boeken, en van de *Duizend-en-één-nacht*, heb ik geleerd en nooit vergeten dat we alleen de boeken zouden moeten lezen die ons tot herlezing dwingen.

Don Quichot is voor mij daarentegen altijd een hoofdstuk apart geweest, omdat het lezen daarvan niet de emotie opriep die meester Casalins had voorzien. De wijze betogen van de dolende ridder verveelden me en de domme streken van zijn schildknaap vond ik helemaal niet grappig, en ik ging zelfs zo ver te denken dat het niet hetzelfde boek was als dat waarover zoveel gesproken werd. Ik zei echter tegen mezelf dat een wijze meester als die van ons zich niet kon vergissen en ik deed mijn best om het als een laxeermiddel naar binnen te lepelen. Op de middelbare school, waar dat boek verplichte leerstof was, deed ik nog een paar pogingen, maar ik bleef er onherroepelijk een hekel aan hebben. Tot een vriend me aanraadde het op een plankje in de wc te leggen en te proberen het te lezen terwijl ik mijn dagelijkse behoeften deed. Op die manier heb ik het ontdekt, als een flits, en ik heb er van a tot z van genoten, tot ik hele gedeelten uit mijn hoofd kon opzeggen.

Die door de voorzienigheid geschonken school heeft tevens gedenkwaardige herinneringen aan een voorgoed verloren stad en tijdperk bij me achtergelaten. Het was het enige gebouw op de top van een groene heuvel en vanaf het terras kon je de twee uitersten van de wereld zien. Links El Prado, de deftigste en duurste wijk, die me vanaf het eerste moment dat mijn blik erop viel een exacte kopie van het met schrikdraad omheinde kippenhok van de United Fruit Company leek. Dat was geen toeval: een Amerikaanse maatschappij van stedenbouwkundigen had de wijk volgens hun eigen geïmporteerde smaak, normen en prijzen gebouwd en hij werd een belangrijke toeristische attractie voor de rest van het land. Rechts zag je daarentegen onze Barrio Abajo, een buitenwijk met gloeiend hete straten vol stof en lemen huizen met daken van palmbladeren die ons er op elk moment aan herinnerden dat we doodgewone stervelingen van vlees en bloed waren. Gelukkig hadden we vanaf het terras van de school een panoramisch uitzicht op de toekomst: de historische delta van de Magdalena, een van de grootste rivieren van de wereld, en de grijze watermassa van de Bocas de Ceniza.

Op 28 mei 1935 zagen we hoe kapitein D.F. McDonald de onder Canadese vlag varende tanker Taralite onder uitbundig geloei van de scheepstoeter langs de golfbrekers van ruwe rotsen naar binnen voer en begeleid door schetterende muziek en vuurpijlen in de haven van de stad aanmeerde. Het was de apotheose van een patriottische heldendaad, die vele jaren en vele peso's gekost had, om van Barranquilla de enige zee- en rivierhaven van het land te maken.

Kort daarna scheerde een vliegtuig, met als piloot kapitein Nicolás Reyes Manotas, over de platte daken op zoek naar een open plek voor een noodlanding, om zowel zijn eigen huid te redden als die van de mensen die hij bij het neerstorten zou raken. Hij was een van de pioniers van de Colombiaanse luchtvaart. Zijn primitieve vliegtuig had hij in Mexico cadeau gekregen en hij had het in zijn eentje van het ene uiteinde van Midden-Amerika naar het andere gevlogen. De op het vliegveld van Barranquilla samengestroomde menigte had een triomfantelijk onthaal voorbereid met zakdoeken, vlaggen en een muziekkorps, maar Reyes Manotas wilde nog twee begroetingsrondjes boven de stad maken en kreeg toen te kampen met motorpech. Met wonderbaarlijk vakmanschap wist hij het toestel weer onder controle te krijgen, maar toen hij wilde landen op het platte dak van een gebouw in het centrum, raakte hij verward in de elektriciteitskabels en bleef hij aan een paal hangen. Mijn broer Luis Enrique en ik gingen te midden van de opgewonden menigte zo ver we konden achter hem aan, maar we zagen de piloot pas toen ze hem al met veel moeite maar heelhuids en met een heldenovatie uit het vliegtuig hadden gehaald.

De stad kreeg ook haar eerste radiozender, en een modern aquaduct, dat een toeristische en pedagogische trekpleister werd en waar het nieuwe proces van waterzuivering werd gedemonstreerd, en een brandweerkorps, waarvan de sirenes en bellen een feest voor kinderen en volwassenen waren zodra ze zich lieten horen. Ook verschenen er de eerste cabriolets, die met krankzinnige snelheid door de straten stoven en zich op de nieuwe geplaveide wegen te pletter reden. De begrafenisonderneming De Rechtvaardige liet zich hierdoor inspireren en plaatste een reusachtige reclame bij de uitvalsweg van de stad: 'Haast u zich niet, wij wachten op u.'

's Avonds, wanneer er geen andere toevluchtsoorden meer waren dan ons huis, riep mijn moeder ons bij elkaar en las ons de brieven van vader voor. Voor het merendeel waren het vermakelijke meesterstukjes, maar in een ervan liet hij zich heel nadrukkelijk uit over het enthousiasme dat de homeopathie wekte onder de ouderen in het gebied aan de benedenstroom van de Magdalena. 'Je ziet hier gevallen die op wonderen lijken,' schreef mijn vader. Soms wekte hij de indruk dat hij ons op korte termijn iets groots zou onthullen, maar dan volgde er een nieuwe maand van stilzwijgen. Toen tijdens de stille week twee van de jongere kinderen een gevaarlijke vorm van waterpokken opliepen, konden we op geen enkele manier contact met hem krijgen, omdat zelfs de meest ervaren rivierloodsen geen idee hadden waar hij uithing.

In die maanden was het dat ik door de realiteit van het leven een woord leerde begrijpen dat mijn grootouders in de mond bestorven lag: armoede. Ik interpreteerde het indertijd als de situatie waarin we bij hen thuis leefden sinds de ontmanteling van de bananenmaatschappij was begonnen. Ze beklaagden zich er de godganse dag over. We gingen niet meer zoals vroeger in twee of zelfs drie toerbeurten aan tafel, maar nog maar één keer. Toen ze zelfs niet meer in staat waren om het middagmaal te bekostigen, kochten ze ten slotte, om niet van dat heilige ritueel af te hoeven zien, de maaltijden in de eettenten op de markt, waar het eten prima en veel goedkoper was en tot ieders verbazing ons, de kinderen, beter smaakte. Maar dat was voorgoed afgelopen toen Mina hoorde dat sommige trouwe tafelgenoten hadden besloten niet meer bij hen aan te schuiven omdat het eten niet meer zo goed was als vroeger.

De armoede van mijn ouders in Barranquilla was daarentegen slopend, maar daardoor had ik wel het geluk dat ik een bijzondere relatie met mijn moeder kreeg. Meer nog dan de begrijpelijke liefde van een zoon voor zijn moeder, had ik een enorme bewondering voor de manier waarop ze zich als een zwijgende maar woeste leeuwin gedroeg als ze geconfronteerd werd met tegenslag, en voor haar verhouding tot God, een verhouding die niet nederig leek maar strijdbaar. Twee voorbeeldige eigenschappen die haar in haar leven een vertrouwen inboezemden dat nooit werd beschaamd. Op de moeilijkste momenten moest ze lachen om haar eigen vernuftige hulpmiddelen. Zoals die keer toen ze een ossenpoot kocht en die dag na dag kookte voor de dagelijkse soep, die steeds wateriger werd, tot er niets meer af kwam. Toen er op een avond een hevige storm woedde, verbruikte ze het varkensvet van de hele maand om er kaarsen met katoenen pitten van te maken, want het licht bleef tot de vroege ochtend weg en zij had zelf de kleintjes angst voor het duister ingeprent om ervoor te zorgen dat ze niet uit hun bed zouden komen.

Aanvankelijk gingen mijn ouders op bezoek bij bevriende families uit Aracataca die daar vanwege de crisis in de bananenindustrie en de verloedering van de openbare orde waren weggetrokken. Het waren roulerende bezoeken met als vast thema de ramp die zich in het dorp had voltrokken. Maar toen de armoede ons in Barranquilla in zijn greep kreeg, hielden we op met ons bij anderen te beklagen. Mijn moeder vatte haar terughoudendheid samen in één zin: 'Armoede zie je in iemands ogen.'

Tot mijn vijfde jaar had de dood voor mij een natuurlijk einde betekend dat anderen overkwam. De verrukkingen van de hemel en de kwellingen van de hel leken me alleen maar lessen die je in de catechismusklas van pater Astete uit je hoofd moest leren. Dat had allemaal niets met mij te maken, tot ik tijdens een dodenwake uit mijn ooghoeken zag dat er luizen uit de haren van de dode ontsnapten en doelloos over de kussens liepen. Wat me sindsdien bezighield was niet de angst voor de dood, maar de schaamte dat er tijdens mijn dodenwake voor de ogen van mijn verwanten ook luizen zouden ontsnappen. Op de lagere school in Barranquilla realiseerde ik me pas dat ik luizen had toen ik de hele familie al had besmet. Mijn moeder liet toen weer eens haar ware aard zien. Ze ontsmette de kinderen een voor een met kakkerlakkengif en doopte die grondige reiniging met de ontzagwekkende naam: 'de politie'. Het vervelende was dat we nog niet schoon waren of we raakten al weer onder de luizen, doordat ik op school opnieuw besmet werd. Mijn moeder besloot toen korte metten te maken en knipte me onder dwang zo kaal als een kokosnoot. Het was een heroïsche daad om die maandag met een van oude lappen gemaakte pet op school te verschijnen, maar ik overleefde eervol de spot van mijn klasgenoten en bekroonde het laatste jaar met de hoogste cijfers. Ik heb meester Casalins nooit meer teruggezien, maar ik blijf hem eeuwig dankbaar.

Een vriend van mijn vader die we niet kenden, bezorgde me een vakantiebaantje in een drukkerij vlak bij mijn huis. Het loon was zo goed als niets, en mijn enige stimulans was dat ik het vak kon leren. Maar ik heb de drukkerij amper een minuut vanbinnen gezien, want mijn werk bestond uit het ordenen van lithografische prenten, zodat ze op een andere afdeling ingebonden konden worden. Een troost was dat mijn moeder me toestemming gaf om van mijn loon de zondagse bijlage van *La Prensa* te kopen, met daarin de strips van Tarzan, Buck Rogers, die bij ons Rogelio de Veroveraar heette, en Mutt en Jeff, die Benitín en Eneas werden genoemd. In mijn zondagse vrije tijd leerde ik ze uit mijn hoofd te tekenen en door de week maakte ik zelf een vervolg op de afleveringen. Ik wist een paar volwassenen uit de buurt er enthousiast voor te maken en verkocht ze zelfs voor twee centavo.

Het baantje was vermoeiend en geestdodend, en hoewel ik mijn uiterste best deed, beschuldigden mijn chefs me in hun rapporten van gebrek aan enthousiasme voor mijn werk. Het moet uit achting voor mijn familie zijn geweest dat ze me van het routinewerk in de werkplaats onthieven en me benoemden tot straatverspreider van reclamebiljetten voor een hoestdrank die door de beroemdste filmacteurs werd aangeprezen. Het beviel me wel, want de biljetten waren prachtig, met kleurenfoto's van de acteurs op geglansd papier. Maar ik kreeg meteen door dat het uitdelen ervan niet zo eenvoudig was als ik dacht, want de mensen bezagen de plaatjes met wantrouwen omdat ze gratis waren, en de meesten reageerden afwijzend en verkrampt, alsof die plaatjes onder stroom stonden. In het begin keerde ik met de overgebleven exemplaren naar de drukkerij terug en kreeg ik er nieuwe bij. Tot ik de moeder van een paar schoolgenoten uit Aracataca tegenkwam, die zich geschokt toonde omdat ze me bezig zag met werk dat ze iets voor bedelaars vond. Ze foeterde me bijna schreeuwend uit omdat ik op straat op stoffen sandalen liep, die mijn moeder voor me had gekocht om mijn zondagse bottines niet te verslijten.

'Zeg maar tegen Luisa Márquez,' riep ze, 'dat ze moet denken aan wat haar ouders zouden zeggen als ze hun lievelingskleinkind op de markt bezig zagen met het uitdelen van reclame voor teringlijders.'

Om mijn moeder het verdriet te besparen heb ik haar de boodschap niet overgebracht, maar ik heb verscheidene nachten van woede en schaamte in mijn kussen gehuild. Het drama eindigde ermee dat ik stopte met het uitdelen van reclamebiljetten en ze in de kanalen langs de markt wierp, zonder te bedenken dat het geglansde papier op het stilstaande water bleef drijven en aan de oppervlakte een sprei van prachtige kleuren vormde, die vanaf de brug een bijzonder schouwspel opleverde.

Mijn moeder moet in een onthullende droom een of andere boodschap van haar doden hebben ontvangen, want binnen twee maanden haalde ze mij zonder nadere uitleg bij de drukkerij weg. Ik verzette me daartegen, omdat ik de zondagse editie van *La Prensa*, die we in ons gezin als een zegen van de hemel ontvingen, niet kwijt wilde raken, maar mijn moeder bleef die krant kopen, ook al moest ze een aardappel minder in de soep doen. Nog een redmiddel was het hulpbedrag dat oom Juanito ons in de bitterste maanden zond. Met zijn karige verdiensten als beëdigd boekhouder woonde hij nog steeds in Santa Marta, en hij voelde zich verplicht ons elke week een brief met twee biljetten van één peso te sturen. De kapitein van de boot Aurora, een oude vriend van de familie, overhandigde me de brief om zeven uur 's ochtends en dan kwam ik thuis met een basisvoorraad voor verscheidene dagen.

Op een woensdag kon ik de brief niet ophalen en mijn moeder droeg dit aan Luis Enrique op, die de verleiding niet kon weerstaan de twee peso te vermenigvuldigen door te gaan spelen met munten in de gokautomaat van een winkeltje van een Chinees. Hij had niet de wilskracht om te stoppen toen hij de eerste twee fiches verloren had en bleef proberen ze terug te winnen, tot hij er nog maar eentje had. 'Ik raakte zo in paniek,' vertelde hij me toen hij al volwassen was, 'dat ik besloot nooit meer thuis te komen.' Want hij wist heel goed dat voor die twee peso het eten voor een week gekocht kon worden. Gelukkig gebeurde er iets met de machine toen hij de laatste fiche erin stopte, want het apparaat begon te schudden en te sidderen in zijn ingewanden met een geratel van stukken ijzer en het braakte in een onstuitbare stroom alle fiches uit die hij voor de verloren twee peso had gekregen. 'Toen heeft de duivel me verlicht,' vertelde Luis Enrique me, 'en ik waagde het nog een fiche op het spel te zetten.' Hij won. Hij riskeerde er nog eentje en won, en nog een, en nog een, en won. 'Ik schrok op dat moment nog veel erger dan toen ik verloren had, ik deed het in mijn broek van angst,' zei hij, 'maar ik zette door.' Ten slotte had hij, behalve de oorspronkelijke twee peso, er tweemaal twee peso bij gewonnen, in munten van vijf centavo, maar hij durfde ze bij de kassa niet voor biljetten in te wisselen, uit angst dat de Chinees hem met een of andere smoes in de war zou brengen. Zijn zakken puilden zo uit dat hij, voordat hij mijn moeder de twee peso van oom Juanito in vijfcentavostukken teruggaf, de vier peso die hij zelf had gewonnen achter op de binnenplaats begroef, waar hij gewoonlijk elke centavo die hij onbeheerd had gevonden verstopte. Hij gaf ze beetje bij beetje uit en onthulde zijn geheim pas jaren daarna, gekweld door de gedachte dat hij voor de verleiding was bezweken de laatste vijf centavo in de winkel van de Chinees te vergokken.

Hij had een heel persoonlijke relatie met geld. Toen mijn moeder hem op een keer betrapte terwijl hij het geld voor de markt uit haar portemonnee haalde, was zijn verweer nogal bruut, maar heel helder: als je geld van je ouders pikt, kan het geen diefstal zijn, want dat geld is van iedereen, maar ze misgunnen het jou omdat zij er niet mee kunnen doen wat de kinderen doen. Ik ging zelfs zo ver zijn standpunt te verdedigen door te bekennen dat ikzelf ook weleens de verstopplaatsen in huis uit hoge nood had geplunderd. Mijn moeder raakte buiten zichzelf. 'Doe niet zo stom,' schreeuwde ze, 'jij noch je broer steelt iets van me, want ik leg zelf het geld neer op plekken waar ik weet dat jullie het zullen zoeken als je in de knoei zit.' Ik hoorde haar eens in een vlaag van woede wanhopig mompelen dat God zou moeten toestaan dat je bepaalde dingen steelt om je kinderen te eten te kunnen geven.

Luis Enriques persoonlijke fascinatie voor kattenkwaad was heel nuttig om gemeenschappelijke problemen op te lossen, maar daarbij maakte hij mij niet medeplichtig aan zijn boevenstreken. Integendeel, hij wist het altijd voor elkaar te krijgen dat er geen enkele verdenking op mij viel, en dat heeft onze warme genegenheid voor elkaar voorgoed verstevigd. Ik heb hem echter nooit verteld hoe ik hem om zijn durf benijdde en hoe erg ik het vond als mijn vader hem sloeg. Ik gedroeg me heel anders dan hij, maar soms kostte het me moeite mijn jaloezie te temperen. Ik voelde me juist angstig in het huis van mijn ouders in Cataca, waar ze me nooit zonder een wormverdrijvend purgeermiddel of wonderolie naar bed brachten. Ik had dan ook een hekel aan de muntjes van twintig centavo die ze me uitbetaalden omdat ik die middelen zo dapper innam.

Ik denk dat mijn moeder in uiterste wanhoop was toen ze me met een brief naar een man stuurde die bekendstond als de rijkste en tegelijk de meest genereuze filantroop van de stad. Over zijn goedhartigheid werd met evenveel ophef bericht als over zijn financiële triomfen. Mijn moeder schreef hem een brief waarin ze zonder omwegen lucht gaf aan haar zorgen en dringend om financiële hulp vroeg, niet voor haarzelf, want zij was in staat om wat dan ook te verdragen, maar omwille van haar kinderen. Je moest haar kennen om te begrijpen wat die vernedering voor haar betekende, maar de situatie vroeg erom. Ze waarschuwde me dat het onder ons moest blijven, en daar heb ik me aan gehouden tot het moment waarop ik dit schrijf.

Ik klopte op de zware deur van het huis, dat iets van een kerk had, en bijna onmiddellijk ging er een raampje open, waarachter het hoofd van een vrouw verscheen van wie ik me alleen de ijskoude ogen herinner. Ze nam de brief zonder een woord te zeggen in ontvangst en deed het raampje weer dicht. Het moet elf uur in de ochtend zijn geweest en ik bleef, op de drempel gezeten, tot drie uur 's middags wachten, waarna ik op zoek naar een antwoord besloot opnieuw aan te kloppen. Dezelfde vrouw deed weer open, herkende me verbaasd en vroeg me een ogenblik te wachten. Het antwoord was dat ik de volgende dinsdag om dezelfde tijd terug moest komen. Dat deed ik, maar het enige antwoord was dat er binnen een week geen antwoord zou komen. Ik moest nog drie keer terugkomen en kreeg steeds hetzelfde te horen, tot anderhalve maand later een vrouw die er nog norser uitzag dan de vorige, mij namens meneer meedeelde dat het huis geen liefdadigheidsinstelling was.

Ik maakte ommetjes door de hete straten en probeerde moed te verzamelen om mijn moeder een antwoord te geven dat haar zou afhelpen van haar illusies. Het was al donker toen ik met pijn in mijn hart naar haar toe ging, en ik zei kortweg dat de goede filantroop enkele maanden eerder gestorven was. Wat me nog het meest pijn deed, was dat mijn moeder een rozenkrans voor zijn eeuwige rust bad.

Toen we vier of vijf jaar later op de radio het werkelijke bericht hoorden dat de filantroop een dag eerder was overleden, wachtte ik verstijfd de reactie van mijn moeder af. Ik zal nooit begrijpen hoe het kon dat ze het bericht met ontroerde aandacht aanhoorde en uit het diepst van haar ziel verzuchtte: 'God beware hem in Zijn heilig koninkrijk!'

Vlak bij ons huis woonden de Mosquera's, een familie met wie we bevriend raakten en die een fortuin uitgaf aan stripbladen, om ze vervolgens in de schuur tot aan het dak op te stapelen. Wij hadden als enigen het voorrecht daar hele dagen te mogen doorbrengen om Dick Tracy en Buck Rogers te lezen. Een andere gelukkige ontdekking was een aspirant-schilder die filmreclames voor de naburige bioscoop Las Quintas schilderde. Ik hielp hem omdat ik er plezier in had letters te schilderen, en hij smokkelde ons twee of drie keer per week naar binnen, zodat we gratis goede schiet- en knokfilms konden zien. De enige luxe waaraan het ons ontbrak was een radio, waarmee we op elk moment van de dag naar muziek konden luisteren door alleen maar een knop in te drukken. Het is nu moeilijk voor te stellen dat een radio voor arme mensen een schaars artikel was. Luis Enrique en ik gingen in een winkel op de hoek op de bank zitten, die er stond voor de tertulia* van klanten die niets omhanden hadden, en daar zaten we hele middagen te luisteren, bijna uitsluitend naar populaire muziekprogramma's. We leerden het complete repertoire uit ons hoofd van Miguelito Valdés met het orkest Casino de la Playa, Daniel Santos met La Sonora Matancera en de bolero's van Agustín Lara, gezongen door Toña la Negra. Met veel plezier leerde ik 's avonds, speciaal de twee keer dat de elektriciteit werd afgesloten omdat we niet betaald hadden, de liederen aan mijn moeder en broers en zusters. Ligia en Gustavo zongen die als papegaaien na, zonder de teksten te begrijpen, en we stikten van de lach om de lyrische onzin die ze uitkraamden. Zonder uitzondering hadden we allemaal van onze ouders een bijzonder geheugen voor muziek en een goed gehoor geërfd, zodat we een lied maar één keer hoefden te horen om het te kunnen zingen. Vooral Luis Enrique was een geboren musicus en specialiseerde zich eigenhandig in gitaarsolo's voor serenades over ongelukkige liefdes. We ontdekten al spoedig dat alle buurkinderen uit de huizen zonder radio deze liederen ook van mijn broers en zusters leerden, en vooral van mijn moeder, die in ons kinderrijke huis uiteindelijk als een extra zuster voor ons werd.

Mijn favoriete programma was *La hora de todo un poco* ('Een uurtje van alles wat') van de componist, zanger en maestro Ángel María Camacho y Cano, die vanaf één uur 's middags zijn toehoorders met een kunstige variatie aan muziek aan de radio kluisterde, en vooral met zijn uur voor amateurs, dat voor jongeren onder de vijftien was bestemd. Je hoefde je alleen maar in te schrijven op de kantoren van La Voz de la Patria en een halfuur van tevoren naar de uitzending van het programma te komen. Maestro Camacho y Cano begeleidde je persoonlijk op de piano en een assistent van hem voerde het onherroepelijke vonnis uit door met een kerkklok het lied te onderbreken als de amateur ook maar het kleinste foutje maakte. De prijs voor wie zijn lied het mooist zong was meer dan we konden dromen, vijf peso, maar mijn moeder zei uitdrukkelijk dat de eer om in zo'n prestigieus programma een lied goed te zingen het allerbelangrijkste was.

Tot die tijd had ik me steeds getooid met alleen de achternaam van mijn vader, García, en mijn twee doopnamen, Gabriel José, maar bij die gedenkwaardige gelegenheid had mijn moeder me gevraagd om me ook onder haar achternaam, Márquez, in te schrijven, zodat niemand aan mijn identiteit kon twijfelen. Het was bij ons thuis een hele gebeurtenis. Ik moest in het wit, zoals bij de eerste communie, en voordat ik vertrok, gaven ze me een dosis kaliumbromide. Twee uur van tevoren meldde ik me bij La Voz de la Patria, maar terwijl ik in een nabijgelegen park zat te wachten omdat ze me pas een kwartier voor de uitzending in de studio's toelieten, raakte het kalmeringsmiddel uitgewerkt. Met de minuut voelde ik in mijn binnenste de spinnen van de angst groeien, en ten slotte ging ik met op hol geslagen hart naar binnen. Ik moest mezelf geweld aandoen om niet naar huis te gaan met de smoes dat ik om de een of andere reden niet aan de wedstrijd had mogen deelnemen. De maestro nam me aan de piano een snelle test af om mijn toonhoogte vast te stellen. Eerst riepen ze in volgorde van inschrijving zeven deelnemers op, voor drie van hen werd vanwege verschillende missers de klok geluid en ik werd eenvoudigweg als Gabriel Márquez aangekondigd. Ik zong 'El cisne', een sentimenteel lied over een zwaan die witter was dan een sneeuwvlok en samen met zijn geliefde door een gewetenloze jager werd vermoord. Vanaf de eerste maten besefte ik dat sommige noten, die bij de test niet aan de orde waren gekomen, voor mij te hoog waren, en even raakte ik in paniek toen de assistent een weifelend gebaar maakte en klaar ging staan om de klok te grijpen. Ik weet niet waar ik de moed vandaan haalde om hem met een energiek gebaar te beduiden dat hij hem niet moest luiden, maar het was te laat: de klok luidde harteloos. De vijf peso van de prijs en verscheidene reclamecadeaus waren voor een beeldschone blondine die een stuk uit *Madame Butterfly* om zeep had geholpen. Terneergeslagen door de nederlaag kwam ik thuis en ik kon mijn moeder geen enkele troost bieden voor haar ontgoocheling. Er gingen jaren overheen voor ze me bekende dat ze zich zo geschaamd had omdat ze haar verwanten en vrienden had gewaarschuwd dat ze naar mijn zang moesten luisteren en vervolgens niet had geweten hoe ze hen moest ontlopen.

In dat leven van lachen en huilen verzuimde ik geen enkele keer de school. Zelfs niet met een lege maag. Maar de tijd die ik thuis aan lezen wilde besteden, ging op aan huishoudelijke bezigheden en we hadden geen elektriciteitsbudget om tot middernacht te blijven lezen. Ik vond er echter iets op. Op de weg naar school bevonden zich verscheidene busgarages en in een daarvan bleef ik vaak uren rondhangen om te kijken hoe ze op de zijkanten de namen van de route en de bestemmingen schilderden. Op een dag vroeg ik aan de schilder of ik een paar letters mocht schilderen om te zien of ik het kon. Hij stond verbaasd over mijn aanleg en af en toe mocht ik hem voor een paar losse peso's helpen, waarmee ik een kleine bijdrage aan de gezinsinkomsten leverde. Nog zoiets hoopvols was mijn toevallige vriendschap met de drie broers García, zonen van een varensman op de Magdalena, die een volksmuziektrio hadden opgericht om uit pure liefde voor de kunst de feesten van vrienden op te vrolijken. Met mij erbij vormden we het kwartet García en namen deel aan een wedstrijd tijdens het uur voor amateurs van radio Atlántico. Al op de eerste dag wonnen we onder ovationeel applaus, maar de vijf peso van de prijs kregen we niet uitbetaald vanwege een onherroepelijke fout bij de inschrijving. We bleven de rest van het jaar samen repeteren en zingen op familiefeesten, tot het leven ons ten slotte deed uitzwermen.

Ik heb nooit de boosaardige mening gedeeld dat er een zekere onverantwoordelijkheid school in de gelatenheid waarmee mijn vader met de armoede omging. Ik vond juist dat het een homerisch bewijs was van de onverbrekelijke saamhorigheid tussen hem en zijn vrouw, waardoor ze tot aan de rand van de afgrond de moed erin bleven houden. Hij wist dat zij nóg beter met paniek dan met wanhoop kon omgaan en dat dat het geheim was van hoe wij het hoofd boven water hielden. Wat misschien niet in hem opkwam was dat zij zijn zorgen verlichtte, terwijl ze zelf het beste deel van haar leven achter zich liet. We hebben nooit kunnen begrijpen waarom hij altijd op reis moest. Op een zaterdag rond middernacht werden we plotseling, zoals vaak gebeurde, wakker gemaakt en naar het plaatselijke kantoor van een oliekampement aan de Catatumbo gebracht, waar we via de radiotelefoon door mijn vader werden gebeld. Ik zal nooit vergeten hoe mijn moeder, badend in tranen, een gesprek voerde dat door de techniek een warboel werd.

'Ai, Gabriel,' zei mijn moeder, 'kijk nou toch hoe je me met die sleep kinderen hebt achtergelaten, we hebben vaak geen hap te eten.'

Hij antwoordde haar met het slechte nieuws dat hij een gezwollen lever had. Dat was vaker het geval, maar mijn moeder nam het niet zo serieus omdat hij het weleens gebruikt had om zijn losbandige gedrag te verhullen.

'Dat heb je ervan als je je misdraagt,' zei ze voor de grap tegen hem.

Ze praatte en keek ondertussen naar de microfoon alsof het mijn vader was, en ten slotte raakte ze de kluts kwijt toen ze hem een kus wilde sturen en de microfoon kuste. Ze schaterde het uit en kreeg het niet voor elkaar haar hele verhaal te doen omdat de tranen van het lachen over haar wangen rolden. Toch bleef ze die hele dag in gedachten verzonken en aan tafel zei ze ten slotte, alsof ze het tegen niemand had: 'Ik vond dat Gabriels stem een beetje raar klonk.'

We legden haar uit dat de radiotelefoon niet alleen de stemmen vervormde, maar ook de persoonlijkheid verdoezelde. De avond daarna zei ze slaperig: 'Toch klonk zijn stem alsof hij veel magerder was.' Haar neus was scherp, zoals altijd wanneer het haar slecht ging, en ze vroeg zich zuchtend af hoe die dorpen zonder God of gebod waar haar man zonder peettante in zijn eentje rondliep eruit zouden zien. Haar verborgen drijfveren werden tijdens een tweede gesprek via de radio duidelijker, toen ze mijn vader liet beloven dat hij onmiddellijk naar huis zou terugkeren als er binnen twee weken geen oplossing kwam. Binnen die termijn ontvingen we echter een dramatisch telegram uit Los Altos del Rosario met een enkel woord: 'Onzeker'. Mijn moeder zag in die boodschap de bevestiging van haar helderste voorgevoelens en sprak haar onherroepelijke oordeel uit: 'Of je komt voor maandag terug, of ik kom nu meteen met het hele stel naar jou toe.'

Een uitstekende remedie. Mijn vader kende de kracht van haar dreigementen en was binnen een week terug in Barranquilla. We waren geschokt toen hij binnenkwam: slordig gekleed, met een groenige huid en ongeschoren, zodat mijn moeder zelfs dacht dat hij ziek was. Maar dat was een vluchtige indruk, want binnen twee dagen had hij opnieuw het jeugdige plan opgevat een uitgebreide apotheek te openen in Sucre, een idyllisch en welvarend dorp in een bocht van de rivier, op een dag en een nacht varen van Barranquilla. Hij had daar in zijn jonge jaren als telegrafist gewerkt en zijn hart kromp ineen als hij terugdacht aan de reis over de schemerige kanalen en de gouden meren, en aan de eeuwige dansfeesten. In een bepaalde periode had hij hardnekkige pogingen gedaan zich als apotheker in Sucre te vestigen, maar hij had geen geluk, terwijl hij dat in andere, nog aantrekkelijker plaatsen, zoals Aracataca, wel had gehad. Ongeveer vijf jaar later, tijdens de derde bananencrisis, dacht hij weer aan die plaats terug, maar het gebouw was al bezet door de groothandelaren van Magangué. Een maand voordat hij naar Barranquilla zou terugkeren, was hij echter bij toeval een van hen tegengekomen, en deze schilderde hem niet alleen een heel andere werkelijkheid, maar bood hem ook een behoorlijk krediet voor Sucre aan. Hij nam dat aanbod niet aan omdat hij op het punt stond zijn wensdroom in Los Altos del Rosario te verwezenlijken, maar toen hij door het vonnis van zijn echtgenote werd verrast, spoorde hij de groothandelaar van Magangué weer op, die nog steeds verloren door de dorpen langs de rivier trok, en sloten ze een overeenkomst.

Na zo'n twee weken van onderzoek en regelingen met bevriende groothandelaren vertrok hij met een gezond uiterlijk en een verbeterd humeur, en hij bleek zo diep onder de indruk van Sucre dat hij zijn gevoel daarover in een eerste brief zo beschreef: 'De werkelijkheid is beter dan het heimwee.' Hij huurde een huis met balkon aan het grote plein en van daaruit vond hij zijn vrienden van vroeger terug, die hem met open armen ontvingen. De familie moest zoveel mogelijk spullen verkopen en de rest, wat niet veel was, inpakken en meenemen op een van de stoomschepen die een regelmatige dienst over de Magdalena onderhielden. Met dezelfde post stuurde hij een postwissel met een juist geschat bedrag voor de directe onkosten en kondigde een volgende aan voor de reiskosten. Ik kon me geen aanlokkelijker bericht voor het illusionaire karakter van mijn moeder voorstellen, en dus had ze er in haar antwoord niet alleen goed over nagedacht dat ze haar echtgenoot een hart onder de riem moest steken, maar ook hoe ze het nieuws dat ze voor de achtste keer zwanger was moest verzachten.

Ik verrichtte de formaliteiten en maakte reserveringen op de Capitán de Caro, een legendarisch schip dat in één nacht en een halve dag het traject van Barranquilla naar Magangué aflegde. Vandaar zouden we met een motorboot over de rivier de San Jorge en het idyllische kanaal van La Mojana verder varen naar onze bestemming.

'Als we hier maar weggaan, al is het naar de hel,' riep mijn moeder, die het Babylonische Sucre altijd al had gewantrouwd. 'Je moet je echtgenoot niet alleen in zo'n dorp achterlaten.'

Ze dwong ons tot zoveel haast dat we vanaf drie dagen voor de reis op de grond sliepen, want we hadden de bedden en alle meubels die we konden verkopen al van de hand gedaan. De rest zat in kisten, en het geld voor de bootkaartjes, dat zorgvuldig was geteld en duizenden keren herteld, was veilig weggeborgen op een verstopplaats van mijn moeder.

De employé die me in het kantoor van de boot te woord stond, deed zo poeslief dat het me geen enkele moeite kostte het met hem eens te worden. Ik ben er absoluut zeker van dat ik de tarieven die hij me met de heldere en geaffecteerde uitspraak van een gedienstige Caribiër opnoemde, letterlijk heb opgeschreven. Wat ik het aardigste vond en wat ik beslist niet vergat, was dat kinderen onder de twaalf slechts de helft van het normale tarief hoefden te betalen. Dat betekende alle kinderen, behalve ik. Op basis daarvan legde mijn moeder het geld voor de reis apart en gaf ze de rest tot de laatste cent uit aan het ontmantelen van het huis.

Toen ik vrijdags de kaartjes ging kopen, ontving de employé me met de verrassende mededeling dat jongeren onder de twaalf geen vijftig procent korting kregen maar slechts dertig, wat een onoverkomelijk verschil voor ons uitmaakte. Hij betoogde dat ik het verkeerd had opgeschreven, want de gegevens stonden afgedrukt op een mededelingenbord dat hij voor me neerlegde. Terneergeslagen kwam ik thuis, maar mijn moeder zei geen woord, trok de jurk aan die ze had gedragen toen ze in de rouw was geweest voor haar vader, en samen gingen we op weg naar de riviervaartmaatschappij. Ze wilde eerlijk zijn: iemand had zich vergist en dat kon heel goed haar zoon zijn, maar dat deed er niet toe. Het was zo dat we geen geld meer hadden. De employé legde haar uit dat er niets aan te doen was.

'Denkt u eens goed na, mevrouw,' zei hij. 'Het gaat er niet om of we u wel of niet van dienst willen zijn, het zijn de regels van een serieuze maatschappij waarmee je niet kunt omgaan als een windwijzer.'

'Maar het zijn kinderen,' zei mijn moeder, en ze wees als voorbeeld naar mij. 'Stelt u zich eens voor, dit is de oudste en hij is amper twaalf.' Ze maakte een gebaar met haar hand: 'Ze zijn niet groter dan zo.'

Het was geen kwestie van lengte, betoogde de employé, maar van leeftijd. Niemand betaalde minder, behalve pasgeborenen, die reisden gratis. Mijn moeder zocht het hogerop.

'Wie moet ik spreken om dit te regelen?'

De employé moest haar het antwoord schuldig blijven. De chef, een oudere man met een moederlijke buik, verscheen midden in het betoog in de deur van het kantoor, en de employé stond op toen hij hem zag. Het was een kolossale man, met een respectabel uiterlijk, en zelfs in hemdsmouwen en doorweekt van het zweet straalde hij een onmiskenbaar gezag uit. Hij luisterde aandachtig naar mijn moeder en antwoordde haar op kalme toon dat een beslissing als deze alleen mogelijk was na herziening van de reglementen in een aandeelhoudersvergadering.

'Gelooft u me, het spijt me heel erg,' besloot hij.

Mijn moeder voelde de adem van de macht en schaafde haar argument bij.

'U heeft gelijk, meneer,' zei ze, 'maar het probleem is dat

uw employé het niet goed heeft uitgelegd aan mijn zoon, of mijn zoon heeft het verkeerd begrepen, en op grond van die vergissing heb ik gehandeld. Alles staat nu ingepakt, klaar om aan boord gebracht te worden, we slapen op de kale grond, we hebben nog tot vandaag geld voor de markt en maandag draag ik het huis aan de nieuwe huurders over.' Toen het tot haar doordrong dat het personeel in het kantoor met intense belangstelling naar haar luisterde, richtte ze zich tot hen.

'Wat betekent dit nu helemaal voor zo'n belangrijke onderneming?' En zonder op een antwoord te wachten vroeg ze de chef terwijl ze hem recht in de ogen keek: 'Gelooft u in God?'

De man raakte van zijn stuk. De stilte duurde te lang en het hele kantoor wachtte in spanning af. Toen ging mijn moeder rechtop in haar stoel zitten, drukte haar knieën, die begonnen te trillen, tegen elkaar, omklemde met beide handen haar portemonnee in haar schoot en zei met de voor haar typerende vastberadenheid als het om belangrijke zaken ging: 'Goed, ik blijf hier zitten totdat dit is opgelost.'

De chef was met stomheid geslagen en al het personeel onderbrak het werk om naar mijn moeder te kijken. Ze zat daar onaangedaan, met haar messcherpe neus, haar gezicht bleek en overdekt met zweetdruppeltjes. Ze had de rouw voor haar vader al afgelegd, maar hem op dat moment weer aangenomen omdat de rouwjurk haar voor deze zaak het passendst leek. De chef keek haar niet opnieuw aan, maar wierp een besluiteloze blik op zijn personeel en riep ten slotte namens iedereen uit: 'Dit is nog nooit vertoond!'

Mijn moeder knipperde niet met haar ogen. 'De tranen stokten in mijn keel, maar ik moest volhouden, omdat ik anders voor schut had gestaan,' vertelde ze mij. De chef verzocht de employé om de papieren naar zijn kantoor te brengen. Dat deed hij en hij kwam vijf minuten later uitgefoeterd en woedend weer naar buiten, maar met de benodigde kaartjes voor de reis.

De week daarna gingen we in Sucre van boord alsof we daar geboren waren. Het dorp telde zo'n zestienduizend inwoners, zoals veel gemeenten destijds, en iedereen kende elkaar, niet zozeer bij naam als wel door hun geheime levens. Niet alleen het dorp maar de hele streek was een oceaan van kalme wateren, die van kleur veranderden door de dekens van bloemen waarmee ze naargelang het seizoen, de plek of onze eigen gemoedstoestand bedekt waren. De schittering ervan deed denken aan de stille, dromerige meren in Zuidoost-Azië. Gedurende de vele jaren dat onze familie in dat dorp woonde, zag je geen enkele auto. Het zou ook zinloos zijn geweest, want de rechte paden van aangestampte aarde leken als langs een liniaal getrokken voor de ongeschoeide voeten, en veel huizen hadden bij de keuken hun eigen steiger met boodschappenbootjes voor het lokale transport.

Mijn eerste gewaarwording was die van een onvoorstelbare vrijheid. Alles waar het ons kinderen aan had ontbroken en waar we naar hadden verlangd, kwam opeens onder handbereik. Ieder van ons at als hij honger had, of sliep op willekeurig welk moment, en het was niet eenvoudig om je met iemand bezig te houden, want ondanks hun strenge regels waren de volwassenen zo verstrikt in hun eigen tijd dat ze er zelfs niet aan toekwamen om voor zichzelf te zorgen. De enige voorwaarde voor de veiligheid van de kinderen was dat ze eerder moesten leren zwemmen dan lopen, want het dorp werd in tweeën gedeeld door een kanaal met donker water, dat tegelijk dienstdeed als aquaduct en als riool. De kinderen werden vanaf hun eerste jaar over het balkon van de keuken in het kanaal gegooid, eerst met een zwemvest, zodat ze de angst voor het water zouden kwijtraken, en vervolgens zonder zwemvest, zodat ze het ontzag voor de dood zouden kwijtraken. Jaren daarna waren mijn broer Jaime en mijn zuster Ligia, die de gevaren van de inwijding overleefden, uitblinkers in de zwemkampioenschappen voor kinderen.

Wat Sucre voor mij tot een onvergetelijk dorp maakte, was het gevoel van vrijheid waarmee wij kinderen ons buiten op straat konden bewegen. Binnen twee of drie weken wisten we wie in welk huis woonde en gedroegen we ons daar als oude bekenden. De maatschappelijke gewoonten die door het gebruik versimpeld waren, hoorden bij een modern leven binnen een feodale cultuur: de rijken – veehouders en suikerfabrikanten – woonden op het centrale plein, en de armen waar ze maar konden. Voor de kerkelijke overheid was het een missiegebied waar ze juridisch en bestuurlijk gezag had over een uitgestrekt imperium van meren. In het middelpunt van die wereld stond de parochiekerk, op het centrale plein van Sucre, een versie op zakformaat van de kathedraal van Keulen, uit het hoofd gekopieerd door een Spaanse pastoor die ook de rol van architect speelde. De macht werd rechtstreeks en absoluut uitgeoefend. Elke avond, na het rozenkransgebed, werd in de kerktoren met het aantal klokslagen aangegeven hoe de morele beoordeling van de film luidde die in de nabijgelegen bioscoop stond aangekondigd, een beoordeling overeenkomstig de catalogus van het Katholieke Bureau voor de Film. Vanaf de stoep aan de overkant bewaakte de dienstdoende missionaris, gezeten voor de deur van zijn kantoor, de ingang van het theater, zodat hij overtreders sancties kon opleggen.

Mijn grote frustratie was de leeftijd waarop ik naar Sucre was gekomen. Ik had nog drie maanden te gaan voordat ik de rampzalige grens van dertien jaar zou passeren, en thuis behandelden ze me niet meer als kind, maar werd ik evenmin als volwassene erkend. En in dat voorportaal van de volwassenheid was ik uiteindelijk de enige van de broers die niet leerde zwemmen. Ze wisten niet of ze me aan de tafel van de kleintjes moesten zetten of aan die van de grote mensen. De dienstmeisjes verkleedden zich niet meer in mijn bijzijn, zelfs niet als het licht uit was, maar een van hen sliep verscheidene keren naakt in mijn bed zonder me in mijn slaap te storen. Ik had nog geen tijd gehad om me te verzadigen aan dat misbruik van de vrije wil toen ik in januari van het daaropvolgende jaar naar Barranquilla moest terugkeren om er naar de middelbare school te gaan, want in Sucre was geen school die goed genoeg was voor de hoge cijfers van meester Casalins.

Na lange discussies en beraadslagingen, waaraan ik nauwelijks deelnam, lieten mijn ouders hun keus vallen op het jezuïetencollege San José in Barranquilla. Ik begrijp niet waar ze al het geld in zo weinig maanden vandaan haalden, terwijl de apotheek en de homeopathische praktijk nog niet goed liepen. Mijn moeder heeft er altijd een onweerlegbare verklaring voor gegeven: 'God is groot.' Bij de verhuiskosten moest ook gerekend zijn op de kosten voor de vestiging en het onderhoud van de familie, maar niet voor mijn schoolbenodigdheden. Omdat ik slechts één paar kapotte schoenen en maar één extra stel kleren had, die afwisselend met de andere gewassen werden, voorzag mijn moeder me van nieuwe kleren en een hutkoffer met de afmetingen van een doodskist, zonder te voorzien dat ik over een halfjaar al zo'n tien centimeter gegroeid zou zijn. Zij was het ook die op eigen houtje besliste dat ik een lange broek zou gaan dragen, waarmee ze inging tegen de sociale opvatting die mijn vader in ere hield, namelijk dat je die niet kon dragen voordat je de baard in de keel had.

De waarheid is dat ik me tijdens de discussies over de opvoeding van elk kind altijd vastklampte aan de hoop dat mijn vader tijdens een van zijn gigantische woedeaanvallen zou beslissen dat geen van ons naar de middelbare school terug zou gaan. Dat was niet onmogelijk. Zelf was hij door de armoede noodgedwongen een autodidact, en zijn vader was een schoolmeester geweest die geïnspireerd was door de spijkerharde moraal van don Fernando VII,* die individueel onderwijs aan huis afkondigde om de integriteit van de familie te beschermen. Ik was bang voor de middelbare school alsof het een gevangenis was, en het idee alleen al om aan het regime van een bel onderworpen te zijn benauwde me, maar het was ook de enige mogelijkheid om vanaf mijn dertiende in vrijheid te leven, weliswaar in goede verstandhouding met mijn familie, maar ver van haar gevoel voor orde, haar demografische geestdrift en haar wisselvallige leven, en om ademloos te kunnen lezen zolang er licht was.

Mijn enige bezwaar tegen het San Josécollege, een van de veeleisendste en duurste scholen van het Caribisch gebied, was de Spartaanse tucht die er heerste, maar mijn moeder zette me schaakmat met: 'Daar worden de mensen gemaakt die ons regeren.' Toen er geen terugweg meer mogelijk was, waste mijn vader zijn handen in onschuld: 'Laat het duidelijk zijn dat ik geen ja en geen nee heb gezegd.'

Hij had liever het American College voor mij gekozen, zodat ik Engels zou leren, maar mijn moeder schoof die school aan de kant met het bedenkelijke argument dat het een luthers hol was.

Toen ik Barranquilla terugzag vanaf de brug van dezelfde Capitán de Caro waarop we drie maanden eerder hadden gereisd, klopte mijn hart in mijn keel, alsof ik voorvoelde dat ik in mijn eentje naar het echte leven terugkeerde. Gelukkig hadden mijn ouders logies en maaltijden voor me geregeld bij mijn neef José María Valdeblánquez en zijn echtgenote Hortensia, sympathieke jonge mensen, die hun vredige leven met me deelden in een huis met een eenvoudige woonkamer, een slaapkamer en een betegeld binnenplaatsje, dat altijd in de schaduw lag door de was die daar aan ijzerdraden hing te drogen. Zij sliepen met hun dochtertje van zes maanden in de slaapkamer. Ik sliep op de bank in de woonkamer, die 's avonds veranderde in een bed.

Het San Josécollege bevond zich daar zes straten vandaan, in een park met amandelbomen waar het oudste kerkhof van de stad had gelegen en waar je nog steeds losse botten en flarden vergane kleding op het plaveisel kon aantreffen. Op de dag dat ik de grote binnenplaats op liep, was er een plechtigheid van eerstejaars in hun zondagse uniform, dat bestond uit een witte pantalon en een blauwkatoenen jasje, en ik kon mijn angst niet onderdrukken dat zij alles al wisten waar ik onkundig van was. Maar algauw merkte ik dat ze even onervaren en bang waren als ik ten aanzien van de onzekerheden van de toekomst.

Mijn privé-spook was broeder Pedro Reyes, de prefect van de basisafdeling, die zijn uiterste best deed om zijn superieuren ervan te overtuigen dat ik niet goed was voorbereid op de middelbare school. Hij ontpopte zich als een pestkop die op de meest onverwachte plaatsen op me afkwam en me ter plekke aan vragen met duivelse valstrikken onderwierp. 'Geloof je dat God een steen kan maken die zo zwaar is dat Hij hem niet kan dragen?' vroeg hij me zonder dat ik tijd had om na te denken. Of die andere vervloekte hinderlaag: 'Als we een gouden ring van vijftig centimeter dik om de evenaar zouden leggen, hoeveel zwaarder zou de aarde dan worden?' Ook al wist ik de antwoorden, toch kon ik geen enkele vraag oplossen omdat ik van angst niet uit mijn woorden kon komen, net als die keer dat ik voor het eerst telefoneerde. Het was een terechte angst, omdat broeder Reyes gelijk had. Ik was niet goed voorbereid op de middelbare school, maar ik peinsde er niet over geen gebruik te maken van het gelukkige toeval dat ze me hadden toegelaten zonder me examen te laten doen. Ik sidderde al als ik hem zag. Sommige klasgenoten gaven een boosaardige uitleg aan die belegering, maar ik had geen redenen om zoiets te denken. Bovendien kwam mijn geweten me te hulp omdat ik zonder probleem voor mijn eerste mondelinge examen was geslaagd toen ik als een stromende rivier Fray Luis de León* voordroeg en op het bord met kleurkrijt een Christus tekende die wel van vlees en bloed leek. De examencommissie was zo tevreden dat ze rekenen en vaderlandse geschiedenis vergat.

Het probleem met broeder Reyes werd uit de wereld geholpen toen hij tijdens de stille week voor zijn plantkundeles een paar tekeningen nodig had en ik die maakte zonder met mijn ogen te knipperen. Niet alleen viel hij me niet langer lastig, hij probeerde me soms tijdens de pauze ook de goed onderbouwde antwoorden te geven op de vragen waar ik geen raad mee wist, of op vreemdere vragen die later als bij toeval opdoken tijdens de volgende examens in mijn eerste jaar. Maar telkens wanneer hij me met anderen zag, dreef hij stikkend van het lachen de spot met me door te zeggen dat ik de enige leerling met drie jaar lagere school was die het goed deed op de middelbare school. Nu realiseer ik me dat hij gelijk had. Vooral wat het spellen betrof, wat gedurende mijn hele studietijd een lijdensweg voor me is geweest en waarvan de correctoren van mijn manuscripten nog steeds schrikken. De meest welwillenden troosten zich met de gedachte dat het typefouten zijn.

De benoeming van de schilder en schrijver Héctor Rojas Herazo als tekenleraar betekende een verlichting van mijn angst. Hij moet rond de twintig zijn geweest. Vergezeld door de pater prefect kwam hij de klas binnen en in de smoorhitte van drie uur 's middags klonk zijn begroeting als een dichtslaande deur. Hij had het mooie uiterlijk en de gemakkelijke elegantie van een filmacteur en droeg een zeer strak zittend kameelharen colbert met vergulde knopen, een fantasievest en een das van bedrukte zijde. Maar het opvallendst was, met dertig graden in de schaduw, zijn bolhoed. De man was boomlang, zodat hij zich moest bukken als hij op het bord tekende. Naast hem leek het of de pater prefect door God verlaten was.

Vanaf het begin was het duidelijk dat hij geen methode of geduld voor het onderwijs had, maar met zijn malicieuze gevoel voor humor hield hij ons in spanning, terwijl we ons verbaasden over de schitterende tekeningen die hij met kleurkrijt op het bord maakte. Hij hield het nog geen drie maanden vol, waarom zijn we nooit te weten gekomen, maar vermoedelijk strookte zijn wereldse pedagogie niet met de geestelijke orde van de jezuïeten.

Al in mijn begintijd op school kreeg ik faam als dichter, eerst door het gemak waarmee ik de gedichten van de Spaanse klassieken en romantici uit de leerboeken uit het hoofd leerde en luidkeels voordroeg, en vervolgens door de satirische verzen op rijm die ik in het schoolblad aan mijn klasgenoten opdroeg. Als ik ooit had kunnen denken dat ze de eer te beurt zou vallen om afgedrukt te worden, dan had ik ze niet geschreven of had ik er een beetje meer aandacht aan besteed. Want in werkelijkheid waren het vriendelijke satires op heimelijke papiertjes, die rondgingen in de slaapverwekkende leslokalen van twee uur 's middags. Pater Luis Posada, de prefect van de tweede afdeling, kreeg er eentje te pakken, las het met gefronst voorhoofd, deelde de obligate uitbrander aan me uit, maar stopte het in zijn zak. Pater Arturo Mejía ontbood me vervolgens in zijn kamer en stelde me voor om de in beslag genomen satires te publiceren in het blad *Juventud,* het officiële schoolorgaan van de leerlingen. Mijn onmiddellijke reactie was een krampgevoel in mijn maag van verrassing, schaamte en geluk, dat ik afdeed met een weinig overtuigende afwijzing: 'Het zijn maar dwaasheden.'

Pater Mejía nam kennis van mijn antwoord en publiceerde de verzen met toestemming van de slachtoffers in het eerstvolgende nummer van het blad onder de titel 'Mijn dwaasheden', en ondertekend met 'Gabito'. Op verzoek van mijn klasgenoten moest ik ook in de volgende twee nummers een reeks verzen publiceren. En dus zijn die kinderlijke verzen in feite, of ik het wil of niet, mijn *opera prima.*

Mijn slechte gewoonte om alles te lezen wat ik in handen kreeg, nam mijn vrije tijd en bijna alle tijd van de lessen in beslag. Ik kon hele gedichten voordragen uit het repertoire dat in die tijd populair was in Colombia, en de mooiste uit de Spaanse Gouden Eeuw en de Romantiek, waarvan ik er vele uit de tekstboeken van school had geleerd. Mijn leraren ergerden zich mateloos aan die voor mijn leeftijd vroegtijdige kennis, want elke keer dat ze me in de les een of andere dodelijke vraag stelden, reageerde ik met een literair citaat of een uit de boeken gehaald idee waarover ze niet konden oordelen. Pater Mejía zei het zo: 'Het is een pedant ventje', om niet te zeggen een onuitstaanbaar ventje. Ik hoefde me nooit overmatig in te spannen, want de gedichten en sommige fragmenten van mooi klassiek proza bleven, nadat ik ze drie of vier keer herlezen had, voorgoed in mijn geheugen geprent. Mijn eerste vulpen heb ik van de pater prefect gewonnen omdat ik zonder haperen de zevenenvijftig tienregelige verzen van *El vértigo*, van Gaspar Núñez de Arce,* voor hem opzei.

Tijdens de lessen zat ik met een boek op mijn knieën te lezen, en dat deed ik zo ongegeneerd dat ik het uitsluitend aan de medeplichtigheid van mijn leraren te danken heb dat ik niet werd bestraft. Het enige wat ik met mijn fraai rijmende vleierijen niet bereikte, was dat ze me de dagelijkse mis van zeven uur 's ochtends kwijtscholden. Niet alleen schreef ik mijn dwaasheden, ook trad ik op als solist in het koor, tekende spotprenten, droeg bij plechtige gelegenheden gedichten voor en deed zoveel andere dingen buiten de normale uren en plekken dat niemand begreep wanneer ik studeerde. De reden was heel simpel: ik studeerde niet.

Ik begrijp nog steeds niet waarom de leraren, te midden van al die overbodige activiteit, zich zo met me bezighielden zonder alarm te slaan vanwege mijn slechte spelling. Heel anders dan mijn moeder, die sommige van mijn brieven voor mijn vader achterhield om hem te sparen, en andere brieven gecorrigeerd aan me terugstuurde, soms met haar felicitaties voor bepaalde grammaticale vorderingen en goedgekozen woorden. Maar na verloop van twee jaar was er geen verbetering te bespeuren. Ook nu zit ik nog steeds met hetzelfde probleem: ik heb nooit iets begrepen van stomme klinkers of twee verschillende letters met dezelfde klank, en al die andere overbodige regels.

Zo is het gekomen dat ik bij mezelf een roeping ontdekte die me mijn hele leven heeft vergezeld: het genoegen te praten met leerlingen die ouder waren dan ikzelf. Ook nu nog moet ik op bijeenkomsten van jongeren die mijn kleinkinderen zouden kunnen zijn, mijn best doen om me niet jonger te voelen dan zij. Zo raakte ik bevriend met twee oudere medeleerlingen die later in gedenkwaardige perioden van mijn leven mijn collega's zouden worden. De een was Juan B. Fernández, de zoon van een van de drie oprichters en eigenaren van de krant *El Heraldo*, in Barranquilla, waar ik mijn eerste duik in de journalistiek nam en waar Juan zich vanaf zijn eerste publicaties tot algemeen directeur zou ontwikkelen. De ander was Enrique Scopell, de zoon van een legendarische Cubaanse fotograaf, en zelf ook persfotograaf. Ik was hem echter niet zozeer erkentelijk vanwege het feit dat we beiden voor de pers werkten, als wel omdat hij voor zijn beroep wildedierenhuiden looide die hij over de halve wereld exporteerde. Op een van mijn eerste buitenlandse reizen deed hij me de huid van een drie meter lange kaaiman cadeau.

'Deze huid kost een vermogen,' zei hij zonder dramatisch

te doen, 'maar ik raad je aan hem niet te verkopen zolang je niet van de honger denkt te sterven.'

Ik vraag me nog altijd af in hoeverre de wijze Quique Scopell wist dat hij me een amulet voor de eeuwigheid gaf, want eigenlijk zou ik hem al vele malen verkocht moeten hebben in mijn jaren van niet-aflatende honger. Ik bewaar die huid echter nog steeds, stoffig en bijna versteend, want sinds ik hem over de hele wereld meesleep in mijn koffer, heb ik altijd wel een paar centen voor een maaltijd gehad.

De jezuïetenleraren, die in de klas zo streng waren, gedroegen zich anders tijdens de pauzes, want dan leerden ze ons wat ze binnen niet konden zeggen en gaven ze lucht aan wat ze ons in werkelijkheid hadden willen leren. Voorzover dat op mijn leeftijd mogelijk was, meen ik me te herinneren dat het een duidelijk merkbaar verschil was en dat het ons echt hielp. Pater Luis Posada, een jeugdige cachaco met een progressieve mentaliteit, die vele jaren in vakbondskringen had gewerkt, had een archief met kaartjes met korte samenvattingen van allerlei encyclopedische gegevens, vooral over boeken en auteurs. Pater Ignacio Zaldívar was een Bask uit Santander, die ik in het San Pedro Claverklooster in Cartagena tot in zijn gezegende ouderdom regelmatig bleef bezoeken. Pater Eduardo Núñez was al ver gevorderd met een monumentale geschiedenis van de Colombiaanse literatuur, maar ik weet niet wat ervan geworden is. De oude pater Manuel Hidalgo, onze zangleraar, ontdekte als bejaarde op eigen houtje zijn roeping en veroorloofde zich onvermoede strooptochten in heidense muziek.

Pater Pieschacón, de rector, maakte af en toe zomaar een praatje met me, en daaraan ontleende ik de zekerheid dat hij me als een volwassene beschouwde, niet alleen door de onderwerpen die ter sprake kwamen, maar ook door zijn gewaagde uitleg. Hij heeft een beslissende rol in mijn leven gespeeld door zijn verhelderende voorstelling van hemel en hel, die ik vanwege simpele geografische obstakels niet in overeenstemming kon brengen met de gegevens van de catechismus. Met zijn gedurfde ideeën heeft de rector me gerustgesteld aangaande de dogma's. De hemel was, zonder verdere theologische verwikkelingen, de aanwezigheid van God. De hel uiteraard het tegengestelde hiervan. Bij twee gelegenheden vertrouwde hij me toe dat het voor hem een probleem was dat 'er in de hel hoe dan ook vuur' was, maar hij kon er geen verklaring voor geven. Meer door die pauzelessen dan door de officiële lessen was mijn borst aan het eind van dat schooljaar behangen met medailles.

Mijn eerste vakantie in Sucre begon op een zondag om vier uur 's middags, op een kade die versierd was met bloemenslingers en kleurige ballonnen, en een plein dat veranderd was in een kerstbazaar. Ik had nog geen voet aan wal gezet, of een beeldschoon en overweldigend spontaan blond meisje ging om mijn hals hangen en smoorde me met kussen. Het was mijn zuster Carmen Rosa, de dochter van mijn vader van vóór zijn huwelijk, die een tijdje was komen logeren bij haar familie, die ze nog niet kende. Ook arriveerde er bij die gelegenheid nog een zoon van mijn vader, Abelardo, een goede beroepskleermaker, die zijn werkplaats aan het plein vestigde en die in mijn puberteit mijn leermeester in de dingen van het leven was.

In het nieuwe, pas ingerichte huis hing een feestelijke sfeer en er was in mei een nieuw broertje, Jaime, geboren onder het gunstige sterrenbeeld Tweelingen, bovendien een zesmaands kindje. Ik hoorde dat pas bij aankomst, want mijn ouders leken vastbesloten om de jaarlijkse geboorten te beperken, maar mijn moeder haastte zich me uit te leggen dat het jongetje een eerbetoon aan de heilige Rita was door de voorspoed die over het huis was gekomen. Ze zag er jonger uit en was vrolijk en zanglustiger dan ooit, terwijl mijn vader goedgeluimd was nu de apotheek ruim voorzien was van middelen en zijn spreekkamer vol mensen zat, vooral zondags als de patiënten uit de nabijgelegen bergen kwamen. Ik betwijfel of hij ooit geweten heeft dat die toevloed van mensen feitelijk te danken was aan zijn reputatie als kundig genezer, hoewel de plattelandsbewoners die niet toeschreven aan de homeopathische effecten van zijn hoestballetjes en zijn wonderbaarlijke watertjes, maar aan zijn uitstekende toverkunsten.

Sucre was levendiger dan ik het me herinnerde, door de traditie dat de bevolking zich tijdens het kerstfeest opdeelde in de twee grote wijken: Zulia in het zuiden en Congoveo in het noorden. Naast andere, minder belangrijke uitdagingen was er een wedstrijd voor allegorische praalwagens die in kunstzinnige toernooien de historische rivaliteit tussen de twee wijken uitbeeldden. Op kerstavond ten slotte kwamen ze allemaal onder luid geschreeuw op het plein bijeen, en dan besliste het publiek welke wijk had gewonnen.

Vanaf haar komst verleende Carmen Rosa nieuwe glans aan het kerstfeest. Ze was modern en koket, en met een sleep opgewonden aanbidders werd ze de koningin van de danspartijen. Mijn moeder, die haar dochters altijd goed in het oog hield, deed dat bij haar niet en ze liet zelfs haar vrijers in het huis toe, waardoor er een ongewone sfeer ontstond. Het was een relatie tussen medeplichtigen, zoals mijn moeder nooit met haar eigen dochters had gehad. Abelardo daarentegen regelde zijn leven op een andere manier, in een ruimte waar ook zijn werkplaats was en die door een tussenschot in tweeën was verdeeld. Als kleermaker ging het hem goed, maar niet zo goed als met zijn rol van kalme dekhengst, want hij bracht meer tijd in goed gezelschap in zijn bed achter het kamerscherm door, dan alleen en verveeld achter zijn naaimachine.

Mijn vader vatte in die vakantie het merkwaardige idee op me klaar te stomen voor de handel. 'Voor het geval dat,' deelde hij me mee. Als eerste leerde hij me de openstaande rekeningen van de apotheek aan huis te innen. Op een van die dagen stuurde hij me naar La Hora, een bordeel zonder vooroordelen aan de rand van het dorp, om een aantal rekeningen te incasseren.

Ik stak mijn hoofd om de half openstaande deur van een vertrek dat op straat uitkwam, en zag een van de vrouwen van het huis, die op een brits siësta hield, blootsvoets en in een onderjurk die haar dijen bloot liet. Voordat ik iets tegen haar kon zeggen, ging ze rechtop zitten, keek me slaperig aan en vroeg wat ik wilde. Ik zei dat ik een boodschap van mijn vader had voor don Eligio Molina, de eigenaar. Maar in plaats van te zeggen waar hij was, zei ze dat ik moest binnenkomen en de dwarsbalk voor de deur moest doen, en met haar wijsvinger gaf ze me een veelzeggend teken: 'Kom eens hier.'

Ik liep naar haar toe en naarmate ik dichterbij kwam, vulde haar zwoegende ademhaling het vertrek als een wassende rivier, tot ze me met haar rechterhand bij de arm greep en haar linkerhand in mijn gulp schoof. Ik voelde een verrukkelijke doodsangst.

'Jij bent dus de zoon van de dokter van de hoestballetjes,' zei ze tegen me, terwijl ze in mijn broek rondtastte met vijf behendige vingers, die als tien aanvoelden. Ze deed hem uit terwijl ze zwoele woordjes in mijn oor bleef fluisteren, trok haar onderjurk over haar hoofd en ging met slechts een kleurig gebloemde onderbroek aan op haar rug op het bed liggen. 'Die moet jij uittrekken,' zei ze. 'Dat is je mannenplicht.'

Ik maakte de band van haar broekje los, maar in de haast lukte het me niet het uit te trekken, zodat ze me met gestrekte benen en een snelle zwemslag te hulp moest komen. Daarna tilde ze me bij mijn oksels op en zette me in de academische missionarisstand boven op haar. De rest deed ze eigenhandig, tot ik eenzaam boven haar doodging, rondspartelend in de uiensoep van haar merriedijen.

Ze rustte zwijgend uit, op haar zij, me recht in de ogen kijkend, en ik hield haar blik vast in de hoop dat ik opnieuw zou kunnen beginnen, maar nu zonder angst en met meer tijd. Opeens zei ze dat ze me de twee peso voor haar diensten niet in rekening zou brengen omdat ik er niet op was voorbereid. Toen ging ze weer op haar rug liggen en keek me onderzoekend aan.

'Bovendien,' zei ze, 'ben je de slimme broer van Luis Enrique, hè? Jullie hebben dezelfde stem.'

In mijn onschuld vroeg ik haar hoe ze hem kende.

'Doe niet zo dom,' lachte ze. 'Ik heb hier zelfs een onderbroek van hem die ik voor hem moest wassen toen hij hier de laatste keer was.'

Dat leek me gezien de leeftijd van mijn broer nogal overdreven, maar toen ze hem liet zien wist ik dat het klopte. Vervolgens sprong ze met een gracieus balletpasje naakt uit het bed en vertelde me terwijl ze zich aankleedde dat ik bij de volgende deur in het huis, links, don Eligio Molina kon vinden. Ten slotte vroeg ze me: 'Dit is je eerste keer, hè?'

Mijn hart maakte een sprongetje.

'Kom nou,' loog ik, 'ik heb het al zo'n zeven keer gedaan.'

'Hoe dan ook,' zei ze met een ironisch gezicht, 'zeg maar tegen je broer dat hij het je een beetje moet leren.'

Die inwijding gaf me levenskracht. De vakanties waren van december tot februari en ik vroeg me af hoe vaak ik twee peso zou kunnen bemachtigen om opnieuw naar haar toe te kunnen gaan. Mijn broer Luis Enrique, die op lichamelijk gebied al een veteraan was, stikte van het lachen om het feit dat iemand van onze leeftijd moest betalen voor iets wat je met zijn tweeën deed en wat beiden gelukkig maakte.

Binnen het feodale klimaat van La Mojana* schepten de landheren er genoegen in de maagden van hun leengebied in te wijden, en vervolgens lieten ze hen, na hen een paar nachten misbruikt te hebben, aan hun lot over. We hadden ze voor het uitkiezen als die meisjes na de dansfeesten jacht op ons maakten op het plein. In deze vakanties was ik echter nog steeds even bang voor die meisjes als voor de telefoon en ik zag ze voorbijtrekken als wolken in het water. Ik had geen seconde rust door de verslagenheid die ik voelde als gevolg van mijn eerste toevallige avontuur. Ook nu nog denk ik dat ik niet overdrijf als ik zeg dat dit de oorzaak was van het rebelse humeur waarin ik naar het college terugkeerde en waardoor ik in totale verwarring raakte door een geniale dwaasheid van de Bogotaanse dichter José Manuel Marroquín, die zijn gehoor vanaf de eerste strofe tot grote opwinding bracht:

Nu de blaffen honden, nu de kraaien hanen
nu bij het doren van de glag de hoge lokken kluiden
en de balken ezelen en de kwetters vogelen
en de lirenen soeien en de grommen zeugen
en het dagerode rozeraad de veidse welden geurt met kloud
en jij vaarlen van pocht stort zoals ik planen treng

en kil van de rou hoewel mijn gliel zoeit
kom ik mijn sluchten zaken onder jouw ropen amen.

Niet alleen veroorzaakte ik waar ik ook kwam onrust door de eindeloze reeks coupletten van het gedicht zo voor te dragen, maar ik leerde even vloeiend praten als een inboorling van ik weet niet waar. Het gebeurde me regelmatig: ik gaf antwoord op wat me ook maar gevraagd werd, maar vrijwel altijd was dat antwoord zo bizar of grappig dat de leraren afhaakten. Een van hen moet zich zorgen hebben gemaakt over mijn geestelijke gezondheid toen ik hem tijdens een examen een gepast, maar op het eerste gezicht niet te ontwarren antwoord gaf. Ik herinner me niet dat er iets kwaads school in die gemakkelijke grappen waar iedereen plezier om had.

Het viel me op dat de paters met me spraken alsof ze hun verstand verloren hadden, en ik ging daarin met hen mee. Nog een reden tot alarm was dat ik parodieën verzon op de gewijde koralen met heidense teksten, die gelukkig niemand begreep. Mijn mentor nam me, met goedvinden van mijn ouders, mee naar een specialist die me aan een uitputtend maar heel vermakelijk onderzoek onderwierp, want hij was niet alleen vlug van begrip, maar hij was ook een sympathiek mens en bediende zich van een onweerstaanbare methode. Hij liet me een kaart met dooreengehaspelde zinnen lezen die ik weer moest rechtzetten. Ik deed dat met zoveel geestdrift dat de dokter de verleiding niet kon weerstaan met mijn spelletje mee te doen en we verzonnen zulke vernuftige oefeningen dat hij ze noteerde om ze bij zijn toekomstige onderzoeken op te nemen. Na een aantal zeer gedetailleerde vragen over mijn gewoonten vroeg hij me hoe vaak ik masturbeerde. Ik reageerde met wat me het eerst voor de mond kwam, namelijk dat ik het nooit had gedurfd. Hij geloofde me niet en zei terloops dat angst een negatieve factor voor seksuele gezondheid was, maar zijn ongeloof leek me juist een aansporing. Ik vond hem een fantastische man, en toen ik volwassen was en al als journalist bij *El Heraldo* werkte, wilde ik hem opzoeken om van hem te horen welke conclusies hij voor zichzelf uit het onderzoek had getrokken, maar het enige wat ik te weten kwam was dat hij al jaren daarvoor naar de Verenigde Staten was verhuisd. Een oude vriend van hem was wat duidelijker en vertelde me op een toon waaruit veel genegenheid sprak dat het niet zo vreemd was dat de dokter in een gekkenhuis in Chicago zat, want hijzelf had altijd de indruk gehad dat de man gestoorder was dan zijn patiënten.

De dokter stelde de diagnose dat het om nerveuze uitputting ging, die verergerd werd door het lezen na het eten. Zijn advies was twee uur absolute rust te nemen gedurende de spijsvertering en intensievere lichamelijke activiteiten te ontwikkelen dan de gebruikelijke sporten. Ik verbaas me nog over de ernst waarmee mijn ouders en mijn leraren zijn voorschriften opvolgden. Ze stelden regels voor het lezen voor me op en namen me verscheidene keren mijn boek af als ze ontdekten dat ik tijdens de les zat te lezen met het boek onder de lessenaar. Ik werd vrijgesteld van moeilijke vakken en ze dwongen me verscheidene uren per dag tot lichamelijke activiteiten. En terwijl de anderen les hadden, speelde ik dus in mijn eentje op het basketbalplein en scoorde domme punten, intussen uit het hoofd verzen reciterend. Mijn klasgenoten waren vanaf het begin verdeeld: sommige dachten dat ik in feite altijd gek was geweest, andere dat ik gekte simuleerde om van het leven te kunnen genieten, en weer andere bleven met me omgaan omdat ze vonden dat de leraren gek waren. Uit die periode stamt het verhaal dat ik van school werd gestuurd omdat ik een inktpot naar het hoofd van de leraar rekenkunde had gegooid terwijl hij de regel van drieën op het bord schreef. Gelukkig was het voor mijn vader een simpele zaak en hij besloot dat ik het jaar niet af zou maken maar weer thuis zou komen, en dat hij geen geld en tijd meer zou besteden aan een ongemak dat alleen maar een leveraandoening kon zijn.

Voor mijn broer Abelardo daarentegen bestonden er geen levensproblemen die niet in bed konden worden opgelost. Terwijl mijn zusters me met medelijden behandelden, verstrekte hij me zodra hij me zijn werkplaats zag binnenkomen het magische recept: 'Wat jij nodig hebt is een lekker stuk.'

Hij nam dat zo serieus dat hij bijna elke dag een halfuur naar de biljartzaal op de hoek ging en mij achter het tussenschot in de kleermakerij met alle mogelijke vriendinnen van hem achterliet, maar nooit met dezelfde. Het was een periode van creatieve uitspattingen die de koele diagnose van Abelardo leken te bevestigen, want het jaar daarop keerde ik bij mijn volle verstand naar school terug.

Ik zal nooit vergeten hoe blij iedereen was toen ik terugkwam op het San Josécollege en hoeveel bewondering de hoestballetjes van mijn vader ten deel viel. Deze keer nam ik niet mijn intrek bij de familie Valdeblánquez, die door de geboorte van een tweede kind te klein behuisd was, maar bij don Eliécer García, een broer van mijn grootmoeder van vaderskant, die bekendstond om zijn goedheid en zijn onkreukbaarheid. Tot zijn pensionering werkte hij bij een bank, en wat ik heel ontroerend vond was zijn eeuwige passie voor het Engels. Zijn leven lang, vanaf de vroege ochtend tot heel laat in de avond, en zolang zijn leeftijd het hem toeliet, bestudeerde hij die taal in de vorm van gezongen oefeningen met zijn prachtige stem en juiste accent. Op zijn vrije dagen ging hij naar de haven en maakte daar jacht op toeristen om Engels met hen te praten, en uiteindelijk beheerste hij die taal even goed als het Castiliaans, maar zijn verlegenheid belette hem om Engels te spreken met bekenden. Zijn drie zonen, die allen ouder waren dan ik, en zijn dochter Valentina hebben het hem nooit horen spreken.

Via Valentina, die mijn grote vriendin was en een bevlogen lezeres, ontdekte ik het bestaan van de beweging Arena y Cielo ('Zand en Hemel'), gevormd door een groep jonge dichters die naar het goede voorbeeld van Pablo Neruda de poëzie van de Caribische kust wilden vernieuwen. In feite waren ze een plaatselijke kopie van de dichtersgroep Piedra y Cielo* ('Steen en Hemel'), die in die jaren toonaangevend was in de dichterscafés in Bogotá en in de literaire supplementen onder redactie van Eduardo Carranza, en die in de schaduw van de Spanjaard Juan Ramón Jiménez* bezield was van een gezonde vastberadenheid om de dode bladeren uit de negentiende eeuw op te ruimen. Arena y Cielo bestond uit slechts een stuk of zes jongemannen, die amper de adolescentie ontgroeid waren, maar zij waren de literaire supplementen in de kuststreek zo onstuimig binnengedrongen dat men hen als een grote artistieke belofte begon te beschouwen.

De leider van Arena y Cielo, de tweeëntwintigjarige César Augusto del Valle, bracht zijn vernieuwingsdrang niet alleen tot uiting in de onderwerpen en de gevoelens van zijn gedichten, maar ook in de spelling en de grammaticale wetten. De puristen vonden hem een ketter, de academici vonden hem een idioot en de klassieken vonden hem een dolleman. De waarheid was echter dat hij niet alleen een aanstekelijke strijdbaarheid bezat, maar bovenal – net als Pablo Neruda – een onverbeterlijke romanticus was.

Mijn nicht Valentina nam me op een zondag mee naar het huis waar César met zijn ouders woonde, in San Roque, de beste uitgaanswijk van de stad. Hij was een stevig gebouwde man, getaand en mager, had grote konijnentanden en de woeste haardos van de dichters van zijn tijd. En hij was vooral een boemelaar en versierder. De wanden van zijn armemiddenklassehuis waren bedekt met boeken en er kon geen exemplaar meer bij. Zijn vader, een serieuze, nogal sombere man met het voorkomen van een gepensioneerde ambtenaar, leek de steriele roeping van zijn zoon te betreuren. Zijn moeder ontving me met een vleugje medelijden als nog een zoon die aan dezelfde kwaal leed als de hare, om wie ze zo had moeten huilen.

Dat huis werd voor mij de openbaring van een wereld waar ik op mijn veertiende misschien wel een voorgevoel van had, maar waarvan ik me nooit de reikwijdte had kunnen voorstellen. Vanaf de eerste dag was ik er de trouwste bezoeker, en ik legde zoveel beslag op de tijd van de dichter dat ik tot de dag van vandaag niet kan verklaren hoe hij me heeft kunnen verdragen. Eigenlijk denk ik nu dat hij me gebruikte om zijn misschien willekeurige, maar imponerende literaire ideeën uit te proberen met een verbaasde maar ongevaarlijke gesprekspartner. Hij leende me bundels van dichters van wie ik nog nooit had gehoord en ik becommentarieerde ze met hem zonder me ook maar in het minst bewust te zijn van mijn overmoed. We hadden het vooral over Neruda, wiens 'Poema Veinte' ('Gedicht nummer twintig') ik uit mijn hoofd had geleerd om de jezuïeten, die zich niet in die contreien van de poëzie ophielden, op stang te jagen. In die periode raakten de culturele kringen van de stad in opwinding door een gedicht van Meira Delmar, dat was opgedragen aan Cartagena de Indias en waar alle media van de kust vol van stonden. Dankzij de meesterlijke dictie en de stem waarmee César del Valle het me voorlas, kende ik het bij de tweede lezing uit mijn hoofd.

Vaak ook konden we niet praten, omdat César op zijn manier aan het schrijven was. Hij drentelde door kamers en gangen alsof hij in een andere wereld was, liep om de twee of drie minuten als een slaapwandelaar langs me heen, ging dan plotseling achter zijn schrijfmachine zitten, schreef een vers, een woord of zette misschien een punt of komma en liep dan weer verder. Ik observeerde hem terwijl ik bevangen was door de peilloze emotie dat ik de enige, geheime manier van het schrijven van poëzie aan het ontdekken was. Zo ging het ook altijd in de jaren dat ik op het San José zat, waar ik de retorische basiskennis verwierf om later mijn spirituele kracht de vrije teugel te laten. Het laatste wat ik over die onvergetelijke dichter vernam was twee jaar later, in Bogotá, waar ik een telegram van Valentina ontving met slechts drie woorden waar ze haar naam niet onder had durven zetten: 'César is dood.'

Mijn eerste gewaarwording in een Barranquilla zonder mijn ouders was dat ik me bewust werd van de vrije wil. Ik had vriendschappen die ik na school voortzette. Onder meer met Álvaro del Toro, die bij mijn voordrachten in de pauze als tweede stem fungeerde, en met de clan van de Arteta's, met wie ik er gewoonlijk tussenuit kneep om naar de boekhandels en de bioscoop te gaan. De enige beperking die ze me bij oom Eliécer oplegden, ter bescherming van hun verantwoordelijkheid, was dat ik niet na achten 's avonds thuis mocht komen.

Toen ik op een dag op César del Valle wachtte en in de woonkamer van zijn huis zat te lezen, kwam er een opvallende vrouw bij hem op bezoek. Ze heette Martina Fonseca, een blanke die in een mulattinnenvorm was gegoten, een intelligente, onafhankelijke vrouw die heel goed de minnares van de dichter kon zijn. Twee of drie uur lang genoot ik volop van mijn gesprek met haar, tot César thuiskwam en ze samen vertrokken zonder te zeggen waarheen. Ik hoorde niets meer van haar tot op Aswoensdag van datzelfde jaar, toen ik uit de hoogmis kwam en haar aantrof terwijl ze op een bank in het park op me zat te wachten. Ik dacht even dat ik een verschijning zag. Ze droeg een japon van geborduurd linnen die haar schoonheid nog beter deed uitkomen, een halsketting en een vuurrode bloem in haar decolleté. Waar ik haar nu in mijn herinnering echter het dankbaarst voor ben is de manier waarop ze me bij haar thuis uitnodigde zonder dat ook maar iets erop wees dat ze dit van tevoren van plan was geweest, en zonder dat we ons stoorden aan het gewijde teken van het askruisje dat we beiden op ons voorhoofd hadden. Haar man, die loods was op een schip dat de Magdalena bevoer, was op zijn twaalf dagen durende dienstreis. Was het dan zo vreemd dat zijn echtgenote me uitnodigde om eens op een zaterdag langs te komen voor een kop chocola met almojábanas?* Behalve dan dat het ritueel zich de rest van dat jaar herhaalde terwijl de echtgenoot op zijn schip zat, en altijd van vier tot zeven, als er in de Rexbioscoop een jeugdprogramma was, wat ik in het huis van mijn oom Eliécer als smoes gebruikte om bij haar te kunnen zijn.

Haar beroep was onderwijzers op te leiden voor de bovenbouw van het lager onderwijs. De leerlingen die de hoogste cijfers behaalden, trakteerde ze in haar vrije tijd op chocolademelk met almojábanas, en vandaar dat de nieuwe zaterdagse leerling niet opviel in de lawaaierige buurt. Het was verbazingwekkend hoe ongecompliceerd die geheime liefde was, die van maart tot november met een hartstochtelijk vuur brandde. Na de eerste zaterdagen dacht ik dat ik de uitzinnige begeerte om op elk uur van de dag bij haar te zijn niet langer kon verdragen.

We liepen geen enkel risico, want haar echtgenoot kondigde zijn komst naar de stad altijd aan met een code, zodat ze wist dat hij bezig was de haven binnen te varen. Zo ging het ook op de derde zaterdag van onze liefde, toen we in bed lagen en het verre geloei hoorden. Ze bleef gespannen liggen.

'Kalm maar,' zei ze, en ze wachtte op nog twee sirenestoten. Ze sprong niet uit bed, zoals ik angstig hoopte, maar zei onverschrokken: 'We hebben nog ruim drie uur tijd van leven.'

Ze had me hem beschreven als 'een enorme neger van twee meter en nog wat, met een artilleristenpik'. De jaloezie haalde haar klauw naar me uit en daardoor stond ik op het punt te breken met de regels van het spel, en niet zomaar, nee, ik wilde hem vermoorden. Zij loste het met haar ervaring op, en vanaf dat moment voerde ze me als een wolfje in schaapskleren aan de halsband langs de klippen van het werkelijke leven.

Het ging heel slecht met me op school en ik wilde er niets over horen, maar Martina begon zich met mijn lijdensweg daar te bemoeien. Ze verbaasde zich erover dat ik zo kinderachtig was de lessen te verwaarlozen om de duivel van een onweerstaanbare levenslust te behagen. 'Nogal logisch,' zei ik tegen haar. 'Als dit bed de school was en jij de lerares, zou ik niet alleen de beste van de klas, maar van de hele school zijn.' Ze vond dat een treffend voorbeeld. 'Dat is nou precies wat we gaan doen,' zei ze tegen me.

Zonder al te veel opofferingen wierp ze zich op de taak me te rehabiliteren met behulp van een vast rooster. En tussen gerollebol in bed en moederlijke uitbranders door hielp ze me met mijn huiswerk en bereidde ze me voor op de volgende week. Als ik het huiswerk niet goed en op tijd had gedaan, strafte ze me met een zaterdags verbod bij drie fouten. Ik maakte er nooit meer dan twee. Op school begon men de omslag in mij op te merken.

Wat ze me in de praktijk echter leerde, was een onfeilbare stelregel die me helaas pas in de laatste klas van de middelbare school van pas kwam: als ik tijdens de lessen oplette en zelf mijn huiswerk maakte in plaats van het over te schrijven van mijn klasgenoten, kon ik goede cijfers halen en in mijn vrije tijd naar hartelust lezen, en ook zonder uitputtende nachtbrakerij of zinloze angst mijn eigen leven voortzetten. Dankzij dat magische recept was ik bij de overgang in 1942 de beste van dat jaar, met een medaille voor uitmuntendheid en allerlei eervolle vermeldingen. Maar mijn geheime dank ging uit naar de doktoren omdat ze me zo goed van mijn gekte hadden genezen. Tijdens het feest drong het tot me door dat er een kwalijke dosis cynisme gescholen had in de gevoelens waarmee ik in voorgaande jaren de lofprijzingen voor verdiensten die niet de mijne waren in dank had aangenomen. Toen ze in het laatste jaar verdiend waren, vond ik het fatsoenlijker om er niet dankbaar voor te zijn. Maar ik bracht mijn diepgemeende dank tot uiting door middel van het gedicht 'El circo' ('Het circus') van Guillermo Valencia, dat ik compleet en zonder souffleur, banger dan een christen voor de leeuwen, tijdens de slotceremonie voordroeg.

Ik had me voorgenomen in de vakantie van dat mooie jaar grootmoeder Tranquilina te bezoeken in Aracataca, maar ze moest met spoed naar Barranquilla komen om een staaroperatie te ondergaan. Mijn vreugde om haar terug te zien werd compleet door het woordenboek van grootvader, dat ze als cadeautje voor me had meegebracht. Ze was zich er nooit van bewust geweest dat ze haar gezichtsvermogen aan het verliezen was of wilde het niet toegeven, tot ze haar kamer niet meer uit kon komen. De operatie in het Caridadziekenhuis verliep snel en de prognose was goed. Toen het verband werd verwijderd, zat ze rechtop in bed, ze opende haar ogen die straalden van haar nieuwe jeugd, haar gezicht lichtte op en ze vatte haar blijdschap samen in twee woorden: 'Ik zie.'

De chirurg wilde precies weten wat ze allemaal zag, waarna ze haar nieuwe blik door het vertrek liet gaan en alle voorwerpen met wonderbaarlijke precisie opnoemde. De arts hapte naar lucht, want ik was de enige die wist dat de dingen die grootmoeder opnoemde niet de dingen waren die ze recht voor zich had, maar die in haar slaapkamer in Aracataca stonden, en ze somde ze uit haar hoofd op, in de goede volgorde. Ze heeft haar gezichtsvermogen nooit teruggekregen.

Mijn ouders drongen erop aan dat ik de vakantie bij hen in Sucre zou doorbrengen en dat ik grootmoeder zou meenemen. Hoewel ze er heel oud uitzag voor haar leeftijd en haar geest op drift was geraakt, was haar mooie stem zuiverder geworden en zong ze vaker en geïnspireerder dan ooit. Mijn moeder zorgde ervoor dat ze schoon werd gehouden en netjes gekleed ging als een reusachtige pop. Het was duidelijk dat ze besef had van de wereld, maar dat ze die relateerde aan het verleden. Vooral de radioprogramma's, die een kinderlijke belangstelling in haar wekten. Ze herkende de stemmen van de verschillende omroepers, die ze vereenzelvigde met de vrienden uit haar jeugd in Riohacha, want in haar huis in Aracataca had nooit een radio gestaan. Ze weerlegde of bekritiseerde sommige commentaren van de omroepers, discussieerde met hen over de meest uiteenlopende onderwerpen of verweet hun een of andere grammaticale fout alsof ze in levenden lijve naast haar bed zaten, en ze wilde niet dat men haar verkleedde zolang ze geen afscheid hadden genomen. En dan antwoordde ze, haar goede manieren nog ongeschonden: 'Ik wens u een zeer goede avond, meneer.'

Veel raadsels over verloren dingen, bewaarde geheimen of verboden zaken werden in haar monologen opgehelderd: wie de waterpomp, die uit het huis in Aracataca was verdwenen, in een hutkoffer had meegenomen, wie in werkelijkheid de vader was geweest van Matilde Salmona, wier broers een andere man hiervoor hadden aangezien en deze met een kogel hadden laten boeten.

Mijn eerste vakantie in Sucre zonder Martina Fonseca was allerminst gemakkelijk, maar er was geen schijn van kans geweest dat ze met me mee zou gaan. Het idee alleen al dat ik haar twee maanden niet zou zien kwam me onwerkelijk voor. Maar haar niet. Integendeel, toen ik het onderwerp ter sprake bracht, besefte ik dat ze me, zoals altijd, drie stappen voor was.

'Daarover wilde ik het nu net met je hebben,' zei ze zonder mysterieus te doen. 'Het beste voor ons tweeën zou zijn dat jij, nu we stapelgek op elkaar zijn, ergens anders ging studeren. Dan zal het tot je doordringen dat onze verhouding nooit meer zal zijn dan wat ze was.'

Ik lachte haar uit.

'Ik ga morgen weg en kom binnen drie weken terug om bij jou te blijven.'

Ze antwoordde met een tangodeuntje: 'Ja, ja, ja, ja!'

Pas toen leerde ik dat Martina gemakkelijk te overtuigen was als ze ja zei, maar nooit als ze nee zei. En dus pakte ik, badend in tranen, de handschoen op en nam me voor een ander te worden in het leven dat zij voor me had uitgedacht: een andere stad, een andere school, andere vrienden en zelfs een ander karakter. Ik dacht er nauwelijks over na. Het eerste wat ik ietwat plechtig en dankzij het gezag van mijn medailles tegen mijn vader zei, was dat ik niet naar het San José en ook niet naar Barranquilla zou terugkeren.

'Goddank!' zei hij. 'Ik heb me altijd afgevraagd waar je de romantiek vandaan haalde om bij de jezuïeten te gaan studeren.'

Mijn moeder negeerde zijn commentaar.

'Als je daar niet naartoe gaat, dan wordt het Bogotá,' zei ze.

'In dat geval gaat hij nergens naartoe,' diende mijn vader haar onmiddellijk van repliek, 'want voor de cachacos hebben we nooit genoeg geld.'

Het is raar, maar het idee alleen al dat ik niet verder zou studeren, wat mijn grote droom was geweest, leek me toen opeens ongeloofwaardig. Dat ging zo ver dat ik me beriep op een droom die me altijd onbereikbaar had geleken.

'Je hebt beurzen,' zei ik.

'Heel veel,' zei mijn vader, 'maar voor de rijken.'

Dat was deels waar, echter niet vanwege vriendjespolitiek, maar omdat de formaliteiten ingewikkeld en de voorwaarden niet goed bekend waren. Vanwege het centralistische systeem moest iedereen die een beurs wilde naar Bogotá reizen, duizend kilometer in acht dagen, een reis die bijna evenveel kostte als een verblijf van drie maanden op het internaat van een goede school. Dan nog had je de kans dat het niets opleverde.

Mijn moeder ergerde zich hevig. 'Als je de geldmachine aanzet, dan weet je waar je begint, maar niet waar je eindigt.'

Bovendien waren er nu andere belangrijke verplichtingen. Luis Enrique, die een jaar jonger was dan ik, had op twee plaatselijke scholen gezeten en van beide was hij na enkele maanden weggelopen. Margot en Aida waren goede leerlingen op de lagere school bij de nonnen, maar ze begonnen al te denken aan een naburige stad waar de middelbare school minder duur was. Gustavo, Ligia, Rita en Jaime stonden nog niet te dringen, maar ze groeiden verontrustend snel. Zowel zij als de drie die na hen geboren werden, behandelden me als iemand die thuiskwam om steevast weer te vertrekken.

Het was een beslissend jaar voor me. De grootste attractie van elke praalwagen waren de meisjes die vanwege hun charme en hun schoonheid waren uitverkoren en als koninginnen waren uitgedost en verzen voordroegen die zinspeelden op de symbolische oorlog tussen de twee helften van het dorp. Ik, die nog half en half een vreemdeling was, genoot het voorrecht neutraal te zijn, en zo gedroeg ik me ook. In dat jaar zwichtte ik echter voor de dringende verzoeken van de leiders van de wijk Congoveo om verzen voor mijn zuster Carmen Rosa te schrijven, die de koningin van een monumentale praalwagen zou zijn. Ik deed het graag, maar omdat ik niet op de hoogte was van de regels van het spel, ging ik te ver met mijn aanvallen op de tegenstander. Er zat voor mij niets anders op dan het schandaal goed te maken met twee vredesverzen: eentje voor het mooiste meisje van Congoveo, en het andere, als verzoening, voor het mooiste meisje van Zulia. Het voorval raakte algemeen bekend. De anonieme dichter, die in het dorp nauwelijks bekendheid genoot, werd de held van de dag. Bij deze gelegenheid maakte ik mijn debuut in de gemeenschap en het leverde me de vriendschap van beide groepen op. Vanaf dat moment kwam ik tijd tekort om te assisteren bij toneelstukken voor kinderen, benefietbazaars, liefdadigheidstombola's en zelfs bij de toespraak van een kandidaat voor de gemeenteraad.

Luis Enrique, die zich al profileerde als de geïnspireerde gitarist die hij later zou worden, leerde me tiple* spelen. Samen met hem en Filadelfo Velilla werden wij de koningen van de serenades, en onze grootste beloning was dat sommige van de toegezongen meisjes zich vliegensvlug aankleedden, de deur van hun huis openden en hun buurmeisjes wakker maakten, waarna we het feest tot aan het ontbijt voortzetten. In dat jaar werd onze muziekgroep verrijkt met José Palencia, de kleinzoon van een vermogende en royale grootgrondbezitter. José was een geboren musicus, die elk instrument dat hij in handen kreeg kon bespelen. Hij had het uiterlijk van een filmacteur, was een uitmuntende danser, was verbluffend intelligent en werd meer benijd dan dat hij benijdenswaardig was om zijn geluk met vluchtige liefdes.

Ik daarentegen kon niet dansen, en het lukte me zelfs niet het te leren bij de dames Loiseau, zes zusters die vanaf hun geboorte invalide waren, maar die goede danslessen aan huis gaven, zonder uit hun schommelstoelen op te staan. Mijn vader, die nooit ongevoelig was geweest voor roem, zocht toenadering tot mij nu hij een nieuwe kijk op mij had. Voor het eerst hadden we urenlange gesprekken met elkaar. We kenden elkaar nauwelijks. Nu ik erop terugkijk, heb ik in feite niet meer dan in totaal drie jaar bij hem gewoond, als ik de jaren in Aracataca, Barranquilla, Cartagena, Sincé en Sucre bij elkaar optel. Het was een bijzonder aangename ervaring, die me in staat stelde hem beter te leren kennen. Mijn moeder zei het zo: 'Wat fijn dat je vrienden met je vader bent geworden.'

Een paar dagen later, terwijl ze in de keuken koffie aan het zetten was, ging ze verder: 'Je vader is heel trots op je.'

De volgende dag kwam ze op haar tenen mijn kamer in, maakte me wakker en fluisterde me in het oor: 'Je vader heeft een verrassing voor je.' En inderdaad, toen hij beneden kwam om te ontbijten, deelde hij me zelf in het bijzijn van alle anderen het nieuws met plechtige nadruk mee: 'Pak je spullen, want je gaat naar Bogotá.'

Het effect van die woorden was aanvankelijk een gevoel van diepe frustratie, want ik was toen graag ondergedoken gebleven in de eeuwigdurende feesten. Maar mijn onschuld kreeg de overhand. De kleding voor de koude streek was geen probleem. Mijn vader had een zwart pak van ribfluweel en nog een lakens pak, en beide zaten hem te krap om zijn middel. Vandaar dat we naar Pedro León Rosales gingen, de zogenoemde kleermaker van de wonderen, en hij maakte ze op mijn maat. Bovendien kocht mijn moeder de kameelharen overjas van een overleden senator voor me. Toen ik hem thuis aan het passen was, waarschuwde mijn zuster Ligia – van nature helderziend – me in het geheim dat de geest van de senator met zijn overjas aan 's nachts door zijn huis wandelde. Ik schonk er geen aandacht aan, maar dat had ik beter wel kunnen doen, want toen ik de jas in Bogotá aantrok, zag ik mezelf in de spiegel met het gezicht van de dode senator. Ik beleende de jas voor tien peso bij de bank van lening en liet hem daar aan zijn lot over.

De sfeer in huis was zo sterk verbeterd dat ik bij het afscheid bijna in huilen was uitgebarsten, maar het programma werd zonder sentimenteel gedoe tot in de puntjes uitgevoerd. De tweede week van januari ging ik, na me een nacht als vrij man uitgeleefd te hebben, in Magangué aan boord van de David Arango, het vlaggenschip van de Colombiaanse Scheepvaartmaatschappij. Mijn hutgenoot was een ruim honderd kilo zware, geheel onbehaarde engel. Hij voerde de zich wederrechtelijk toegeëigende naam van Jack the Ripper, en hij was de enige overlevende van een geslacht van messenwerpers in een circus uit Klein-Azië. Op het eerste gezicht leek hij me ertoe in staat me in mijn slaap te wurgen, maar in de dagen erna merkte ik dat hij gewoon was waar hij op leek: een reusachtige baby, met een hart dat te groot was voor zijn lijf.

De eerste avond was er een officieel feest, met orkest en galadiner, maar ik kneep ertussenuit naar het dek, keek voor het laatst naar de lichten van de wereld die ik zonder pijn wilde vergeten, en huilde naar hartelust tot vroeg in de ochtend. Vandaag de dag durf ik te zeggen dat de enige reden waarom ik weer kind zou willen zijn, is om opnieuw van die reis te kunnen genieten. In de vier jaar middelbare school die ik nog voor de boeg had en de twee op de universiteit, heb ik die reis heen en terug verscheidene malen moeten afleggen, en elke keer leerde ik meer van het leven dan op school, en beter dan op school. In de periode dat het water in de rivier hoog genoeg was, duurde de reis stroomopwaarts van Barranquilla naar Puerto Salgar vijf dagen, en vanaf Puerto Salgar naar Bogotá was het een dagreis met de trein. In tijden van droogte, die de mooiste waren, als je tenminste geen haast had, kon die reis wel drie weken duren.

De boten hadden gemakkelijke en voor de hand liggende namen als Atlántico, Medellín, Capitán de Caro en David Arango. De kapiteins waren, net als die van Joseph Conrad, autoritair en goedhartig, aten als beesten en konden niet zonder gezelschap slapen in hun koninklijke hutten. De reizen waren traag en verrassend. Wij passagiers zaten de hele dag op het dek en keken naar de vergeten dorpen, de kaaimannen die met opengesperde bek lagen te wachten op argeloze vlinders, de troepen reigers die geschrokken van het kielzog van het schip opvlogen, de zwermen eenden uit de binnenmeren, de zeekoeien die op de zandvlakten zongen en intussen hun jongen zoogden. Gedurende de hele reis werd je vroeg in de ochtend wakker, verdoofd door het kabaal van de apen en de papegaaien. Vaak werd je siësta onderbroken door de misselijkmakende stankwolk van een verdronken koe, die roerloos in de smalle stroom water dreef met boven op haar buik een eenzame kalkoengier.

Tegenwoordig maak je in een vliegtuig maar zelden kennis met iemand. Op de rivierboten leken wij studenten uiteindelijk één familie te vormen, want we spraken elk jaar af de reis gezamenlijk te maken. Soms zat het schip wel twee weken vast op een zandbank. Niemand maakte zich zorgen, want het feest ging door, en een brief van de kapitein, die met het wapen van zijn ring verzegeld was, diende als excuus als we te laat op school kwamen.

Vanaf de eerste dag werd mijn aandacht getrokken door de

jongste van een groep familieleden, die dromerig op de accordeon speelde en de hele dag over het dek van de eerste klas wandelde. Ik was vervuld van afgunst, want sinds ik in Aracataca op de feesten van 20 juli de eerste accordeonklanken van Francisco el Hombre had gehoord, wilde ik met alle geweld dat mijn grootvader een accordeon voor me kocht, maar mijn grootmoeder kwam tussenbeide met de eeuwige smoes dat de accordeon een instrument voor arme sloebers was. Ongeveer dertig jaar daarna meende ik op een wereldcongres van neurologen in Parijs de elegante accordeonist van de boot te herkennen. De tijd had zijn werk gedaan: hij had een bohémienbaard laten staan en zijn kleren waren hem wel twee maten te groot, maar ik had zo'n levendige herinnering aan zijn meesterlijke spel dat er geen vergissing mogelijk was. Zijn reactie toen ik hem zonder me voor te stellen vroeg: 'Hoe gaat het met de accordeon?' was echter zo onvriendelijk als maar kon.

Hij antwoordde verbaasd: 'Ik heb geen idee waar u het over heeft.'

Ik voelde de grond onder me wegzinken, en ik maakte hem mijn nederige excuses voor het feit dat ik hem had verwisseld met een student die begin januari 1944 op de David Arango accordeon speelde. Toen begon hij te stralen bij de herinnering. Het was de Colombiaan Salomón Hakim, een van de bekendste neurologen van die tijd. Het was voor mij een desillusie dat hij de accordeon voor de medische techniek had ingeruild.

Een andere passagier viel me op door zijn afstandelijkheid. Hij was jong en stevig, had een blozend gezicht, droeg een sterke bril en had een vroegtijdig kaal hoofd, dat hij heel goed verzorgde. Hij leek me het prototype van een cachaco-toerist. Vanaf de eerste dag pikte hij de gemakkelijkste fauteuil in, plaatste verscheidene stapels nieuwe boeken op een tafeltje en zat vanaf de ochtend zonder met zijn ogen te knipperen aan één stuk door te lezen tot hij door de feesten 's avonds werd afgeleid. Elke dag verscheen hij in de eetzaal met een ander gebloemd strandhemd aan, hij ontbeet, lunchte en dineerde en bleef in zijn eentje aan het verste tafeltje in de hoek zitten lezen. Ik denk dat hij geen enkele groet met iemand heeft gewisseld. Voor mezelf doopte ik hem 'de onverzadigbare lezer'.

Ik kon de verleiding niet weerstaan om in zijn boeken te snuffelen. Voor het merendeel waren het onverteerbare verhandelingen over publiek recht, die hij 's morgens las terwijl hij zinnen onderstreepte en kanttekeningen maakte. In de koelte van de namiddag las hij romans. Een daarvan deed me verstomd staan: *De dubbelganger* van Dostojevski, dat ik in een boekhandel in Barranquilla had willen stelen, maar ik had het niet gekund. Ik wilde het dolgraag lezen. Zo graag dat ik het hem te leen zou hebben gevraagd als ik er de moed voor had gehad. Op een dag verscheen hij met *Le grand Meaulnes*, waar ik nog nooit van had gehoord, maar dat al spoedig tot mijn favoriete meesterwerken zou behoren. Ik had alleen maar boeken bij me die ik al gelezen had en die niet voor herlezing vatbaar waren: *Jeromín* ('Hieronymus') van Pater Coloma, dat ik nooit heb uitgelezen, *La vorágine* ('De maalstroom') van José Eustasio Rivera, *De los Apeninos a los Andes* ('Van de Apennijnen naar de Andes') van Edmundo de Amicis, en het woordenboek van grootvader, waaruit ik urenlang stukjes las. De onverbiddelijke lezer kwam daarentegen tijd tekort voor al zijn boeken. Wat ik wil zeggen en niet heb gezegd, is dat ik er alles voor over had gehad om die man te zijn.

Nog een reiziger was uiteraard Jack the Ripper, mijn hutgenoot, die urenlang in zijn slaap lag te praten in een barbaarse taal. Zijn monologen hadden een zangerige klank, die een nieuwe achtergrond aan mijn ochtendlectuur gaf. Hij zei dat hij zich er niet van bewust was en dat hij ook niet wist welke taal het kon zijn waarin hij droomde, want als kind had hij in zes Aziatische talen met de acrobaten van zijn circus gesproken, maar na de dood van zijn moeder was hij die allemaal verleerd. Alleen het Pools was gebleven, dat zijn moedertaal was, maar we stelden vast dat hij dat evenmin sprak in zijn slaap. Ik kan me geen aandoenlijker wezen herinneren dan hij wanneer hij bezig was de snede van zijn sinistere messen te oliën en de scherpte ervan te testen op zijn roze tong.

Het enige probleem met hem had zich op de eerste dag in de eetzaal voorgedaan, toen hij bij de obers protesteerde dat hij de reis niet zou overleven als hij niet vier porties kreeg voorgezet. De bootsman legde hem uit dat zoiets alleen mogelijk was als hij ze betaalde als extra porties met speciale korting. Hij betoogde dat hij over alle wereldzeeën had gereisd en dat overal het mensenrecht erkend werd dat hij niet van honger hoefde te sterven. De zaak werd aan de kapitein voorgelegd, die zeer op zijn Colombiaans besloot dat de obers hem twee porties moesten serveren en hem uit verstrooidheid, doordat hun hand uitschoot, nog twee porties zouden geven. Hij behielp zich overigens door met zijn vork in de borden te prikken van zijn tafelgenoten en van enkele buren met weinig eetlust die van zijn geestigheden genoten. Je moet erbij zijn geweest om het te geloven.

Ik kon mijn draai niet vinden, tot in La Gloria een groep studenten aan boord kwam die 's avonds trio's en kwartetten vormden en prachtige serenades brachten met liefdesbolero's. Toen ik ontdekte dat ze een tiple overhadden, nam ik die voor mijn rekening, oefende 's middags met hen en dan zongen we tot vroeg in de ochtend. De remedie tegen de verveling in mijn ledige uren vond ik in een redenering die uit de grond van mijn hart kwam: wie niet zingt kan zich niet voorstellen hoe plezierig zingen is.

Op een nacht met volle maan werden we gewekt door een hartverscheurend gejammer dat vanaf de oever kwam. Kapitein Clímaco Conde Abello, een der groten, gaf bevel om met schijnwerpers naar de herkomst van dat gehuil te zoeken; het bleek een vrouwtjeszeekoe te zijn die in de takken van een omgevallen boom verstrikt was geraakt. De matrozen sprongen in het water, bonden haar aan een windas vast en slaagden erin haar los te trekken. Het was een fantastisch en vertederend wezen, iets tussen een vrouw en een koe in, met een lengte van bijna vier meter. Haar huid was paarsblauw en zacht, en haar lijf met grote tieten leek op dat van een bijbelse moeder. Diezelfde kapitein Conde Abello hoorde ik toen voor het eerst zeggen dat het gedaan zou zijn met de wereld als ze doorgingen met het doden van de rivierdieren, en hij verbood het vanaf zijn schip op ze te schieten.

'Wie iemand wil doden, moet dat maar in zijn eigen huis doen,' schreeuwde hij, 'maar niet op mijn schip.'

Zeventien jaar daarna, op 19 januari 1961, ik herinner het me als een onaangename dag, werd ik door een vriend vanuit Mexico opgebeld, en die vertelde me dat het stoomschip David Arango in de haven van Magangué na een felle brand in de as was gelegd. Ik hing op met het verschrikkelijke bewustzijn dat die dag mijn jeugd ten einde was, en dat het weinige wat ons nog van die rivier van ons heimwee restte naar de verdommenis was gegaan. Tegenwoordig is de Magdalena, met zijn vergiftigde water en zijn verdwenen dieren, een dode rivier. Voor het herstel ervan, waarover de opeenvolgende regeringen zo vaak hebben gesproken zonder iets te doen, zou het nodig zijn zo'n zestig miljoen bomen te planten op negentig procent van het land, dat privé-bezit is. De eigenaren zouden daartoe louter uit vaderlandsliefde afstand moeten doen van negentig procent van hun huidige inkomsten.

Tijdens elke reis leerden we allerlei belangrijke levenslessen, die ons op een kortstondige maar onvergetelijke manier verbonden met het leven in de dorpen waar we langs voeren, en waar velen van ons voorgoed verstrikt raakten in hun lotsbestemming. Een befaamde student medicijnen drong onuitgenodigd op een bruiloftsfeest binnen, danste zonder toestemming met de mooiste vrouw van het feest en werd met één schot door de echtgenoot gedood. Een ander trouwde in Puerto Berrío stomdronken met het eerste het beste meisje dat hem beviel, en hij is nog steeds gelukkig met haar en met zijn negen kinderen. José Palencia, onze vriend uit Sucre, had op een trommelaarsconcours in Tenerife een koe gewonnen, en hij verkocht het dier ter plekke voor vijftig peso: een fortuin voor die tijd. In de onmetelijke hoerenwijk van Barrancabermeja, de hoofdstad van de olie, kwamen we tot onze verrassing Ángel Casij Palencia tegen, die met het orkest in een bordeel zong. Hij was een volle neef van José, die het jaar daarvoor spoorloos uit Sucre was verdwenen. De kosten van de zuippartij, die tot het aanbreken van de dag doorging, waren voor rekening van het orkest.

Mijn akeligste herinnering is die aan een sombere kroeg in Puerto Berrío, waar de politie ons, vier passagiers, naar buiten knuppelde zonder uitleg te geven of naar ons te luisteren, en ons arresteerde op de beschuldiging dat we een studente verkracht hadden. Toen we op het politiebureau arriveerden, zaten de ware daders, een paar plaatselijke zwervers die niets met ons schip te maken hadden, al zonder een schrammetje achter de tralies.

In Puerto Salgar, de eindbestemming, gingen we, gekleed voor het hoogland, om vijf uur 's morgens van boord. De mannen in zwart laken, met vest en bolhoed en met de jas over de arm, waren te midden van het psalmgezang van de padden en de stank van de van dode dieren verzadigde rivier van identiteit veranderd. Op het moment dat we van boord gingen, viel me een ongewone verrassing ten deel. Een vriendin had mijn moeder er op het laatste moment van overtuigd dat ze een petate voor me moest maken, zoals de kustbewoners gebruiken. Die bestaat uit een hangmat van touw, een wollen deken en een po voor noodgevallen, en dat alles in een mat van espartogras gewikkeld en met de koorden van de hangmat kruisgewijs samengebonden. Mijn muziekvrienden konden hun lachen niet houden toen ze me met die bagage in de wieg van de beschaving zagen, en de meest doortastende van allemaal deed wat ik niet had gedurfd: hij wierp hem in het water. Het laatste beeld van die onvergetelijke reis was dat van de petate, die deinend op de stroom naar zijn oorsprong terugkeerde.

De trein vanuit Puerto Salgar ging de eerste vier uur als het ware klauterend langs de rotshellingen omhoog. Op de steilste stukken liet hij zich naar beneden zakken om vaart te maken en probeerde de klim dan opnieuw, briesend als een draak. Soms moesten de passagiers uitstappen om de trein lichter te maken en te voet naar de volgende top klimmen. De dorpen onderweg lagen er triest en koud bij, en op de verlaten stations wachtten ons alleen vrouwen op die van oudsher verkoopster waren en ons door de raampjes van de wagon grote, gele, in hun geheel gestoofde kippen en zoute aardappels aanboden, die goddelijk smaakten. Daar onderging mijn lichaam voor het eerst een onbekend en onzichtbaar gevoel: de kou. Maar gelukkig openden zich opeens in de namiddag tot aan de horizon de onmetelijke savannen, groen en mooi als een hemelse zee. De wereld werd kalm en overzichtelijk. De atmosfeer in de trein veranderde.

Ik was de onverzadigbare lezer al geheel vergeten, toen hij plotseling opdook en tegenover me plaatsnam met een gezicht alsof er iets dringends was. Niet te geloven. Hij was onder de indruk van een bolero die we 's nachts op de boot hadden gezongen en vroeg me of ik de tekst daarvan voor hem wilde opschrijven. Ik schreef niet alleen de tekst voor hem op, maar leerde hem ook de bolero te zingen. Ik stond verbaasd over zijn goede gehoor en zijn gepassioneerde stem toen hij het lied alleen zong, en meteen al de eerste keer correct en goed.

'Dat vrouwtje overleeft het niet als ze dit hoort!' riep hij stralend uit.

Toen begreep ik wat hem in spanning hield. Sinds hij ons op de boot de bolero had horen zingen, voelde hij dat die voor zijn geliefde, van wie hij drie maanden daarvoor in Bogotá afscheid had genomen en die op het station op hem zou staan wachten, een openbaring zou zijn. Hij had de bolero nog twee of drie keer gehoord en er stukjes van kunnen opschrijven, maar toen hij me daar alleen op de zachte kussens van de trein zag zitten, had hij besloten het me te vragen. Ik van mijn kant durfde hem op dat moment met een duidelijke bedoeling, en zonder dat het iets met het onderwerp te maken had, te vertellen hoe verrast ik was geweest een boek op zijn tafel te zien liggen dat zo moeilijk te krijgen was.

Hij was oprecht verbaasd.

'Welk boek?'

'*De dubbelganger*.'

Hij lachte vergenoegd.

'Ik heb het nog niet uit,' zei hij. 'Maar het is een van de vreemdste dingen die me in handen zijn gevallen.'

Hij ging er verder niet op in, maar bedankte me in alle toonaarden voor de bolero en nam met een stevige handdruk afscheid.

Het begon al donker te worden toen de trein vaart minderde, langs een met roestig oud ijzer volgestouwde loods reed en aan een somber perron stopte. Ik pakte de koffer bij het handvat vast en sleepte hem in de richting van de straat voordat de mensenmassa me onder de voet kon lopen. Ik was er bijna toen iemand schreeuwde: 'Jongeman, jongeman!'

Ik draaide me om, net als een paar andere jonge en minder jonge mannen die met me mee holden, en zag dat de onverzadigbare lezer langs me liep en me zonder stil te staan een boek in de hand drukte.

'Veel plezier ermee,' riep hij en hij verdween in de menigte.

Het was *De dubbelganger*. Ik was zo overdonderd dat het amper tot me doordrong wat me zojuist was overkomen, en ik stopte het boek in de zak van mijn overjas. Toen ik het station uitliep, sloeg de ijzige wind van de avondschemering me in het gezicht. Ik stond op het punt in te storten, zette de koffer op de stoep neer en ging erbovenop zitten om op adem te komen. Er was geen sterveling op straat. Het weinige wat ik kon zien, was de hoek van een naargeestige, ijskoude boulevard onder een fijne, van roet doortrokken motregen, op vierentwintighonderd meter hoogte en met een poolwind die je belette adem te halen.

Verstijfd van de kou zat ik daar minstens een halfuur te wachten. Er moest iemand komen, want mijn vader had een familielid van hem een spoedtelegram gestuurd en die zou me komen afhalen. Maar wat me verontrustte was niet of er wel of niet iemand zou komen opdagen, maar dat ik aan de andere kant van de wereld op een grafachtige koffer zat zonder iemand te kennen. Plotseling stapte een deftige heer, met een zijden paraplu en een kameelharen jas die tot zijn enkels reikte, uit een taxi. Ik begreep dat het Eliécer Torres Arango was, de man die me zou afhalen, hoewel hij me nauwelijks aankeek en doorliep, maar ik durfde hem geen teken te geven. Hij rende het station binnen en kwam na enkele minuten terug zonder een glimp van hoop op zijn gezicht. Ten slotte ontdekte hij me en wees met zijn vinger naar me: 'Jij bent zeker Gabito, hè?'

Ik antwoordde hem uit de grond van mijn hart: 'Zo goed als.'

4

Bogotá was toen een verre en naargeestige stad, waar al sinds het begin van de zestiende eeuw een onophoudelijk motregentje viel. Opvallend was dat er te veel haastige mannen op straat waren, die allemaal net als ik sinds mijn komst naar de hoofdstad in zwartlakense pakken liepen en stijve hoeden op hadden. Daarentegen zag je geen enkele vrouw ter vertroosting, want die mochten niet in de trieste cafés in het centrum komen, en dat gold ook voor priesters in soutane en soldaten in uniform. Op de trams en de openbare urinoirs stond een somber opschrift: 'Als je God niet vreest, vrees dan de syfilis.'

Ik was onder de indruk van de enorme trekpaarden die bierwagens voorttrokken, de vuurwerkachtige vonken die de trams spuwden wanneer ze de hoek om gingen, en de verkeersopstoppingen die ontstonden wanneer er voorrang moest worden verleend aan een begrafenisstoet in de regen. Het waren de naargeestigste begrafenisstoeten van de wereld, met luxueuze lijkkoetsen en paarden die op zijn Amerikaans waren opgedoft met zwart fluweel en helmen met zwarte pluimen, en met lijken van welgestelde families die zich als de uitvinders van de dood gedroegen. Op het voorplein van de Las Nieveskerk zag ik vanuit de taxi voor het eerst een vrouw op straat. Ze was slank en discreet, en gedistingeerd als een koningin in de rouw, maar ik bleef voor altijd zitten met de helft van de illusie, want haar gezicht was bedekt met een ondoorzichtige sluier.

Het was een morele schok. Het huis waar ik verbleef was groot en comfortabel, maar ik vond het een spookhuis door de sombere tuin met zwarte rozen en de kou, die mijn botten verpulverde. Het behoorde toe aan de familie Torres Gamboa, verwanten van mijn vader en kennissen van mij, maar bij het avondeten waren het in dekens gehulde vreemden voor me. De grootste schok die ik kreeg was toen ik tussen de lakens gleed en een kreet van afschuw slaakte, want ik voelde dat ze ijskoud en vochtig waren. Ze vertelden me dat je dat gevoel alleen de eerste keer had en dat ik gaandeweg wel aan de eigenaardigheden van het klimaat zou wennen. Ik lag urenlang stilletjes te huilen tot ik diep ongelukkig in slaap viel.

Zo voelde ik me vier dagen na mijn aankomst nog steeds, terwijl ik me in de kou en de motregen naar het ministerie van Onderwijs spoedde, waar de inschrijving was geopend voor het landelijk examen voor studiebeurzen. De rij begon op de derde verdieping van het ministerie, voor de deur van het inschrijvingskantoor, en slingerde de trappen af naar de hoofdingang. Het was een moedeloos makend schouwspel. Toen het tegen tien uur 's ochtends ophield met regenen, was de rij op de avenida Jiménez de Quesada nog twee straten langer geworden, zonder de kandidaten mee te tellen die hun toevlucht hadden gezocht in de portieken. Het leek me onmogelijk om in dat gedrang iets te bemachtigen.

Kort na twaalven voelde ik twee tikjes op mijn schouder. Het was de onverzadigbare lezer van de boot, die me tussen de achterste mensen in de rij had opgemerkt, maar het kostte me moeite om de lezer te herkennen in die man met zijn bolhoed en begrafenisachtige kleding zoals alle cachacos die droegen. Hij was ook heel verbaasd en vroeg me: 'Wat spook jij hier verdomme uit?'

Ik vertelde het hem.

'Wat grappig!' riep hij, stikkend van de lach. 'Kom mee,' en hij pakte me bij de arm en nam me mee naar het ministerie. Toen pas hoorde ik dat hij doctor Adolfo Gómez Támara was, directeur van de afdeling studiebeurzen van het ministerie van Onderwijs.

Het was het onmogelijkste en gelukkigste toeval van mijn leven. Met een typisch studentikoos grapje stelde Gómez Támara me aan zijn medewerkers voor als de briljantste romantische bolerozanger. Ik kreeg een kop koffie en vervolgens schreven ze me zonder verdere formaliteiten in; ze lieten me echter wel weten dat ze daarmee niet de instanties omzeilden, maar eer bewezen aan de onpeilbare goden van het toeval. Ze vertelden me dat het algemene examen de eerstvolgende maandag in het San Bartolomécollege zou plaatsvinden. Volgens hun schatting zouden zich rond de duizend kandidaten uit het hele land voor zo'n driehonderdvijftig beurzen presenteren, en dus zou het een lange en moeilijke strijd worden en misschien de doodklap voor mijn illusies. De winnaars zouden de uitslag en de gegevens over de hun toegewezen school een week later te horen krijgen. Dat was een nieuw en ernstig bericht voor me, want ze konden me net zo goed naar Medellín als naar El Vichada sturen. Ze legden me uit dat tot die geografische loterij was besloten om de culturele mobiliteit tussen de verschillende regio's te stimuleren. Nadat de formaliteiten waren afgehandeld, drukte Gómez Támara me even stevig en enthousiast de hand als toen hij me bedankte voor de bolero.

'Doe je best,' zei hij. 'Je hebt je leven nu in eigen hand.'

Toen ik het ministerie verliet, bood een mannetje met een klerikaal uiterlijk me tegen betaling van vijftig peso zijn diensten aan en zei dat hij me gegarandeerd een beurs voor de door mij gewenste school zou bezorgen zonder dat ik een examen hoefde af te leggen. Vijftig peso was een fortuin voor me, maar als ik het had gehad dan zou ik het denk ik betaald hebben om mezelf de verschrikkelijke angst voor het examen te besparen. Een paar dagen daarna herkende ik de oplichter op een krantenfoto als de leider van een bende zwendelaars die zich als priesters vermomden om bij officiële instanties onwettige zaken te regelen.

In de overtuiging dat ze me ik weet niet waar naartoe zouden sturen, pakte ik mijn koffer niet uit. Mijn pessimisme zat zo diep dat ik de avond voor mijn examen met de muzikanten van de boot naar een armzalige kroeg in de scabreuze Las Crucesbuurt ging. We zongen voor drank, één lied tegen één glas chicha, de fantastische gegiste maïsdrank die door geraffineerde dronkelappen met kruit op smaak werd gebracht. Vandaar dat ik te laat op het examen arriveerde, met bonzend hoofd en zonder me zelfs maar te herinneren waar ik was geweest of wie me de avond daarvoor had thuisgebracht, maar uit naastenliefde werd ik toegelaten in een enorme, met kandidaten afgeladen zaal. Een vluchtige blik op de vragenlijst was voldoende om te beseffen dat ik al bij voorbaat verslagen was. Alleen maar om de toezichthouders af te leiden richtte ik me op sociale wetenschappen, waarvan de vragen me het minst wreed leken. Plotseling voelde ik me gedreven door een vlaag van inspiratie, waardoor ik geloofwaardige antwoorden en wonderbaarlijke gelukstreffers wist te improviseren. Behalve voor wiskunde, waar ik niets maar dan ook helemaal niets van terechtbracht. Het examen tekenen, dat ik snel maar goed deed, was een opluchting voor me. 'De chicha moet een wonder hebben verricht,' zeiden mijn muzikanten later tegen me. Hoe dan ook, aan het eind was ik totaal uitgeput en besloot ik mijn ouders een brief te schrijven over rechten en redenen om niet naar huis terug te keren.

Ik deed mijn plicht en vroeg een week later de cijfers op. De juffrouw van de receptie moet een of andere aantekening in mijn dossier hebben gezien, want ze bracht me zonder verdere uitleg naar de directeur. Ik trof hem in een uitstekend humeur aan, in hemdsmouwen en met rode fantasiebretels. Met professionele belangstelling nam hij mijn examencijfers door, aarzelde één of twee keer en haalde toen opgelucht adem.

'Niet gek,' zei hij voor zich uit. 'Behalve wiskunde, maar dankzij je tien voor tekenen heb je het op het nippertje gered.'

Hij leunde achterover in zijn verende stoel en vroeg me aan welke school ik had gedacht.

Ik kreeg een van mijn legendarische schrikreacties, maar zei zonder aarzelen: 'San Bartolomé, hier in Bogotá.'

Hij legde zijn hand op een stapel papieren op zijn bureau.

'Dit zijn allemaal brieven van hooggeplaatste personen die hun kinderen, verwanten en vrienden aanbevelen voor scholen hier in de stad,' zei hij. Hij besefte dat hij dat niet had moeten zeggen, en ging verder: 'Als ik je een advies mag geven, dan raad ik je het Nationaal Lyceum in Zipaquirá aan, een uur met de trein hiervandaan.'

Het enige wat ik van die historische stad wist was dat er zoutmijnen waren. Gómez Támara legde me uit dat het een koloniale school was die aan een religieuze gemeenschap had toebehoord en na een recente liberale hervorming was onteigend, en dat het nu over voortreffelijke leraren met een moderne mentaliteit beschikte. Ik vond dat het mijn plicht was hem opheldering te geven.

'Mijn vader is een conservatief,' waarschuwde ik hem.

Hij barstte in lachen uit.

'Doe niet zo serieus,' zei hij. 'Ik bedoel liberaal in de zin van ruimdenkend.'

Hij trok zijn gezicht onmiddellijk weer in de plooi en besliste dat mijn lotsbestemming lag in dat oude, tot een school van ongelovigen omgevormde zeventiende-eeuwse klooster in een dromerige stad waar je geen andere afleiding had dan studeren. Het oude koloniale gebouw hield zich in het licht van de eeuwigheid onaangedaan staande. In zijn begintijd had op de stenen poort het opschrift gestaan: 'Het begin van alle wijsheid is de vreze Gods.' Maar dat devies werd ingewisseld voor het wapen van Colombia toen het liberale bewind van president Alfonso López Pumarejo in 1936 het onderwijs nationaliseerde. Toen ik, buiten adem geraakt door het gewicht van de koffer, in het voorportaal zat bij te komen, maakte van daaruit gezien het binnenplaatsje met in ruwe steen gehouwen koloniale bogen, groengeverfde houten balkons en melancholieke bloempotten op de balustraden, een troosteloze indruk op me. Het leek allemaal aan een confessionele orde onderworpen en aan elk ding was maar al te goed te zien dat er al meer dan driehonderd jaar geen barmhartige vrouwenhand aan te pas was gekomen. Ik had een slechte opvoeding gehad in het vrijgevochten Caribische gebied en ik werd overvallen door de angst de vier beslissende jaren van mijn puberteit hier in deze vastgelopen tijd te moeten doorbrengen.

Ook nu nog lijkt het me onmogelijk dat een gebouw van twee verdiepingen rondom een stille binnenplaats en een uit ruwe steen opgetrokken bijgebouw op het terrein daarachter, toereikend konden zijn voor het woonhuis en het kantoor van de rector, het secretariaat, de keuken, de eetzaal, de bibliotheek, de zes leslokalen, het natuur- en scheikundelaboratorium, het magazijn, de sanitaire voorzieningen en de gemeenschappelijke slaapzaal met in rijen opgestelde ijzeren bedden voor een vijftigtal leerlingen die daar uit de meest deprimerende steden in het hele land naartoe waren gehaald, onder wie maar heel weinig leerlingen uit de hoofdstad. Gelukkig was die toestand van verbanning weer eens een gunst van mijn goede gesternte. Ik kreeg daardoor snel een goed inzicht in het land dat me bij de verloting van de wereld ten deel was gevallen. Het half dozijn Caribische streekgenoten dat me vanaf de eerste dag als een der hunnen opnam, en ook ik vanzelfsprekend, maakten een onoverbrugbaar onderscheid tussen ons en de anderen: de inheemsen en de vreemden.

De verschillende groepen die zich aan het begin van de avond in de pauze over de hoeken van het binnenplein verdeelden, vormden een rijke staalkaart van het land. Van rivaliteit was geen sprake zolang ieder maar op zijn eigen terrein bleef. Ik had meteen contact met de Caribische kustjongens, die de welverdiende reputatie genoten dat ze een fanatiek groepsgevoel hadden, lawaaischoppers waren en alle dansfeesten afliepen. Ik vormde daar een uitzondering op, maar Antonio Martínez Sierra, een feestnummer uit Cartagena, leerde me in de avondpauzes de populaire dansen. Ricardo González Ripoll, mijn grote handlanger in heimelijke liefdes en later een gerenommeerd architect, liep altijd binnensmonds hetzelfde nauwelijks hoorbare liedje te zingen, waarop hij tot het eind van zijn dagen in zijn eentje danste.

Mincho Burgos, een geboren pianist die het tot leider van een nationaal dansorkest bracht, richtte de muziekgroep van de school op met iedereen die maar op een muziekinstrument wilde leren spelen, en hij onthulde me het geheim van de tweede stem voor de bolero's en de vallenatos.* Zijn belangrijkste wapenfeit was echter dat hij Guillermo López Guerra, een rasechte Bogotaan, de Caribische kunst bijbracht van het bespelen van de claves,* een kwestie van drie twee, drie twee.

Humberto Jaimes, uit El Banco, was een verwoede studiebol die geen enkele belangstelling voor dansen had en zijn weekenden opofferde om op school te blijven studeren. Volgens mij had hij nog nooit een voetbal gezien of het verslag van wat voor wedstrijd ook gelezen. Tot hij in Bogotá afstudeerde als ingenieur en leerling-sportverslaggever bij *El Tiempo* werd, waar hij het tot chef van zijn afdeling bracht en zich tot een goede voetbaljournalist ontwikkelde. Het merkwaardigste geval echter dat ik me herinner was ongetwijfeld Silvio Luna, een pikzwarte neger uit El Chocó, die eerst advocaat werd, daarna een medicijnenstudie voltooide en van plan leek een derde studie te beginnen toen ik hem uit het oog verloor.

Daniel Rozo, bijgenaamd Pagocio, gedroeg zich als iemand die veel verstand had van alle menselijke en goddelijke wetenschappen en liet ons daarvan gedurende de lessen en in de pauzes volop meegenieten. We konden bij hem altijd terecht voor informatie over de toestand in de wereld tijdens de Tweede Wereldoorlog, die we slechts via geruchten konden volgen, omdat kranten en tijdschriften op school niet geoorloofd waren en we de radiogrammofoon alleen maar gebruikten wanneer we met elkaar gingen dansen. We zijn er nooit achter gekomen waar Pagocio zijn legendarische veldslagen, waarbij de geallieerden altijd wonnen, vandaan haalde.

Sergio Castro, uit Quetame, was op het lyceum misschien wel de beste student van alle jaren, en vanaf zijn toelating kreeg hij altijd de hoogste cijfers. Ik denk dat zijn geheim te maken had met wat Martina Fonseca me op het San Josécollege als advies had gegeven: tijdens de lessen miste hij geen woord van de leraar of van de opmerkingen van zijn medeleerlingen, hij noteerde alles, zelfs de ademtocht van de leraren, en ordende zijn aantekeningen in een voorbeeldig schoolschrift. Misschien hoefde hij daardoor geen tijd te besteden aan de voorbereiding van de examens en kon hij in de weekenden avonturenboeken lezen terwijl wij ons afbeulden met studeren.

Mijn trouwste kameraad tijdens de pauzes was de onvervalste Bogotaan Álvaro Ruiz Torres, die in de avondpauzes de dagelijkse nieuwtjes over zijn vriendinnen met me uitwisselde, terwijl we in soldatenpas rondjes op de binnenplaats liepen. En verder waren er Jaime Bravo, Humberto Guillén en Álvaro Vidal Barón, met wie ik op school goed bevriend was en die ik ook in het echte leven jarenlang zou blijven zien. Álvaro Ruiz ging elk weekend naar zijn familie in Bogotá en kwam goed voorzien van sigaretten en nieuwtjes over meisjes terug. Hij heeft me in de tijd dat we samen studeerden aangemoedigd me ook met die twee ondeugden bezig te houden, en hij heeft me de afgelopen twee jaar zijn beste herinneringen geleend om deze memoires op te fleuren.

Ik weet niet wat ik tijdens mijn gevangenschap in het Nationaal Lyceum in feite heb geleerd, maar door de vier jaar die ik daar in goede harmonie met iedereen doorbracht, ging ik het land als een eenheid zien, ontdekte ik hoe verschillend we waren en waarvoor wij dienden, en leerde ik om nooit te vergeten dat in de som van ieder van ons het hele land besloten lag. Misschien hadden ze dat op het ministerie bedoeld te zeggen met de culturele mobiliteit tussen de verschillende regio's die de regering voorstond. Toen ik al veel ouder was, werd ik een keer in de cockpit van een transatlantisch vliegtuig uitgenodigd en het eerste wat de gezagvoerder me vroeg was waar ik vandaan kwam. Ik hoefde hem maar te horen praten om hem te antwoorden: 'Ik ben een kustbewoner, zoals u uit Sogamoso komt.'

Want hij had dezelfde manier van doen, dezelfde gezichtsuitdrukking en hetzelfde stemgeluid als Marco Fidel Bulla, de jongen die in het vierde jaar van het lyceum naast me zat. Dit intuïtieve inzicht heeft me geholpen om over de strandmeren van die onvoorspelbare gemeenschap te varen, zelfs zonder kompas en tegen de stroom in, en misschien is het wel de moedersleutel tot mijn beroep van schrijver geweest.

Ik had het gevoel dat ik in een droom leefde, want ik had niet naar een beurs gesolliciteerd omdat ik graag wilde studeren, maar om in goede verstandhouding met mijn familie en los van verplichtingen mijn onafhankelijkheid te bewaren. Door de zekerheid van drie maaltijden per dag mochten we aannemen dat we in dit toevluchtsoord van armen een beter leven hadden dan thuis, onder een regime van zelfstandigheid dat minder opvallend werd gecontroleerd dan dat onder de huiselijke macht. In de eetzaal fungeerde een marktsysteem, waardoor iedereen zijn portie naar believen kon regelen. Geld had geen waarde. Het meest begeerde kapitaal waren de twee eieren van het ontbijt, want het voordeel was dat je daarmee elke schotel van de drie maaltijden kon kopen. Elk gerecht had zijn exacte tegenwaarde en die wettige handel werd geen strobreed in de weg gelegd. Sterker nog, in de vier jaar dat ik op het internaat heb gezeten, kan ik me geen enkele vechtpartij om wat voor reden dan ook herinneren.

De leraren, die aan een andere tafel in dezelfde eetzaal zaten, waren niet onbekend met die onderlinge privé-ruilhandel, want ze hadden nog bepaalde gewoonten van hun eigen recente schooljaren. Het gros van hen was vrijgezel of woonde daar zonder hun vrouw, en hun salaris was bijna even karig als onze maandtoelage van de familie. Ze klaagden met evenveel reden als wij over de maaltijden, en tijdens een gevaarlijke crisissituatie werd even de mogelijkheid geopperd dat we met enkelen van hen zouden samenzweren om in hongerstaking te gaan. Alleen als ze cadeaus kregen of gasten van buiten de school hadden, werden er inspirerende schotels klaargemaakt die voor één keer de gelijkheid doorbraken. Dat was het geval toen, in het vierde jaar, de schoolarts ons een ossenhart beloofde, zodat we dat in zijn anatomieles konden bestuderen. De volgende dag liet hij het, nog vers en bloederig, naar de ijskast in de keuken brengen, maar toen we het voor de les gingen halen lag het daar niet meer. Pas toen werd duidelijk dat de dokter, bij gebrek aan een ossenhart, op het laatste moment het hart van een anonieme metselaar had gestuurd die ergens op een vierde verdieping was uitgegleden en te pletter was gevallen. Omdat er niet genoeg voor iedereen was, hadden de koks het met exquise sausen toebereid, in de overtuiging dat het het ossenhart was dat de lerarentafel was toegezegd. Ik denk dat die soepele relatie tussen leraren en leerlingen iets van doen had met de recente onderwijshervorming, waarvan weinig is overgebleven in de geschiedenis, maar die voor ons tenminste het voordeel had dat het ceremonieel wat losser werd. Het verschil in leeftijd werd minder belangrijk, het dragen van een stropdas werd versoepeld en niemand wond zich meer op over het feit dat leraren en leerlingen samen een glaasje dronken en zaterdags dezelfde dansfeesten bezochten op zoek naar vriendinnetjes.

Die sfeer was alleen mogelijk door het soort leraren, die in het algemeen een losse persoonlijke relatie toelieten. Onze leraar wiskunde maakte met zijn inzicht en zijn scherpe gevoel voor humor de lessen tot een geweldig feest. Hij heette Joaquín Giraldo Santa en hij was de eerste Colombiaan die een doctorstitel in wiskunde behaalde. Tot mijn ongeluk, en ondanks al mijn inspanningen en die van hem, heb ik zijn lessen nooit kunnen bevatten. Men beweerde destijds dat een poëtische roeping een sta-in-de-weg voor wiskunde was, en het eindigde ermee dat je dat niet alleen geloofde, maar dat je daardoor ook nog de mist inging. De meetkunde was me beter gezind, misschien dankzij haar literaire reputatie. Rekenen daarentegen gedroeg zich met vijandige eenvoud. Nu nog moet ik om uit het hoofd op te tellen de getallen in hun eenvoudigste componenten uit elkaar halen, vooral de zeven en de negen, waarvan ik de tafels nooit heb kunnen onthouden. Vandaar dat ik om zeven en vier bij elkaar op te tellen twee van de zeven aftrek, de vier bij de vijf die er rest optel en ten slotte de twee er weer bij optel: elf! Vermenigvuldigen ging steevast mis omdat ik me nooit de getallen kon herinneren die ik moest onthouden. Aan algebra wijdde ik mijn beste krachten, niet alleen uit ontzag voor haar klassieke achtergrond, maar ook uit genegenheid en angst voor de leraar. Het was zinloos. Elk trimester lieten ze me zakken, ik kreeg twee herkansingen en ging weer af bij een nieuwe onwettige poging die ze me uit naastenliefde hadden toegestaan.

De drie onbaatzuchtigste leraren waren degenen die lesgaven in een taal. De eerste was mister Abella, de leraar Engels, een rasechte Caribiër met een volmaakt Oxford-accent en een ietwat kerkelijke hartstocht voor het woordenboek van Webster, waaruit hij met gesloten ogen voordroeg. Zijn opvolger was Héctor Figueroa, een jonge, goede leraar met een koortsige passie voor bolero's, die we in de pauzes meerstemmig zongen. Tijdens de slaapverwekkende lessen en op het eindexamen deed ik mijn uiterste best, maar ik denk dat mijn hoge cijfer niet zozeer te danken was aan Shakespeare als wel aan Leo Marini en Hugo Romani, de zangers die voor zoveel paradijselijke en suïcidale liefdes verantwoordelijk waren. De leraar Frans in het vierde jaar, monsieur Antonio Yelá Alban, was van mening dat ik verpest was door misdaadromans. Ik vond zijn lessen even vervelend als die van alle anderen, maar zijn passende citaten uit het Franse straatjargon droegen er in hoge mate aan bij dat ik tien jaar later in Parijs niet van honger ben omgekomen.

De meeste leraren hadden hun opleiding genoten aan de pedagogische academie, onder directeur doctor José Francisco Socarrás, een psychiater uit San Juan del César, die zijn uiterste best deed de op klerikale leest geschoeide pedagogie van een eeuw conservatief bewind om te buigen tot een humanistisch rationalisme. Manuel Cuello del Río was een radicale marxist, en het kan zijn dat hij juist daarom Lin Yutang bewonderde en in geestverschijningen geloofde. In de bibliotheek van Carlos Julio Calderón, waarin zijn streekgenoot José Eustasio Rivera, de auteur van *La vorágine*, een voorname plaats innam, was gelijkelijk plaats voor de Griekse klassieken, de inheemse piedracielistas (dichters van de groep Piedra y Cielo) en de romantici van overal. Daaraan was het te danken dat wij, de weinige trouwe lezers, niet alleen San Juan de la Cruz* en José María Vargas Vila lazen, maar ook de apostelen van de proletarische revolutie. Gonzalo Ocampo, de leraar sociale wetenschappen, had in zijn kamer een mooie verzameling politieke boeken die hij zonder boosaardige opzet in de leslokalen van de oudere leerlingen liet rondgaan, maar ik heb nooit begrepen waarom *Der Ursprung der Familie, des Privateigentums und des Staates* van Friedrich Engels werd bestudeerd op de saaie middagen van politieke economie en niet als het epos van een prachtig menselijk avontuur tijdens de literatuurlessen. Guillermo López Guerra las tijdens de pauzes *Anti-Dühring*, eveneens van Engels, een door Gonzalo Ocampo uitgeleend exemplaar. Toen ik het hem echter te leen vroeg om er met López Guerra over te discussiëren, zei Ocampo dat hij me een slechte dienst zou bewijzen met die dikke pil, die weliswaar van fundamenteel belang was voor de vooruitgang van de mensheid, maar ook zo omvangrijk en saai dat het werk waarschijnlijk geen geschiedenis zou schrijven. Misschien heeft dat soort ideologisch gemarchandeer bijgedragen aan de slechte reputatie van het lyceum als een kweekvijver van politieke verdorvenheid. Ik heb echter een half leven nodig gehad om me te realiseren dat het misschien een spontane proef was om de zwakke broeders af te schrikken en de sterke tegen elk soort dogmatisme te wapenen.

Ik had veel contact met Carlos Julio Calderón, docent Spaanse taal in de eerste jaren, algemene literatuur in het vierde, Spaanse literatuur in het vijfde en Colombiaanse literatuur in het zesde jaar, en iets wat gezien zijn opleiding en smaak merkwaardig was: boekhouden. Hij was geboren in Neiva, de hoofdstad van het departement Huila, en stak zijn patriottische bewondering voor José Eustasio Rivera niet onder stoelen of banken. Hij had zijn studie medicijnen en chirurgie moeten afbreken, wat hij zich als de grootste frustratie van zijn leven herinnerde, maar hij had een onstuitbare passie voor kunst en literatuur. Hij was de eerste leraar die mijn kladversies met relevante opmerkingen de grond in boorde.

In ieder geval was de relatie tussen leerlingen en docenten van een uitzonderlijke natuurlijkheid, niet alleen in de klaslokalen, maar vooral in de pauze op de binnenplaats, na het avondeten. Daardoor gingen we anders met elkaar om dan we gewend waren, wat ongetwijfeld bevorderlijk was voor de respectvolle en kameraadschappelijke atmosfeer waarin we leefden.

Aan het complete werk van Freud, dat in de bibliotheek was opgenomen, heb ik een schokkend avontuur te danken. Ik begreep natuurlijk geen snars van zijn scabreuze analyses, maar zijn klinische gevallen hielden me, net als de fantasieën van Jules Verne, tot het eind toe in spanning. Calderón vroeg ons in de les Spaans een verhaal over een zelfgekozen onderwerp te schrijven. Ik kwam op het idee het geval van een geestesziek meisje van zeven jaar te beschrijven, onder een pedante titel die in het geheel niet spoorde met de poëzie: 'Een geval van dwangneurose'. De leraar liet het me in de klas voorlezen. De jongen die naast me zat, Aurelio Prieto, had geen goed woord over voor mijn arrogantie om zonder een greintje wetenschappelijke of literaire vorming over zo'n ingewikkeld onderwerp te schrijven. Ik legde hem eerder wrokkig dan nederig uit dat ik het had overgenomen van een klinisch geval dat door Freud in zijn memoires was beschreven, en dat het mijn enige bedoeling was geweest het voor het verhaal te gebruiken. Calderón, die misschien dacht dat ik kwaad was door de scherpe kritiek van verscheidene klasgenoten, nam me in de pauze apart om me aan te moedigen op dezelfde weg voort te gaan. Hij wees me erop dat uit mijn verhaal duidelijk bleek dat ik niet bekend was met de techniek van moderne fictie, maar gevoel ervoor en plezier erin konden me niet worden ontzegd. Hij vond het een goed geschreven verhaal dat tenminste origineel probeerde te zijn. Voor het eerst vertelde hij over retoriek. Hij gaf me een paar praktische tips over thematiek en metriek om verzen te maken zonder pretenties, en tot slot zei hij dat ik hoe dan ook door moest gaan met schrijven, al was het maar voor mijn geestelijke gezondheid. Dat was het eerste in de reeks uitvoerige gesprekken die we gedurende mijn lyceumtijd in de pauzes en in andere vrije uurtjes met elkaar hadden en waaraan ik in mijn schrijversleven veel te danken heb.

Het was een ideaal klimaat voor mij. Op het San Josécollege

was ik zo verslaafd geraakt aan de slechte gewoonte om alles te lezen wat me in handen viel, dat ik daaraan mijn vrije tijd en bijna alle tijd in de klas besteedde. Op mijn zestiende kon ik, met of zonder fouten, in één adem de gedichten opzeggen die ik op school had geleerd. Ik las en herlas ze, zonder hulp en ordeloos, en doorgaans heimelijk onder de les. Ik denk dat ik de onbeschrijfelijke schoolbibliotheek, die opgebouwd was uit de restanten van andere, minder bruikbare bibliotheken, in haar geheel heb gelezen: officiële verzamelingen, erfenissen van onverschillige docenten, verrassende boeken die daar waren aangespoeld afkomstig van god mag weten wat voor schipbreuk. Ik herinner me de Aldeana-boekenreeks van uitgeverij Minerva, waarvan don Daniel Samper Ortega de beschermheer was en die door het ministerie van Onderwijs verspreid werd op lagere en middelbare scholen. De reeks bestond uit honderd delen die al het goede en al het slechte bevatten van wat er tot dan toe in Colombia was geschreven, en ik nam me voor ze allemaal in genummerde volgorde te lezen tot ik erbij neerviel. Wat me nu nog doet huiveren, is dat ik die lectuur in de laatste twee jaar van het lyceum bijna had voltooid, maar dat ik in de rest van mijn leven niet heb kunnen vaststellen of ik er iets aan heb gehad.

De vroege ochtenden in de slaapzaal vertoonden een verdachte overeenkomst met geluk, afgezien van de dodelijke bel die om zes uur in de ochtend de noodklok luidde, zoals wij zeiden. Slechts twee of drie debielen sprongen uit bed om als eersten aan de beurt te zijn voor de zes douches met ijskoud water in de badkamer. Wij, de rest, benutten de tijd om de slaap tot de laatste druppeltjes uit ons te persen, en dan liep de dienstdoende leraar door de zaal en trok de dekens van de slapende jongens af. We hadden dan anderhalf uur van onthullende intimiteit waarin we onze kleren ordenden, schoenen poetsten, ons douchten onder het vloeibare ijs zonder sproeier, terwijl ieder van ons luid schreeuwend zijn frustraties de vrije loop liet en de spot dreef met die van de anderen, en liefdesgeheimen werden geschonden, handeltjes en ruzies werden besproken en het eetzaalgesjacher werd beklonken.

Het ochtendlijke onderwerp van aanhoudende discussies was het hoofdstuk dat de avond daarvoor was voorgelezen.

Guillermo Granados liet met zijn onuitputtelijke tango-repertoire vanaf het ochtendkrieken zijn tenortalent de vrije teugel. Ricardo González Ripoll, mijn buurman in de slaapzaal, en ik zongen met ons tweeën Caribische dansliedjes op de maat van de lap waarmee we onze schoenen zaten te poetsen op het hoofdeinde van het bed, terwijl mijn makker Sabas Caravallo poedelnaakt en met de handdoek over zijn pik van gewapend beton gedrapeerd van de ene naar de andere kant van de slaapzaal liep.

Als we de kans hadden gehad, dan zouden heel wat internen er in de vroege uurtjes vandoor zijn gegaan om afspraken na te komen die in het weekend waren gemaakt. Er waren geen nachtwakers of leraren in de slaapzaal, behalve de dienstdoende leraar van de week en de eeuwige portier van het lyceum, Riverita, die eigenlijk de hele dag met open ogen sliep terwijl hij zijn dagelijkse taken verrichtte. Hij woonde in het kamertje in de hal en deed zijn werk goed, maar 's avonds laat konden we de dwarsbalk van de ruwe kerkdeuren afhalen, ze zonder kabaal weer sluiten, in andermans huis van de nacht genieten en vlak voor het aanbreken van de dag door de ijskoude straten teruglopen. We zijn er nooit achter gekomen of Riverita echt de slapende dode was die hij leek, of dat het een aardige manier van hem was om medeplichtig te zijn met zijn jongens. Er waren er maar weinig die ontsnapten, en hun geheimen lagen te rotten in het geheugen van hun trouwe medeplichtigen. Ik kende een paar jongens die het uit routine deden, en andere die het een enkele keer waagden met de moed die de spanning van het avontuur hun verschafte, en die uitgeput van angst terugkwamen. Voorzover we wisten, was er nooit iemand betrapt.

Mijn enige sociale tegenslag op school waren de rampzalige, van mijn moeder geërfde nachtmerries, die als schrille kreten uit het hiernamaals de dromen van de anderen binnendrongen. Mijn bedburen kenden ze maar al te goed en vreesden ze alleen omdat ze zo schrokken bij het eerste gejammer in de stilte van de ochtend. De dienstdoende leraar, die in het bordkartonnen kamertje sliep, liep slaapwandelend van de ene kant van de slaapzaal naar de andere tot het weer rustig was geworden. Het waren niet alleen onbeheersbare dromen, maar ze hadden ook iets van doen met mijn slechte geweten, want tweemaal overkwamen ze me in verdwaalde huizen. Ze waren ook niet te interpreteren, omdat het niet ging om angstaanjagende droombeelden, maar juist om gelukkige voorvallen op alledaagse plekken of met gewone mensen die me plotseling met een onschuldige blik een onheilspellend gegeven onthulden. Nauwelijks te vergelijken met een nachtmerrie van mijn moeder, waarin ze haar eigen hoofd op schoot had en het ontdeed van de neten en de luizen die haar uit de slaap hielden. Het was geen angstgeschreeuw, maar een roepen om hulp, of iemand zo goed zou willen zijn me wakker te maken. In de slaapzaal van het lyceum was daar amper tijd voor, want bij het eerste gekreun ploften de kussens waarmee ze me vanaf de naburige bedden bekogelden, op me neer. Ik werd hijgend en met bonzend hart wakker, maar gelukkig om het feit dat ik nog leefde.

Het mooiste van het lyceum was dat we voor het slapengaan werden voorgelezen. Het initiatief hiertoe was uitgegaan van de docent Carlos Julio Calderón, die een verhaal van Mark Twain voorlas dat de leerlingen van het vijfde jaar moesten bestuderen voor een examen tijdens het eerste uur van de volgende dag. In zijn kartonnen kamertje las hij de vier pagina's hardop voor, zodat de leerlingen die geen tijd hadden gehad om het te lezen aantekeningen konden maken. De belangstelling was zo groot dat het vanaf dat moment gewoonte werd elke avond voor het slapengaan hardop voor te lezen. Dat viel in het begin niet mee, want een of andere schijnheilige leraar had als voorwaarde gesteld dat de te lezen boeken moesten worden geselecteerd en gekuist, maar omdat er een opstand dreigde, werden de boeken aan het oordeel van de oudere studenten overgelaten.

Ze begonnen met een halfuur. De dienstdoende leraar las voor in zijn goedverlichte kamertje bij de ingang van de algemene slaapzaal, en in het begin legden we hem het zwijgen op met spottende snurkgeluiden, echte of gefingeerde, maar bijna altijd verdiende. Later werd de voorleestijd tot een uur verlengd als het een interessant verhaal was, en werden de leraren in wekelijkse toerbeurten door leerlingen afgelost. De goede tijden begonnen met *Nostradamus* en *De man met het ijzeren masker*, boeken die bij iedereen in de smaak vielen. Ik heb nog steeds geen verklaring voor het overweldigende succes van *De Toverberg* van Thomas Mann, waarbij de rector moest ingrijpen om te beletten dat we de hele nacht lagen te wachten tot Hans Castorp en Claudia Chauchat elkaar zouden kussen. Of voor de ongewone spanning die er heerste terwijl we allemaal rechtop in bed zaten om geen woord van de warrige filosofische duels tussen Naphta en zijn vriend Settembrini te missen. Het lezen ging die avond een uur langer door en werd in de slaapzaal met een stormachtig applaus beloond.

De enige leraar die een van de grote onbekenden van mijn jeugd bleef, was de rector, die er bij mijn komst naar het lyceum al was. Hij heette Alejandro Ramos, een norse, solitaire man, met een bril met dikke glazen alsof hij een blinde was, en met een natuurlijk gezag, dat in elk woord doorklonk als een ijzeren vuist. Om zeven uur 's morgens kwam hij uit zijn toevluchtsoord naar beneden om voordat we de eetzaal binnengingen te inspecteren of we er netjes uitzagen. Hij droeg onberispelijke pakken in felle kleuren, een gesteven boord als van celluloid, fleurige stropdassen en blinkende schoenen. Elk smetje op onze persoonlijke netheid registreerde hij met een gegrom dat zoveel betekende als een bevel naar de slaapzaal terug te gaan en het te corrigeren. De rest van de dag sloot hij zich op in zijn kantoor op de eerste verdieping en we zagen hem niet terug voor de volgende ochtend op hetzelfde tijdstip, of terwijl hij de twaalf stappen tussen zijn kantoor en het leslokaal van het zesde jaar aflegde, waar hij drie keer per week wiskunde doceerde, de enige lessen die hij gaf. Zijn leerlingen zeiden dat hij een genie was in getallen, dat hij grapjes maakte in de klas en hen verbaasd deed staan over zijn kennis en deed sidderen van angst voor het eindexamen.

Kort na mijn komst moest ik de openingsrede voor een of andere officiële plechtigheid op het lyceum schrijven. De meeste leraren keurden mijn onderwerp goed, maar ze vonden wel dat de rector in dat soort gevallen het laatste woord had. Hij woonde op de eerste verdieping, één trap op, maar ik beleefde die afstand als een voetreis rond de wereld. Ik had de avond tevoren slecht geslapen, ik had mijn zondagse stropdas omgedaan en kon tijdens het ontbijt nauwelijks een hap door mijn keel krijgen. Ik tikte zo zachtjes op de deur van de rectorskamer dat hij pas na de derde keer kloppen opendeed en me zonder te groeten binnenliet. Gelukkig maar, want ik zou geen stem hebben gehad om zijn groet te beantwoorden, en niet alleen door zijn norsheid, maar ook omdat ik geïmponeerd was door de orde en netheid in zijn kantoor, met fraaie houten meubels met fluwelen bekleding, en wanden die gestoffeerd waren met verbazingwekkende kasten vol in leer gebonden boeken. De rector stond met vormelijke afgemetenheid te wachten tot ik weer op adem was gekomen. Vervolgens wees hij naar de bijzetfauteuil tegenover het schrijfbureau en nam plaats in de zijne.

Ik had me bijna even intensief voorbereid op de verklaring voor mijn bezoek als op de toespraak. Hij hoorde me zwijgend aan, knikte instemmend bij elke zin en keek niet naar mij, maar naar het papier dat trilde in mijn hand. Toen ik bij een of ander punt was beland dat ik wel grappig vond, probeerde ik hem een glimlach te ontlokken, maar zonder succes. Sterker nog, ik weet zeker dat hij al op de hoogte was van het doel van mijn bezoek, maar hij liet me het hele uitlegritueel afwerken.

Toen ik daarmee klaar was, stak hij over het bureau heen zijn hand uit naar het papier en nam het in ontvangst. Hij zette zijn bril af, las het met geconcentreerde aandacht en hield alleen even op om met zijn pen twee correcties aan te brengen. Hij zette zijn bril weer op en praatte tegen me zonder me aan te kijken, met een krakende stem die een schok door mijn hart deed gaan.

'We hebben hier twee problemen,' zei hij tegen me. 'U heeft geschreven: "In harmonie met de overfloedige flora van ons land, door de wijze Spanjaard José Celestino Mutis in de achttiende eeuw aan de wereld bekendgemaakt, leiden wij op dit lyceum een paradijsachtig leven." Maar het is zo dat je "overvloedig" met een v schrijft en dat het "paradijselijk" is.'

Ik voelde me vernederd. Op het eerste geval had ik geen antwoord, maar over het tweede had ik geen enkele twijfel, en ik diende hem meteen met wat ik nog aan stem overhad van repliek: 'Neemt u me niet kwalijk, meneer de rector, in het woordenboek staat zowel "paradijsachtig" als "paradijselijk", maar ik vond "paradijsachtig" mooier klinken.'

Hij moest zich net zo aangevallen voelen als ik, want hij keek me nog steeds niet aan en pakte zonder een woord te zeggen het woordenboek uit de kast. Mijn hart kromp ineen, want ik zag dezelfde Atlas als op het woordenboek van mijn grootvader, maar dit exemplaar was nieuw en schitterend en waarschijnlijk ongebruikt. Al bij de eerste poging sloeg hij het op de juiste pagina open, las en herlas de tekst en vroeg me zonder van de pagina op te kijken: 'In welk jaar zit u?'

'In het derde,' zei ik.

Hij sloot het woordenboek met het geluid van een dichtklappende val en keek me voor het eerst recht aan. 'Bravo,' zei hij. 'Ga zo verder.'

Sindsdien ontbrak het er alleen nog maar aan dat mijn klasgenoten me tot held uitriepen, en ze begonnen me zo smalend als maar mogelijk was 'die kustjongen die met de rector heeft gepraat' te noemen. Wat me echter in dat onderhoud het diepst had getroffen, was dat ik weer eens een keer met mijn persoonlijke spellingsdrama was geconfronteerd. Ik heb het nooit kunnen begrijpen. Een van mijn leraren probeerde me de genadeklap te geven met de mededeling dat Simón Bolívar zijn roem niet verdiende vanwege zijn belabberde spelling. Anderen troostten me met de smoes dat veel mensen aan die kwaal leden. Nu nog, nadat ik zeventien boeken heb gepubliceerd, zijn de correctoren van mijn drukproeven zo hoffelijk mijn vreselijke spelfouten te verbeteren alsof het simpele typefouten waren.

De feesten in Zipaquirá strookten in het algemeen met ieders roeping en karakter. De zoutmijnen, die door de Spanjaarden nog onontgonnen werden aangetroffen, waren in de weekenden een toeristische trekpleister, die werd aangevuld met gestoofde runderlapjes en in grote pannen zout gekookte aardappels. Wij, de internen van de kust, met onze welverdiende reputatie van schreeuwers en lomperiken, hadden wel de beleefdheid om als artiesten te dansen op de muziek die in de mode was en voldoende goede smaak om dodelijk verliefd te worden.

Ik werd zo'n spontaan type, dat we op de dag dat het einde van de Tweede Wereldoorlog bekend werd uit vreugde de straat opgingen met vlaggen, spandoeken en overwinningskreten. Iemand vroeg of er een vrijwilliger was die een toespraak wilde houden en ik liep zonder er zelfs maar bij na te denken naar het balkon van de sociëteit, aan het centrale plein, en hield voor de vuist weg een redevoering die gelardeerd was met hoogdravende kreten, waarvan velen dachten dat ik die uit het hoofd had geleerd.

Het was de enige toespraak in de eerste zeventig jaar van mijn leven die ik moest improviseren. Ik eindigde met een lyrische dankbetuiging aan elk van de Grote Vier, maar wat het meest de aandacht van het plein trok was de naam van de president van de Verenigde Staten, die kort tevoren overleden was: 'Franklin Delano Roosevelt, die zoals Cid de Strijder veldslagen weet te winnen na zijn dood.' Deze zin bleef verscheidene dagen in de stad zweven en werd op straataffiches gekopieerd, evenals op foto's van Roosevelt in de etalages van enkele winkels. Vandaar dat ik mijn eerste publieke succes niet als dichter of schrijver, maar als redenaar heb geboekt, en wat erger was, als politiek redenaar. Sindsdien vond er geen openbare plechtigheid van het lyceum plaats zonder dat ze me op het balkon hesen, alleen waren het toen wel tot in den treure uitgeschreven en gecorrigeerde toespraken.

In de loop der tijd heeft die brutaliteit me een plankenkoorts bezorgd die me tot aan de rand van een absoluut stilzwijgen dreef, zowel bij luisterrijke trouwpartijen als in de kroegen waar de indianen met hun poncho's en touwschoenen kwamen, waar we steevast op de grond eindigden, maar ook in het huis van Berenice, die mooi was, er geen vooroordelen op na hield en tot haar geluk niet met me is getrouwd omdat ze stapelverliefd was op een ander, en in het telegraafkantoor, waar de onvergetelijke Sarita op krediet panische telegrammen voor me verstuurde als mijn ouders achterliepen met de postwissels voor mijn privé-uitgaven, en mij meermalen de bedragen voorschoot om me uit de knoei te helpen. De onvergetelijkste vrouw was echter niet iemands liefje, maar de goede fee van de poëzieverslaafden, Cecilia González Pizano. Ze was heel intelligent, charmant en vrijgevochten, hoewel ze uit een familie met een conservatieve achtergrond kwam, en ze had een wonderbaarlijk geheugen voor alle poëzie. Ze woonde tegenover de hoofdingang van het lyceum bij een ongetrouwde, zwijgzame tante in een koloniaal huis dat omringd was door een tuin vol heliotroop. In het begin bleef onze relatie beperkt tot poëziesteekspelen, maar uiteindelijk werd Cecilia voor ons een echte, altijd lachende kameraad, die met behulp van ons allen naar binnen wist te glippen bij de literatuurlessen van Calderón.

Toen ik in Aracataca woonde, droomde ik van het goede leven van een accordeonist die mooi zingend van feest naar feest trok, omdat ik dat altijd de oudste en gelukkigste manier van verhalen vertellen heb gevonden. Als mijn moeder de piano aan de kant had geschoven om kinderen te krijgen, en mijn vader de viool had opgegeven om ons te kunnen onderhouden, was het bijna niet meer dan rechtvaardig dat hun oudste kind een mooi precedent schiep door van honger om te komen voor de muziek. Door af en toe op te treden als zanger en tiplero* in de muziekgroep van het lyceum had ik bewezen dat ik over een goed muzikaal gehoor beschikte, kon zingen en op een moeilijker instrument kon leren spelen.

Er was geen patriottische sessie of plechtige bijeenkomst van het lyceum waar ik niet op een of andere manier bij betrokken was, en altijd door bemiddeling van maestro Guillermo Quevedo Zornosa, componist en prominent figuur in de stad, eeuwige leider van het gemeentelijke muziekkorps en auteur van 'Amapola, klaproos langs de weg, bloedrood als het hart', een lied uit mijn jeugd dat in die tijd de ziel van muziekavondjes en serenades was. Zondags na de mis was ik een van de eersten die door het park liepen om naar zijn openluchtconcert te luisteren, dat steevast opende met *La gazza ladra* en eindigde met het Koor van de Hamers uit *Il trovatore*. De maestro heeft nooit geweten, en ik heb het hem ook nooit durven zeggen, dat het in die jaren mijn droom was om iemand te zijn als hij.

Toen het lyceum vrijwilligers vroeg voor deelname aan een cursus muziekwaardering, staken Guillermo López Guerra en ik als eersten onze vinger op. De cursus zou op zaterdagochtend worden gegeven door Andrés Pardo Tovar, die het eerste klassiekemuziekprogramma van La Voz de Bogotá leidde. Nog geen kwart van de voor de les aangepaste eetzaal was bezet, maar we waren onmiddellijk gefascineerd door zijn apostolische welbespraaktheid. Hij was de volmaakte cachaco, met zijn chique blazer, satijnen vest, zangerige stem en afgemeten gebaren. Wat vandaag de dag iets nieuws zou zijn omdat het antiek is, was de fonograaf met slinger, die hij met het meesterschap en de liefde van een zeehondentemmer bediende. Hij ging ervan uit, en dat klopte ook in ons geval, dat we een stel onvoorstelbare beginnelingen waren. Vandaar dat hij begon met *Het carnaval der dieren*, van Saint-Saëns, waarbij hij met kennis van zaken de aard van elk dier schetste. Daarna speelde hij – hoe kon het ook anders! – *Peter en de wolf*, van Prokofjev. Een nadeel van dat zaterdagse feest was dat ik het beschamende vooroordeel kreeg dat de muziek van de grote meesters bijna iets zondigs en geheimzinnigs was, en ik heb vele jaren nodig gehad om niet op een arrogante manier onderscheid te maken tussen goede en slechte muziek.

Ik had geen contact meer met de rector tot het jaar erna, toen hij in het vierde jaar het vak meetkunde ging geven. Hij kwam op de eerste dinsdag om tien uur 's morgens het leslokaal binnen, gromde een goedemorgen zonder iemand aan te kijken en begon het bord met de wisser schoon te vegen tot er geen stofje meer te bekennen was. Toen draaide hij zich naar ons om en vroeg, zonder de namenlijst na te lopen, aan Álvaro Ruiz Torres: 'Wat is een punt?'

Hij kreeg geen tijd om antwoord te geven, want de leraar sociale wetenschappen deed zonder te kloppen de deur open en zei tegen de rector dat er een dringend telefoontje van het ministerie van Onderwijs voor hem was. De rector snelde de klas uit om de telefoon aan te nemen en kwam niet meer terug. Nooit meer, want ze belden hem met de mededeling dat hij ontheven was van zijn functie als rector van het lyceum, een functie die hij gedurende vijf jaar nauwgezet had vervuld, en nadat hij zijn hele leven al goed werk had verricht.

Zijn opvolger was de dichter Carlos Martín, de jongste van de goede dichtersgroep Piedra y Cielo, die ik door toedoen van César del Valle in Barranquilla had ontdekt. Hij was dertig en had drie bundels gepubliceerd. Ik kende zijn gedichten en ik had hem een keertje in een boekhandel in Bogotá gezien, maar ik wist niet wat ik tegen hem moest zeggen en ik kon ook geen handtekening van hem vragen, omdat ik geen bundel van hem had. Op een maandag verscheen hij onaangekondigd in de lunchpauze. We hadden hem niet zo vlug verwacht. Hij had meer weg van een advocaat dan van een dichter, met zijn Engelse streepjespak, zijn hoge voorhoofd en zijn lijnrechte snorretje, dat dezelfde strengheid van vorm had die je ook in zijn poëzie waarnam. Hij liep met zijn afgemeten stap, bedaard en een tikje afstandelijk, naar de dichtstbijzijnde groepjes en stak zijn hand uit: 'Hallo, ik ben Carlos Martín.'

Ik was in die tijd gefascineerd door de prozagedichten die Eduardo Carranza in het literaire supplement van *El Tiempo* en in het tijdschrift *Sábado* publiceerde. Het leek me een genre dat geïnspireerd was op *Platero y yo* ('Platero en ik') van Juan Ramón Jiménez, en dat in de mode was onder de jonge dichters die de mythe van Guillermo Valencia wilden wegvagen. De dichter Jorge Rojas, die een vluchtig fortuin had geërfd, bekostigde met zijn naam en zijn banksaldo de publicatie van enkele originele bundeltjes, die veel belangstelling wekten voor zijn generatie, en hij bracht een groep goede en bekende dichters bij elkaar.

Het betekende een grondige verandering in de huiselijke relaties. Het schimmige beeld van de vorige rector werd vervangen door een duidelijk aanwezige persoon die een gepaste afstand hield, maar altijd toegankelijk was. Hij schafte de routineuze inspectie van de presentielijst van de leerlingen en andere overbodige regels af, en soms maakte hij in de avondpauze een praatje met de leerlingen.

Door die nieuwe stijl vond ik mijn eigen koers. Mogelijk had Calderón met de nieuwe rector over mij gesproken, want op een van de eerste avonden ondervroeg hij me rustig over mijn relatie tot de poëzie en ik flapte alles eruit wat ik in me had. Hij vroeg me of ik *La experiencia literaria* ('De literaire ervaring') had gelezen, een veelbesproken boek van don Alfonso Reyes.* Ik moest bekennen van niet, waarna hij het de volgende dag voor me meebracht. De helft verslond ik tijdens drie opeenvolgende lessen onder de schoolbank, en de rest tijdens de pauzes op het voetbalveld. Ik was blij dat zo'n vermaarde essayist zich met de studie van de liederen van Agustín Lara bezighield alsof het gedichten van Garcilaso de la Vega* waren, met als excuus de spitsvondige zin: 'De populaire liederen van Agustín Lara zijn geen volksliederen.' Voor mij was het alsof de poëzie oploste in de soep van het dagelijks leven.

Martín gaf het prachtige appartement van de rector op en vestigde zijn kantoor, waarvan de deur altijd openstond, op de centrale binnenplaats, waardoor hij nog dichter bij onze tertulias na het avondeten was. Met zijn vrouw en kinderen nam hij voor lange tijd zijn intrek in een goed onderhouden koloniaal pand op de hoek van het plein midden in de stad, met een werkkamer waarvan de muren bedekt waren met alle boeken waarvan een lezer die attent was op de vernieuwende smaak van die jaren maar kon dromen. Daar bezochten zijn vrienden uit Bogotá hem in het weekend, vooral zijn kameraden van Piedra y Cielo. Op een zondag moest ik voor een toevallige boodschap met Guillermo López Guerra naar zijn huis, en daar troffen we Eduardo Carranza en Jorge Rojas aan, de twee sterdichters. De rector beduidde ons met een snel gebaar om de conversatie niet te onderbreken dat we moesten gaan zitten, en zo zaten we daar een halfuur, zonder ook maar een woord te begrijpen van wat er gezegd werd, want de discussie ging over een boek van Paul Valéry, van wie we nog nooit hadden gehoord. Ik was Carranza meer dan eens in bibliotheken en cafés in Bogotá tegengekomen en ik zou hem alleen al hebben herkend aan het timbre van zijn stem en zijn vloeiende woordenstroom, die geheel pasten bij zijn dandyachtige kleding en zijn manier van doen: een dichter. Jorge Rojas daarentegen had ik vanwege zijn kleding en zijn ministeriële stijl niet herkend, tot Carranza hem bij zijn naam aansprak. Ik hunkerde ernaar getuige te zijn van een discussie over poëzie tussen de drie grootste dichters, maar het kwam er niet van. Na afloop van het gesprek legde de rector zijn hand op mijn schouder en zei tegen zijn gasten: 'Dit is een groot dichter.'

Hij zei het natuurlijk uit vriendelijkheid, maar ik voelde me als door de bliksem getroffen. Carlos Martín stond erop een foto van mij te maken samen met de twee grote dichters en voegde de daad bij het woord, maar ik heb niets meer over die foto gehoord, tot ik hem een halve eeuw later onder ogen kreeg in zijn huis aan de Catalaanse kust, waar hij zich had teruggetrokken om te genieten van een aangename oude dag.

Er waaide een frisse wind door het lyceum. De radio, die wij jongens alleen maar gebruikten als we met elkaar gingen dansen, werd door toedoen van Carlos Martín een sociaal nieuwsmedium, en voor het eerst luisterden we 's avonds naar de nieuwsberichten en bespraken we die in de pauze op de binnenplaats. Onze culturele activiteit nam toe door de oprichting van een literair centrum en de publicatie van een krant. Toen we een lijst van mogelijke kandidaten opstelden, waarbij we ons baseerden op hun duidelijke literaire voorkeuren, gaf hun aantal, dertien, de naam aan de groep: Centro Literario de los Trece ('Literair Centrum van de Dertien'). We vonden het bovendien een gelukkig toeval dat we het bijgeloof hiermee uitdaagden. De studenten hadden zelf het initiatief genomen, en wat we deden was slechts eenmaal per week samenkomen om te praten over literatuur, terwijl we in feite in onze vrije tijd, in en buiten het lyceum, al niets anders deden. Ieder van ons bracht zijn eigen werk mee, las het voor en onderwierp het aan het oordeel van de anderen. Ik was onder de indruk van dat voorbeeld en leverde een bijdrage door sonnetten voor te lezen die ik had ondertekend met het pseudoniem Javier Garcés, dat ik eigenlijk niet gebruikte om me te onderscheiden, maar om me erachter te verbergen. Het waren eenvoudige ambachtelijke oefeningen, geschreven zonder inspiratie of aspiratie, waaraan ik geen enkele poëtische waarde toekende, omdat ze niet uit mijn hart kwamen. Ik was begonnen met het schrijven van verzen in de trant van Quevedo, Lope de Vega en zelfs García Lorca, wiens achtlettergrepige verzen zo spontaan waren dat ik alleen maar hoefde te beginnen om vanzelf door te gaan. Die imitatiekoorts van mij ging zo ver dat ik me had voorgenomen elk van de veertig sonnetten van Garcilaso de la Vega in dezelfde volgorde te parodiëren. Ik schreef bovendien op verzoek van sommige internen sonnetten die ze op zondag aan hun vriendinnetjes gaven alsof ze ze zelf geschreven hadden. Een van die meisjes las me onder absolute geheimhouding ontroerd de verzen voor die haar aanbidder als door hemzelf geschreven aan haar had opgedragen.

Carlos Martín stelde ons een kleine opslagruimte aan de tweede binnenplaats van het lyceum ter beschikking, waarvan de ramen voor de veiligheid waren gebarricadeerd. We waren met zo'n vijf leden en we gaven onszelf opdrachten voor de volgende bijeenkomst. Geen van de anderen had later succes als schrijver, maar daar ging het niet om. Wat we wilden was de mogelijkheden van ieder van ons testen. We bespraken het werk van de ander en konden ons dan vreselijk opwinden, alsof het een voetbalwedstrijd was. Op een dag moest Ricardo González Ripoll midden in zo'n debat vertrekken, en betrapte toen de rector, die met zijn oor tegen de deur de discussie stond af te luisteren. Zijn nieuwsgierigheid was gerechtvaardigd, omdat hij zich niet kon voorstellen dat we ons in onze vrije uren met literatuur bezighielden.

Eind maart kregen we te horen dat onze vroegere rector, don Alejandro Ramos, zich in het parque Nacional van Bogotá een kogel door het hoofd had gejaagd. Niemand geloofde dat het aan zijn eenzelvige natuur en zijn misschien depressieve aard te wijten was, en evenmin was er een redelijk motief te bedenken waarom hij zelfmoord had gepleegd achter het monument van generaal Rafael Uribe Uribe, een strijder in vier burgeroorlogen en liberaal politicus, die op het binnenhof van het Capitolio* door twee fanatici met een bijl werd vermoord. Een delegatie van het lyceum, met aan het hoofd de nieuwe rector, was aanwezig bij de begrafenis van onze leermeester Alejandro Ramos, die iedereen zich zou blijven herinneren als iemand met wie er een einde kwam aan een tijdperk.

De belangstelling voor de landspolitiek was op het internaat vrij gering. In het huis van mijn grootouders had ik maar al te vaak horen zeggen dat na de Oorlog van Duizend Dagen het enige verschil tussen de twee partijen was dat de liberalen naar de mis van vijf uur gingen om niet gezien te worden en de conservatieven naar de mis van acht uur om voor gelovigen gehouden te worden. De echte verschillen begonnen echter dertig jaar later opnieuw een rol te spelen, toen de Conservatieve Partij de macht kwijtraakte en de eerste liberale presidenten het land probeerden open te stellen voor de nieuwe ontwikkelingen in de wereld. De Conservatieve Partij, die verslagen was vanwege de roest van haar absolute macht, stelde orde op zaken en hield schoonmaak in eigen huis, onder de verre schittering van Mussolini in Italië en in de schaduw van generaal Franco in Spanje, terwijl het eerste bewind van president Alfonso López Pumarejo, met een plejade ontwikkelde jongeren, had gepoogd de voorwaarden voor een modern liberalisme te scheppen, misschien zonder te beseffen dat zich daarmee het historisch noodlot voltrok van de tweedeling van ons land, zoals ook de wereld in tweeën was gedeeld. Het was onvermijdelijk. In een van de boeken die de leraren aan ons uitleenden, las ik een citaat dat aan Lenin werd toegeschreven: 'Als jij je niet met de politiek bemoeit, dan zal de politiek zich uiteindelijk met jou bemoeien.'

Na zesenveertig jaar reactionaire hegemonie van conservatieve presidenten begon het er echter op te lijken dat er een kans op vrede was. Drie jonge, modern ingestelde presidenten hadden de deur naar een liberaal perspectief opengezet en men leek bereid de nevels van het verleden te laten optrekken. Alfonso López Pumarejo, de opmerkelijkste van de drie en ooit een onbevreesd hervormer, liet zich in 1942 voor een tweede termijn verkiezen, en niets leek het ritme waarin de presidenten elkaar aflosten te verstoren. Vandaar dat we in mijn eerste jaar op het lyceum gefascineerd waren door de berichten over de oorlog in Europa en we het nieuws met gespannen aandacht volgden, iets wat de landelijke politiek nooit had bereikt. Kranten kwamen het lyceum alleen in heel bijzondere gevallen binnen, want normaal hadden we er geen aandacht voor. Draagbare radio's waren er niet, en de enige radio die we in de school hadden was het oude apparaat in de lerarenkamer, dat we uitsluitend om zeven uur 's avonds op zijn hardst zetten om te dansen. We hadden er geen flauw idee van dat op dat moment de bloedigste en smerigste van al onze oorlogen werd uitgebroed.

De politiek kwam met schokken het lyceum binnen. Wij verdeelden ons in groepen liberalen en conservatieven, en voor het eerst wisten we aan welke kant iedereen stond. Er kwam een interne strijdbaarheid op gang, die in het begin vriendelijk en een tikkeltje theoretisch was, maar later ontaardde in dezelfde geestesgesteldheid waardoor het rottingsproces van het land in gang was gezet. De eerste spanningen binnen het lyceum waren nauwelijks merkbaar, maar niemand twijfelde aan de positieve invloed die Carlos Martín had op een korps leraren die hun ideologie nooit onder stoelen of banken hadden gestoken. De nieuwe rector was weliswaar geen uitgesproken militant, maar hij gaf tenminste toestemming om 's avonds in de lerarenkamer naar de nieuwsberichten op de radio te luisteren, en sindsdien had het politieke nieuws de overhand op de dansmuziek. Volgens onbevestigde berichten hing er een portret van Lenin of Marx in zijn kantoor.

Het moet onder invloed van die verslechterde atmosfeer zijn geweest dat er één keer op het lyceum muiterij dreigde uit te breken. In de slaapzaal vlogen kussens en schoenen in het rond en van voorlezen en slapen kwam niets. De aanleiding daarvoor heb ik niet kunnen vaststellen, maar ik meen me te herinneren – en verscheidene medeleerlingen waren het daarin met me eens – dat de onrust was ontstaan door een episode uit het boek dat die avond werd voorgelezen: *Cantaclaro* ('Flapuit'), van Rómulo Gallegos. Een merkwaardige oproep voor een gevecht.

Carlos Martín, die met spoed was opgeroepen, beende in de doodse stilte die zijn verschijning had verwekt, verschillende malen van de ene kant van de zaal naar de andere. In een plotselinge vlaag van autoriteitsdrang, uitzonderlijk voor iemand als hij, beval hij ons de slaapzaal in pyjama en op pantoffels te verlaten en ons op de ijskoude binnenplaats op te stellen. Daar hield hij een korte preek in de cirkelvormige stijl van de Catilinariae* en in volmaakte orde keerden we terug om weer te gaan slapen. Dit was het enige incident dat ik me van onze jaren op het lyceum kan herinneren.

Mario Convers, een student die in dat jaar in de zesde klas was gekomen, zorgde voor veel opwinding met het plan een krant te maken die anders was dan de traditionele kranten van andere scholen. Hij nam als eerste contact op met mij en ik vond hem zo overtuigend dat ik er gevleid in toestemde zijn hoofdredacteur te worden, maar zonder dat ik een duidelijk idee had wat die functie inhield. De laatste voorbereidselen voor de krant vielen samen met de arrestatie van president López Pumarejo, op 8 juli 1944, door een groep hoge officieren, toen hij een officieel bezoek bracht aan het zuiden van het land. Die geschiedenis, door hemzelf verteld, is allessins de moeite waard. Misschien zonder dat hij het zich had voorgenomen, had hij tegen zijn ondervragers het prachtige verhaal opgehangen dat hij pas van de couppoging had gehoord toen hij werd bevrijd. En dit sloot zo goed aan bij de waarheden van het werkelijke leven dat de coup van Pasto een van de zoveelste lachwekkende episodes in de nationale geschiedenis werd.

Alberto Lleras Camargo, als eerste aangewezen om hem op te volgen, bedwelmde met zijn volmaakte stem en dictie via Radio Nacional het land verscheidene uren, tot president López was bevrijd en de orde weer was hersteld. Vervolgens werd de onverbiddelijke staat van beleg, met perscensuur, afgekondigd. De vooruitzichten waren onzeker. De conservatieven, die jarenlang het land hadden geregeerd sinds de onafhankelijkheid van Spanje, in 1819, lieten niet zien dat ze van plan waren het land te liberaliseren. De liberalen daarentegen beschikten over een elite van jonge liberale intellectuelen die gefascineerd waren door het lokaas van de macht, en de radicaalste en geschikste van hen was Eliécer Gaitán. Hij was een van de helden uit mijn jeugd geweest door zijn optreden tegen de repressie in het bananengebied, waarover ik sinds ik tot de jaren des onderscheids was gekomen veel had gehoord zonder het te begrijpen. Mijn grootmoeder bewonderde hem, maar ik vermoed dat ze zich in die tijd zorgen maakte over zijn communistische sympathieën. Ik had achter hem gestaan toen hij vanaf een balkon op het plein in Zipaquirá een dondertoespraak hield, en ik was onder de indruk van zijn meloenvormige schedel, zijn steile, stugge haar, zijn puur indiaanse huid en zijn donderende stemgeluid met het accent van Bogotaanse straatjongetjes, dat hij misschien uit politieke berekening aandikte. In zijn toespraak had hij het niet zoals iedereen over liberalen en conservatieven, of over uitbuiters en uitgebuitenen, maar over armen en oligarchen, een woord dat ik toen voor het eerst hoorde en waar hij in elke zin op hamerde, en ik haastte me om het in het woordenboek op te zoeken.

Gaitán was een briljante advocaat en in Rome was hij een voortreffelijke leerling geweest van Enrico Ferri, de vermaarde Italiaanse specialist in strafrecht. Hij had ter plaatse de redenaarskunsten van Mussolini bestudeerd en op het spreekgestoelte had hij wel iets van diens theatrale stijl. Gabriel

Turbay, zijn rivaal in de partij, was een erudiete, elegante arts, met een bril met fijn gouden montuur die hem een beetje op een filmacteur deed lijken. Op een recent congres van de Communistische Partij had deze onverwacht een rede afgestoken die velen had verbaasd en sommige van zijn bourgeoispartijgenoten had verontrust, maar hij vond niet dat hij met zijn woorden of daden tegen zijn liberale vorming of zijn aristocratische roeping inging. Zijn vertrouwdheid met de Russische diplomatie dateerde van 1936, toen hij in Rome, als ambassadeur van Colombia, betrekkingen met de Sovjet-Unie had aangeknoopt. Zeven jaar later, toen hij in Washington ambassadeur van Colombia in de Verenigde Staten was, formaliseerde hij die betrekkingen.

Hij had uitstekende contacten met de sovjetambassade in Bogotá, en in de Colombiaanse Communistische Partij zaten enkele met hem bevriende leiders die een verkiezingspact met de liberalen tot stand hadden kunnen brengen, waarover in die periode veel werd gesproken, maar dat nooit werd gerealiseerd. In dezelfde tijd dat hij ambassadeur in Washington was, ging in Colombia ook het hardnekkige gerucht dat hij de geheime verloofde van een beroemde Hollywoodfilmster was – Joan Crawford misschien of Paulette Goddard – maar hij heeft zijn carrière van verstokte vrijgezel nooit opgegeven.

De kiezers van Gaitán en die van Turbay hadden samen een liberale meerderheid kunnen vormen en samen hadden ze nieuwe wegen binnen dezelfde partij kunnen openen, maar afzonderlijk kon geen van beiden het verenigde en gewelddadige conservatisme verslaan.

In die kwade dagen verscheen onze *Gaceta Literaria*. Toen we het eerste nummer in handen hadden, waren we zelf verrast over de professionele uitvoering ervan, acht pagina's op tabloidformaat, met een mooie opmaak en een goede typografie. Carlos Martín en Carlos Julio Calderón waren buitengewoon enthousiast en leverden in de pauzes commentaar op sommige artikelen. Het belangrijkste artikel was op ons verzoek door Carlos Martín geschreven en hij pleitte voor een moedige bewustwording in de strijd tegen degenen die de staatsbelangen verkwanselden, tegen de opportunistische politici en tegen de speculanten die de vrije voortgang van het land blokkeerden. Het werd met een grote foto van Martín op de voorpagina afgedrukt. Er stond ook een artikel in van Convers over de Spaanse cultuur, en een prozagedicht van mij, ondertekend met 'Javier Garcés'. Convers vertelde ons dat zijn vrienden in Bogotá laaiend enthousiast waren en dat er subsidiemogelijkheden waren om het blad in groot formaat, als een krant voor alle scholen uit te brengen.

Nog voordat het eerste nummer verspreid kon worden, werd de coup in Pasto gepleegd. En dezelfde dag waarop werd verklaard dat de openbare orde was verstoord, viel de burgemeester van Zipaquirá aan het hoofd van een gewapend peloton het lyceum binnen en nam de kranten die klaarlagen om verspreid te worden in beslag. Het was een overval als in de film, en de enig mogelijke verklaring ervoor was dat een achterdochtig iemand een aanklacht had ingediend omdat de krant subversief materiaal zou bevatten. Diezelfde dag nog kwam er een bericht van het persbureau van de president van de republiek dat de krant was gedrukt zonder van tevoren onderworpen te zijn aan de censuur die onder de staat van beleg van kracht was, en Carlos Martín kreeg onaangekondigd zijn ontslag als rector.

In onze ogen was het een onzinnige beslissing, waardoor we ons zowel vernederd als belangrijk voelden. De krant had een oplage van hoogstens tweehonderd exemplaren en zou onder vrienden worden verspreid, maar we kregen te horen dat censuur onder de staat van beleg een absolute vereiste was. De vergunning werd tot nader order ingetrokken, maar een nieuwe order is er nooit gekomen.

We waren al weer vijftig jaar verder toen Carlos Martín me voor deze memoires de geheimen van dat absurde voorval onthulde. Op de dag van de inbeslagname van de *Gaceta* werd hij door de minister van Onderwijs Antonio Rocha – dezelfde die hem had benoemd – op zijn kantoor in Bogotá ontboden en deze verzocht hem ontslag te nemen. Carlos Martín trof hem aan met een exemplaar van de *Gaceta Literaria*, waarin met rood potlood enkele zinnen waren onderstreept die subversief zouden zijn. Dat hadden ze ook gedaan met zijn hoofdartikel en met dat van Mario Convers, en zelfs met een gedicht van een bekende auteur dat men verdacht vond omdat het in codetaal was geschreven. 'Als je de bijbel op deze kwaadaardige manier zou onderstrepen, zou hij ook het tegengestelde van zijn ware betekenis kunnen uitdrukken,' reageerde Carlos, die kennelijk zo razend was dat de minister dreigde dat hij de politie erbij zou halen. Hij werd tot hoofdredacteur van het tijdschrift *Sábado* benoemd, wat voor een intellectueel als hij als een geweldige promotie moest worden beschouwd. Maar hij heeft altijd het gevoel gehouden dat hij het slachtoffer was van een rechtse samenzwering. Hij was het doelwit geweest van een overval in een café in Bogotá en had op het punt gestaan terug te schieten. Door een nieuwe minister werd hij later tot chef-advocaat van de juridische afdeling benoemd, zodat hij kon bogen op een briljante carrière die ermee eindigde dat hij zich, omringd door boeken en heimwee, terugtrok in zijn vredige huis in Tarragona.

In dezelfde periode dat Carlos Martín aftrad als rector – zonder dat het uiteraard iets met hem van doen had – deed op het lyceum en in huizen en kroegen een anoniem verhaal de ronde volgens welk de liberale regering de oorlog met Peru, in 1932, als voorwendsel had gebruikt om zich met geweld staande te houden tegenover de ongebreidelde oppositie van de conservatieven. Volgens deze lezing, die zelfs via stencils werd verspreid, was het drama zonder enig politiek oogmerk begonnen toen een Peruaanse luitenant met een militaire patrouille de Amazone overstak en op de Colombiaanse oever de geheime verloofde ontvoerde van de burgemeester van Leticia, een onrustbarend mooie mulattin, La Pila genoemd, een afkorting van Pilar. Toen de Colombiaanse burgemeester de ontvoering ontdekte, trok hij met een troep gewapende dagloners de natuurlijke grens over en haalde La Pila terug van Peruaans grondgebied. Maar generaal Luis Sánchez Cerro, absoluut dictator van Peru, maakte van de schermutseling gebruik om Colombia binnen te vallen en een poging te doen de Amazonegrenzen in het voordeel van zijn land te wijzigen.

Olaya Herrera – fel bestookt door de Conservatieve Partij, die verslagen was na een halve eeuw van absolute heerschappij – riep de staat van oorlog uit, kondigde een nationale mobilisatie af, zuiverde zijn leger, zodat hij de betrouwbare mensen overhield, en stuurde troepen om de door de Peruanen geschonden gebieden te bevrijden. Een strijdkreet deed het land op zijn grondvesten schudden en zette onze jeugd in vuur en vlam: 'Leve Colombia, weg met Peru.' In de gevoelsuitbarsting die de oorlog teweegbracht, deed zelfs het verhaal de ronde dat de burgervliegtuigen van de SCADTA als oorlogseskaders werden gemilitariseerd en bewapend, en dat een van die vliegtuigen, bij gebrek aan bommen, met een bombardement van kokosnoten een stilleweekprocessie in het Peruaanse dorp Guepí uiteengedreven had. De vermaarde schrijver Juan Lozano y Lozano, die door president Olaya was opgeroepen om hem in die oorlog van wederzijdse leugens op de hoogte te houden van de waarheid, beschreef in zijn meesterlijke stijl hoe het incident zich in werkelijkheid had afgespeeld, maar de vervalste versie is lange tijd voor waar gehouden.

Generaal Luis Miguel Sánchez Cerro zag in de oorlog natuurlijk een prachtige kans om de greep van zijn ijzeren bewind te verstevigen. Olaya Herrera op zijn beurt benoemde de conservatieve generaal Alfredo Vásquez Cobo, die zich in Parijs bevond, tot bevelhebber van het Colombiaanse leger. De generaal stak op een met geschut uitgerust schip de Atlantische Oceaan over, drong de monding van de Amazone binnen en voer naar Leticia, maar toen waren de diplomaten van beide kanten de oorlog al aan het blussen.

Zonder dat er enig verband bestond met de coup in Pasto of het incident met de krant, werd Carlos Martín als rector vervangen door Óscar Espitia Brand, een beroepspedagoog en vermaard natuurkundige. Die aflossing wekte onder de internen alle mogelijke achterdocht. Vanaf de eerste begroeting huiverde ik van weerzin toen hij met onverholen verbijstering mijn dichtershaardos en woeste snor monsterde. Hij had een hard voorkomen en keek me met een strenge uitdrukking op zijn gezicht recht in de ogen. De schrik sloeg me om het hart toen ik hoorde dat hij onze leraar organische scheikunde zou worden.

Op een zaterdag van dat jaar zaten we in de bioscoop, toen halverwege de avondvoorstelling een verontruste stem door de luidspreker meedeelde dat in het lyceum een student was overleden. Het maakte zo'n indruk dat ik me niet meer kan herinneren naar welke film we toen keken, maar ik zal nooit het indringende beeld van Claudette Colbert vergeten, die op het punt stond zich vanaf een brugleuning in een woest kolkende rivier te storten. De dode was een zeventienjarige student uit het tweede jaar, die kort geleden uit de verre stad Pasto, vlak bij de grens met Ecuador, was gekomen. Tijdens een hardloopwedstrijd die door de gymnastiekleraar als weekendstraf voor zijn ongewillige leerlingen was georganiseerd, had hij ademhalingsproblemen gekregen. Het was het enige sterfgeval van een leerling tijdens mijn middelbareschooltijd, en het wekte niet alleen veel beroering op het lyceum, maar ook in de stad. Mijn schoolgenoten kozen mij uit om bij de begrafenis een afscheidswoord te zeggen. Diezelfde avond vroeg ik de nieuwe rector te spreken om hem mijn begrafenistoespraak te laten lezen, en terwijl ik zijn werkkamer binnenliep, had ik het schokkende gevoel dat er een bovennatuurlijke herhaling plaatsvond van het enige gesprek dat ik met de dode rector had gehad. Espitia las mijn toespraak met een tragische uitdrukking op zijn gezicht en keurde hem zonder verder commentaar goed, maar toen ik opstond om te vertrekken, beduidde hij me dat ik weer moest gaan zitten. Van de vele notities en verzen van mijn hand die in de pauzes heimelijk rondgingen, had hij er enkele gelezen en sommige daarvan leken hem de moeite waard om in een literair supplement te verschijnen. Terwijl ik nog bezig was mijn hardnekkige verlegenheid te overwinnen, zei hij wat hij ongetwijfeld de hele tijd al had willen zeggen. Hij gaf me het advies mijn voor een serieuze jongeman zo ongepaste dichterslokken te kortwieken, mijn borstelige snor bij te knippen en geen met bloemen en vogels bedrukte, op carnavalsbloezen lijkende hemden meer te dragen. Ik had zoiets totaal niet verwacht, maar gelukkig bleef ik kalm en gaf hem geen brutaal weerwoord. Hij had dat door, en terwijl hij een zalvende toon aansloeg, legde hij me uit dat hij bang was dat de jongere leerlingen zich door mijn dichtersreputatie net zo zouden gaan kleden als ik. Onder de indruk van het feit dat mijn poëtische gewoonten en talent door zo'n hoge autoriteit erkend werden, verliet ik zijn werkkamer geheel bereid om de rector ter wille te zijn door mijn uiterlijk voor zo'n plechtige ceremonie te veranderen. Dat ging zo ver dat ik het als een persoonlijk falen opvatte toen het postume eerbetoon op verzoek van de familie werd geannuleerd.

De begrafenis had een sinister einde. Toen de lijkkist in de bibliotheek van het lyceum stond opgesteld, had iemand ontdekt dat het glas beslagen leek. Álvaro Ruiz Torres maakte de kist op verzoek van de familie open en stelde vast dat hij vanbinnen inderdaad vochtig was. Terwijl hij tastend zocht naar de oorzaak van de damp in een hermetisch gesloten kist, drukte hij even met zijn vingertoppen op de borst van het lijk, dat een hartverscheurende kreet uitstootte. De familie raakte totaal van streek door de gedachte dat hij misschien nog leefde, tot de arts hun uitlegde dat er als gevolg van de ademstilstand lucht in de longen was achtergebleven en dat die door de druk op de borst naar buiten was geperst. Ondanks de eenvoud van de diagnose, of misschien juist daarom, waren sommigen nog steeds bang dat ze hem levend hadden begraven. In die gemoedstoestand ging ik in het vierde jaar de vakantie doorbrengen bij mijn familie, in de vurige hoop mijn ouders te kunnen vermurwen, zodat ik niet meer naar school hoefde.

Ik ging in Sucre onder een onzichtbare motregen van boord. De stenen wal van de haven leek me anders dan die uit mijn herinnering. Het plein was kleiner en kaler dan ik had gedacht, en de kerk en het wandelpad maakten onder de gesnoeide amandelbomen een hulpeloze indruk. De kleurige slingers in de straten kondigden het kerstfeest aan, maar het wekte niet de emotie van andere keren bij me op en ik herkende niemand van het handjevol mannen met paraplu's dat op de kade stond te wachten, tot een van hen met zijn onmiskenbare accent en stembuiging in het voorbijgaan tegen me zei: 'Hoe staat het ermee?'

Het was mijn vader, die er een beetje uitgemergeld uitzag omdat hij was afgevallen. Hij droeg niet het witlinnen pak waaraan je hem vanaf zijn jonge jaren al op afstand herkende, maar een gewone broek, een tropenhemd met korte mouwen en een merkwaardige opzichtershoed. Mijn broer Gustavo was met hem meegekomen, maar die herkende ik niet omdat hij met zijn negen jaar ineens omhoog was geschoten.

Gelukkig had de familie haar armeluismoed nog, en het avondeten leek speciaal klaargemaakt om me duidelijk te maken dat hier mijn huis was en nergens anders. Het goede nieuws aan tafel was dat mijn zuster Ligia de loterij had gewonnen. Het was ermee begonnen, zo vertelde ze zelf, dat onze moeder had gedroomd dat haar vader in de lucht had geschoten om een dief te verjagen, die hij had verrast toen deze bezig was in te breken in het oude huis in Aracataca. Mijn moeder vertelde die droom volgens de familiegewoonte tijdens het ontbijt en ze suggereerde dat ze een loterijbriefje moesten kopen waarvan het laatste cijfer een zeven was, want dit cijfer had dezelfde vorm als de revolver van grootvader. Het geluk liet hen in de steek met het lot dat mijn moeder op krediet had gekocht om het later met het geld van de prijs te kunnen betalen. Maar Ligia, die toen elf jaar was, vroeg dertig centavo aan mijn vader om het lot dat niet gewonnen had te betalen, en nog eens dertig om de week erna met hetzelfde bijzondere nummer door te kunnen gaan: 0207.

Onze broer Luis Enrique verstopte het loterijbriefje om Ligia te laten schrikken, maar de maandag erna schrok hij zelf nog erger toen hij haar het huis hoorde binnenstormen terwijl ze als een bezetene schreeuwde dat ze de loterij had gewonnen. Want haar broer had zijn kwajongensstreek zo haastig uitgehaald dat hij vergeten was waar hij het biljet verstopt had, en tijdens de verwarrende zoektocht moesten ze kleerkasten en hutkoffers leegmaken en het hele huis van de woonkamer tot aan de wc's op zijn kop zetten. Maar verontrustender dan dit alles was het kabbalistische bedrag van de prijs: 770 peso.

Het slechte nieuws was dat mijn ouders eindelijk gevolg hadden gegeven aan hun droom om Luis Enrique naar de tuchtschool Fontidueño, in Medellín, te sturen, in de overtuiging dat het een school voor ongehoorzame kinderen was, maar ze wisten niet wat het in werkelijkheid was: een gevangenis voor sociale heraanpassing van buitengewoon gevaarlijke jonge delinquenten.

Mijn vader had het definitief besloten op de dag dat hij zijn dwarse zoon wegstuurde om een rekening voor de apotheek te innen, en in plaats dat Luis Enrique de acht peso die hij ontving aan zijn vader overhandigde, kocht hij er een goede tiple voor en leerde er als een maestro op spelen. Toen mijn vader het instrument in huis ontdekte zei hij er niets over, maar hij bleef zijn zoon naar het geld van de rekening vragen en kreeg dan altijd te horen dat de winkelierster geen geld had om haar schuld te betalen. Ongeveer twee maanden later hoorde Luis Enrique mijn vader een geïmproviseerd lied zingen waarbij hij zichzelf op de tiple begeleidde: 'Kijk me hier eens spelen op de tiple, die me acht peso heeft gekost.'

We zijn er nooit achter gekomen hoe hij wist waar de tiple vandaan kwam, of waarom hij had gedaan of hij niets had gemerkt van de boevenstreek van zijn zoon, maar deze nam de benen tot mijn moeder haar man gekalmeerd had. We hebben mijn vader toen voor het eerst horen dreigen dat hij Luis Enrique naar de tuchtschool in Medellín zou sturen, maar niemand schonk er veel aandacht aan, want hij had ook het plan aangekondigd dat hij mij naar het seminarie in Ocaña wilde sturen, niet als straf voor iets maar vanwege de eer een priester in huis te hebben, en het heeft hem meer tijd gekost dit te bedenken dan het te vergeten. De tiple was echter de druppel die de emmer deed overlopen.

De toelating tot de tuchtschool was alleen mogelijk als een kinderrechter dat besluit nam, maar mijn vader wist het gebrek aan de vereiste papieren met behulp van vrienden en met een aanbevelingsbrief van de aartsbisschop van Medellín, monseigneur García Benítez, te omzeilen. Luis Enrique van zijn kant gaf weer eens blijk van zijn goede inborst door zich vrolijk te laten meevoeren alsof hij naar een feest ging.

De vakanties zonder hem waren heel anders. Hij had zich als beroepsmusicus aangesloten bij Filadelfo Velilla, de magische kleermaker en meesterlijke tiplespeler, en natuurlijk bij maestro Valdés. Het ging allemaal heel makkelijk. Als we van die opwindende dansfeesten van de rijken terugkwamen, werden we in de duisternis van het park met allerlei verleidingskunsten belegerd door zwermen heimelijke aspirantlichtekooien. Ik stelde een meisje dat vlak langs me liep maar niet bij hen hoorde, per ongeluk voor met me mee te gaan, en zij antwoordde me met voorbeeldige logica dat ze niet kon omdat haar man thuis lag te slapen. Twee avonden later vertelde ze me echter dat ze driemaal per week de balk voor de deur aan de straatkant eraf zou laten, zodat ik zonder kloppen kon binnenkomen als haar man er niet was.

Ik herinner me haar naam en familienaam, maar ik noem haar liever zoals toen: Nigromanta. Met kerst zou ze twintig worden en ze had een Abessijns profiel en een cacaokleurige huid. Ze was een vrolijke bedgenote, had onstuimige en verdrietige orgasmen en een instinct voor de liefde dat niet van een menselijk wezen maar van een woeste rivier leek te zijn. Vanaf de eerste aanval gingen we als dollen tekeer. Haar man had, net als Juan Breva,* een kolossaal lichaam en een meisjesstem. Hij was politiefunctionaris geweest in het zuiden van het land en genoot de slechte reputatie dat hij liberalen doodde om zijn schietvaardigheid niet kwijt te raken. Ze woonden in een kamer die door een bordpapieren wand in tweeën was gedeeld, met een deur naar de straat en een andere naar het kerkhof. De buren klaagden dat zij de vredige rust van de doden verstoorde met haar kreten van gelukkig teefje, maar hoe harder ze jammerde, hoe gelukzaliger de doden moesten zijn met het feit dat ze door haar gestoord werden.

In de eerste week moest ik om vier uur 's ochtends uit de kamer wegglippen, want we hadden ons in de datum vergist en de politieman kon elk moment terugkomen. Ik vertrok door de deur naar het kerkhof, tussen dwaallichten en het geblaf van necrofiele honden door. Op de tweede brug over het kanaal zag ik een enorme gedaante aankomen, die ik pas herkende toen we elkaar passeerden. Het was de sergeant in eigen persoon, en als ik vijf minuten langer had getreuzeld zou hij me in zijn huis hebben aangetroffen.

'Goedendag, blanke,' groette hij me vriendelijk.

Ik antwoordde zonder overtuiging: 'God behoede u, sergeant.'

Hij bleef staan en vroeg me om een vuurtje. Ik gaf het hem, terwijl ik vlak bij hem stond om de lucifer tegen de vroegeochtendwind te beschermen. Toen hij met de brandende sigaret wegliep, zei hij goedgeluimd: 'Je stinkt uren in de wind naar hoer.'

Mijn schrik duurde korter dan ik verwachtte, want de woensdag erna was ik opnieuw in slaap gevallen en toen ik mijn ogen opendeed, stuitte ik op mijn gekrenkte rivaal, die me vanaf het voeteneind van het bed zwijgend aankeek. Ik was zo panisch van angst dat het me moeite kostte door te gaan met ademen. Nigromanta, net als ik naakt, probeerde tussenbeide te komen, maar haar man duwde haar met de loop van zijn revolver opzij.

'Bemoei je er niet mee,' zei hij tegen haar. 'Geklooi in bed regelen we met een kogel.'

Hij legde de revolver op tafel, ontkurkte een fles rietsuikerrum en zette die naast de revolver, waarna we tegenover elkaar gingen zitten en het zwijgend op een drinken zetten. Ik had geen flauw benul wat hij van plan was, maar als hij me had willen doden, zou hij het zonder al die omhaal hebben gedaan, dacht ik. Even later kwam Nigromanta tevoorschijn, met een laken om zich heen geslagen en met een air alsof ze naar een feest ging, maar hij richtte zijn revolver op haar.

'Dit zijn mannenzaken,' zei hij.

Met een sprongetje verdween ze achter de tussenwand.

We hadden de eerste fles achterovergeslagen toen het begon te plenzen. Hij ontkurkte de tweede fles, drukte de loop van de revolver tegen zijn slaap en keek me met koude ogen strak aan. Vervolgens haalde hij de trekker helemaal over, maar er klonk een droge klik. Terwijl hij me de revolver overhandigde, kon ik het beven van mijn hand nauwelijks beheersen.

'Jouw beurt,' zei hij.

Ik had voor het eerst een revolver in handen en het verbaasde me dat hij zo zwaar en warm was. Ik wist niet wat ik moest doen. Ik was overdekt met ijskoud zweet en mijn buik was gevuld met brandend schuim. Ik wilde iets zeggen, maar ik had geen stem. Het kwam niet in me op om op hem te schieten, en ik gaf hem de revolver terug zonder me te realiseren dat dit mijn enige kans geweest was.

'Wat krijgen we nou? Schijt je in je broek?' vroeg hij met gelukkige minachting. 'Had maar beter nagedacht voordat je kwam.'

Ik had hem kunnen zeggen dat stoere binken ook in hun broek schijten, maar ik besefte dat ik het lef niet had om dodelijke grappen te maken. Hij opende vervolgens het magazijn van de revolver, haalde de enige huls eruit en smeet hem op tafel: hij was leeg. Er maakte zich geen gevoel van opluchting, maar van verschrikkelijke vernedering van me meester.

De stortbui nam voor vieren in kracht af. We waren beiden zo uitgeput door de spanning, dat ik me niet meer herinner op welk moment hij beval dat ik me moest aankleden, en ik volgde zijn bevel op met een zeker plechtig rouwbetoon. Pas toen hij weer ging zitten, zag ik dat hij het was die huilde. Overvloedig en schaamteloos, alsof hij met zijn tranen te koop liep. Ten slotte veegde hij ze met de rug van zijn hand weg, snoot zijn neus met zijn vingers en stond op.

'Weet je waarom je hier springlevend vertrekt?' vroeg hij. En hij gaf zelf het antwoord: 'Omdat je vader de enige was die me van een rottige druiper heeft afgeholpen waar niemand in drie jaar wat aan had kunnen doen.'

Hij gaf me een stevige klap op de schouder en duwde me de straat op. Het regende nog steeds en de straten in het dorp stonden blank, en dus waadde ik, verbijsterd dat ik nog leefde, met het water tot aan mijn knieën door de beek.

Ik weet niet hoe mijn moeder dat incident ter ore was gekomen, maar in de dagen erna deed ze haar uiterste best om te beletten dat ik 's avonds het huis verliet. Intussen ging ze precies zo met me om als ze met mijn vader gedaan zou hebben, met afleidingsmanoeuvres die niet veel uithaalden. Ze zocht naar aanwijzingen dat ik mijn kleren buitenshuis had uitgetrokken, ontdekte parfumsporen waar ze niet waren, en maakte voordat ik de straat opging zware maaltijden voor me klaar, in het bijgelovige idee dat haar man noch haar zonen de liefde zouden durven bedrijven als ze in katzwijm lagen door het eten. Toen ze op een avond geen smoezen meer kon bedenken om me tegen te houden, ging ze tegenover me zitten en zei: 'Ze zeggen dat je iets met de vrouw van een politieman hebt en dat hij gezworen heeft jou overhoop te schieten.'

Het lukte me haar ervan te overtuigen dat het niet waar was, maar het gerucht bleef rondgaan. Nigromanta stuurde me boodschappen dat ze alleen was, dat haar man op dienstreis was en dat ze hem al een tijdlang uit het oog had verloren. Ik deed altijd mijn uiterste best om hem niet tegen te komen, maar hij haastte zich om me van een afstand te groeten met een gebaar dat zowel verzoenend als dreigend kon zijn. Tijdens de vakantie in het jaar daarna zag ik hem voor het laatst op een avond dat ik aan het doorzakken was en hij me een glas pure rum aanbood, dat ik niet durfde te weigeren.

Ik weet niet door wat voor goochelkunsten mijn leraren en medescholieren, die me altijd als een eenzelvige student hadden beschouwd, me in het vijfde jaar begonnen te zien als een poète maudit en als erfgenaam van de informele sfeer die op school had geheerst in de tijd van Carlos Martín. Zou ik, om meer aan dat beeld te beantwoorden, soms daarom op mijn vijftiende met roken begonnen zijn? De eerste klap kwam hard aan. Ik lag de halve nacht op de vloer van de badkamer in mijn eigen braaksel dood te gaan. Uitgeput stond ik 's morgens op, maar in plaats van dat de kater van de tabak me afstootte, kreeg ik er een onweerstaanbare begeerte van om door te gaan met roken. Zo begon mijn leven als verstokte roker, en dat ging zo ver dat ik geen zin kon bedenken zonder een mond vol rook. Op het lyceum mocht je alleen tijdens de pauzes roken, maar ik vroeg onder elke les een paar keer toestemming om naar de wc te gaan, uitsluitend om mijn rooklust te bevredigen. Op die manier bracht ik het tot drie pakjes van twintig sigaretten per dag, en als het een opwindende avond was werden het er vier. In een bepaalde periode, toen ik al van school af was, dacht ik dat ik gek werd van de droogte in mijn keel en de pijn in mijn botten. Ik besloot het roken eraan te geven, maar ik hield het nog geen twee hunkerende dagen vol.

Ik weet niet of het daardoor kwam, en door de steeds gedurfdere taken die mijn leraar Calderón me oplegde en de boeken over literaire theorie die hij me bijna dwong te lezen, maar ik begon met steeds meer gemak verhalen te schrijven. Nu ik mijn leven nog eens doorloop, herinner ik me dat mijn opvatting over het korte verhaal tamelijk primair was, ondanks de vele die ik had gelezen sinds ik me voor het eerst verbaasde over de *Duizend-en-één-nacht*. Tot ik me waagde aan de gedachte dat de door Sheherazade vertelde wonderen in het dagelijkse leven van die tijd echt gebeurden, en dat ze ophielden te gebeuren door de ongelovigheid en de nuchtere lafhartigheid van de generaties daarna. Het leek me dan ook onmogelijk dat iemand uit onze tijd opnieuw zou geloven dat je over steden en bergen kon vliegen op een tapijt of dat een slaaf uit Cartagena de Indias voor straf tweehonderd jaar in een fles kon leven, tenzij de schrijver van het verhaal in staat was om het zijn lezers te laten geloven.

Ik had een hekel aan alle lessen, behalve aan de literatuurlessen, waarvoor ik de stof uit mijn hoofd leerde en waarin ik een unieke hoofdrol speelde. Ik had genoeg van leren en liet alles aan de genade van het lot over. Ik had een speciaal instinct om de belangrijkste punten van elk vak aan te voelen, en bijna te kunnen raden wat de leraren het meest interesseerde, waardoor ik de rest niet hoefde te leren. De waarheid is dat ik niet begreep waarom ik talent en tijd moest opofferen aan vakken die me niet raakten en waaraan ik toch niets zou hebben in een leven dat niet het mijne was.

Ik waag het te geloven dat het merendeel van mijn leraren

me eerder cijfers gaf voor mijn manier van doen dan voor mijn examens. Ik redde het dankzij mijn onverwachte antwoorden, idiote invallen en dwaze verzinsels. Aan het eind van het vijfde jaar, dat gepaard ging met academische schokken die ik niet langer de baas kon, werd ik me echter bewust van de grenzen van mijn kunnen. Mijn middelbareschooltijd was tot dan toe een met wonderen geplaveide weg geweest, maar in mijn hart wist ik dat me aan het eind van het vijfde jaar een onneembare vestingmuur wachtte. De onverbloemde waarheid was dat het me ontbrak aan de wil, de roeping, de zin voor orde en het geld om aan een universitaire studie te beginnen; bovendien kan ik niet goed spellen. Beter gezegd, de jaren vlogen voorbij en ik had niet het geringste idee wat ik met mijn leven wilde, en het zou nog een tijd duren voordat het tot me doordrong dat zelfs het gevoel dat ik een nederlaag had geleden gunstig voor me was, want voor een schrijver is alles in deze of de andere wereld van nut.

Met het land ging het al niet veel beter. Opgejaagd door de felle oppositie van de reactionaire conservatieven had Alfonso López Pumarejo op 31 juli 1945 zijn functie als president van de republiek neergelegd. Hij werd opgevolgd door Alberto Lleras Camargo, die door het Congres was aangewezen om het laatste jaar van de presidentiële termijn vol te maken. Met zijn inaugurele rede, zijn rustige stem en zijn voortreffelijke stijl zette Lleras zich aan de illusoire taak om de gemoederen in het land te kalmeren ten behoeve van nieuwe presidentsverkiezingen.

Door bemiddeling van monseigneur López Lleras, een neef van de nieuwe president, kreeg de rector van het lyceum toestemming voor een speciaal onderhoud met de president waarin hij financiële steun van de regering wilde vragen voor een studiereis naar de Atlantische kust. Ik weet niet waarom de rector mij uitkoos om hem te vergezellen, op voorwaarde dat ik mijn woeste bos haar en mijn ruige snor een beetje zou fatsoeneren. De andere genodigden waren Guillermo López Guerra, een bekende van de president, en Álvaro Ruiz Torres, een neef van Laura Victoria, een om haar gewaagde thema's beroemde dichteres uit de generatie van Los Nuevos ('De Nieuwen'), waartoe ook Lleras Camargo behoorde. Ik had geen keus: op een zaterdagavond, terwijl Guillermo Granados in de slaapzaal een roman voorlas die niets met mijn geval van doen had, knipte een leerling-kapper uit het derde jaar mijn haar in een rekrutencoupe en bewerkte mijn snor tot een tangosnorretje. De rest van de week verdroeg ik de plagerijen van de interne en de externe leerlingen over mijn nieuwe uiterlijk. Het bloed stolde in mijn aderen bij de gedachte alleen al dat ik het presidentiële paleis zou binnengaan, maar dat was een vergissing van mijn hart, want het enige teken van het mysterie van de macht dat we daar aantroffen was een goddelijke stilte. Nadat we korte tijd in de antichambre met wandtapijten en satijnen gordijnen gewacht hadden, leidde een militair ons naar de werkkamer van de president.

Lleras Camargo vertoonde een uitzonderlijke gelijkenis met zijn portretten. Ik was geïmponeerd door zijn driehoekige schouders in een onberispelijk gabardine pak, zijn geprononceerde jukbeenderen, zijn perkamenten bleekheid, zijn kwajongenstanden, waar de cartoonisten zo van smulden, zijn trage gebaren en de manier waarop hij je een hand gaf en je daarbij recht in de ogen keek. Ik weet niet meer wat voor idee ik had over hoe presidenten eruitzagen, maar ik wist wel dat ze niet allemaal waren zoals hij. Toen ik hem in de loop van de tijd beter leerde kennen, besefte ik dat hij zelf misschien nooit zou weten dat hij bovenal een verdoolde schrijver was.

Nadat hij de rector met opvallende aandacht had aangehoord, maakte hij een paar ter zake doende opmerkingen, maar hij wilde geen besluit nemen zonder eerst de drie studenten gehoord te hebben. Dat deed hij met evenveel aandacht, en we voelden ons gevleid dat we met hetzelfde respect en dezelfde vriendelijkheid behandeld werden als de rector. We hadden aan de laatste twee minuten genoeg om vast te stellen dat hij meer van poëzie dan van riviervaart af wist en er zeker meer belangstelling voor had.

Hij gaf ons alles wat we vroegen, en beloofde bovendien dat

hij vier maanden later het jaarlijkse eindfeest van het lyceum zou bijwonen. Hij kwam inderdaad, alsof het een zeer plechtige regeringsceremonie was, en moest onbedaarlijk lachen om de klucht die we ter ere van hem opvoerden. Tijdens de slotreceptie vermaakte hij zich net als de studenten en kregen we een heel ander beeld van hem, en ook kon hij de studentikoze verleiding niet weerstaan zijn been uit te steken toen de persoon die bezig was glazen rond te brengen langs hem liep en hem ternauwernood kon ontwijken.

Nog helemaal in de stemming van het overgangsfeest ging ik voor de vijfde keer de vakantie bij mijn familie doorbrengen en kreeg als eerste het zeer heuglijke nieuws te horen dat mijn broer Luis Enrique na anderhalf jaar tuchtschool weer thuis was. Ik stond opnieuw verbaasd over zijn goedaardigheid. Hij voelde geen greintje wrok om zijn straf tegen wie dan ook en vertelde met onverwoestbare humor over zijn rampzalige belevenissen. Tijdens zijn gevangenisoverpeinzingen was hij tot de slotsom gekomen dat onze ouders hem te goeder trouw naar de tuchtschool hadden gestuurd. De bisschoppelijke bescherming had hem echter niet behoed voor de zware beproevingen van het dagelijkse leven in de gevangenis, maar in plaats van dat hij erdoor was verpest, waren zijn karakter en zijn goede gevoel voor humor erdoor verrijkt.

Zijn eerste baan na terugkomst was de functie van secretaris op het gemeentehuis van Sucre. Een tijdje later kreeg de burgemeester plotseling last van maagstoornissen en iemand schreef hem een tovermiddel voor dat pas op de markt was gekomen: Alka-Seltzer. In plaats van het tablet op te lossen in water slikte de burgemeester het als een gewone pil door, en het was een wonder dat hij niet door het onstuitbare gebruis in zijn maag was gestikt. Nog voordat hij van de schrik was bekomen, schreef hij zichzelf een paar dagen rust voor, maar hij had politieke redenen om zich niet door een van zijn wettige waarnemers te laten vervangen, zodat hij zijn functie tijdelijk overdroeg aan mijn broer. Door dat merkwaardige toeval werd Luis Enrique, zonder dat hij er de vereiste leeftijd voor had, de jongste burgemeester in de geschiedenis van de gemeente.

Waar ik me tijdens die vakantie echt zorgen om maakte, was dat ik met zekerheid wist dat mijn familie diep in haar hart haar toekomst baseerde op haar verwachtingen ten aanzien van mij, en alleen ik was ervan overtuigd dat het ijdele illusies waren. Een paar losse opmerkingen van mijn vader tijdens het eten maakten me duidelijk dat we eens uitgebreid moesten praten over onze gemeenschappelijke lotsbestemming en mijn moeder haastte zich dat te bevestigen. 'Als het zo doorgaat,' zei ze, 'zullen we vroeg of laat naar Cataca moeten terugkeren.' Maar na een snelle blik van mijn vader corrigeerde ze zichzelf: 'Of waar dan ook naartoe.'

Het was duidelijk: voor de familie was de mogelijkheid van een nieuwe verhuizing naar elders al een vast onderwerp van gesprek, en dat was niet zozeer vanwege het morele klimaat, als wel voor een betere toekomst van de kinderen. Tot dan toe had ik me getroost met de gedachte dat ik het dorp en de inwoners, en zelfs mijn familie, verantwoordelijk kon houden voor het gevoel van verslagenheid waaronder ik gebukt ging. Maar mijn vader met zijn dramatisch talent onthulde weer eens dat je altijd een schuldige kunt vinden, zolang je het zelf maar niet hoeft te zijn.

Wat ik in de lucht voelde hangen, was iets veel zwaarders. Mijn moeder leek zich alleen te bekommeren om de gezondheid van Jaime, haar jongste zoon, die zijn zwakke gestel van zesmaands kindje niet te boven was gekomen. Het grootste deel van de dag lag ze, bevangen door droefheid en de vernederende hitte, naast hem in haar hangmat in de slaapkamer, en het huis begon te merken dat ze het verwaarloosde. Het leek wel of mijn broers en zusters geen moeder meer hadden. De orde van de maaltijden was zo verslapt dat we niet op vaste tijden aten, maar alleen als we honger hadden. Mijn vader, de huiselijkste van alle mannen, zat de hele dag vanuit de apotheek naar het plein te staren en ging 's avonds als een verslaafde biljarten in de biljartclub. Op een dag kon ik de spanning niet langer verdragen. Ik ging naast mijn moeder in de hangmat liggen, wat ik als kind niet kon, en vroeg haar wat het geheim was dat we in het huis inademden. Ze zuchtte een keer heel diep om haar stem niet te laten trillen en stortte haar hart voor me uit: 'Je vader heeft een kind buiten de deur.'

Door de opluchting die ik in haar stem bespeurde, besefte ik hoe gespannen ze op mijn vraag had gewacht. Ze had de waarheid ontdekt door de helderziendheid van de jaloezie toen een van de dienstmeisjes naar huis was gekomen met het opgewonden bericht dat ze mijn vader had zien telefoneren in het telegraafkantoor. Voor een jaloerse vrouw was dat genoeg. Het was de enige telefoon in het dorp en ook de enige voor interlokale gesprekken, waar je van tevoren een afspraak voor moest maken, de wachttijden waren onzeker en de minuten zo duur dat je er alleen in de allerdringendste gevallen gebruik van maakte. Elk telefoontje, hoe simpel ook, wekte een ondeugende opwinding in de gemeenschap rondom het plein. Toen mijn vader thuiskwam, hield mijn moeder hem dan ook zonder iets te zeggen in de gaten, tot hij een papiertje verscheurde dat hij in zijn zak had en waar de aankondiging van een rechtsgeding op stond wegens misbruik van zijn beroep. Mijn moeder wachtte de gelegenheid af om hem op de man af te vragen met wie hij had getelefoneerd. Het was zo'n veelzeggende vraag dat mijn vader niet onmiddellijk een geloofwaardiger antwoord bij de hand had dan de waarheid: 'Ik heb met een advocaat gesproken.'

'Ja, dat weet ik,' zei mijn moeder. 'Waar ik behoefte aan heb en wat ik verdien, is dat jij het me zelf eerlijk vertelt.'

Mijn moeder bekende me later dat ze eigenlijk verschrikkelijk bang was geweest voor de beerput die ze argeloos had kunnen openen, want hij had haar de waarheid alleen maar durven vertellen omdat hij dacht dat ze alles al wist. Of omdat hij vond dat hij het haar gewoon móest vertellen.

Zo ging het ook. Mijn vader bekende dat hij een dagvaarding had gekregen voor een strafzaak tegen hem vanwege het feit dat hij in zijn spreekkamer een zieke vrouw zou hebben misbruikt die hij met morfine onder narcose had gebracht. Die zaak zou zich hebben voorgedaan in een vergeten gehucht waar hij korte perioden had doorgebracht om zieken te behandelen die geen geld hadden. Hij leverde meteen een bewijs van zijn oprechtheid: het melodrama van de verdoving en de verkrachting was een misdadige leugen van zijn vijanden, maar het kind was van hem en het was onder normale omstandigheden verwekt.

Voor mijn moeder was het niet eenvoudig een schandaal te vermijden, want een zeer gewichtig iemand trok in de schaduw aan de touwtjes van het complot. We hadden het precedent van Abelardo en Carmen Rosa, die in verschillende perioden bij ons hadden gewoond en van wie we allemaal hielden, maar die beiden vóór het huwelijk van mijn ouders waren geboren. Mijn moeder wist echter haar wrok over de bittere pil van het nieuwe kind en de ontrouw van haar echtgenoot ook te overwinnen, en ze ging samen met hem openlijk de strijd aan tot de praatjes over de verkrachting de kop waren ingedrukt.

De vrede keerde terug in de familie. Kort daarna kwamen er echter uit dezelfde streek vertrouwelijke berichten over een meisje van een andere moeder, dat door mijn vader als zijn kind was erkend en in treurige omstandigheden verkeerde. Mijn moeder verdeed geen tijd aan ruzies en vermoedens, maar stortte zich in het gevecht om het kind, dat ze in huis wilde nemen. 'Dat deed Mina ook met al die loslopende kinderen van mijn vader,' zei ze bij die gelegenheid, 'en ze heeft er nooit spijt van hoeven te hebben.' En zo kreeg ze op eigen kracht gedaan dat het meisje, zonder publieke ophef, naar haar toe werd gestuurd en nam ze het te midden van haar al talrijke kroost op.

Dat alles behoorde tot het verleden, toen mijn broer Jaime op een feest in een ander dorp een jongen ontmoette die sprekend op onze broer Gustavo leek. Het was de zoon om wie de rechtszaak was gevoerd, en die door zijn moeder al fatsoenlijk was grootgebracht en behoorlijk verwend. Maar onze moeder ondernam allerlei stappen en bracht hem mee naar huis om bij ons te wonen, terwijl we al met zijn elven waren, en ze hielp hem een vak te leren en richting te geven aan zijn leven. Ik kon toen mijn verbazing niet verbergen dat zo'n hallucinatorisch jaloerse vrouw als zij in staat was tot dat soort handelingen, en ze reageerde daarop met een zinnetje dat ik sindsdien als een diamant koester: 'Ik kan het eigen bloed van mijn kinderen toch niet zomaar laten rondzwerven.'

Ik zag mijn broers en zusters alleen maar in de jaarlijkse vakanties. Na elke reis kostte het me meer moeite ze te herkennen en een nieuw familielid in mijn geheugen op te slaan. Behalve de doopnaam hadden we allemaal nog een andere naam, die we voor het dagelijkse gemak van de familie kregen, en dat was geen afkorting maar een toevallige bijnaam. Mij noemden ze vanaf het moment van mijn geboorte Gabito, een ongewone afkorting van Gabriel aan de kust van La Guajira, maar ik heb altijd het gevoel gehad dat het mijn doopnaam is en Gabriel de afkorting. Iemand die zich over onze grillige heiligenkalender verbaasde, vroeg ons waarom onze ouders hun kinderen niet liever meteen met hun bijnaam hadden laten dopen.

De tolerantie van mijn moeder was echter ver te zoeken in haar houding tegenover de twee oudste dochters, Margot en Aida, omdat ze hen met dezelfde strengheid behandelde als waarmee haar moeder haar had behandeld vanwege haar verstokte liefde voor mijn vader. Ze wilde naar een ander dorp verhuizen. Maar mijn vader, tegen wie je dat normaal geen twee keer hoefde te zeggen of hij pakte zijn koffers om de wereld in te trekken, lag ditmaal dwars. Het duurde een paar dagen voordat ik erachter kwam dat zij problemen had met de vrijage van haar twee oudste dochters met twee jongemannen, die uiteraard verschillend waren maar wel dezelfde naam hadden: Rafael. Toen ik dat hoorde kon ik mijn lachen niet houden, want ik herinnerde me het gruwelverhaal dat mijn vader en moeder hadden moeten doorstaan, en dat zei ik ook tegen haar.

'Dat is niet hetzelfde,' zei ze.

'Dat is wel hetzelfde,' hield ik vol.

'Goed,' gaf ze toe, 'het is hetzelfde, maar dan tweemaal tegelijk.'

Zoals haar destijds ook was gebeurd, waren er geen argumenten of voorstellen tegen in te brengen. Mijn zusters hebben nooit geweten hoe het kwam dat hun ouders het wisten, want ieder van hen afzonderlijk had voorzorgen genomen om niet ontdekt te worden. Maar ze waren de getuigen vergeten: mijn zusters hadden zich enkele keren als bewijs van hun onschuld door jongere broertjes of zusjes laten vergezellen. Het frappantste was dat mijn vader meedeed aan het bespieden, niet rechtstreeks, maar met hetzelfde passieve verzet dat mijn grootvader Nicolás tegen zijn dochter had gebruikt.

'Als we op een dansfeest waren, kwam mijn vader binnen en nam ons mee naar huis als hij zag dat de twee Rafaels er ook waren,' vertelde Aida Rosa later in een interview in een krant. Ze gaven hun geen toestemming voor een uitstapje of een bioscoopbezoek, of ze stuurden iemand met hen mee die hen niet uit het oog verloor. Beiden verzonnen los van elkaar zinloze smoesjes om zich aan hun liefdesafspraakjes te kunnen houden, en dan dook daar steeds weer een onzichtbaar spook op dat hen verraadde. Ligia, hun jongere zusje, kreeg de slechte reputatie van spionne en verklikster, maar ze verontschuldigde zich met het argument dat jaloezie onder broers en zusters een andere vorm van liefde was.

Tijdens die vakantie probeerde ik een goed woordje voor hen te doen bij mijn ouders om te bereiken dat zij met mijn zusters niet dezelfde fouten zouden maken die de ouders van mijn moeder met haar hadden gemaakt, maar ze kwamen steevast met ingewikkelde argumenten aanzetten en weigerden het te begrijpen. Het afschrikwekkendst was dat van de schotschriften, waarin gruwelijke geheimen – ware of verzonnen – werden onthuld, zelfs binnen de minst verdachte families. Geheim vaderschap, schandelijk overspel en slaapkamerperversiteiten werden daarin verklikt, die op de een of andere manier al een publiek geheim waren geworden via minder gemakkelijke wegen dan de schotschriften. Maar nog nooit was er een schotschrift aangeplakt waarop iets werd beweerd wat niet op een of andere manier al bekend was, hoe verborgen men het ook had gehouden, of wat niet vroeg of laat zou gebeuren. 'Schotschriften maak je zelf,' zei een van de slachtoffers ervan.

Mijn ouders hadden niet voorzien dat hun dochters zich met dezelfde hulpmiddelen zouden verweren als die zij hadden gebruikt. Ze stuurden Margot naar Montería om daar te studeren en Aida vertrok uit eigen beweging naar Santa Marta. Beiden waren interne leerlingen, en op vrije dagen stond er iemand klaar om hen gezelschap te houden, maar ze kregen het altijd voor elkaar om in contact te blijven met de verre Rafaels. Toch bereikte mijn moeder iets wat haar eigen ouders bij haar niet was gelukt. Aida bracht de helft van haar leven in het klooster door en woonde daar zonder pijn of vreugde tot ze zich veilig voelde voor mannen. Margot en ik bleven altijd nauw met elkaar verbonden door de herinneringen aan onze gemeenschappelijke kindertijd, toen ik een oogje op de volwassenen hield opdat ze haar niet zouden betrappen op het eten van aarde. Ten slotte werd ze een soort moeder voor ons, en vooral voor Cuqui, die haar het meest nodig had en voor wie ze tot haar laatste ademtocht heeft gezorgd.

Pas nu besef ik hoezeer die slechte gemoedstoestand van mijn moeder en de spanningen binnenshuis overeenkomsten vertoonden met de dodelijke tegenstellingen in het land, die niet aan de oppervlakte kwamen maar wel bestonden. President Lleras zou in het nieuwe jaar verkiezingen moeten uitschrijven, maar de toekomst zag er somber uit. De conservatieven, die erin geslaagd waren López af te zetten, speelden een dubbel spel met zijn opvolger: ze vleiden hem om zijn strenge onpartijdigheid, maar wakkerden de verdeeldheid in de Provincie aan met de bedoeling de macht via de weg van de redelijkheid of met geweld te heroveren.

Sucre was gespaard gebleven voor het geweld, en de weinige incidenten die men zich herinnerde hadden niets met politiek van doen. Een van die incidenten was de moord op Joaquín Vega geweest, een veelgevraagde muzikant die in het plaatselijke muziekkorps tuba speelde. Ze stonden om zeven uur 's avonds bij de ingang van de bioscoop te spelen, toen een vijandig familielid hem met één haal de keel doorsneed, die bol stond door het blazen, en hij bloedde dood op de grond. Beide mannen waren zeer geliefd in het dorp en de enige bekende maar onbevestigde verklaring was dat het om een erekwestie ging. Precies op dezelfde tijd vierde mijn zuster haar verjaardag, maar door de opschudding die het afschuwelijke bericht veroorzaakte, viel het feest, dat urenlang had moeten doorgaan, in het water.

Het andere duel, dat zich veel eerder afspeelde maar dat onuitwisbaar in het geheugen van het dorp stond gegrift, was dat tussen Plinio Balmaceda en Dionisiano Barrios. Plinio behoorde tot een oude, respectabele familie en hij was een enorm grote, alleraardigste man, maar ook een kwaadaardige ruziezoeker als je hem dronken tegenkwam. Als hij bij zijn verstand was had hij het voorkomen en de charme van een heer, maar als hij een slok te veel op had veranderde hij in een schietgrage schurk, met een rijzweepje aan zijn riem om iemand die hem niet beviel op te hitsen. Zelfs de politie probeerde uit zijn buurt te blijven. Zijn respectabele familieleden hadden er genoeg van om hem elke keer dat hij zich aan drank te buiten was gegaan, naar huis te slepen en lieten hem ten slotte aan zijn lot over.

Dionisiano Barrios was zijn tegenpool: een verlegen, mismaakte man die een hekel had aan ruzies en vanaf zijn geboorte geheelonthouder was. Hij had nooit met iemand problemen gehad, tot Plinio Balmaceda hem begon te provoceren door gemene grappen te maken over zijn gebrek. Hij probeerde hem zo veel mogelijk te ontlopen, tot Balmaceda hem op een dag tegenkwam en hem voor de lol met zijn rijzweepje in het gezicht sloeg. Dionisiano zette zich toen over zijn verlegenheid, zijn bochel en zijn ongeluk heen en trotseerde zijn aanvaller met een gericht schot. Het werd een kortstondig duel, waarin beiden zwaargewond raakten, maar aan de gevolgen waarvan alleen Dionisiano overleed.

Hét legendarische duel in het dorp was echter dat tussen dezelfde Plinio Balmaceda en Tasio Ananías, een sergeant van politie, vermaard om zijn onkreukbaarheid, en de voorbeeldige zoon van Mauricio Ananías, trommelaar in hetzelfde muziekkorps waarin Joaquín Vega tubaspeler was. Het was een formeel duel midden op straat, waarin beiden zwaargewond raakten, en waarna elk in zijn huis een langdurige doodsstrijd doormaakte. Plinio kwam vrij snel weer bij kennis en zijn eerste zorg was hoe het met Ananías was afgelopen. Deze op zijn beurt was onder de indruk van de bezorgdheid waarmee Plinio bad dat hij mocht blijven leven. Elk van hen smeekte God dat de ander niet zou sterven, en de families hielden hen op de hoogte zolang hun harten nog klopten. Het hele dorp leefde in spanning en deed zijn uiterste best om de twee mannen in leven te houden.

Na een achtenveertig uur durende doodsstrijd luidden de kerkklokken uit rouwbetoon voor een zojuist gestorven vrouw. De twee stervenden hoorden het en elk van hen dacht dat de klokken vanwege de dood van de ander werden geluid. Ananías huilde om de dood van Plinio en stierf vrijwel meteen van verdriet. Plinio hoorde dit en stierf twee dagen erna, badend in tranen om de dood van sergeant Ananías.

In zo'n dorp van vredelievende vrienden manifesteerde het geweld zich in die jaren minder dodelijk, maar niet minder schadelijk: in de schotschriften. De angst leefde in de huizen van de aanzienlijke families, die de volgende ochtend afwachtten alsof het om een loterij van het noodlot ging. Op de meest onverwachte plaatsen verscheen een bestraffend papier, dat soms een opluchting betekende door wat het níet over iemand zei, en soms een geheim feest door wat het over anderen zei. Mijn vader, die misschien wel de vreedzaamste man was die ik kende, oliede zijn eerbiedwaardige revolver, waarmee hij nog nooit geschoten had, en nam in de biljartzaal geen blad voor de mond. 'Wie ook maar met één vinger aan een van mijn dochters komt,' schreeuwde hij, 'pomp ik vol met lood.'

Verscheidene families begonnen het dorp te verlaten, uit angst dat de schotschriften een voorspel waren van het politieke geweld dat hele dorpen in het binnenland verwoestte om de oppositie te intimideren.

De spanning werd dagelijkse kost voor ons. In het begin werd er heimelijk wachtgelopen, niet zozeer om erachter te komen wie de schrijvers van de schotschriften waren, als wel om te weten wat erop stond voordat de plakkaten bij het krieken van de dag werden verscheurd. Met een groepje nachtbrakers troffen we om drie uur in de nacht een gemeenteambtenaar aan die in de deur van zijn huis een luchtje schepte, maar in werkelijkheid op de loer stond om te zien wie de schotschriften ophingen. Mijn broer zei half voor de grap, half in ernst dat sommige de waarheid zeiden. De man trok een revolver en richtte hem met zijn vinger aan de trekker op mijn broer: 'Zeg dat nog eens!'

We hoorden toen dat er de nacht daarvoor een schotschrift met iets waars over zijn ongetrouwde dochter was aangeplakt. Maar de feiten waren publiek geheim, zelfs in zijn eigen huis, en de enige die van niets wist was de vader.

In het begin was het duidelijk dat de schotschriften door een en dezelfde persoon geschreven waren, met dezelfde pen en op hetzelfde papier, en in een klein winkelcentrum als dat aan het plein kon maar één zaak ze verkopen, maar de eigenaar haastte zich zijn onschuld aan te tonen. Vanaf toen wist ik dat ik op een dag een roman over die schotschriften zou schrijven, niet om de dingen die erin gezegd werden – bijna altijd fantasieën die publiek geheim waren – maar om de ondraaglijke spanning die erdoor ontstond in de huizen.

In *Het kwade uur*, mijn derde roman, die ik twintig jaar later heb geschreven, leek het me simpelweg fatsoenlijker om geen gebruik te maken van concrete of herkenbare feiten, hoewel sommige van de waar gebeurde gevallen beter waren dan de door mij verzonnen. Het was trouwens niet nodig, want ik heb altijd meer belangstelling gehad voor het sociale verschijnsel dan voor het privé-leven van de slachtoffers. Pas na publicatie van mijn roman hoorde ik dat in de buitenwijken, waar wij als bewoners van het centrale plein niet zo geliefd waren, veel schotschriften aanleiding waren voor feesten.

Eigenlijk waren de schotschriften voor mij alleen maar van nut als uitgangspunt voor een plot waaraan ik nog geen vorm wist te geven, want met wat ik schreef toonde ik aan dat het achterliggende probleem van politieke en niet van morele aard was, zoals men aannam. Ik had altijd gedacht dat de echtgenoot van Nigromanta goed model kon staan voor de militaire burgemeester uit *Het kwade uur*, maar terwijl ik hem als personage ontwikkelde, begon hij me meer en meer te fascineren als mens, en ik had geen redenen om hem te doden, omdat ik tot de ontdekking kwam dat een serieuze schrijver zijn personage niet zonder duidelijk motief mag doden, en dat was er niet in dit geval.

Vandaag de dag realiseer ik me dat de roman zelf een andere roman had kunnen zijn. Ik schreef hem in een studentenhotel in de rue Cujas, in het Quartier Latin in Parijs, op honderd meter van de boulevard Saint-Michel, terwijl de dagen meedogenloos voorbijgingen met wachten op een cheque die nooit kwam. Toen ik vond dat de roman af was, rolde ik de vellen papier op, bond er een van de drie dassen die ik in betere tijden had gedragen omheen, en begroef hem onder in de klerenkast.

Toen ze me twee jaar later, in Mexico-Stad, vroegen de roman in te zenden voor een literaire prijsvraag van Esso Colombia, waarvoor je in die tijden van honger een prijs van drieduizend dollar kon winnen, wist ik zelfs niet waar hij was. Mijn afgezant was de fotograaf Guillermo Angulo, mijn oude Colombiaanse vriend die, sinds ik de roman in Parijs aan het schrijven was, op de hoogte was van het bestaan van het origineel in wording, en hij nam de papieren mee in dezelfde staat als waarin ze waren, met de stropdas er nog omheen, en zonder dat er door de druk van de inzendingstermijn tijd was om ze met stoom glad te strijken. Zo stuurde ik de roman in, zonder enige hoop op het winnen van een prijs waarvoor je heel goed een huis kon kopen. Maar in de staat waarin ik hem instuurde werd hij op 16 april 1962 als winnaar aangewezen door een illustere jury, bijna op hetzelfde tijdstip dat onze tweede zoon, Gonzalo, in een gespreid bedje werd geboren.

We hadden zelfs geen tijd gehad om erover na te denken, toen ik een brief van pater Félix Restrepo ontving, de president van de Colombiaanse Academie voor de Taal, een eerzaam man die voorzitter was geweest van de jury, maar niet wist wat de titel van de roman was. Pas toen drong het tot me door dat ik in de haast op het laatste moment vergeten was de titel op de eerste pagina te zetten: *Dit klotedorp*.

Pater Restrepo was gechoqueerd toen hij hem hoorde en verzocht me via Germán Vargas op een allervriendelijkste manier om die titel in te ruilen voor een minder grove, die meer in overeenstemming zou zijn met de sfeer van de roman. Na vele gesprekken met hem koos ik een titel die misschien niet zoveel over het drama zei, maar die de roman als vlag zou dienen om de zeeën van de preutsheid te bevaren: *Het kwade uur*.

Een week later werd ik door doctor Carlos Arango Vélez, de ambassadeur van Colombia in Mexico en sinds kort kandidaat voor het presidentschap, op zijn kantoor ontboden en hij vertelde me dat pater Restrepo me dringend verzocht twee woorden te wijzigen die hij onaanvaardbaar vond in de bekroonde tekst: 'voorbehoedmiddel' en 'masturbatie'. De ambassadeur en ik konden onze verbazing niet verbergen, maar we waren het erover eens dat we pater Restrepo dat genoegen moesten doen om de eindeloze prijsvraag op een gelukkige manier te beëindigen met een evenwichtige oplossing.

'Goed, ambassadeur,' zei ik. 'Ik zal een van de twee woorden schrappen, maar doet u mij het plezier een keus te maken.'

Met een zucht van verlichting schrapte de ambassadeur het woord 'masturbatie'. Op die manier werd het conflict opgelost, en het boek werd, in een grote oplage en met veel tamtam, gepubliceerd door uitgeverij Iberoamericana in Madrid. Het was gebonden in leer en was onberispelijk afgedrukt op mooi papier. De wittebroodsweken duurden echter maar kort, want ik kon de verleiding niet weerstaan het verkennend te lezen, en ik ontdekte dat het in mijn indianentaal geschreven boek net als de films uit die tijd was nagesynchroniseerd in het zuiverste dialect van Madrid.*

Ik had bijvoorbeeld geschreven: 'Zoals jullie nu leven, verkeren jullie niet alleen in een onveilige situatie, maar zijn jullie ook een slecht voorbeeld voor het dorp.' Nu kon deze zin, die door een priester werd uitgesproken, door de Colombiaanse lezer geïnterpreteerd worden als een knipoog van de auteur om aan te geven dat de priester een Spanjaard was, waardoor zijn gedrag verwarrend werd en een essentieel aspect van het drama volledig verminkt raakte. Niet tevreden met het uitkammen van de grammatica van de dialogen had de corrector de vrijheid genomen de stijl te lijf te gaan, en zo werd het een boek dat vergeven was van Madrileense stoplappen die niets met het origineel van doen hadden. Als gevolg daarvan had ik geen andere keus dan die uitgave als vervalst af te keuren en de nog niet verkochte exemplaren te laten terugnemen en te verbranden. De verantwoordelijke personen reageerden hierop met een totaal stilzwijgen.

Vanaf dat moment beschouwde ik de roman als niet-uitgegeven en zette ik me aan de zware taak hem terug te vertalen in mijn Caribische dialect, want ik had het origineel voor de wedstrijd ingestuurd en dezelfde versie, de enige die ik bezat, was naar de uitgever in Spanje gegaan. Zodra de oorspronkelijke tekst was hersteld en terloops nog eens een keer eigenhandig door mij was gecorrigeerd, werd het boek gepubliceerd door uitgeverij Era, in Mexico, met daarin de uitdrukkelijke waarschuwing dat dit de eerste druk was.

Ik heb nooit geweten waarom *Het kwade uur* het enige van mijn boeken is dat me terugvoert naar de tijd en de plaats waar het speelt, in een nacht met volle maan en voorjaarswinden. Het was zaterdag, het was opgehouden met regenen en aan de hemel wemelde het van de sterren. Het was even na elven toen ik mijn moeder in de eetkamer een liefdesfado hoorde neuriën om het kind met wie ze in haar armen rondliep, in slaap te brengen. Ik vroeg haar waar die muziek vandaan kwam, en zij antwoordde me op haar typische manier: 'Uit de huizen van de sloeries.'

Ze gaf me zonder dat ik haar erom vroeg vijf peso, want ze had gezien dat ik me aankleedde om naar het feest te gaan. Voordat ik vertrok waarschuwde ze me met haar onfeilbare vooruitziende blik dat ik de balk van de deur van de binnenplaats eraf moest laten, zodat ik om welke tijd dan ook kon thuiskomen zonder mijn vader wakker te maken. Ik kwam niet eens tot aan de huizen van de sloeries; in de timmerwerkplaats van maestro Valdés waren namelijk de muzikanten aan het repeteren bij wie Luis Enrique zich had gevoegd zodra hij was teruggekomen.

In dat jaar sloot ik me bij hen aan om op mijn tiple te spelen en met de zes anonieme maestro's samen te zingen tot het aanbreken van de dag. Ik had mijn broer altijd al een goede gitarist gevonden, maar die eerste avond hoorde ik dat zelfs zijn felste rivalen hem een virtuoze musicus vonden. Een betere muziekgroep was er niet en ze waren zo zeker van zichzelf dat als iemand hen engageerde voor een verzoenende of verontschuldigende serenade, maestro Valdés van tevoren kalmerend zei: 'Maak je geen zorgen, dat meisje zal van verbazing in haar kussen bijten.'

In die periode ontdekte ik de loyaliteit van de drank en leerde ik de goede kant van het leven kennen door overdag te slapen en 's nachts te zingen. Of zoals mijn moeder zei: ik hing de beest uit.

Er werd van alles over me beweerd, en het gerucht ging dat mijn post niet op het adres van mijn ouders kwam, maar naar de huizen van de sloeries werd gestuurd. Ik werd de trouwste klant van hun fantastische soepen met jaguarlever en hun stoofpotten met leguaan die je energie voor drie hele nachten gaven. Ik las niet meer en nam niet meer op vaste tijden deel aan de familiemaaltijden. Dat strookte met wat mijn moeder zo vaak zei, dat ik op mijn manier deed waar ik zin in had, maar dat die arme Luis Enrique zat opgescheept met mijn slechte reputatie. Zonder dat hij weet had van die opmerking van mijn moeder zei hij in die periode tegen me: 'Het ontbreekt er nog maar aan dat ze zeggen dat ik jou op het slechte pad breng en dat ze me naar de tuchtschool terugsturen.'

Omstreeks de kerst besloot ik de jaarlijkse praalwagenwedstrijden te ontvluchten en ging ik er met twee goede vrienden vandoor naar het nabijgelegen dorp Majagual. Thuis vertelde ik dat ik voor drie dagen zou gaan, maar ik bleef tien dagen weg. Dat was de schuld van María Alejandrina Cervantes, een ongelooflijke vrouw, die ik de eerste avond leerde kennen en die mij het hoofd op hol bracht in de rumoerigste braspartij van mijn leven. Tot de zondag waarop ze niet naast me in bed wakker werd en voorgoed was verdwenen. Jaren later ontrukte ik haar aan mijn heimwee, niet zozeer door haar charme als wel door de weerklank van haar naam, en bracht ik haar weer tot leven, ter bescherming van een andere vrouw in een van mijn romans, als eigenares en madam van een bordeel dat nooit heeft bestaan.

Bij thuiskomst trof ik om vijf uur 's ochtends mijn moeder in de keuken aan terwijl ze koffie aan de kook bracht. Op samenzweerderige fluistertoon zei ze dat ik bij haar moest blijven, want mijn vader was net wakker geworden en stond klaar om me te bewijzen dat ik zelfs in de vakanties niet zo vrij was als ik dacht. Ze schonk me een kop sterke koffie in, hoewel ze wist dat ik die niet lustte, en liet me bij het fornuis zitten. Mijn vader, nog humeurig van de slaap, kwam in pyjama binnen en was verbaasd me daar te zien zitten met de kop dampende koffie, maar hij vroeg me kalm: 'Heb jij niet altijd gezegd dat je geen koffie drinkt?'

Ik wist niet wat ik moest antwoorden en zei het eerste wat in mijn hoofd opkwam: 'Om deze tijd heb ik altijd dorst.'

'Zoals alle dronkelappen,' antwoordde hij.

Hij keek me niet meer aan en kwam ook niet op de zaak terug. Maar mijn moeder vertelde me dat mijn vader sinds die dag in mineurstemming was en me als een hopeloos geval begon te beschouwen, hoewel hij dat nooit tegen me heeft gezegd.

Mijn uitgaven liepen zo hoog op dat ik besloot de spaarpot van mijn moeder te plunderen. Luis Enrique verdedigde me met zijn logica dat het geld dat je van je ouders steelt, geld is dat je wettig toekomt, als je het maar gebruikt voor de film, en niet om naar de hoeren te gaan. Ik leed onder de solidariteitsproblemen die mijn moeder moest doorstaan, omdat mijn vader niet mocht merken dat ik op het slechte pad was. Ze had er meer dan voldoende redenen voor, want het viel op dat ik soms zonder aanleiding in bed bleef liggen terwijl de anderen 's middags aan tafel gingen, dat ik een stem had als een schorre haan en zo afwezig rondliep dat ik op een keer niet hoorde wat mijn vader me vroeg, waarop hij de zeer hardvochtige diagnose stelde: 'Je hebt het aan je lever.'

Ondanks alles lukte het me de sociale schijn op te houden. Ik vertoonde me goedgekleed en heel beleefd op de galabals en de gelegenheidslunches die georganiseerd werden door de families die aan het centrale plein woonden, wier huizen het hele jaar gesloten bleven en weer opengingen voor de feesten rond Kerstmis, als de studenten naar huis terugkeerden.

Dat was het jaar van Cayetano Gentile, die zijn vakantie vierde met drie fantastische dansfeesten. Het waren gelukkige dagen voor me, want tijdens de drie bals danste ik steeds met hetzelfde meisje. Ik vroeg haar de eerste avond ten dans zonder dat ik de moeite nam haar te vragen wie ze was, met wie ze was of wiens dochter ze was. Ik vond haar zo mysterieus dat ik haar tijdens de tweede dans in alle ernst voorstelde met me te trouwen, en haar antwoord was nog mysterieuzer: 'Mijn vader zegt dat de prins die met mij trouwt nog geboren moet worden.'

Een paar dagen later zag ik haar onder de felle zon van twaalf uur het wandelpad op het plein oversteken, in een prachtige organdie jurk en met een jongetje en een meisje van zes of zeven jaar aan de hand. 'Die zijn van mij,' zei ze stikkend van de lach tegen me, zonder dat ik het haar had gevraagd. Ze zei het zo schalks dat ik begon te vermoeden dat mijn huwelijksvoorstel in goede aarde was gevallen.

Vanaf mijn babytijd in het huis in Aracataca had ik geleerd in een hangmat te slapen, maar pas in Sucre accepteerde ik het als iets wat van nature bij me hoorde. Niets aangenamer dan een hangmat om siësta in te houden, de tijd van de sterren te beleven, traag na te denken, of zonder vooroordelen de liefde te bedrijven. Op de dag dat ik van mijn losbandige week terugkeerde, hing ik, zoals mijn vader dat ooit had gedaan, de hangmat tussen twee bomen op de binnenplaats en viel met een gerust geweten in slaap. Maar mijn moeder, die voortdurend gekweld werd door de angst dat haar kinderen in hun slaap zouden sterven, maakte me aan het eind van de middag wakker om zich ervan te vergewissen dat ik nog leefde. Ze kwam toen naast me liggen en begon zonder omhaal over de kwestie die haar leven verstoorde.

'Je vader en ik willen graag weten wat er met je aan de hand is.'

Dat waren heel rake woorden. Ik wist dat mijn ouders zich al een tijdlang zorgen maakten over de verandering in mijn manier van doen, en dat zij banale verklaringen bedacht om hem te kalmeren. In huis gebeurde niets waarvan mijn moeder niet op de hoogte was, en haar driftbuien waren al legendarisch. Maar de druppel die de emmer deed overlopen, was dat ik een week lang midden op de dag thuisgekomen was. Ik had haar vragen natuurlijk het beste kunnen ontwijken of openlaten tot zich een geschiktere gelegenheid voordeed, maar mijn moeder wist dat zo'n ernstige zaak een onmiddellijk antwoord vereiste.

Haar argumenten waren allemaal legitiem: ik verdween tegen de avond, uitgedost als voor een bruiloft, en kwam niet thuis om te slapen, maar de dag erna lag ik tot na het middagmaal in mijn hangmat te dommelen. Ik las niet meer en voor het eerst sinds mijn geboorte durfde ik thuis te komen zonder precies te weten waar ik was. 'Je kijkt je broers en zusters zelfs niet aan, je haalt hun namen en leeftijden door elkaar, en laatst gaf je een kleinzoon van Clemencia Morales een kus, in de veronderstelling dat het een van je broertjes was,' zei mijn moeder. Maar plotseling besefte ze dat ze overdreef, en ze maakte het goed met de eenvoudige waarheid: 'Kortom, je bent een vreemde in dit huis geworden.'

'Dat is allemaal wel waar,' zei ik, 'maar ik heb er een voor de hand liggende reden voor: ik heb meer dan genoeg van dit hele gedoe.'

'Van ons?'

Ik had er ja op kunnen zeggen, maar dat zou niet eerlijk zijn geweest.

'Van alles,' zei ik.

En toen vertelde ik haar over mijn situatie op het lyceum. Mijn ouders beoordeelden me op grond van mijn cijfers, ze gaven jaar na jaar hoog op van mijn resultaten, ze dachten niet alleen dat ik een modelleerling was, maar ook een voorbeeldige vriend, de intelligentste en snelste van allemaal, en de populairste omdat ik zo aardig was. Of zoals mijn grootmoeder zei: 'Een volmaakt kind.'

Om een lang verhaal kort te maken, het tegengestelde was waar. Het was allemaal maar schijn, want ik had niet de moed en het onafhankelijkheidsgevoel van mijn broer Luis Enrique, die alleen maar deed waar hij zin in had. Hij zou ongetwijfeld een soort geluk bereiken, niet dat wat je je kinderen toewenst, maar wel het geluk dat ze in staat stelt de overdreven liefde, de onredelijke angsten en de blijde verwachtingen van hun ouders te overleven.

Mijn moeder was verbijsterd over die beschrijving van mezelf, die zo tegengesteld was aan het beeld dat zij zich in hun eenzame dromen van me hadden gevormd.

'Ik weet niet wat we moeten doen,' zei ze na een dodelijke stilte, 'want als we dit allemaal aan je vader vertellen, zou hij dat weleens niet kunnen overleven. Besef je niet dat je de trots van de familie bent?'

Voor hen was het simpel: omdat het uitgesloten was dat ik de eminente dokter zou worden die mijn vader uit armoede niet had kunnen worden, was het hun droom dat ik dan tenminste voor een ander beroep zou studeren.

'Dan word ik helemaal niets,' besloot ik. 'Ik wil niet gedwongen worden iets te doen wat ik niet wil, of te worden zoals jullie zouden willen dat ik ben, en nog minder zoals de regering wil.'

Het twistgesprek, dat eigenlijk zonder aanleiding was begonnen, werd de rest van de week voortgezet. Ik denk dat mijn moeder de tijd wilde nemen alvorens er met mijn vader over te praten, en die gedachte gaf me nieuwe moed. Op een keer flapte ze er als bij toeval een verrassend voorstel uit: 'Ze zeggen dat je, als je wilt, een goede schrijver zou kunnen worden.'

Iets dergelijks had ik nog nooit bij ons thuis gehoord. Vanaf mijn kinderjaren had ik bepaalde neigingen gehad op grond waarvan je mocht veronderstellen dat ik tekenaar, musicus, koorzanger en zelfs zondagsdichter zou worden. Ik had bij mezelf de bij velen bekende hang naar een tamelijk gezochte en verheven schrijfstijl al ontdekt, maar die keer reageerde ik verbaasd.

'Als ik schrijver moet worden, dan zou ik een groot schrijver willen worden en die maken ze niet meer,' antwoordde ik mijn moeder. 'Per slot van rekening zijn er andere en betere beroepen om van honger om te komen.'

Op zo'n middag begon ze, in plaats van met me te praten, met droge ogen te huilen. Vandaag de dag zou ik geschrokken zijn, want onderdrukte tranen zie ik als een onfeilbaar hulpmiddel van bijzondere vrouwen om hun zin door te drijven. Maar met mijn achttien jaar wist ik niet wat ik tegen mijn moeder moest zeggen, en door mijn zwijgen stokten haar snikken.

'Heel goed,' zei ze toen, 'beloof me tenminste dat je de middelbare school zo goed mogelijk afmaakt, en dan regel ik de rest met je vader.'

We waren beiden opgelucht dat we gewonnen hadden. Ik accepteerde haar voorstel, zowel voor haar als voor mijn vader, omdat ik bang was dat ze dood zouden gaan als we het niet snel eens werden. Zo vonden we de simpele oplossing dat ik rechten en politieke wetenschappen zou gaan studeren, een studie die niet alleen een goede culturele basis was voor elk willekeurig beroep, maar ook een zo menslievende dat je 's morgens colleges had en 's middags vrije tijd om te werken. Ik maakte me ook wel zorgen over de emotionele last waaronder mijn moeder in die dagen gebukt ging, en ik vroeg haar of ze het pad voor me wilde effenen voor een gesprek onder vier ogen met mijn vader. Ze maakte bezwaar, want ze wist zeker dat het op ruzie zou uitdraaien.

'Geen twee mannen op deze wereld lijken meer op elkaar dan hij en jij,' zei ze, 'en dat is de slechtste basis voor een gesprek.'

Ik heb daar altijd een totaal andere mening over gehad. Pas nu, nadat ik reeds alle leeftijden ben gepasseerd die mijn vader in zijn lange leven heeft gehad, ben ik begonnen mezelf in de spiegel te zien als iemand die veel meer op hem lijkt dan op mezelf.

Mijn moeder moet die avond de kroon hebben gezet op haar fijne edelsmeedkunst, want mijn vader verzamelde de hele familie aan tafel en deelde met gespeelde onverschilligheid mee: 'We krijgen een advocaat in huis.' Mijn moeder, die misschien bang was dat mijn vader ten overstaan van de hele familie de discussie opnieuw wilde openen, kwam zo onschuldig als ze maar kon tussenbeide.

'In onze situatie, en met deze sliert kinderen,' legde ze me uit, 'denken we dat het voor jou het beste is dat je de enige studie volgt die je zelf kunt betalen.'

Het was allerminst zo eenvoudig als ze het zei, maar het kon voor ons het minst kwade van alle kwaden zijn, en de gevolgen ervan zouden minder dramatisch zijn. Vandaar dat ik om het spelletje mee te spelen mijn vader naar zijn mening vroeg, en zijn antwoord kwam meteen en was van een hartverscheurende oprechtheid: 'Wat moet ik zeggen? Mijn hart is gebroken maar ik ben er tenminste nog trots op dat ik je kan helpen te worden wat je maar wilt.'

Het toppunt van luxe in de maand januari van dat jaar 1946 was mijn eerste vliegreis, en ik had hem te danken aan José Palencia, die opnieuw was opgedoken met een groot probleem. Hij had met hangen en wurgen vijf jaar middelbare school gehaald in Cartagena, maar in het zesde jaar was het misgegaan. Ik beloofde hem ervoor te zorgen dat hij een plaatsje op mijn school kreeg, zodat hij eindelijk zijn diploma kon halen, waarna hij me voor een vliegreis uitnodigde.

Tweemaal per week was er een vlucht naar Bogotá met een DC-3 van de maatschappij LANSA, en het grootste gevaar school niet in het vliegtuig zelf, maar in de koeien die op de in een weiland geïmproviseerde landingsbaan van klei liepen. Soms moest de piloot verscheidene rondjes draaien voordat ze verjaagd waren. Het was mijn eerste ervaring met mijn legendarische vliegangst, in een periode waarin de kerk verbood geconsacreerde hosties mee te nemen om ze veilig te stellen voor rampen. De vlucht, zonder tussenlandingen en met een snelheid van driehonderdtwintig kilometer per uur, duurde bijna vier uur. Wij, die het wonderbaarlijke traject altijd over de rivier hadden afgelegd, konden ons vanuit de lucht oriënteren op de levende kaart van de Río Grande de la Magdalena. We herkenden de miniatuurdorpen, de in colonne varende bootjes, de vrolijke poppetjes die vanaf de schoolpleinen naar ons zwaaiden. De stewardessen van vlees en bloed hadden het al die tijd druk met het kalmeren van de passagiers die de reis biddend doorbrachten, met het bijstaan van de mensen die luchtziek waren, en met het geruststellen van velen dat er geen kans was op een botsing met de zwermen kalkoengieren die de sterfte in de rivier in de gaten hielden. De ervaren luchtreizigers van hun kant vertelden keer op keer over legendarische vluchten, die ze als heldendaden beschreven. De klim naar de hoogvlakte van Bogotá, zonder luchtdrukregeling of zuurstofmaskers, gaf je het gevoel dat er een trommel in je hart tekeerging, en het geschud en het vleugelgeklepper verhoogden het geluk van de landing. Maar de grootste verrassing was dat we eerder waren aangekomen dan onze telegrammen van de avond tevoren.

Op doorreis in Bogotá kocht José Palencia muziekinstrumenten voor een compleet orkest, en ik weet niet of hij dat met voorbedachten rade of uit voorgevoel deed, maar vanaf het moment dat de rector Espitia hem zelfbewust met gitaren, trommels, sambaballen en mondharmonica's zag binnenkomen, wist ik dat hij was toegelaten. Ik van mijn kant voelde zodra ik door de hal liep, het gewicht van mijn nieuwe positie: ik was een leerling van het zesde jaar. Tot dan toe was het niet tot me doorgedrongen dat ik een ster op mijn voorhoofd had waarvan iedereen droomde, en dat dit zonder meer te merken was aan de manier waarop we benaderd werden, aan de toon waarop we werden aangesproken, en zelfs aan een zekere eerbiedige angst. Het was trouwens een geweldig feestjaar. Omdat de slaapzaal alleen voor beursstudenten was, installeerde José Palencia zich in het beste hotel aan het plein. Een van de eigenaressen speelde piano, en dat hele jaar werd het leven voor ons een zondag.

Een van de vele schokken in mijn leven was ook het volgende. Mijn moeder kocht in mijn adolescentenjaren tweedehands kleren voor me, en als ze me niet meer pasten vermaakte ze die voor mijn jongere broertjes. De eerste twee jaren waren het zwaarst, want wollen kleding voor het koude klimaat was duur en moeilijk te krijgen. Hoewel mijn lichaam niet al te enthousiast groeide, was er geen tijd om een kledingstuk passend te maken voor twee lengten in hetzelfde jaar. Daar kwam nog bij dat de oude gewoonte van de internen om onderling kleren te ruilen niet langer bestond, omdat de kleding zo opvallend was dat de nieuwe eigenaren het mikpunt van ondraaglijke spot werden. Dit werd gedeeltelijk opgelost toen Espitia een uniform bestaande uit een blauw jasje en een grijze pantalon invoerde, dat uiterlijke gelijkheid bracht en het gesjacher aan het oog onttrok.

In het derde en vierde jaar had ik genoeg aan het enige pak dat de kleermaker van Sucre voor me had vermaakt, maar in het vijfde had ik een ander pak moeten kopen, dat in heel goede staat bleef, maar niet bruikbaar was in het zesde jaar. Mijn vader was echter zo opgetogen over mijn goede voornemens om mijn leven te beteren dat hij me geld gaf om een nieuw pak op maat te kopen, en José Palencia deed me er eentje van hem van het jaar ervoor cadeau, een nauwelijks gedragen, kameelharen kostuum. Algauw had ik door dat kleren niet altijd de man maken. In mijn nieuwe pak, dat inwisselbaar was voor het nieuwe uniform, ging ik naar de door kustbewoners gedomineerde dansfeesten, en ik wist maar één verloofde te bemachtigen, die korter meeging dan een bloem.

Espitia ontving me uitzonderlijk enthousiast. Hij leek zijn twee scheikundelessen per week uitsluitend aan mij te geven, met een spervuur van vragen en antwoorden. Die gedwongen aandacht bleek een goed uitgangspunt voor me om de aan mijn ouders gedane belofte van een waardig slot na te komen. De unieke, simpele methode van Martina Fonseca deed de rest: goed opletten tijdens de lessen om nachtwerk en schrik voor het angstaanjagende eindexamen te voorkomen. Het was een wijze les. Vanaf het moment dat ik besloot die in het laatste jaar van het lyceum toe te passen, voelde ik me minder gespannen. Ik beantwoordde vlot de vragen van de leraren, met wie ik vertrouwder begon te raken, en het drong tot me door hoe makkelijk het was om de belofte na te komen die ik mijn ouders had gedaan.

Het enige probleem dat me bleef verontrusten, was mijn geschreeuw als ik een nachtmerrie had. De leraar die tevens prefect van orde was en die een heel goede relatie met zijn leerlingen had, was in die tijd Gonzalo Ocampo. Op een avond in het tweede semester kwam hij op zijn tenen de donkere slaapzaal binnen om zijn sleutels te halen, die ik vergeten was terug te geven. Hij had nauwelijks een hand op mijn schouder gelegd of ik stootte een woest gebrul uit, waardoor iedereen wakker werd. De volgende dag werd ik overgeplaatst naar een geïmproviseerde slaapzaal voor zes personen op de tweede verdieping.

Het was een oplossing voor mijn nachtelijke angsten, maar een te verleidelijke, want de zaal bevond zich boven de provisiekamer, en vier leerlingen uit de geïmproviseerde slaapruimte lieten zich op een avond naar beneden glijden en plunderden op hun gemak de keuken voor een middernachtelijk maal. De boven alle verdenking verheven Sergio Castro en ik, die minder ondernemend was, bleven in ons bed liggen om in geval van nood als onderhandelaren op te treden. Een uur later kwamen ze terug met de halve provisiekamer, klaar om opgediend te worden. Het was de grootste smulpartij van onze lange internaatsjaren, maar achteraf lag ze ons zwaar op de maag omdat we binnen vierentwintig uur werden ontmaskerd. Ik dacht toen even dat het allemaal afgelopen was, en het was alleen maar aan het bemiddelaarstalent van Espitia te danken dat we niet van school werden gestuurd.

Het was een mooie periode voor het lyceum en de minst hoopvolle voor het land. De onpartijdigheid van Lleras deed onbedoeld de spanning oplopen en voor het eerst werd die ook op school merkbaar. Ik besef nu dat die spanning al heel lang binnen in me zat, maar dat ik me pas toen bewust werd van het land waarin ik leefde. Sommige leraren die sinds een jaar onpartijdig probeerden te blijven, waren daar tijdens de lessen niet toe in staat en ventileerden onverteerde flarden tekst over hun politieke voorkeuren. Vooral vanaf het moment dat de harde campagne voor de opvolging van de president was begonnen.

Elke dag werd het duidelijker dat de Liberale Partij, na zestien jaar bewind, met een gedeeld kandidaatschap van Gaitán en Turbay het presidentschap van de republiek zou kwijtraken. De twee kandidaten waren zo tegengesteld aan elkaar dat het leek alsof ze tot twee verschillende partijen behoorden, en die verdeeldheid was niet alleen het gevolg van hun eigen fouten, maar ook van de bloedige vastberadenheid van de conservatieven, die het vanaf de eerste dag duidelijk hadden gezien: in plaats van Laureano Gómez stelden ze Ospina Pérez kandidaat, een ingenieur en miljonair met een welverdiende reputatie van patriarch. Omdat de liberalen verdeeld waren en de conservatieven verenigd en gewapend, was er geen andere keus: Ospina Pérez werd gekozen.

Laureano Gómez hield zich vanaf dat moment gereed hem op te volgen, waarbij hij het leger zou inzetten en over de hele linie geweld zou gebruiken. Het was opnieuw de historische realiteit van de negentiende eeuw, waarin we geen vrede hadden gekend, alleen maar tijdelijke bestanden tussen acht burgeroorlogen en veertien lokale oorlogen, drie militaire staatsgrepen en ten slotte de Oorlog van Duizend Dagen, waarin aan beide kanten tachtigduizend doden vielen op een bevolking van nauwelijks vier miljoen. Zo simpel was het: een gemeenschappelijk programma om honderd jaar terug te gaan in de tijd.

Toen we al aan het eind van dat studiejaar waren, maakte onze leraar Giraldo voor mij een in het oog lopende uitzondering, waarvoor ik me nog steeds schaam: hij stelde een eenvoudige vragenlijst voor me op om me de gelegenheid te geven me te rehabiliteren voor algebra, een onderdeel dat ik vanaf het vierde jaar had gemist, en hij liet me alleen in de lerarenkamer achter, met alle fraudemogelijkheden onder handbereik. Hoopvol gestemd kwam hij een uur later terug, zag het rampzalige resultaat en keurde elke pagina met een kruis van boven naar beneden af, terwijl hij woedend gromde: 'Die hersens van jou zijn verrot.' Bij de eindbeoordeling bleek ik echter geslaagd voor algebra, maar ik was zo netjes de leraar niet te bedanken voor het feit dat hij ten gunste van mij tegen zijn principes en verplichtingen was ingegaan.

Vlak voor het laatste onderdeel van het eindexamen van dat jaar hadden Guillermo López Guerra en ik door een dronkemansruzie een vervelende aanvaring met onze leraar Gonzalo Ocampo. José Palencia had ons uitgenodigd om op zijn kamer in het hotel te komen studeren, een koloniale parel met een idyllisch uitzicht op het in bloei staande park met de kathedraal op de achtergrond. Omdat we nog maar één examen hoefden af te leggen, gingen we uitgebreid tot diep in de nacht door en keerden we via onze armeluiskroegen naar school terug. Ocampo, die dienst had als prefect van orde, las ons de les vanwege het tijdstip en de kennelijke staat waarin we verkeerden, en wij tweeën slingerden hem in koor beledigingen naar het hoofd. Zijn woedende reactie en ons geschreeuw zetten de slaapzaal op zijn kop.

Het lerarenkorps besloot dat López Guerra en ik geen examen mochten doen in het laatste vak dat ons nog restte. Dat betekende dat we althans dat jaar geen einddiploma zouden krijgen. We zijn er nooit achter gekomen hoe de geheime onderhandelingen tussen de leraren zijn gevoerd, want ze sloten de gelederen met ondoordringbare solidariteit. Rector Espitia moet het probleem voor eigen rekening en risico op zich hebben genomen, en heeft gedaan gekregen dat we examen mochten doen op het ministerie van Onderwijs in Bogotá. En zo gebeurde het. Espitia in eigen persoon vergezelde ons en bleef bij ons terwijl we antwoord gaven op de vragen van het schriftelijke examen, dat ter plaatse werd beoordeeld. En de uitslag was uitstekend.

Intern moet het een heel ingewikkelde situatie zijn geweest, want Ocampo was niet aanwezig bij de plechtige zitting, misschien wel vanwege de gemakkelijke oplossing van Espitia en onze prachtige cijfers. En ten slotte door mijn persoonlijke resultaat, dat me als bijzondere prijs een onvergetelijk boek opleverde: *Vidas de filósofos ilustres* ('Levens van beroemde filosofen') van Diógenes Laercio. Niet alleen was het meer dan mijn ouders hadden gehoopt, maar bovendien was ik de beste van het eindexamen van dat jaar, hoewel mijn klasgenoten en ikzelf beter dan wie ook wisten dat ik dat niet was.

5

Ik had nooit kunnen denken dat negen maanden nadat ik mijn middelbareschooldiploma had behaald mijn eerste verhaal zou worden gepubliceerd in het literaire supplement 'Fin de Semana' van *El Espectador* in Bogotá, het interessantste en strengste van die tijd. Tweeënveertig dagen daarna werd het tweede gepubliceerd. Het verrassendste voor mij was echter dat de adjunct-directeur van de krant en hoofdredacteur van het literaire supplement, Ulises, pseudoniem van Eduardo Zalamea Borda, destijds de scherpzinnigste criticus en degene met de beste neus voor opkomend nieuw talent, een artikel aan mij wijdde.

Het gebeurde allemaal zo onverwacht dat het niet gemakkelijk na te vertellen is. Aan het begin van dat jaar had ik me ingeschreven bij de rechtenfaculteit van de Nationale Universiteit in Bogotá, zoals met mijn ouders was afgesproken. Ik woonde in het hart van de stad, in een pension aan de calle Florián waar hoofdzakelijk studenten woonden die afkomstig waren van de Atlantische kust. In plaats van te werken om in mijn levensonderhoud te voorzien bracht ik mijn vrije middagen lezend door op mijn kamer of in de cafés waar men dat goedvond. De boeken die ik las waren toevals- en gelukstreffers, al hingen ze meer af van het toeval dan van mijn geluk, want de vrienden die ze konden kopen leenden ze me voor zulke korte perioden dat ik hele nachten wakend doorbracht om ze op tijd terug te kunnen geven. Maar in tegenstelling tot de boeken die ik op het lyceum in Zipaquirá had gelezen en die eigenlijk al moesten worden bijgezet in een mausoleum voor gevestigde auteurs, lazen we deze romans met een enorme gretigheid. Na het langdurige uitgeefverbod gedurende de Tweede Wereldoorlog waren ze recentelijk vertaald en gedrukt in Buenos Aires. Zo ontdekte ik tot mijn geluk de reeds lang ontdekte Jorge Luis Borges, D.H. Lawrence, Aldous Huxley, Graham Greene, Chesterton, William Irish, Katherine Mansfield en vele anderen.

Deze pas verschenen boeken hadden we in de onbereikbare etalages van de boekwinkels zien liggen, maar sommige gingen van hand tot hand in de studentencafés, die fungeerden als centra waar de cultuur op een actieve manier werd verspreid onder studenten uit de provincie. Velen van hen hadden er jaar in jaar uit een vaste plaats, ontvingen er hun post en zelfs hun postwissels. Voor de afronding van veel universitaire studies was het van doorslaggevend belang dat de eigenaren of hun personeelsleden, met wie we goed bevriend waren, ons bepaalde gunsten verleenden. Ontelbare academici in het hele land hebben wellicht meer aan hen dan aan hun onzichtbare mentoren te danken.

Ik had een voorkeur voor El Molino, het café van de oudere dichters, op slechts tweehonderd meter afstand van mijn pension, op de kruising van de avenida Jiménez de Quesada en de carrera Séptima. Studenten mochten er geen vaste tafel bezetten, maar ik wist zeker dat ik meer opstak van de literaire gesprekken, waar we aan tafeltjes in de buurt heimelijk naar luisterden, dan van het bestuderen van boeken. Het was een enorm, goed onderhouden pand in Spaanse stijl, waarvan de wanden door de schilder Santiago Martínez Delgado waren gedecoreerd met scènes uit Don Quichots strijd tegen de windmolens. Hoewel ik geen vaste plaats had, kreeg ik het altijd voor elkaar dat de kelners me zo dicht mogelijk bij de grote maestro León de Greiff lieten zitten. Deze gebaarde, brommerige, charmante man begon zijn tertulia tegen het vallen van de avond met enkele van de beroemdste schrijvers van dat moment en beëindigde die tegen middernacht samen met zijn schaakleerlingen in een roes van inferieure alcohol.

Er waren maar weinig grote namen uit de Colombiaanse wereld van de kunst en de letteren die niet eens aan die tafel aanschoven, en wij hielden ons aan die van ons doodstil om maar geen woord van hun gesprekken te missen. Hoewel ze gewoonlijk meer praatten over vrouwen of politieke intriges dan over de artistieke en de ambachtelijke kant van hun werk, werd er altijd wel iets gezegd waarvan we wat konden opsteken. De trouwste toehoorders waren wij, afkomstig van de Atlantische kust, wier band niet zozeer het gevolg was van Caribische samenzweringen tegen de cachacos, als wel van onze verslaving aan boeken. Jorge Álvaro Espinosa, een rechtenstudent die me wegwijs had gemaakt in de bijbel en die me alle namen van de gesprekspartners van Job uit het hoofd had laten leren, legde op een dag een afschrikwekkend dikke pil op mijn tafel en beweerde met zijn bisschoppelijke autoriteit: 'Dit is de andere bijbel.'

Dat was vanzelfsprekend *Ulysses* van James Joyce, dat ik bij stukjes en beetjes las totdat mijn geduld het begaf. Het was jeugdige overmoed. Jaren later, pas als deemoedige volwassene, zette ik me ertoe het boek serieus te herlezen, en dat leidde niet alleen tot de ontdekking van een wereld in mezelf waarvan ik het bestaan nooit had vermoed, maar verschafte me bovendien een technisch hulpmiddel van onschatbare waarde voor de vrijheid van taalgebruik, de behandeling van de tijd en de structuur van mijn boeken.

Een van mijn kamergenoten was Domingo Manuel Vega, een student medicijnen met wie ik al sinds Sucre bevriend was en die de leesgierigheid met me deelde. Een andere was mijn neef Nicolás Ricardo, de oudste zoon van mijn oom Juan de Dios, die de familiedeugden voor me in ere hield. Vega arriveerde op een avond met drie boeken die hij net had gekocht, en hij gaf me er op goed geluk een te leen, zoals hij wel vaker deed om me te helpen de slaap te vatten. Maar deze keer bereikte hij precies het tegenovergestelde: de rust waarmee ik voordien sliep heb ik nooit meer gekend. Het was *De gedaanteverwisseling* van Franz Kafka, in de door uitgeverij Losada in Buenos Aires gepubliceerde onbetrouwbare vertaling van Borges, dat mijn leven een nieuwe wending gaf met de eerste zin, die nu een van de grote emblemen van de wereldliteratuur is: 'Toen Gregor Samsa op een morgen uit een onrustige droom ontwaakte, ontdekte hij dat hij in zijn bed in een monsterachtig insect was veranderd.' Het waren mysterieuze boeken, die ons niet alleen over heel andere paden voerden, maar vaak ook tegengesteld waren aan alles wat we tot dan toe kenden. De feiten hoefden niet te worden aangetoond; dat de schrijver het verhaal had geschreven was voldoende om het waar te laten zijn, zonder andere bewijzen dan de kracht van zijn talent en de autoriteit van zijn stem. Het was opnieuw Sheherazade, echter niet in haar duizendjarige wereld waarin alles mogelijk was, maar in een andere, onherstelbare wereld waarin alles al verloren was.

Toen ik *De gedaanteverwisseling* uit had, voelde ik een ondraaglijk verlangen naar het leven in dat verre paradijs. Ik werd door de nieuwe dag verrast terwijl ik achter de reistypemachine zat die dezelfde Domingo Manuel Vega mij had geleend, en probeerde iets te scheppen wat leek op die arme kantoorbediende van Kafka die veranderd was in een enorme kever. In de daaropvolgende dagen ging ik niet naar de universiteit uit angst dat de betovering zou worden verbroken, en het zweet van de afgunst bleef me uitbreken totdat Eduardo Zalamea Borda in zijn blad een treurig artikel schreef waarin hij zich erover beklaagde dat er onder de nieuwe generatie Colombiaanse schrijvers geen namen zaten die de moeite van het onthouden waard waren, en dat niets erop duidde dat het in de toekomst beter zou worden. Ik weet niet met welk recht ik me in naam van mijn generatie aangesproken voelde door dat uitdagende artikel, maar ik nam het ter zijde gelegde verhaal weer ter hand om te proberen genoegdoening te krijgen. Ik bewerkte de oorspronkelijke plot van het denkende kadaver van *De gedaanteverwisseling*, maar ontdeed die van zijn valse mysteries en zijn ontologische vooroordelen.

Ik voelde me hoe dan ook zo onzeker dat ik er met niemand van mijn tafelgenoten over durfde te praten. Zelfs niet met Gonzalo Mallarino, een medestudent aan de rechtenfaculteit, die de enige lezer was van het lyrische proza dat ik schreef om de verveling van de colleges te verdrijven. Ik herlas en corrigeerde mijn verhaal tot ik niet meer kon en schreef ten slotte een persoonlijk briefje, waarvan ik me geen woord meer herinner, aan Eduardo Zalamea, die ik nog nooit had ontmoet. Daarna stopte ik alles in een envelop en bracht die zelf naar de receptie van *El Espectador*. De portier gaf me toestemming om naar de tweede verdieping te gaan en de brief persoonlijk aan Zalamea te overhandigen, maar bij het idee alleen al verstijfde ik. Ik liet de envelop op het bureau van de portier achter en sloeg op de vlucht.

Dit vond plaats op een dinsdag en ik maakte me totaal niet druk over het lot van mijn verhaal, al wist ik zeker dat zo het al gepubliceerd zou worden, dat beslist niet snel zou gebeuren. Intussen zwierf ik twee weken lang van het ene café naar het andere om de spanning van de zaterdagmiddagen te verdrijven, totdat ik, op 13 september, El Molino binnenging en stuitte op de titel van mijn verhaal, die over de hele breedte van de net verschenen *El Espectador* was afgedrukt: ‘De derde berusting’.

Mijn eerste reactie was de verlammende zekerheid dat ik niet in het bezit was van de vijf centavo om de krant te kunnen kopen. Dit was wel het duidelijkste bewijs van mijn armoede, want behalve de krant kostten veel van de dagelijkse levensbehoeften vijf centavo: de tram, de publieke telefoon, een kop koffie, het laten poetsen van je schoenen. Ik rende de straat op, zonder me te beschermen tegen de onverstoorbare motregen, maar in de nabijgelegen cafés trof ik geen enkele bekende aan die me een munt als aalmoes wilde geven. Ook in het pension trof ik op dit stille zaterdagse uur niemand aan, behalve de pensionhoudster en dat was hetzelfde als niemand, want ik was haar nog zevenhonderdtwintig maal vijf centavo schuldig voor twee maanden kost en inwoning. Toen ik, in alle staten, de straat weer opging, zag ik een door de Goddelijke Voorzienigheid gezonden man die uit een taxi stapte met *El Espectador* in zijn hand, en ik vroeg hem direct of hij me die wilde geven.

Zo kon ik mijn eerste gedrukte verhaal lezen, met een illustratie van Hernán Merino, de officiële tekenaar van de krant. Teruggetrokken in mijn kamer las ik het, in één adem en met een bonzend hart. In elke alinea ontdekte ik de vernietigende kracht van de drukletters, want wat ik met zoveel liefde en pijn had bedacht als een onderdanige parodie op een universeel genie, bleek een verwarde, zwakke monoloog te zijn, met moeite overeind gehouden door drie of vier troostende zinnen. Er zou bijna twintig jaar verstrijken voordat ik het voor een tweede keer durfde te lezen, en toen was mijn oordeel, nauwelijks verzacht door de compassie, een stuk minder toegeeflijk.

Het moeilijkst was de stroom glunderende vrienden die mijn kamer binnendrongen met exemplaren van de krant en met buitensporige loftuitingen over een verhaal dat ze vrijwel zeker niet hadden begrepen. Onder mijn studiegenoten waren er enkelen die het waardeerden, anderen die er niet veel van snapten, en weer anderen die zeer terecht niet verder kwamen dan de vierde alinea. Maar Gonzalo Mallarino, wiens literaire oordeel ik niet zo gemakkelijk in twijfel kon trekken, keurde het zonder meer goed.

De meeste zorgen maakte ik me over het oordeel van Jorge Álvaro Espinosa, wiens vlijmscherpe kritiek het meest gevreesd werd, zelfs buiten onze kring. Ik koesterde tegenstrijdige gevoelens: ik wilde hem onmiddellijk opzoeken om meteen een eind te maken aan de onzekerheid, maar tegelijk was ik doodsbang om hem onder ogen te komen. Hij kwam tot dinsdag niet opdagen, wat niet vreemd was voor een onverzadigbare lezer, en toen hij weer in El Molino opdook begon hij niet meteen met mij over het verhaal te praten, maar over mijn lef.

'Ik veronderstel dat je beseft in welk wespennest je je hebt gestoken,' zei hij, terwijl hij me recht aankeek met zijn groene cobraogen. 'Nu sta je in de vitrine van de erkende schrijvers en je zult heel erg je best moeten doen om dat waar te maken.'

Het enige oordeel dat me net zoveel kon schelen als dat van

Ulises deed me sprakeloos staan. Maar voordat hij verderging, had ik al besloten hem voor te zijn met de opmerking die ik altijd als de waarheid heb beschouwd, toen en ook nu nog: 'Dat verhaal is klote.'

Onverstoorbaar antwoordde hij dat hij nog niets kon zeggen, omdat hij nauwelijks de tijd had gehad om het vluchtig door te lezen. Maar hij legde me uit dat het, zelfs als het zo slecht was als ik beweerde, niet zó erg kon zijn dat ik de gouden kans die het leven me bood, aan mijn neus voorbij moest laten gaan.

'Dat verhaal behoort hoe dan ook al tot het verleden,' concludeerde hij. 'Waar het nu op aankomt is het volgende.'

Dat bracht me van mijn stuk en ik beging de dwaasheid tegenargumenten te zoeken, totdat ik ervan overtuigd was dat ik geen intelligenter advies te horen zou krijgen dan het zijne. Hij wijdde uit over zijn idee-fixe dat je eerst het verhaal moest bedenken en daarna de stijl, maar dat het ene afhing van het andere in een wederzijdse dienstbaarheid die de klassieken als toverstokje hadden gehanteerd. Hij hield me een tijdje bezig met zijn zo vaak herhaalde mening dat ik hoognodig moest beginnen met het lezen van de Grieken, grondig en onvoorbereid, en niet alleen van Homerus, de enige die ik verplicht gelezen had op de middelbare school. Ik beloofde het en wilde nog meer namen horen, maar hij veranderde van onderwerp en begon over *De valsemunters* van André Gide, dat hij het afgelopen weekend had gelezen. Ik heb hem nooit durven vertellen dat ons gesprek van doorslaggevend belang is geweest voor mijn leven. Die nacht bracht ik door met het maken van aantekeningen voor een volgend verhaal, zonder de meanders van het eerste.

De mensen die er met mij over praatten, verdacht ik ervan dat ze niet zozeer onder de indruk waren van het verhaal zelf, dat ze misschien niet hadden gelezen en vast niet hadden begrepen, als wel van het feit dat het met ongebruikelijk vertoon en op zo'n belangrijke pagina gepubliceerd was. Om te beginnen besefte ik dat ik twee grote gebreken had: mijn stuntelige manier van schrijven en mijn onbekendheid met hartsproblemen. Dat kwam overduidelijk tot uiting in mijn eerste verhaal, een verwarde, abstracte meditatie die bovendien te lijden had onder het overmatig gebruik van bedachte gevoelens.

En toen ik voor het tweede verhaal in mijn geheugen op zoek ging naar situaties uit het echte leven, herinnerde ik me dat de mooiste vrouw die ik als kind had gekend, tegen me had gezegd dat ze de beeldschone kat wilde zijn die ze aaide terwijl hij op haar schoot lag. Ik vroeg haar waarom, en ze antwoordde: 'Omdat hij mooier is dan ik.' Toen had ik een aanknopingspunt voor het tweede verhaal, en een aantrekkelijke titel: 'Eva is in haar kat gevaren'. De rest was verzonnen, net als in het vorige verhaal, en toch droegen ze allebei, zoals we toen graag zeiden, het zaad van hun eigen destructie in zich.

Dit verhaal werd op 25 oktober 1947 gepubliceerd, op dezelfde opvallende manier als het eerste, geïllustreerd door een rijzende ster aan de Caribische hemel: de schilder Enrique Grau. Het viel me op dat mijn vrienden het ontvingen als een routineuze bijdrage van een gevestigd schrijver. Ik daarentegen leed onder de fouten en twijfelde aan de vondsten, maar het lukte me de moed erin te houden. De grote klap kwam enkele dagen later, in de vorm van een stuk dat Eduardo Zalamea publiceerde in zijn dagelijkse column in *El Espectador*, onder zijn gebruikelijke pseudoniem Ulises. Hij wond er geen doekjes om: 'De lezers van het literaire supplement – Fin de Semana – zullen al hebben opgemerkt dat er een nieuw origineel talent met een krachtige persoonlijkheid is opgestaan.' En iets verder: 'In de verbeelding is alles mogelijk, maar de kunst om de parel eraan te ontrukken en die zonder misbaar en op een natuurlijke, eenvoudige manier te tonen, is niet weggelegd voor alle twintigjarige jongens die een relatie met de letteren aangaan.' En hij eindigde zonder enige terughoudendheid: 'Met García Márquez is een nieuwe, opmerkelijke schrijver geboren.'

Het stuk gaf me – vanzelfsprekend! – een schok van geluk, maar tegelijk trof het me dat Zalamea voor zichzelf geen enkele terugweg had opengelaten. Het was nu allemaal een voldongen feit en ik begreep dat zijn edelmoedigheid bedoeld was als een beroep op mijn geweten, en wel voor de rest van mijn leven. Het stuk onthulde tevens dat Ulises via een van de collega's van de redactie mijn identiteit had achterhaald. Die avond kwam ik te weten dat het Gonzalo González was geweest, een volle neef van volle neven van mij, die met ongebroken passie al vijftien jaar in hetzelfde blad, onder het pseudoniem Gog, een column schreef waarin hij vragen van lezers beantwoordde, op vijf meter afstand van het bureau van Eduardo Zalamea. Gelukkig zocht Gonzalo me niet op, en ik hem evenmin. Op een keer zag ik hem aan de tafel van de dichter De Greiff, ik kende zijn stem en het droge kuchje van de verstokte roker, en ik zag hem bij verscheidene culturele evenementen van dichtbij, maar niemand stelde ons aan elkaar voor. Sommigen deden dat niet omdat ze ons niet kenden, en anderen omdat het hun onmogelijk leek dat we elkaar niet kenden.

Het is moeilijk voorstelbaar in welke mate we destijds in de schaduw van de poëzie leefden. Het was een waanzinnige passie, een andere manier van zijn, een vuurbal die uit zichzelf alle kanten op rolde. We vouwden de krant open, zelfs bij de financiële rubriek of de misdaadpagina, of we lazen het bezinksel van de koffie op de bodem van onze kopjes, en daar wachtte ons de poëzie, klaar om zich te ontfermen over onze dromen. Zodat voor ons, de inboorlingen uit alle provincies, Bogotá weliswaar de hoofdstad van het land en de zetel van de regering was, maar bovenal de stad waar de dichters woonden. Niet alleen geloofden we in de poëzie en dweepten we ermee, maar we wisten ook zeker, zoals Luis Cardoza y Aragón schreef, dat 'de poëzie het enige concrete bewijs vormt van het bestaan van de mens'.

De wereld was van de dichters. Hun nieuwe werk was voor mijn generatie belangrijker dan het steeds deprimerender wordende politieke nieuws. De Colombiaanse poëzie had de negentiende eeuw verlaten in het licht van de eenzame ster van José Asunción Silva, de sublieme romanticus die op zijn eenendertigste een pistoolschot afvuurde op de cirkel die zijn arts met een jodiumkwast op de plek van zijn hart had getekend. Ik werd niet vroeg genoeg geboren om Rafael Pombo te kunnen leren kennen, of de grote lyricus Eduardo Castillo, die door zijn vrienden werd beschreven als een tegen de avond uit zijn graf ontsnapt spook, met zijn wijde cape, zijn door de morfine groenige huidskleur en zijn profiel als dat van een kalkoengier: het toonbeeld van de poète maudit. Op een middag zag ik vanuit de tram in de ingang van een groot herenhuis aan de carrera Séptima de indrukwekkendste man staan die ik ooit had gezien. Hij droeg een smetteloos pak, een Engelse hoed, een donkere bril ter bescherming van zijn lichtschuwe ogen en een poncho zoals die gedragen werd op de savanne. Het was de dichter Alberto Ángel Montoya, een enigszins extravagante romanticus die enkele gedichten op zijn naam heeft staan die tot de beste van zijn tijd behoren. Voor mijn generatie waren zij al schimmen uit het verleden, behalve maestro León de Greiff, die ik jarenlang bespiedde in café El Molino.

Geen van hen kon tippen aan de roem van Guillermo Valencia, een aristocraat uit Popayán die zich al voor zijn dertigste had gemanifesteerd als de paus van de generatie van het Centenario, zo genoemd omdat die samenviel met het eerste eeuwfeest van de nationale onafhankelijkheid in 1910. Zijn tijdgenoten Eduardo Castillo en Porfirio Barba Jacob, twee grote, romantische dichters, werden door de kritiek onrechtvaardig behandeld, terwijl ze het tegengestelde verdienden in een land dat was verblind door de marmeren retoriek van Valencia, wiens mythische schaduw de drie volgende generaties de pas afsneed. De eerste was die van 1925, noemde zich 'De Nieuwen' en vertoonde het bijbehorende elan, en ze bestond uit magnifieke exemplaren zoals Rafael Maya en opnieuw León de Greiff, wier grote belang niet werd erkend zolang Valencia op zijn troon zat. Deze genoot tot dan toe een merkwaardig aanzien, dat hem zelfs naar de poorten van het presidentiële paleis voerde.

De enigen die het in een halve eeuw waagden hem met hun

jeugdwerkjes de voet dwars te zetten, waren de leden van de groep Piedra y Cielo, die in laatste instantie alleen met elkaar gemeen hadden dat ze geen Valencia-adepten waren: Eduardo Carranza, Arturo Camacho Ramírez, Aurelio Arturo en Jorge Rojas, die de publicatie van hun gedichten had gefinancierd. Wat vorm en inspiratie betreft waren ze geen van allen gelijk, maar gezamenlijk brachten ze de archeologische ruïnes van de Parnassus aan het wankelen en riepen een nieuwe gevoelspoëzie in het leven, waarin de stemmen van Juan Ramón Jiménez, Rubén Darío, García Lorca, Pablo Neruda en Vicente Huidobro veelvuldig doorklonken. Ze werden niet onmiddellijk door het publiek geaccepteerd en leken zich niet bewust te zijn van het feit dat ze gezien werden als gezanten van de Goddelijke Voorzienigheid die het huis van de poëzie schoon moesten vegen. Dit nam echter niet weg dat don Baldomero Sanín Cano, de meest respectabele essayist en criticus uit die jaren, zich haastte een streng essay te schrijven om elke poging van verzet tegen Valencia de kop in te drukken. Zijn spreekwoordelijke bescheidenheid liet hem deze keer in de steek. Naast veel boude uitspraken schreef hij dat Valencia 'zich de oude wetenschap eigen heeft gemaakt om de ziel van lang vervlogen tijden te leren kennen, terwijl hij nadenkt over de hedendaagse teksten om, naar analogie daarvan, de gehele ziel van de mens te ontdekken'. Opnieuw prees hij hem als een tijdloze dichter die grenzen overschreed, en plaatste hem te midden van degenen die 'zoals Lucretius, Dante en Goethe hun lichaam behoedden om hun ziel te redden'. Menigeen moet toen gedacht hebben dat Valencia, met dergelijke vrienden, geen vijanden nodig had.

Eduardo Carranza antwoordde Sanín Cano met een artikel waarvan de titel de lading volkomen dekte: 'Een geval van dichterverheerlijking'. Het was de eerste trefzekere poging om Valencia binnen zijn eigen grenzen te plaatsen en zijn voetstuk te reduceren tot het formaat dat bij hem paste. Hij beschuldigde hem ervan in Colombia geen spirituele vlam te hebben ontstoken, maar alleen de woorden te hebben willen vernieuwen, en hij definieerde zijn verzen als die van een culteranistische,* kille, handige kunstenaar, een nauwgezette ciseleur. Zijn conclusie was een vraag aan zichzelf, in wezen een van zijn goede gedichten: 'Als poëzie niet dient om mijn bloed sneller te laten stromen, de ramen naar het mysterie plotseling voor me te openen, me te helpen de wereld te ontdekken, dit desolate hart te vergezellen in tijden van eenzaamheid en liefde, bij feesten en als de liefde voorbij is, wat heb ik dan aan poëzie?' En hij eindigde met de woorden: 'Voor mij – godslasteraar die ik ben! – is Valencia nauwelijks een goede dichter.'

De publicatie van 'Een geval van dichterverheerlijking' in 'Lecturas Dominicales' in *El Tiempo*, destijds een veelgelezen krant, bracht een maatschappelijke schok teweeg en leidde bovendien tot het verbazingwekkende resultaat dat er een grondig onderzoek werd ingesteld naar de poëzie in Colombia vanaf haar ontstaan, wat waarschijnlijk niet gebeurd was sinds don Juan de Castellanos* de honderdvijftigduizend elflettergrepige verzen van zijn *Elegías de varones ilustres de Indias* ('Elegieën van voorname heren in de Indiën') had geschreven.

Vanaf dat moment was de poëzie bevrijd uit haar keurslijf. Niet alleen voor De Nieuwen, die in de mode raakten, maar ook voor anderen die na hen opstonden en een eigen plaats moesten bevechten. De poëzie werd zo populair dat er – wat tegenwoordig onbegrijpelijk is – reikhalzend werd uitgekeken naar elk nummer van 'Lecturas Dominicales', waarvan Carranza hoofdredacteur was, of naar *Sábado*, destijds geleid door Carlos Martín, de voormalige rector van ons lyceum. Carranza schreef niet alleen gedichten, maar gebruikte zijn roem om een manier van dichter-zijn-om-zes-uur-'s-middags te introduceren door over de carrera Séptima in Bogotá, als door een etalage ter grootte van tien blokken, te flaneren met een boek in zijn hand dat hij tegen zijn hart drukte. Dat voorbeeld werd gevolgd door zijn generatie en maakte school bij de volgende, en iedereen deed het op zijn eigen manier na.

Halverwege dat jaar arriveerde de dichter Pablo Neruda in Bogotá. Hij was ervan overtuigd dat poëzie een politiek wapen diende te zijn. Gedurende zijn tertulia in Bogotá merkte hij hoe reactionair Laureano Gómez was en bij wijze van afscheid schreef hij, bijna zonder aarzeling, te zijner eer drie strafsonnetten, waarvan de eerste vier regels de toon zetten voor de rest:

Vaarwel, gij Laureano zonder lauwerkroon,
trieste satraap, omhooggevallen soeverein.
Vaarwel, gij keizer van een dwergdomein,
te vroeg betaald en met te veel vertoon.

Ondanks zijn rechtse sympathieën en zijn persoonlijke vriendschap met Laureano Gómez gaf Carranza de sonnetten een opvallende plaats op zijn literaire pagina's, meer als een journalistieke primeur dan als een politieke proclamatie. Maar ze werden vrijwel unaniem afgewezen. Vooral vanwege het absurde feit dat ze werden gepubliceerd in de krant van een liberaal in hart en nieren als ex-president Eduardo Santos, een even groot tegenstander van het oerconservatieve gedachtegoed van Laureano Gómez als van de revolutionaire ideeën van Pablo Neruda. De luidruchtigste reactie kwam van degenen die vonden dat een buitenlander zich zoiets niet kon permitteren. Het feit alleen al dat drie voor de gelegenheid geschreven en meer ingenieuze dan poëtische sonnetten een dergelijke opschudding teweeg konden brengen, was een bemoedigend symptoom van de macht van de poëzie in die jaren. Hoe het ook zij, later werd Neruda de toegang tot Colombia ontzegd door Laureano Gómez zelf, toen al president van de republiek, en door generaal Gustavo Rojas Pinilla, maar op zijn zeereizen tussen Chili en Europa bracht de dichter meerdere malen een bezoek aan Cartagena en Buenaventura, als zijn schip die havens aandeed. Hij kondigde dan zijn komst aan en voor zijn Colombiaanse vrienden was dat zowel op de heen- als op de terugreis iedere keer weer een groot feest.

Toen ik in februari 1947 naar de rechtenfaculteit ging, identificeerde ik me nog volledig met de groep Piedra y

Cielo. Hoewel ik de belangrijkste figuren al in Zipaquirá ontmoet had ten huize van Carlos Martín, durfde ik dat zelfs niet op te biechten aan Carranza, de meest toegankelijke van hen. Op een keer liep ik hem tegen het lijf in boekhandel Grancolombia en begroette hem als een bewonderaar. Hij groette heel vriendelijk terug, maar herkende me niet. Maestro León de Greiff daarentegen stond op van zijn tafel in El Molino en kwam naar de mijne om me te begroeten nadat iemand hem had verteld dat ik verhalen had gepubliceerd in *El Espectador*, en hij beloofde ze te zullen lezen. Helaas vond enkele weken later het oproer van 9 april plaats en moest ik de nog rokende stad verlaten. Toen ik na vier jaar terugkwam, was El Molino in de as gelegd en was de maestro met zijn spullen en zijn hofhouding van vrienden naar café El Automático verhuisd, waar we vriendschap sloten op basis van boeken en brandewijn, en waar hij me leerde de schaakstukken te verschuiven, hoewel ik daar, onhandig en onfortuinlijk als ik was, niet veel van terechtbracht.

Mijn vrienden van het eerste uur vonden het onbegrijpelijk dat ik koste wat kost verhalen wilde schrijven in een land waar de dichtkunst als kunst het hoogst stond aangeschreven, en ikzelf snapte er ook niets van. Ik wist het al toen ik nog heel klein was, door het succes van *Miseria humana*, een populair gedicht dat op pakpapier was gedrukt en voor twee centavo verkocht of voorgedragen werd op de markten en begraafplaatsen van de dorpen in het Caribisch gebied. Romans daarentegen waren schaars. Sinds *María* van Jorge Isaacs waren er veel geschreven, maar ze vonden nauwelijks weerklank. José María Vargas Vila was een uitzonderlijk fenomeen geweest met zijn tweeënvijftig romans die rechtstreeks hun weg vonden naar de harten van de armen. Hij was een onvermoeibaar reiziger die altijd te veel bagage met zich meesleepte: zijn eigen boeken, die overal in Latijns-Amerika en Spanje in de entrees van hotels werden uitgestald en als warme broodjes over de toonbank gingen. *Aura o las violetas* ('Aura of de viooltjes'), zijn belangrijkste roman, brak meer harten dan veel betere romans van zijn tijdgenoten.

De enige die hun tijd hebben overleefd, zijn *El carnero* ('De ram'), dat tussen 1600 en 1638, midden in de koloniale tijd, geschreven werd door de Spanjaard Juan Rodríguez Freyle en op een zo buitensporige en vrije manier de geschiedenis van Nueva Granada (de toenmalige naam van Colombia) vertelt dat het uiteindelijk een meesterwerk in fictie werd; *María* van Jorge Isaacs uit 1867; *La vorágine* van José Eustasio Rivera uit 1924; *La marquesa de Yolombó* ('De markiezin van Yolombó') van Tomás Carrasquilla uit 1926; en *Cuatro años a bordo de mí mismo* ('Vier jaar aan boord van mijzelf') van Eduardo Zalamea uit 1934. Geen van hen had de roem zien gloren die zoveel dichters terecht of ten onrechte ten deel viel. Het korte verhaal daarentegen, met een zo beroemde voorganger als de grote schrijver uit Antioquia, Carrasquilla in eigen persoon, was verzand in een woeste retoriek zonder ziel.

Het bewijs voor het feit dat ik uitsluitend als verteller in de wieg was gelegd, vormde de stroom verzen die ik op de middelbare school had achtergelaten, ongesigneerd of onder pseudoniem geschreven omdat ik er nooit mijn hand voor in het vuur had durven steken. Toen ik mijn eerste verhalen in *El Espectador* publiceerde, was er rivaliteit binnen dit genre, maar niet voldoende competentie. Nu denk ik dat de verklaring daarvoor gezocht moet worden in het feit dat men in Colombia in veel opzichten nog in de negentiende eeuw leefde. Vooral in het naargeestige Bogotá van de jaren veertig, waar men nog met heimwee terugdacht aan de koloniale periode en waar ik me tegen mijn zin en zonder roeping inschreef bij de rechtenfaculteit van de Nationale Universiteit.

Om deze stelling te bewijzen hoefde je je alleen maar onder te dompelen in het zenuwcentrum van de carrera Séptima en de avenida Jiménez de Quesada, de straathoek die met Bogotaanse overdrijving was omgedoopt tot de mooiste van de wereld. Als de klok van de San Franciscotoren 's middags twaalf uur sloeg, bleven alle mannen op straat stilstaan of onderbraken hun gesprekken in de cafés om hun horloges gelijk te zetten met de officiële tijd van de kerk. Rond dat godshuis en in de omliggende blokken bevonden zich de drukst bezochte etablissementen, waar de handelaren, de politici, de journalisten – en de dichters, dat spreekt – tweemaal per dag bij elkaar kwamen, allemaal van top tot teen in het zwart gekleed, zoals onze heer en koning don Filips IV.

In mijn studententijd las men daar nog een krant die waarschijnlijk op weinig andere plaatsen op aarde heeft bestaan. Het was een zwart schoolbord dat om twaalf uur en vijf uur 's middags op het balkon van *El Espectador* werd gezet en waarop met krijt het laatste nieuws stond geschreven. Op die momenten was de ongeduldig wachtende menigte zo groot dat de trams nauwelijks of helemaal niet konden passeren. Die straatlezers kregen bovendien de kans om vurig te applaudisseren voor de berichten die hun aanstonden, en te fluiten of stenen tegen het bord te gooien als ze hun niet bevielen. Het was een vorm van onmiddellijke democratische participatie, waardoor *El Espectador* beschikte over een thermometer die betrouwbaarder was dan elke andere om de temperatuur van de publieke opinie op te nemen.

De televisie bestond nog niet, er waren wel uitgebreide nieuwsbulletins op de radio, maar op vaste uren, zodat je op het bord bleef wachten om voor de lunch of het avondeten thuis te komen met een completere visie op de wereld. Daar las je over de solovlucht van kapitein Concha Venegas van Lima naar Bogotá en volgde die met een voorbeeldige en onvergetelijke nauwgezetheid. Als er dergelijke nieuwtjes waren, werd de tekst op het bord verscheidene malen buiten de vastgestelde uren aangepast om de gulzigheid van het publiek te voeden met extra bulletins. Geen van de straatlezers van die unieke krant wist dat de bedenker en slaaf van dat idee José Salgar heette, een redacteur die als jong broekje op zijn twintigste bij *El Espectador* was begonnen en die zonder verder te zijn gekomen dan de lagere school uitgroeide tot een van de grote journalisten.

Bogotá onderscheidde zich door zijn cafés in het centrum, waar het leven uit het hele land vroeg of laat samenvloeide. Elk café had op een bepaald moment zijn eigen specialiteit – politiek, literatuur, financiën – zodat een groot deel van de

Colombiaanse geschiedenis van die jaren een bepaalde relatie met die cafés had. Je favoriete café was een onmiskenbaar bewijs van je identiteit.

Schrijvers en politici uit de eerste helft van de eeuw, en zelfs een enkele president van de republiek, hadden gestudeerd in de cafés aan de calle Catorce, tegenover de Del Rosarioschool. El Windsor, dat naam maakte door zijn beroemde politici, was een van de etablissementen die het langst standhielden, en het was ook de schuilplaats van de grote karikaturist Ricardo Rendón, die er zijn enorme oeuvre schiep en die jaren later in een kamertje achter in een winkel aan de Gran Vía zijn geniale schedel met een kogel doorboorde.

De keerzijde van al die middagen waarop ik me verveelde was de toevallige ontdekking van een voor het publiek toegankelijke muziekzaal in de Nationale Bibliotheek. Die maakte ik tot mijn geliefde schuilplaats om te lezen onder bescherming van de grote componisten, wier werken we schriftelijk konden aanvragen bij een charmante medewerkster. Wij, de vaste bezoekers, ontdekten allerlei verwantschappen door het soort muziek dat we prefereerden. Zo heb ik de meeste van mijn lievelingscomponisten leren kennen via de overvloedige en gevarieerde smaak van anderen, en had ik jarenlang een hekel aan Chopin door toedoen van een onverbiddelijke melomaan die hem bijna dagelijks en zonder mededogen liet draaien.

Op een middag trof ik de zaal verlaten aan omdat het systeem defect was, maar de directrice gaf me toestemming om er in de stilte te gaan zitten lezen. In het begin ervoer ik het als een oase van rust, maar na krap twee uur kon ik me niet meer concentreren, omdat ik bij vlagen overvallen werd door een beklemming die me hinderde bij het lezen en me het gevoel gaf dat ik niet mezelf was. Het duurde een aantal dagen voordat ik besefte dat het geneesmiddel voor mijn beklemming niet de stilte in de zaal was, maar de sfeer van de muziek, die van toen af aan een bijna geheime en blijvende passie voor me werd.

Als op zondagmiddag de muziekzaal gesloten was, vormde de tram met de blauwe ruiten mijn vruchtbaarste tijdverdrijf.

Je kon er voor vijf centavo eindeloos rondjes in rijden, van de plaza de Bolívar naar de avenida Chile, en het was alsof die middagen in mijn jonge jaren een oneindige sleep van andere verloren zondagen met zich meesleurden. Het enige wat ik gedurende die reis in vicieuze cirkels deed was gedichtenbundels lezen, misschien een gedicht per blok, totdat in de eeuwige motregen de eerste lampen werden ontstoken. Dan liep ik de stille cafés in de oude wijken af op zoek naar iemand die zo menslievend wilde zijn met me te praten over de gedichten die ik net had gelezen. Soms vond ik hem – altijd een man – en dan bleven we tot na middernacht hangen in een of andere armzalige kroeg, de peuken van onze eigen sigaretten nog eens aanstekend en tot het eind oprokend en pratend over poëzie, terwijl de hele mensheid in de rest van de wereld aan het vrijen was.

In die tijd was iedereen jong, maar altijd ontmoetten we anderen die nog jonger waren dan wij. De generaties verdrongen elkaar, vooral onder dichters en misdadigers, en nauwelijks had iemand iets gedaan of er trad een ander naar voren die dreigde het beter te zullen doen. Soms vind ik tussen oude papieren enkele foto's die de straatfotografen van ons maakten op het plein voor de San Franciscokerk, en dan kan ik een kreet van medelijden niet onderdrukken, want het lijken geen foto's van ons, maar van onze kinderen, in een stad met dichte deuren waar niets gemakkelijk was en zeker niet het overleven van zondagmiddagen zonder liefde. Daar maakte ik toevallig kennis met mijn oom José María Valdeblánquez, toen ik dacht dat ik mijn grootvader zag die zich met zijn paraplu een weg baande door de zondagse menigte die de kerk verliet. Zijn kledij verhulde geen greintje van zijn identiteit: een zwartlakens pak, een wit overhemd met een celluloid boord en een diagonaal gestreepte das, een vest met een horlogeketting, een hoge hoed en een bril met een goudkleurig montuur. Ik was zo geïmponeerd dat ik hem zonder na te denken de pas afsneed. Hij hief zijn paraplu dreigend op en bracht zijn gezicht vlak voor het mijne.

'Mag ik erdoor?'

'Neem me niet kwalijk,' zei ik beschaamd. 'Ik zag u aan voor mijn grootvader.'

Hij bleef me onderzoekend aankijken met zijn blik als van een astronoom en vroeg op een schamper malicieuze toon: 'En wie mag die beroemde grootvader dan wel zijn?'

Verward door mijn eigen brutaliteit noemde ik zijn naam voluit. Toen liet hij zijn paraplu zakken en lachte goedgehumeurd.

'Logisch dat we op elkaar lijken,' zei hij. 'Ik ben zijn eerstgeboren zoon.'

Op de Nationale Universiteit was het leven draaglijker dan op de middelbare school. Toch lukt het me niet die realiteit in mijn herinnering terug te vinden, want ik geloof niet dat ik ook maar één dag rechtenstudent ben geweest, hoewel de resultaten van mijn eerste jaar, het enige dat ik in Bogotá heb afgemaakt, het tegendeel willen doen geloven. We hadden er de tijd noch de gelegenheid om persoonlijke relaties aan te knopen, zoals op het lyceum, want na de colleges verspreidden mijn studiegenoten zich over de stad. Het was een zeer aangename verrassing voor me om te ontdekken dat de schrijver Pedro Gómez Valderrama algemeen secretaris van de rechtenfaculteit was. Ik kende zijn werk al lang van bijdragen aan de literaire pagina's en tot aan zijn voortijdige dood bleef hij een van mijn beste vrienden.

De student met wie ik het eerste jaar het meest optrok was Gonzalo Mallarino Botero, de enige die gewend was te geloven dat enkele wonderen in het leven waar waren, ook al waren ze niet echt gebeurd. Hij leerde me dat de rechtenfaculteit niet zo steriel was als ik dacht, want al op de eerste dag haalde hij me 's morgens om zeven uur weg bij het college statistiek en demografie en daagde me uit tot een persoonlijk poëzieduel in het café op de campus. In de stille ochtenduren declameerde hij uit zijn hoofd gedichten van de Spaanse klassieken en ik antwoordde hem met gedichten van de jonge Colombianen die het vuur hadden geopend op de laatste retorische stuiptrekkingen van de vorige eeuw.

Op een zondag nodigde hij me uit. Hij woonde thuis bij

zijn moeder en zijn broers en zusters, en er hing daar een sfeer van broederlijke spanning, net zoals in mijn ouderlijk huis. Víctor, de oudste, was al een fulltime theaterman en een bekende voordrachtskunstenaar in Spaanssprekende landen. Sinds ik aan het toezicht van mijn ouders was ontsnapt, had ik me nooit meer ergens thuis gevoeld, totdat ik de moeder van de Mallarino's ontmoette, Pepa Botero, een onconventionele vrouw uit Antioquia binnen de strenge klasse van de Bogotaanse aristocratie. Met haar aangeboren intelligentie en haar uitzonderlijke taalgebruik bezat ze de onovertroffen gave precies te weten welke onfatsoenlijke woorden terug te voeren waren op Cervantes. Het waren onvergetelijke middagen, waarop we de duisternis zagen invallen boven het eindeloze smaragdgroen van de savanne, omgeven door de geur van de dampende chocolade en warme almojábanas. Wat Pepa Botero me bijbracht, met haar vrijmoedige taalgebruik en haar manier om de gewone dingen bij de naam te noemen, was van onschatbare waarde voor het vinden van een nieuwe retoriek om het echte leven te beschrijven.

Andere verwante medestudenten waren Guillermo López Guerra en Álvaro Vidal Barón, die op het lyceum in Zipaquirá al mijn beste vrienden waren geweest. Toch voelde ik me op de universiteit meer verbonden met Luis Villar Borda en Camilo Torres Restrepo, die met veel moeite en uit liefde voor de kunst het literaire supplement van *La Razón* maakten, een min of meer clandestien dagblad dat geleid werd door de dichter en journalist Juan Lozano y Lozano. Vlak voor het ter perse gaan van het blad ging ik met hen naar de redactie en hielp een handje bij het opstellen van de nagekomen berichten. Soms trof ik daar de hoofdredacteur, wiens sonnetten ik bewonderde, maar meer nog zijn geschreven portretten van nationale figuren die hij in het tijdschrift *Sábado* publiceerde. Hij herinnerde zich vaag het artikel van Ulises over mij, maar had geen enkel verhaal gelezen, en ik ging gauw op een ander onderwerp over omdat ik zeker wist dat hij ze niet mooi zou vinden. Al de eerste dag zei hij bij het afscheid tegen mij dat de kolommen van zijn krant voor mij openstonden, maar dat beschouwde ik als niet meer dan een Bogotaanse beleefdheid.

In café Asturias werd ik door Camilo Torres Restrepo en Luis Villar Borda, medestudenten aan de rechtenfaculteit, voorgesteld aan Plinio Apuleyo Mendoza, die op zijn zestiende een reeks prozagedichten had gepubliceerd, een genre dat Eduardo Carranza via de literaire pagina's van *El Tiempo* in het hele land populair had gemaakt. Hij was een man met een tanige huid en pikzwart, sluik haar, wat zijn sympathieke indiaanse uiterlijk accentueerde. Ondanks zijn leeftijd was het hem gelukt met zijn stukjes naam te maken in het weekblad *Sábado*, opgericht door zijn vader, Plinio Mendoza Neira, voormalig minister van Oorlog en een geboren journalist, hoewel hij misschien in zijn hele leven geen volledige zin geschreven heeft. Maar hij heeft veel journalisten geleerd hun eigen zinnen te schrijven in kranten die hij met veel bombarie oprichtte en weer verruilde voor hoge politieke functies, of om andere enorme bedrijven op te richten die altijd op een ramp uitliepen. Zijn zoon heb ik in die periode slechts twee of drie keer ontmoet, altijd in gezelschap van collega-studenten van mij. Ik was ervan onder de indruk dat hij op zijn leeftijd redeneerde als een oude man, maar ik had nooit kunnen bedenken dat we later samen dagenlang op een roekeloze manier journalistiek zouden bedrijven, want dat de journalistiek als beroep betoverend kon zijn was nog niet bij me opgekomen, en als wetenschap interesseerde ze me nog minder dan de rechtenstudie.

Ik had echt nooit gedacht dat ik er belangstelling voor zou krijgen, tot de dag waarop Elvira Mendoza, de zuster van Plinio, de Argentijnse voordrachtskunstenares Berta Singerman onverwacht een interview afnam dat mijn vooroordelen tegen het beroep radicaal wegnam en me bewust maakte van een onbekende roeping. Het was niet zozeer een klassiek interview met vragen en antwoorden – waar ik altijd huiverig tegenover heb gestaan en nog steeds mijn twijfels over heb – maar een van de origineelste vraaggesprekken die ooit in Colombia zijn gepubliceerd. Jaren later, toen Elvira Mendoza al een bekende internationale journaliste en een van mijn goede vriendinnen was, vertelde ze me dat het een wanhoopsdaad was geweest om het interview te redden.

De aankomst van Berta Singerman was de gebeurtenis van de dag. Elvira, die verantwoordelijk was voor de vrouwenpagina's van het tijdschrift *Sábado*, vroeg toestemming om haar te interviewen en kreeg die, met enige terughoudendheid van de zijde van haar vader omdat ze geen ervaring had op dat gebied. Op de redactie van *Sábado* kwamen de in die jaren bekendste intellectuelen bij elkaar en Elvira vroeg hun een aantal vragen voor haar op te stellen. Maar ze raakte bijna in paniek toen ze in de presidentiële suite van hotel Granada de minachting moest trotseren waarmee Berta Singerman haar ontving.

Vanaf de eerste vraag schepte Berta er behagen in de vragen allemaal als stom of debiel af te wijzen, zonder te vermoeden dat achter elke vraag een van de goede schrijvers schuilging die zij bewonderde en met wie ze tijdens haar veelvuldige bezoeken aan Colombia kennis had gemaakt. Elvira, die opvliegend van aard was, moest haar tranen wegslikken en de onheuse bejegening verdragen. De onverwachte binnenkomst van Berta's echtgenoot redde de reportage, want hij was het die de situatie, die volledig uit de hand dreigde te lopen, met uiterste tact en gevoel voor humor in goede banen leidde.

Elvira schreef niet, zoals oorspronkelijk de bedoeling was, de dialoog met de antwoorden van de diva, maar maakte een reportage over de problemen die ze met haar had gehad. Ze benutte de gelukkige interventie van de echtgenoot en maakte hem tot de enige echte hoofdpersoon van de ontmoeting. Toen Berta Singerman het interview las, kreeg ze een van haar legendarische woedeaanvallen. Maar *Sábado* was al het meest gelezen weekblad, en de wekelijkse oplage steeg tot honderdduizend exemplaren in een stad van zeshonderdduizend inwoners.

Door de koelbloedigheid en het vernuft waarmee Elvira Mendoza de domheid van Berta Singerman had gebruikt om haar ware persoonlijkheid te onthullen, begon ik voor het eerst na te denken over de mogelijkheden van de reportage, niet als belangrijkste middel om informatie te verspreiden, maar als iets wat veel meer inhield: als literair genre. Er zouden niet veel jaren verstrijken voordat ik aan den lijve ondervond en begon te geloven, zoals ik nu meer dan ooit geloof, dat roman en reportage kinderen van dezelfde moeder zijn.

Tot op dat moment had ik me alleen durven wagen aan de poëzie: satirische verzen in het tijdschrift van het San José-college en prozagedichten of sonnetten over denkbeeldige liefdes op de manier van Piedra y Cielo in het enige nummer van de krant van het Nationaal Lyceum. Kort daarvoor had Cecilia González, mijn boezemvriendin in Zipaquirá, de dichter en essayist Daniel Arango ertoe overgehaald een door mij onder pseudoniem geschreven versje in zevenpuntsletters te publiceren op de onopvallendste plaats van de zondagbijlage van *El Tiempo*. De publicatie maakte geen indruk op mij en had ook niet tot gevolg dat ik me meer dichter voelde dan ik was. Door Elvira's reportage werd ik me echter bewust van de journalist die in mijn hart sluimerde, en kreeg ik zin hem te wekken. Ik begon de kranten op een andere manier te lezen. Camilo Torres en Luis Villar Borda, die het met me eens waren, wezen me nogmaals op het aanbod van don Juan Lozano om in *La Razón* te publiceren, maar ik durfde alleen maar een paar technische gedichten aan te bieden die ik nooit als de mijne had beschouwd. Ze vonden dat ik moest gaan praten met Plinio Apuleyo Mendoza, voor het tijdschrift *Sábado*, maar mijn verlegenheid beschermde me en waarschuwde me dat ik nog veel moest leren alvorens me blindelings in een nieuw beroep te storten. Toch leverde mijn ontdekking onmiddellijk profijt op, want in die dagen lag ik overhoop met mijn geweten, dat me te verstaan gaf dat alles wat ik schreef, in proza of in versvorm, zelfs mijn huiswerk op het lyceum, een onbeschaamde imitatie was van Piedra y Cielo. Ik nam me voor om daar grondig verandering in te brengen, te beginnen met mijn volgende verhaal. In de praktijk raakte ik er uiteindelijk van overtuigd dat het gemakzuchtige gebruik van bijwoorden van modaliteit, die in het Spaans eindigen op *-mente*, een verarmend effect heeft. Dus begon ik ze te censureren als ze tevoorschijn kwamen en ik raakte er steeds sterker van overtuigd dat ik door die obsessie werd gedwongen rijkere en expressievere vormen te vinden. Al sinds lang komt er in mijn boeken niet één meer voor, behalve in een enkel letterlijk citaat. Ik weet natuurlijk niet of mijn vertalers uit hoofde van hun beroep deze stijlparanoia hebben opgemerkt en overgenomen.

Mijn vriendschap met Camilo Torres en Villar Borda overschreed al spoedig de grenzen van de collegezalen en het redactiebureau, en we brachten meer tijd samen op straat door dan op de universiteit. In beiden broeide een hard non-conformisme ten aanzien van de politieke en sociale situatie van het land. Geabsorbeerd als ik was door de mysteries van de literatuur, probeerde ik niet eens hun cirkelredeneringen en sombere voorspellingen te begrijpen, maar van alle aangename en nuttige vriendschappen uit die jaren hebben de hunne de diepste sporen nagelaten.

Op college voelde ik me daarentegen vastgelopen. Ik heb het altijd betreurd dat ik zo weinig eerbied had voor de verdiensten van de docenten met grote namen die onze weerzin moesten verdragen. Een van hen was Alfonso López Michelsen, de zoon van de enige president in de twintigste eeuw die werd herkozen, en ik geloof dat daarom de algemene indruk heerste dat ook hij bij zijn geboorte voorbestemd was om president te worden, wat hij inderdaad werd. Hij droeg prachtige, in Londen gemaakte kasjmieren jasjes en arriveerde ergerlijk punctueel voor zijn colleges inleiding tot het recht. Hij doceerde zonder iemand aan te kijken, met de hemelse houding van intelligente bijzienden die altijd de indruk wekken door de dromen van anderen heen te lopen. Zijn colleges leken me eentonige monologen, zoals elk college dat niet over poëzie ging, maar zijn verveelde stemgeluid had de hypnotische kracht van een slangenbezweerder. Zijn brede literaire kennis had toen al een stevige basis en hij wist die zowel schriftelijk als mondeling te gebruiken, maar ik begon die pas te waarderen toen we elkaar jaren later weer ontmoetten en ver van de slaperigheid van de universiteit vrienden werden. Zijn prestige van fervent politicus werd gevoed door zijn bijna magische persoonlijke charme en door de gevaarlijk scherpzinnige manier waarop hij de achterliggende bedoelingen van mensen ontdekte, vooral van mensen die hij niet mocht. Toch viel hij als publieke figuur het meest op door zijn verbazingwekkende gave om met één enkele zin een historische situatie neer te zetten.

Mettertijd groeide er een grote vriendschap tussen ons, maar op de universiteit was ik de trouwste noch de ijverigste student, en mijn onverbeterlijke verlegenheid zorgde voor een onoverbrugbare afstand, in het bijzonder ten aanzien van de mensen die ik bewonderde. Dus was ik uitermate verbaasd dat ik door hem werd opgeroepen voor het overgangsexamen aan het eind van het eerste jaar, ondanks mijn veelvuldige afwezigheid, die me de reputatie van onzichtbare student had bezorgd. Ik deed een beroep op mijn oude truc en veranderde met retorische middelen van onderwerp en merkte dat de docent mijn list doorzag, maar wellicht wist hij die te waarderen als een vorm van literair amusement. De enige blunder die ik in de doodsstrijd van het examen beging was dat ik het woord 'verjaring' gebruikte, waarop hij zich haastte mij te vragen het te definiëren om zich ervan te verzekeren dat ik wist waar ik het over had.

'Verjaring is het verwerven van een eigendom door het verstrijken van de tijd,' antwoordde ik.

Onmiddellijk vroeg hij: 'Verwerven of kwijtraken?'

Dat kwam op hetzelfde neer, maar vanwege mijn aangeboren onzekerheid ging ik niet met hem in discussie, en ik geloof dat het een van zijn beroemde grappen tijdens het natafelen werd, want het was niet van invloed op het eindcijfer. Jaren later sprak ik met hem over het incident en hij herinnerde het zich natuurlijk niet, maar toen waren we er al geen van beiden meer zeker van of de gebeurtenis werkelijk had plaatsgevonden.

Allebei vonden we in de literatuur een rustige plek om de politiek en de mysteries van de verjaring te vergeten, en we ontdekten verrassende boeken en vergeten schrijvers gedurende eindeloze gesprekken, waardoor we afspraken vergaten en onze vrouwen tot wanhoop dreven. Mijn moeder had me verzekerd dat we familie van elkaar waren, en dat was ook zo. Maar meer dan door enige verre familieband werden we verenigd door onze gezamenlijke passie voor de vallenatos.

Een ander toevallig familielid van vaderskant was Carlos H. Pareja, docent politieke economie en eigenaar van boekhandel Grancolombia, de favoriete boekhandel van de studenten vanwege zijn goede gewoonte de nieuwste boeken van grote schrijvers uit te stallen op open tafels, zonder toezicht. Zelfs wij, zijn eigen studenten, maakten van de onoplettendheid bij het invallen van de duisternis gebruik om de zaak binnen te dringen en vingervlug boeken te verdonkeremanen, overeenkomstig de onder studenten geldende code dat het stelen van boeken een vergrijp, maar geen zonde is. Niet uit deugdzaamheid, maar uit fysieke angst beperkte mijn rol zich tot het geven van rugdekking aan de handigsten, onder voorwaarde dat ze behalve de boeken voor zichzelf ook een paar door mij opgegeven titels meenamen. Op een middag had een van mijn handlangers net *La ciudad sin Laura* ('De stad zonder Laura') van Francisco Luis Bernárdez gestolen, toen ik een stevige klauw op mijn schouder voelde en een stem als van een sergeant hoorde zeggen: 'Eindelijk, verdomme!'

Verschrikt draaide ik me om en stond oog in oog met maestro Carlos H. Pareja, terwijl mijn drie trawanten het hazenpad kozen. Gelukkig besefte ik, nog voordat ik me had kunnen verontschuldigen, dat de maestro me niet in mijn kraag had gegrepen omdat ik had gestolen, maar omdat hij me al meer dan een maand niet op zijn colleges had gezien. Na een tamelijk conventionele berisping vroeg hij: 'Is het waar dat jij de zoon van Gabriel Eligio bent?'

Het was waar, maar ik zei van niet, omdat ik wist dat zijn vader en de mijne eigenlijk familie waren en dat ze vanwege een incident tussen hen, dat ik nooit heb begrepen, van elkaar waren vervreemd. Maar later achterhaalde hij de waarheid en behandelde hij me in de boekhandel en op de universiteit als zijn neef, en onderhielden we een eerder politieke dan literaire relatie, ondanks het feit dat hij onder het pseudoniem Simón Latino verscheidene bundels met gedichten van wisselende kwaliteit had geschreven en gepubliceerd. De enige echter die baat had bij de wetenschap dat we familie van elkaar waren, was hij, want ik was niet langer bereid als dekmantel voor het stelen van boeken te fungeren.

Een andere uitstekende docent, Diego Montaña Cuéllar, was de tegenpool van López Michelsen, met wie hij in het geheim leek te wedijveren. López was een slimme liberaal en Montaña Cuéllar een linkse radicaal. Met de laatste onderhield ik goede betrekkingen buiten de universiteit, en ik had altijd de indruk dat López Michelsen me als een beginnend dichtertje beschouwde, terwijl Montaña Cuéllar me zag als een goede kandidaat voor zijn revolutionaire bekeringsdrang.

Mijn sympathie voor Montaña Cuéllar begon met een aanvaring van hem met drie jonge officieren van de militaire academie die in parade-uniform zijn colleges bijwoonden. Ze waren zo punctueel als in de kazerne, gingen dicht bij elkaar op aparte stoelen zitten, maakten keurige aantekeningen en haalden verdienstelijke cijfers voor moeilijke examens. Diego Montaña Cuéllar verzocht hun vanaf het allereerste begin niet in oorlogstenue naar college te komen. Zij antwoordden heel beleefd dat ze orders van hogerhand opvolgden, en ze lieten geen enkele kans voorbijgaan om hem dat te laten merken. In elk geval was het voor studenten en docenten duidelijk dat de drie officieren, los van hun eigenaardigheden, uitstekende studenten waren.

Ze arriveerden altijd samen en precies op tijd, in hun identieke, smetteloze uniformen. Ze gingen apart zitten en waren serieuzer en methodischer dan wij, maar ik had voortdurend het idee dat ze in een andere wereld dan de onze leefden. Als je het woord tot hen richtte luisterden ze attent en vriendelijk, maar met een onoverwinnelijk formalisme: ze gaven uitsluitend antwoord op wat men hun vroeg. In de examentijd vormden wij, burgerstudenten, groepjes van vier om in cafés te gaan studeren, we zagen elkaar als we op zaterdagavond gingen dansen, bij de stenengevechten tussen studenten, in de rustige kroegen en in de treurige bordelen uit die tijd, maar nooit kwamen we ook maar bij toeval onze militaire medestudenten tegen.

Ik wisselde nauwelijks een groet met hen gedurende het lange jaar dat we samen op de universiteit zaten. Daar was ook helemaal geen tijd voor, want ze arriveerden punctueel voor de colleges en vertrokken na het laatste woord van de docent, zonder met iemand te praten, behalve met andere jonge militairen van het tweede jaar, bij wie ze zich in de pauzes aansloten. Ik heb nooit geweten hoe ze heetten en ook nooit meer iets van hen gehoord. Nu besef ik dat die grote terughoudendheid meer aan mij dan aan hen lag, omdat ik nooit in staat ben geweest de bitterheid te boven te komen waarmee mijn grootouders herinneringen ophaalden aan hun mislukte oorlogen en aan de wrede slachtpartijen onder de bananenarbeiders.

Van Jorge Soto del Corral, docent constitutioneel recht, werd beweerd dat hij alle grondwetten van de hele wereld uit zijn hoofd kende, en tijdens zijn college stonden we versteld van zijn verbluffende intelligentie en zijn juridische eruditie, waar alleen zijn gebrekkige gevoel voor humor afbreuk aan deed. Ik geloof dat hij een van de docenten was die al het mogelijke deden om te voorkomen dat hun afwijkende politieke opvattingen in hun colleges zichtbaar werden, maar die waren duidelijker merkbaar dan zij zelf dachten, alleen al door de manier waarop ze gesticuleerden en hun ideeën benadrukten, want op de universiteit voelde je het duidelijkst de krachtige polsslag van een land dat na meer dan veertig jaar van gewapende vrede op de rand van een nieuwe burgeroorlog balanceerde.

Ondanks mijn chronische absentie en mijn gebrek aan juridische interesse slaagde ik voor alle gemakkelijke vakken van het eerste jaar rechten door de stof er op het laatste moment in te stampen, en voor de moeilijkste door mijn bekende truc om op een handige manier het onderwerp te omzeilen. De waarheid is dat ik niet in mijn element was en niet wist hoe ik op de tast verder moest in die blinde steeg. Van het recht als vak begreep ik niet veel en ik had er nog minder belangstelling voor dan voor enig ander vak op het lyceum, en bovendien voelde ik me al volwassen genoeg om mijn eigen beslissingen te kunnen nemen. Het enige wat ik eraan overhield, na het zestien maanden op een wonderbaarlijke manier te hebben uitgehouden, was een vrij grote groep vrienden voor het leven.

Mijn geringe belangstelling voor de studie werd nog geringer na het artikel van Ulises, vooral voor het studeren aan de universiteit, waar enkele van mijn medestudenten me al 'maestro' begonnen te noemen en me aan anderen voorstelden als schrijver. Dit viel samen met mijn besluit om te leren structuur in mijn verhalen aan te brengen die zowel geloofwaardig als fantastisch was, maar niet rammelde. Met modellen die perfect en tegelijk moeilijk waren, zoals *Oedipus Rex* van Sophocles, waarin de hoofdpersoon een onderzoek instelt naar de moord op zijn vader om ten slotte te ontdekken dat hijzelf de moordenaar is, of zoals 'The Monkey's Claw' van W.W. Jacob, het volmaakte verhaal waarin alles bij toeval gebeurt, of zoals *Boule de suif* van Maupassant, en werk van al die andere grote zondaars die God naar ik hoop in Zijn heilige koninkrijk heeft opgenomen. Met dit soort dingen hield ik me bezig toen me op een zondagavond eindelijk iets overkwam wat de moeite van het vertellen waard is. Bijna de hele dag had ik bij Gonzalo Mallarino in diens huis aan de avenida Chile doorgebracht met het ventileren van mijn frustraties als schrijver, en toen ik met de laatste tram terugging naar mijn pension stapte er bij de halte Chapinero een heuse faun in. Ik heb het goed gezegd: een faun. Het viel me op dat geen van de schaarse middernachtelijke passagiers verbaasd was hem te zien, en dat deed me vermoeden dat het een van de vele vermomde figuren was die op zondagen van alles en nog wat verkochten in de speeltuinen. Maar de werkelijkheid nam mijn twijfels weg, want zijn baard en zijn hoorns waren zo woest als die van een bok en toen hij langsliep rook ik zelfs de stank van zijn vacht. Bij de halte vóór calle 26, de straat die uitkwam op de begraafplaats, stapte hij uit als een keurige huisvader en verdween tussen het geboomte in het park.

Na middernacht vroeg Domingo Manuel Vega, die wakker was geworden van mijn gedraai in bed, wat er aan de hand was. 'Er stapte een faun in de tram,' zei ik, half in slaap. Hij antwoordde klaarwakker dat, als het een nachtmerrie was, dat het gevolg moest zijn van een slecht verteerde zondagse maaltijd, maar dat hij het als onderwerp van mijn volgende verhaal fantastisch vond. 's Ochtends wist ik niet meer of ik echt een faun in de tram had gezien of dat het een zondagse hallucinatie was geweest. In eerste instantie accepteerde ik dat ik door de vermoeiende dag in slaap was gevallen en een zo reële droom had gehad dat ik die niet kon scheiden van de werkelijkheid. Maar het belangrijkste voor mij was uiteindelijk niet of de faun echt was geweest, maar dat ik hem als zodanig had ervaren. En om die reden – reëel of gedroomd – mocht ik hem niet beschouwen als een product van de verbeelding, maar moest ik hem zien als een prachtige ervaring in mijn leven.

Dus schreef ik het verhaal de volgende dag in één ruk op, legde het onder mijn kussen en las en herlas het verscheidene avonden voordat ik ging slapen en 's morgens als ik wakker werd. Het was een realistische beschrijving van de gebeurtenis in de tram, precies zoals die had plaatsgevonden, in dezelfde eenvoudige stijl als de aankondiging van een doopfeest op een societypagina. Eindelijk, opgejaagd door nieuwe twijfels, besloot ik het te onderwerpen aan de onfeilbare proef van de drukletter, echter niet in *El Espectador*, maar in het literaire supplement van *El Tiempo*. Misschien was het een manier om een ander oordeel te leren kennen dan dat van Eduardo Zalamea, zonder hem te betrekken in een avontuur waaraan hij part noch deel hoefde te hebben. Ik schreef een begeleidende brief aan don Jaime Posada, de nieuwe, piepjonge hoofdredacteur van het literaire supplement van *El Tiempo*, en liet die twee dingen bezorgen door een medebewoner van het pension. Het verhaal werd echter niet gepubliceerd en de brief bleef onbeantwoord.

Mijn verhalen uit die periode, in de volgorde waarin ze werden geschreven en gepubliceerd in 'Fin de Semana', verdwenen uit de archieven van *El Espectador* toen georganiseerde benden op 6 september 1952 het gebouw van de krant bestormden en in brand staken. Zelf had ik geen kopieën, en mijn meest toegewijde vrienden evenmin, zodat ik met een zekere opluchting meende dat ze door de vergetelheid waren verast. Enkele literaire supplementen in de provincie hadden ze destijds echter zonder toestemming overgenomen, en andere verhalen waren in diverse tijdschriften gepubliceerd, dus in 1972 konden ze door Ediciones Alfil uit Montevideo worden opgenomen in een bundel onder de titel *Nabo, de neger die de engelen liet wachten.*

Eén verhaal is nooit in een bundel opgenomen, misschien omdat er geen betrouwbare versie voorhanden was: 'Tubal-Kaïn smeedt een ster', op 17 januari 1948 gepubliceerd in *El Espectador*. De naam van de hoofdpersoon is, zoals niet iedereen weet, die van een bijbelse smid die de muziek uitvond. In 1948 publiceerde ik drie verhalen. Gelezen in de volgorde waarin ze werden geschreven en gepubliceerd leken ze me onlogisch en abstract, een enkele absurd, en geen ervan was gebaseerd op ware gevoelens. Nooit heb ik kunnen achterhalen welk criterium werd gehanteerd door een zo streng criticus als Eduardo Zalamea. Voor mij hebben ze echter een belang dat ze voor niemand anders hebben, en dat is dat in elk van die verhalen een element zit van de snelle ontwikkeling die mijn leven in die periode doormaakte.

Veel romans die ik toen las en bewonderde interesseerden me alleen om wat ik er technisch van kon leren. Met andere woorden: vanwege de verborgen structuur. Vanaf de metafysische abstracties in de eerste drie verhalen tot en met de laatste drie uit die periode heb ik duidelijke aanwijzingen gevonden, die uiterst nuttig waren voor de primaire vorming van een schrijver. Het idee om andere literaire vormen te onderzoeken was niet bij me opgekomen. Ik was van mening dat het korte verhaal en de roman niet alleen twee verschillende literaire genres waren, maar ook twee organismen van zo uiteenlopende aard dat vermenging ervan funest zou zijn. Die mening ben ik nog steeds toegedaan en ik ben meer dan ooit overtuigd van de suprematie van het korte verhaal boven de roman.

Los van het literaire succes bezorgden de publicaties in *El Espectador* me andere, meer aardse en vermakelijke problemen. Verstrooide vrienden hielden me op straat aan en vroegen me hen te helpen door hun geld te lenen, want ze konden niet geloven dat zo'n beroemde schrijver geen enorme bedragen voor zijn verhalen ontving. Slechts heel weinigen geloofden dat ik echt nooit een centavo betaald kreeg voor de publicatie ervan en dat ook niet verwachtte, omdat het niet gebruikelijk was dat de pers in mijn land dat deed. Nog ernstiger was de teleurstelling van mijn vader toen het tot hem doordrong dat ik mijn eigen onkosten niet kon betalen, terwijl er van de elf kinderen die inmiddels geboren waren drie studeerden. De familie stuurde me dertig peso per maand. Alleen al het pension kostte me achttien peso, zonder recht op eieren bij het ontbijt, en ik moest daar altijd nog weer iets van afhalen voor onvoorziene uitgaven. Gelukkig had ik, god mag weten van wie, de gewoonte overgenomen om krabbeltjes te maken in de marges van kranten, op servetjes in restaurants en op de marmeren tafelbladen van cafés. Ik durf te stellen dat ze rechtstreeks afstamden van de tekeningen die ik als kind op de wanden van mijn grootvaders werkplaats had gemaakt en dat die krabbels wellicht gemakkelijke uitlaatkleppen waren. Een toevallige medestamgast uit El Molino die via contacten bij een ministerie zicht had op een baan als tekenaar zonder dat hij ook maar de minste notie van tekenen had, stelde me voor dat ik het werk voor hem zou doen en dat we het salaris zouden delen. Nooit in mijn hele leven was ik de corruptie zo dicht genaderd, maar net niet dicht genoeg om het te moeten berouwen.

Mijn belangstelling voor muziek nam eveneens toe in die periode, waarin de Caribische volksliedjes die ik met de moedermelk had ingezogen zich een weg baanden naar Bogotá. Het meest beluisterde radioprogramma was *La hora costeña* ('Een uur aan de kust'), enthousiast gepresenteerd door don Pascual Delvecchio, een soort muzikale consul van de Atlantische kust voor de hoofdstad. Het programma op zondagmorgen was zo populair geworden dat wij, de Caribische studenten, naar de radiostudio gingen om er tot laat in de middag te dansen. Dit was het begin van de immense populariteit van onze muziek in het binnenland en later tot in de verste uithoeken van het land, en ook van het sociale aanzien van de studenten uit de kustprovincies in Bogotá.

Het enige probleem was het spook van het gedwongen huwelijk. Ik weet niet welke slechte precedenten er de oorzaak van waren dat men aan de kust geloofde dat de Bogotaanse meisjes ons, de Caribische jongens, verleidden en in bed probeerden te lokken om ons te dwingen met hen te trouwen. Niet uit liefde, maar vanwege de illusie ergens te wonen met uitzicht op zee. Ik heb nooit dat idee gehad. Integendeel, mijn onaangenaamste herinneringen zijn die aan de naargeestige bordelen in de buitenwijken van Bogotá, waar we heen gingen om bij te komen van onze trieste zuippartijen. In het smerigste van al die bordelen had ik bijna het weinige leven gelaten dat ik nog in me had, toen een vrouw die ik had bezocht naakt de gang op rende en schreeuwde dat ik twaalf peso had gestolen uit een lade van haar toilettafel. Twee uitsmijters sloegen me tegen de vlakte en pikten niet alleen de twee peso in die ik nog in mijn zak had na die armzalige wip, maar lieten me alles uittrekken, zelfs mijn schoenen, en betastten me van top tot teen op zoek naar het gestolen geld. Ze hadden hoe dan ook al besloten om me niet te doden maar aan de politie over te dragen, toen de vrouw zich herinnerde dat ze haar geld de vorige dag ergens anders had verstopt en het onaangeroerd aantrof.

Onder de vriendschappen die ik aan de universiteit overhield, was die met Camilo Torres niet alleen de meest memorabele, maar ook de meest dramatische van onze jeugd. Op een dag verscheen hij voor het eerst niet op college. De reden daarvoor verspreidde zich als een lopend vuurtje. Hij had zijn zaakjes geregeld en besloten zijn huis te ontvluchten om naar het seminarie van Chiquinquirá te gaan, op ruim honderd kilometer van Bogotá. Zijn moeder kon hem nog net tegenhouden op het station en sloot hem op in zijn bibliotheek. Daar zocht ik hem op. Hij was bleker dan gewoonlijk, droeg een witte poncho en gaf blijk van een kalmte die me voor het eerst deed denken aan een staat van genade. Hij had besloten in te treden in het seminarie vanwege een roeping die hij heel goed had weten te verbergen, maar waar hij tot het bittere eind gehoor aan wilde geven.

'Het moeilijkste heb ik al achter de rug,' zei hij.

Dat was zijn manier om me te vertellen dat hij afscheid had genomen van zijn vriendin en dat zij het eens was met zijn beslissing. Na een middag die verrijkend voor me was, gaf hij me een mysterieus geschenk: *On the Origin of Species* van Darwin. Ik nam afscheid van hem met de merkwaardige zekerheid dat het voorgoed was.

Ik verloor hem uit het oog toen hij naar het seminarie vertrok. Er bereikten me vage berichten dat hij naar Leuven was gegaan om daar een driejarige theologische opleiding te volgen, dat zijn studentikoze geest en zijn wereldlijke manieren niet te lijden hadden gehad onder zijn toetreding, en dat de meisjes die verliefd op hem waren hem behandelden als een door de soutane ongevaarlijk geworden filmacteur.

Toen hij tien jaar later naar Bogotá terugkeerde, had hij zijn priesterschap met hart en ziel aanvaard, maar de beste eigenschappen uit zijn jeugd behouden. Ik was in die tijd schrijver en ongediplomeerd journalist, ik was getrouwd en had een zoon, Rodrigo, die op 24 augustus 1959 geboren was in de Palermokliniek in Bogotá. In huiselijke kring besloten we dat Camilo hem moest dopen. Plinio Apuleyo Mendoza, met wie mijn echtgenote en ik al eerder vriendschap hadden gesloten, zou peetoom zijn. De peettante was Susana Linares, de vrouw van Germán Vargas, die mijn beste vriend was en een goed journalist van wie ik de kneepjes van het vak had geleerd. Camilo was beter bevriend met Plinio dan wij, al sinds lang, maar hij accepteerde hem niet als peetoom vanwege Plinio's toenmalige affiniteit met de communisten, en misschien ook vanwege zijn spotzieke geest, die de plechtigheid van het sacrament weleens zou kunnen verstoren. Susana beloofde zich te belasten met de geestelijke vorming van het kind en Camilo kon geen andere argumenten vinden om de peetoom tegen te houden, of wilde dat niet.

De doop vond plaats in de kapel van de Palermokliniek, in het ijskoude halfduister van zes uur 's avonds, met geen andere aanwezigen dan de peetouders en ik en een boer met een poncho en touwschoenen van wie het leek alsof hij was komen aanzweven om de plechtigheid bij te wonen zonder op te vallen. Toen Susana arriveerde met het pasgeboren kind, uitte de onverbeterlijke peetoom zijn eerste provocerende opmerking: 'We zullen van dit kind een groot guerrillastrijder maken.'

Camilo, die bezig was met de voorbereidingen voor het sacrament, deed een tegenaanval op dezelfde toon: 'Ja, maar dan een guerrillastrijder van God.' En hij begon de ceremonie met een zwaarwichtig besluit dat totaal ongebruikelijk was voor die tijd: 'Ik zal hem in het Spaans dopen, opdat de ongelovigen begrijpen wat dit sacrament betekent.'

Zijn stem resoneerde in een hoogdravend Spaans, dat ik kon volgen dankzij het Latijn uit mijn jongensjaren als koorknaap in Aracataca. Op het moment van de toediening van het doopsel verzon Camilo, zonder iemand aan te kijken, nog een provocerende formule: 'Laat zij die geloven dat de Heilige Geest op dit moment neerdaalt op dit schepsel, neerknielen.'

De peetouders en ik bleven staan, misschien een beetje opgelaten door de listige woorden van de bevriende priester, terwijl het kind krijste onder de ijskoude douche. De enige die knielde was de boer met de touwschoenen. De diepe indruk die deze gebeurtenis op me maakte is me bijgebleven als een van de ernstigste lessen in mijn leven, omdat ik altijd heb geloofd dat Camilo de boer met opzet had meegebracht om ons een lesje in nederigheid te leren. Of op zijn minst in wellevendheid.

Ik zag hem slechts enkele malen terug en steeds vanwege een of andere geldige en dringende reden, die vrijwel altijd te maken had met zijn liefdadigheidswerk voor politiek vervolgden. Op een ochtend meldde hij zich bij het huis waar ik woonde toen ik pas getrouwd was, met een inbreker die zijn straf had uitgezeten maar die door de politie niet met rust werd gelaten: ze beroofden hem van alles wat hij bij zich had. Op een keer gaf ik die man een paar wandelschoenen met speciale profielzolen. Enkele dagen daarna herkende ons dienstmeisje de zolen op een foto van een straatrover die dood in een goot was gevonden. Het was onze vriend de inbreker.

Ik beweer niet dat die periode iets te maken had met de eindbestemming van Camilo, maar enkele maanden daarna ging hij naar het militair hospitaal om een zieke vriend te bezoeken, en daarna werd er niets meer van hem vernomen totdat de regering aankondigde dat hij als guerrillero van de laagste rang was opgedoken in het Leger van Nationale Bevrijding, het ELN. Hij stierf op 5 februari 1966, zevenendertig jaar oud, gedurende een openlijk gevecht met een militaire patrouille.

De intrede van Camilo in het seminarie was samengevallen met mijn eigen besluit geen tijd meer te verdoen met de rechtenstudie, maar ik had ook niet de moed om mijn ouders eindelijk de waarheid te vertellen. Van mijn broer Luis Enrique, die in februari 1948 naar Bogotá was gekomen en een goede baan had, hoorde ik dat ze zo tevreden waren over mijn resultaten op de middelbare school en in mijn eerste studiejaar dat ze me als verrassing de lichtste en modernste schrijfmachine stuurden die er op de markt was. De eerste die ik in mijn leven bezat, en ook de onfortuinlijkste, want nog dezelfde dag beleenden we haar voor twaalf peso om het welkomstfeest met mijn broer en de medepensiongasten te kunnen voortzetten. De volgende dag gingen we met barstende koppijn naar het pandjeshuis om vast te stellen dat de machine er nog stond en dat alle zegels nog intact waren, en om ons ervan te verzekeren dat ze in goede staat verkeerde, in afwachting van het moment dat de hemel ons geld zou sturen om haar terug te kopen. We hadden daartoe een goede kans toen mijn compagnon, de neptekenaar, me betaalde, maar op het laatste moment besloten we de aflossing tot later uit te stellen. Altijd als mijn broer en ik langs het pandjeshuis liepen, samen of alleen, stelden we vanaf de straat vast dat de schrijfmachine nog op haar plaats stond, als een juweel verpakt in cellofaan en met een strik van organdie, tussen rijen goed beschermde huishoudelijke apparaten. Met de vrolijke berekeningen die we in de euforie van onze dronkenschap hadden gemaakt, was na een maand nog niets gebeurd, maar de schrijfmachine stond onaangetast op haar plaats en kon daar blijven zolang we op tijd de driemaandelijkse rente betaalden.

Ik geloof dat we ons toen nog niet bewust waren van de verschrikkelijke politieke spanningen die het land in beroering begonnen te brengen. Ondanks de schijn van gematigd conservatisme waarmee Ospina Pérez aan de macht kwam, wist de meerderheid van zijn partij dat die zege alleen maar mogelijk was geweest dankzij de verdeeldheid van de liberalen. Met stomheid geslagen door de klap, verweten deze laatsten Alberto Lleras zijn dodelijke onpartijdigheid, die de nederlaag mogelijk had gemaakt. Dokter Gabriel Turbay, die meer door zijn depressieve aard dan door de tegenstemmen was verslagen, vertrok stuur- en doelloos naar Europa met als excuus een belangrijke specialisatie in de cardiologie, en overleed na anderhalf jaar eenzaam en geveld door de astma van de nederlaag tussen de papieren bloemen en de versleten gobelins van hotel Place Athénée in Parijs. Jorge Eliécer Gaitán daarentegen onderbrak zijn verkiezingscampagne voor de volgende periode geen dag, maar radicaliseerde die grondig door een op het morele herstel van de republiek gericht programma te presenteren waarbij hij voorbijging aan de historische scheiding tussen liberalen en conservatieven. En verder verdiepte hij zijn campagne door een horizontale, realistischer breuk tussen uitbuiters en uitgebuitenen aan te brengen: de politici en de bevolking. Met zijn legendarische kreet 'Ten aanval!' en zijn bovennatuurlijke energie verspreidde hij het zaad van het verzet tot in de verste uithoeken van het land met een reusachtige opruiende campagne die in minder dan een jaar steeds meer terrein won, totdat we aan de vooravond van een echte sociale revolutie stonden.

Pas toen werden we ons ervan bewust dat het land in het ravijn van dezelfde burgeroorlog dreigde te storten waarin het was achtergebleven sinds de onafhankelijkheid van Spanje, en dat die situatie zich al had uitgestrekt tot de achterkleinzonen van de oorspronkelijke hoofdpersonen. De Conservatieve Partij, die door de verdeeldheid van de liberalen na vier regeringsperioden het presidentschap had heroverd, was vastbesloten het tot elke prijs te behouden. Om dat te bereiken gaf de regering van Ospina Pérez voorrang aan de politiek van de verschroeide aarde, waardoor het land en zelfs het dagelijkse leven binnen de huiselijke kring met bloed werden besmeurd.

Door mijn gebrek aan politiek bewustzijn en doordat ik met mijn hoofd in een literaire wolk liep, had ik zelfs geen vaag vermoeden van die overduidelijke werkelijkheid, totdat ik op een avond terugkeerde naar het pension en het spook van mijn geweten tegenkwam. De verlaten stad, gegeseld door de ijskoude wind die door de bergkloven raasde, was ingesloten door de metaalachtige stem en het bewust platte accent van Jorge Eliécer Gaitán, die zoals elke vrijdag zijn geijkte toespraak hield in het Municipaltheater. In het gebouw was slechts ruimte voor duizend opeengepakte personen, maar de toespraak werd in concentrische golven verspreid, eerst door de luidsprekers in de omliggende straten en daarna door de radio's die op volle sterkte stonden en als zweepslagen weerklonken in de hele onthutste stad, waardoor de landelijke luisterdichtheid drie en zelfs vier uur lang tot ongekende hoogten werd opgevoerd.

Die avond had ik de indruk de enige persoon op straat te zijn, behalve op de legendarische hoek waar het gebouw stond van de krant *El Tiempo*, dat zoals elke vrijdag beschermd werd door een peloton agenten die gewapend waren als voor een oorlog. Het was een openbaring voor mij, want ik was zo arrogant geweest niet in Gaitán te geloven, maar die avond begreep ik plotseling dat hij het oude koloniale land achter zich had gelaten en bezig was een lingua franca voor iedereen uit te vinden, niet zozeer door de betekenis van zijn woorden, als wel door zijn emotionele en listige stemgebruik. Hij gaf zijn toehoorders in zijn epische toespraken op een malicieus vaderlijke toon het advies vredig naar hun huizen terug te keren, maar zij interpreteerden dat onmiddellijk als een gecodeerd bevel om uiting te geven aan hun afkeer van alles wat de sociale ongelijkheid en de macht van een wreed regime vertegenwoordigde. Zelfs de politieagenten die de orde moesten handhaven, raakten gemotiveerd door een oproep die ze tegengesteld interpreteerden.

Het onderwerp van de toespraak van die avond was de realistische hertelling van de slachtoffers van het geweld van regeringszijde ten gevolge van de politiek van de verschroeide aarde die gevoerd werd om de liberale oppositie te vernietigen; in de provincie was het aantal door de politie gedode mensen voorlopig ontelbaar, en in de steden waren hele wijken ontstaan van dakloze vluchtelingen zonder middelen van bestaan. Na een angstaanjagende opsomming van moorden en overtredingen begon Gaitán zijn stem te verheffen, woord voor woord, zin voor zin, steeds meer genietend van het wonder van zijn effectvolle en trefzekere retoriek. De spanning van het publiek nam toe op het ritme van zijn stem, en kwam in de stad tot een uitbarsting die via de radio weergalmde tot in de verste uithoeken van het land.

De uitzinnige menigte ging de straat op en begon een nietbloedige veldslag, die heimelijk werd getolereerd door de politie. Ik geloof dat ik die avond eindelijk de frustraties van mijn grootvader en de heldere analyses van Camilo Torres Restrepo begreep. Het verbaasde me dat de studenten op de Nationale Universiteit nog steeds liberaal of conservatief waren, met communistische kernen, en dat de bres die Gaitán in het land aan het slaan was, daar nog niet gevoeld werd. Verward door de opschudding van die avond arriveerde ik in het pension en trof daar mijn kamergenoot aan, die rustig in zijn bed Ortega y Gasset lag te lezen.

'Ik ben een ander mens, doctor Vega,' zei ik tegen hem. 'Nu weet ik hoe en waarom de oorlogen van kolonel Nicolás Márquez zijn begonnen.'

Enkele dagen daarna, op 7 februari 1948, organiseerde Gaitán de eerste politieke plechtigheid waarbij ik aanwezig was: een demonstratie van rouw voor de ontelbare doden ten gevolge van de repressie in het land, waaraan werd deelgenomen door meer dan zestigduizend vrouwen en mannen in het zwart, met de rode vlaggen van de partij en de zwarte vlaggen van het liberale rouwbetoon. Zijn consigne was eenduidig: absolute stilte. Het werd opgevolgd met een onvoorstelbaar gevoel voor dramatiek, zelfs op de balkons van de herenhuizen en kantoren langs de grootste avenida, waar men ons in een dichte stoet van elf blokken lang voorbij zag komen. Een vrouw naast me prevelde een gebed. Een man keek haar verbaasd aan: 'Alstublieft, mevrouw!' Met een kreetje verontschuldigde ze zich en dook onder in de oceaan van schimmen. Wat me echter tot tranen toe roerde was de behoedzaamheid van de voetstappen en de ademhaling van de menigte in die onnatuurlijke stilte. Ik was naar die demonstratie gekomen zonder enige politieke overtuiging, uit nieuwsgierigheid naar de stilte, en opeens werd ik verrast door de brok in mijn keel. De toespraak van Gaitán op de plaza de Bolívar, vanaf het balkon van het gemeentelijke belastingkantoor, was een lijkrede met een indrukwekkende emotionele lading. Tegen de onheilsprofetieën van zijn eigen partijgenoten in werd er tot slot gehoor gegeven aan het lastigste deel van het consigne: er klonk geen enkel applaus.

Zo verliep de 'mars van de stilte', de indrukwekkendste van de vele marsen die in Colombia zijn gehouden. Die historische middag maakte zowel medestanders als vijanden duidelijk dat de verkiezing van Gaitán niet meer tegen te houden was. Ook de conservatieven wisten het, vanwege de manier waarop het geweld zich als een besmettelijke ziekte over het hele land had verspreid, vanwege het barbaarse optreden van de geheime politie tegen de ongewapende liberalen en vanwege de politiek van de verschroeide aarde. De mensen die dat weekend het stierengevecht in de arena van Bogotá bijwoonden, waren getuige van een uiterst sinistere uiting van de gemoedstoestand waarin het volk verkeerde. De opgewonden menigte, verontwaardigd over de tamheid van de stier en het onvermogen van de stierenvechter om hem in één keer te doden, stortte zich in de arena en verscheurde het nog levende dier. Talrijke journalisten en schrijvers die getuige waren van dat monsterlijke schouwspel of ervan hoorden, interpreteerden de gebeurtenis als het meest angstaanjagende symptoom van de brute razernij waarin het land verkeerde.

In die sfeer van uiterste spanning werd op 30 maart om halfvijf 's middags in Bogotá de Negende Pan-Amerikaanse Conferentie geopend. De stad had een buitensporig dure verjongingskuur ondergaan, in overeenstemming met de pompeuze smaak van minister van Buitenlandse Zaken Laureano Gómez, die uit hoofde van zijn functie voorzitter van de conferentie was. De ministers van Buitenlandse Zaken van alle Latijns-Amerikaanse landen en andere belangrijke personen van dat moment waren aanwezig. De meest vooraanstaande Colombiaanse politici waren uitgenodigd als eregast, met als enige en veelzeggende uitzondering Jorge Eliécer Gaitán, die zonder enige twijfel van de lijst was geschrapt door het zeer veelzeggende veto van Laureano Gómez, en misschien ook door dat van enkele liberale leiders die een vreselijke hekel aan hem hadden vanwege zijn aanvallen op de oligarchie van beide partijen. De flonkerster van de conferentie was generaal George Marshall, afgevaardigde van de Verenigde Staten en grote held van de recente wereldoorlog, die met de verblindende glans van een filmacteur de wederopbouw van het door de oorlog verwoeste Europa had geleid.

Toch nam Jorge Eliécer Gaitán op vrijdag 9 april de belangrijkste plaats in het nieuws in, omdat het hem gelukt was vrijspraak te krijgen voor luitenant Jesús María Cortés Poveda, die beschuldigd werd van de moord op de journalist Eudoro Galarza Ossa. Even voor acht uur 's morgens was Gaitán in een euforische stemming bij zijn advocatenkantoor op het drukke kruispunt van de carrera Séptima en de avenida Jiménez de Quesada gearriveerd, ondanks het feit dat hij tot in de kleine uurtjes bij de rechtszaak was geweest. Hij had verscheidene afspraken voor de volgende uren, maar accepteerde onmiddellijk toen Plinio Mendoza Neira hem even voor één uur uitnodigde om te gaan lunchen met zes persoonlijke en politieke vrienden die naar zijn kantoor waren gekomen om hem te feliciteren met zijn juridische succes, dat de kranten niet meer hadden kunnen meenemen. Onder hen was zijn eigen arts, Pedro Eliseo Cruz, die ook deel uitmaakte van zijn politieke gevolg.

In die geladen sfeer nam ik voor de lunch plaats aan de tafel in de eetkamer van mijn pension, minder dan drie straten daarvandaan. Mijn soep was nog niet opgediend toen Wilfrido Mathieu opeens hevig geschrokken voor me stond.

'Dit land is naar de bliksem,' zei hij. 'Gaitán is zojuist vermoord voor El Gato Negro.'

Mathieu, die net als andere pensiongasten uit Sucre kwam, was een voorbeeldige student medicijnen en chirurgie, maar hij was ook iemand die leed aan onheilspellende voorgevoelens. Nauwelijks een week daarvoor had hij ons verteld dat Jorge Eliécer Gaitán weleens vermoord zou kunnen worden, zijn meest dreigende en beangstigende voorgevoel vanwege de verwoestende gevolgen ervan. Daar raakte echter niemand meer van onder de indruk, omdat er geen voorgevoelens voor nodig waren om dat te veronderstellen.

In allerijl stak ik de avenida Jiménez de Quesada over en arriveerde buiten adem bij café El Gato Negro, vlak bij de hoek van de carrera Séptima. Het slachtoffer was nog in leven, maar daar was alles mee gezegd, en hij was net overgebracht naar het centrale ziekenhuis, ongeveer vier straten daarvandaan. Enkele mannen maakten hun zakdoeken nat in de nog warme plas bloed om ze te bewaren als historische relikwieën. Een vrouw met een zwarte omslagdoek en touwschoenen, een van de vele vrouwen die op die plek snuisterijen verkochten, hield haar met bloed bevlekte zakdoek in haar hand en jammerde: 'Klootzakken, jullie hebben hem vermoord.'

De groepjes schoenpoetsers, die gewapend waren met hun houten kisten, probeerden de metalen rolluiken van apotheek Nueva Granada te slopen, waar het handjevol politieagenten de aanvaller had opgesloten om hem te beschermen tegen de woedende meute. Een zeer zelfverzekerde lange man in een onberispelijk grijs pak, als voor een bruiloft, hitste de menigte op met op effect berekende kreten. En die bleken zó effectief te zijn dat de eigenaar van de apotheek de metalen rolluiken optrok, uit angst dat zijn zaak in brand zou worden gestoken. De aanvaller, die zich had vastgeklampt aan een politieagent, raakte in paniek toen groepen opgewonden mensen zich op hem stortten.

'Agent,' smeekte hij bijna onhoorbaar, 'laat ze me niet doodmaken.'

Ik zal hem nooit kunnen vergeten. Hij had een baard van enkele dagen, zag doodsbleek, zijn haar zat in de war en zijn ogen puilden uit van angst. Hij droeg een afgedragen bruin pak met verticale strepen en de revers van het jasje waren gescheurd doordat de mensen eraan hadden getrokken. Het was een beeld dat een seconde en tegelijk een eeuwigheid duurde, want de schoenpoetsers sloegen met hun kisten tot ze hem los hadden uit de handen van de agenten en trapten hem net zo lang tot hij dood was. De eerste keer dat hij tegen de grond werd gesmeten raakte hij een schoen kwijt.

'Naar het paleis!' brulde de nooit geïdentificeerde man in het grijs.

De fanatieksten gehoorzaamden. Ze grepen het bebloede lichaam bij de enkels vast en sleepten het over de carrera Séptima tot de plaza de Bolívar, te midden van de laatste elektrische trams die vast waren komen te zitten door de oploop, en schreeuwden oorlogszuchtige beledigingen tegen de regering. Vanaf de trottoirs en de balkons werden ze aangemoedigd met kreten en applaus, terwijl er op het plaveisel restanten van de kleren en de huid van het door slagen verminkte lijk achterbleven. Velen sloten zich aan bij de optocht, die na nog geen zes straten het formaat en de expansieve kracht van een uitbrekende oorlog had bereikt. Het mishandelde lichaam had alleen nog maar een onderbroek en een schoen aan.

De pas opgeknapte plaza de Bolívar, met zijn saaie bomen en zijn volgens de nieuwe officiële esthetiek gestileerde standbeelden, bezat niet langer de grandeur van eerdere historische vrijdagen. De afgevaardigden die in het Capitolio Nacional deelnamen aan de Pan-Amerikaanse Conferentie die tien dagen daarvoor was begonnen, waren gaan lunchen.

Dus trok de menigte verder naar het presidentiële paleis, dat ook onbewaakt was. Daar lieten ze wat er van het lijk over was achter, met geen andere kleren dan de restanten van zijn onderbroek, zijn linkerschoen en om zijn nek twee onverklaarbare stropdassen. Enkele minuten daarna arriveerden president Mariano Ospina Pérez en zijn echtgenote om de lunch te gebruiken, nadat ze een veeteelttentoonstelling hadden geopend in het dorp Engativá. Tot op dat moment waren ze niet op de hoogte van de moord, omdat ze de radio in de presidentiële auto niet aan hadden staan.

Ik bleef nog zo'n tien minuten op de plaats van het misdrijf, verbaasd over de snelheid waarmee de versies van de getuigen van vorm en inhoud veranderden, totdat ze iedere gelijkenis met de werkelijkheid hadden verloren. We bevonden ons op het kruispunt van de avenida Jiménez en de carrera Séptima, op het drukste uur van de dag en op vijftig passen afstand van *El Tiempo*. We wisten op dat moment dat Gaitán, toen hij zijn kantoor verliet, in gezelschap was van Pedro Eliseo Cruz, Alejandro Vallejo, Jorge Padilla en Plinio Mendoza Neira, die minister van Oorlog was in de eerste regering van Alfonso López Pumarejo. Mendoza had hen voor de lunch uitgenodigd. Gaitán had het gebouw waar hij kantoor hield, verlaten zonder lijfwachten en omgeven door een hechte groep vrienden. Zodra ze op de stoep stonden, pakte Mendoza hem bij de arm, liep een stap met hem voor de anderen uit en zei: 'Er was nog een kleinigheidje dat ik je wilde vragen.'

Meer kon hij niet zeggen. Gaitán sloeg zijn arm voor zijn gezicht en Mendoza hoorde het eerste schot al voordat hij de man, die zijn revolver op het hoofd van de leider richtte en driemaal vuurde met de kilheid van een beroepsschutter, voor hen zag staan. Even later werd al gesproken over een vierde schot in het wilde weg en misschien een vijfde.

Plinio Apuleyo Mendoza, die samen met zijn vader en zijn zusters Elvira en Rosa Inés was gearriveerd, had Gaitán nog net op zijn rug op de stoep zien liggen, één minuut voordat ze hem naar het ziekenhuis brachten. 'Hij leek niet dood,' vertelde hij me jaren later. 'Hij zag eruit als een indrukwekkend standbeeld dat op zijn rug op de stoep lag, naast een kleine bloedvlek en met een grote droefenis in zijn wijdopen, starre ogen.' In de verwarring van dat moment dachten zijn zusters even dat ook hun vader was gedood, en ze raakten zo van streek dat Plinio Apuleyo ze in de eerste de beste passerende tram liet stappen om ze daar weg te krijgen. Maar de bestuurder wist maar al te goed wat er gebeurd was en hij smeet zijn pet op de grond en liet de tram midden op straat in de steek om zich aan te sluiten bij de eerste kreten van rebellie. Enkele minuten daarna was dit de eerste tram die door de waanzinnige menigte omvergegooid werd.

Er bestonden onoverbrugbare meningsverschillen over het aantal en de rol van de hoofdpersonen, want één getuige verzekerde dat drie mannen om beurten hadden geschoten, terwijl een andere beweerde dat de echte dader zich in de roerige menigte uit de voeten had gemaakt en zonder haast op een rijdende tram was gesprongen. Ook de vele veronderstellingen die van toen af aan werden geopperd over wat Mendoza Neira aan Gaitán had willen vragen toen hij hem bij de arm nam, klopten niet; hij wilde hem namelijk vragen hem opdracht te geven een opleidingscentrum voor vakbondsleiders op te richten. Of, zoals zijn schoonvader enkele dagen daarvoor spottend had gezegd: 'Een school om de chauffeur filosofie bij te brengen.' Het was hem nog niet gelukt dat te zeggen toen vlak voor hen het eerste pistoolschot al knalde.

Vijftig jaar na dato staat het beeld van de man die voor de apotheek de mensen leek op te hitsen, nog in mijn geheugen gegrift, maar ik heb hem niet teruggevonden in de ontelbare getuigenissen die ik over die dag heb gelezen. Ik had hem van heel dichtbij gezien, in een pak van uitstekende kwaliteit, met een albasten huid en minutieus gecontroleerde gebaren. Hij trok zozeer mijn aandacht dat ik op hem bleef letten totdat hij, zodra het lijk van de moordenaar was meegenomen, werd opgehaald door een veel te nieuwe auto, en vanaf dat moment leek hij uit het historische geheugen te zijn gewist. Zelfs uit het mijne, totdat ik vele jaren later, in de tijd dat ik journalist was, op het idee kwam dat die man erin geslaagd was de verkeerde persoon te laten doden om de identiteit van de echte moordenaar te beschermen.

Midden in die oncontroleerbare situatie bevond zich de twintigjarige Cubaanse studentenleider Fidel Castro, als afgevaardigde van de universiteit van Havana op een studentencongres dat was georganiseerd als democratisch antwoord op de Pan-Amerikaanse Conferentie. Hij was zes dagen eerder aangekomen in gezelschap van Alfredo Guevara, Enrique Ovares en Rafael del Pino, net als hij Cubaanse studenten, en een van de eerste dingen die hij deed was een onderhoud aanvragen met Jorge Eliécer Gaitán, die hij bewonderde. Twee dagen daarna voerde Castro een gesprek met Gaitán, en deze maakte een afspraak met hem voor de volgende vrijdag. Gaitán zelf noteerde de afspraak in zijn bureauagenda, op de pagina van de negende april: 'Fidel Castro, 14.00 uur'.

Zoals Fidel zelf heeft verteld in diverse media, bij verschillende gelegenheden en gedurende de eindeloze gesprekken die we als oude vrienden in de loop der jaren hebben gevoerd, hoorde hij voor het eerst van de aanslag toen hij daar in de buurt rondliep om op tijd te zijn voor de afspraak van twee uur. Plotseling werd hij verrast door de eerste mensen die in paniek wegrenden en schreeuwden: 'Gaitán is vermoord!'

Fidel Castro besefte pas later dat zijn afspraak hoe dan ook niet vóór vier of vijf uur had kunnen doorgaan, omdat Gaitán onverwacht door Mendoza Neira voor de lunch was uitgenodigd.

Op de plaats van het misdrijf was het een gedrang vanjewelste. Het verkeer zat vast en de trams waren omvergegooid, zodat ik naar het pension terugging om verder te gaan met mijn middageten. Maar mijn docent Carlos H. Pareja stond in de deur van zijn kantoor, sneed me de pas af en vroeg waar ik heen ging.

'Ik ga eten,' zei ik.

'Ben jij belazerd,' zei hij, met zijn onverbeterlijke Caribische welbespraaktheid. 'Hoe haal je het in je hoofd om te gaan eten nu ze Gaitán hebben vermoord?'

Hij droeg me zonder meer op naar de universiteit te gaan

en de leiding van het studentenprotest op me te nemen. Het vreemde was dat ik hem gehoorzaamde, hoewel dat niets voor mij was. Ik liep verder over de carrera Séptima, in noordelijke richting, tegen de stroom in van de woelige menigte die zich nieuwsgierig, verdrietig en woedend, naar de straathoek haastte waar de misdaad was gepleegd. De universiteitsbussen, die door opgewonden studenten werden bestuurd, reden voor de optocht uit. In het parque Santander, op honderd meter afstand van de plek des onheils, werden de grote deuren van hotel Granada – het meest luxueuze hotel van de stad, waar die dagen in verband met de Pan-Amerikaanse Conferentie enkele ministers van Buitenlandse Zaken en bekende genodigden verbleven – razendsnel door het personeel gesloten.

Een nieuwe golf arme sloebers, duidelijk klaar voor de strijd, kwam van alle kanten aanzetten. Velen waren bewapend met machetes die ze even daarvoor, bij de eerste overvallen op de winkels, hadden gestolen, en ze leken te popelen ze te gebruiken. Het stond me niet duidelijk voor ogen wat de mogelijke consequenties van de aanslag waren, en bovendien had ik nog steeds meer belangstelling voor mijn middagmaal dan voor het protest, zodat ik me omdraaide en naar het pension terugging. Met enkele treden tegelijk rende ik de trappen op, ervan overtuigd dat mijn gepolitiseerde vrienden op voet van oorlog verkeerden. Maar nee, in de eetkamer was niemand, en mijn broer en José Palencia, die het naastgelegen vertrek deelden, waren met andere vrienden in de slaapkamer aan het zingen.

'Gaitán is vermoord!' schreeuwde ik.

Ze gebaarden dat ze dat al wisten, maar ze verkeerden allemaal meer in een vakantie- dan in een begrafenisstemming en onderbraken hun lied niet. Daarna gingen we allemaal aan tafel in de verlaten eetkamer, ervan overtuigd dat het daarbij zou blijven, totdat iemand de radio harder zette om ons, onverschilligen, tot luisteren te dwingen. In de geest van de aansporing die hij mij een uur eerder had gegeven, kondigde Carlos H. Pareja de installatie aan van een revolutionaire junta bestaande uit de meest vooraanstaande liberalen, onder wie de bekende schrijver en politicus, Jorge Zalamea. Het eerste besluit van de junta betrof de oprichting van het uitvoerend comité, het commando van de Nationale Politie en alle voor een revolutionaire staat noodzakelijke instellingen. Daarna werden er door de andere leden van de junta leuzen geroepen die steeds extremer werden.

Het eerste wat op dat plechtige moment bij me opkwam was wat mijn vader wel zou denken als hem ter ore kwam dat zijn neef, de fanatieke reactionair, de belangrijkste leider was van een revolutie van extreem links. Bij het horen van de grote, aan universiteiten verbonden namen verbaasde de pensionhoudster zich erover dat die personen zich niet gedroegen als professoren maar als ongemanierde studenten. Je hoefde de afstemknop maar twee streepjes te verzetten om in een andere wereld terecht te komen. Op Radio Nacional riepen de regeringsgetrouwe liberalen op tot kalmte, op andere stations protesteerden ze heftig tegen de Moskougetrouwe communisten, terwijl de hoogste leiders van de Liberale Partij de risico's van een oorlog in de straten trotseerden in een poging het presidentiële paleis te bereiken om met de conservatieve regering te onderhandelen over een compromis.

We waren nog beduusd van die krankzinnige verwarring, toen een zoon van de pensionhoudster opeens schreeuwde dat het huis in brand stond. Inderdaad, er was een scheur ontstaan in de gestuukte achtermuur en een dichte, zwarte rook begon de slaapvertrekken binnen te dringen zodat je nog maar nauwelijks lucht kreeg. De rook kwam ongetwijfeld uit het gebouw van het provinciale bestuur, dat grensde aan het pension en dat in brand was gestoken door de demonstranten, maar de muur leek sterk genoeg om stand te houden. Dus renden we de trap af en kwamen terecht in een stad in oorlog. De uitzinnige meute gooide alles wat ze in de kantoren van het gebouw aantrof door de ramen. De rook van de branden verduisterde de hemel en lag als een onheilspellende deken over de stad. Krankzinnig geworden horden, gewapend met machetes en allerlei in de ijzerhandels gestolen gereedschap, drongen met de hulp van rebellerende politiemannen de winkels aan de carrera Séptima binnen en staken die in brand. Een vluchtige blik was voor ons voldoende om te beseffen dat de situatie uit de hand gelopen was. Mijn broer was mijn gedachte voor met de schreeuw: 'Verdomme, de schrijfmachine!'

We renden naar het pandjeshuis. Dat stond nog overeind en was stevig afgesloten met traliehekken, maar de schrijfmachine was verdwenen van de plek waar ze had gestaan. We maakten ons geen zorgen, omdat we meenden dat we haar de volgende dagen wel terug zouden krijgen, nog zonder te beseffen dat er na die enorme ramp geen volgende dagen meer zouden zijn.

Het militaire garnizoen van Bogotá beperkte zich ertoe de officiële gebouwen en de banken te beschermen, terwijl niemand zich bekommerde om de openbare orde. Veel hoge politiefunctionarissen verschansten zich al meteen in de kazerne van de vijfde divisie en ze werden gevolgd door talrijke wijkagenten met ladingen wapens, die ze in de straten hadden verzameld. Enkelen van hen, met de rode armband van de opstandelingen, schoten zó vlak bij ons een geweer af dat de knal in mijn borst weerklonk. Sinds die dag ben ik ervan overtuigd dat een geweer alleen al met zijn knal kan doden.

Toen we terugkwamen van het pandjeshuis zagen we hoe de winkels aan de carrera Octava, de rijkste straat van de stad, binnen enkele minuten werden verwoest. De schitterende juwelen, de Engelse stoffen en de hoeden uit Bond Street in de voor ons, studenten uit de kuststreek, altijd onbereikbare etalages, lagen ineens voor het grijpen, onder de blikken van de ongeïnteresseerde soldaten die de buitenlandse banken bewaakten. Het zeer chique café San Marino, waar wij nooit binnen mochten, was open en ontmanteld, en voor deze ene keer ontbraken de kelners in smoking, die er altijd als de kippen bij waren om de Caribische studenten de toegang te ontzeggen.

Sommige mensen die beladen met mooie kleren en grote rollen dure stof op hun schouders naar buiten kwamen, lieten die rollen midden op straat achter. Ik pakte er een op, zonder te bedenken hoe zwaar hij was, en ik moest hem met pijn in mijn hart achterlaten. Overal struikelden we over huishoudelijke apparaten die op straat waren gegooid, en het was lastig lopen tussen de flessen van grote whiskymerken en allerlei exotische dranken, die door het gepeupel met de machete waren onthalsd. Mijn broer Luis Enrique en José Palencia vonden restanten van de plundering van een betere kledingzaak, waaronder een hemelsblauw pak van uitstekende kwaliteit, precies de maat van mijn vader, die het jarenlang bij plechtige gelegenheden heeft gedragen. Mijn enige trofee was de map van kalfsleer die ik vond in de duurste theesalon van de stad en die ik later, gedurende de vele nachten in de daaropvolgende jaren dat ik geen slaapplaats had, gebruikte om mijn manuscripten in te doen en onder mijn arm mee te nemen.

Ik bevond me in een groep die zich een weg baande over de carrera Octava in de richting van het Capitolio, toen mitrailleurvuur de eersten die zich op de plaza de Bolívar vertoonden wegvaagde. Onmiddellijk stapelden de doden en gewonden zich op straat op, waardoor we plotseling tot staan werden gebracht. Een stervende, in het bloed badende man kroop onder de andere lichamen uit, greep me vast bij mijn broekspijp en smeekte op hartverscheurende toon: 'Ach jongen, laat me in godsnaam niet doodgaan!'

Ontzet sloeg ik op de vlucht. Van toen af aan heb ik geleerd andere gruwelen, die mij en anderen overkwamen, te vergeten, maar de hulpeloosheid van die ogen in de gloed van de branden is me altijd bijgebleven. Toch verbaast het me nog steeds dat ik geen moment heb gedacht dat mijn broer en ik zouden kunnen sterven in die genadeloze hel.

Vanaf drie uur 's middags vielen er af en toe stortbuien, maar na vijf uur barstte er een bijbelse wolkbreuk los, die veel kleine brandjes doofde en de heftigheid van de opstand deed afnemen. Het kleine hoofdstedelijke garnizoen was niet in staat de volkswoede het hoofd te bieden, maar slaagde er wel in die te ontwrichten. Pas na middernacht kreeg het versterking van de hulptroepen uit aangrenzende departementen, vooral uit Boyacá, dat de slechte reputatie genoot de leerschool van de repressie te zijn. Tot op dat moment zond de radio ophitsende toespraken uit, maar gaf geen informatie, zodat je van geen enkel bericht wist waar het vandaan kwam en de waarheid onmogelijk kon worden achterhaald. De verse troepen heroverden in de vroege ochtend de door de meute verwoeste winkelbuurt bij geen ander licht dan dat van de branden, maar het gepolitiseerde verzet hield nog enkele dagen aan, met scherpschutters op torens en platte daken. Tegen die tijd waren de doden op straat al niet meer te tellen.

Toen we naar het pension terugkeerden, stond het grootste deel van het centrum in brand, er waren trams omgegooid en restanten van auto's deden hier en daar dienst als barricaden. De weinige spullen die de moeite waard waren stopten we in een koffer, en pas later besefte ik dat ik het klad van twee of drie verhalen die nog niet klaar waren voor publicatie, had laten liggen, plus het woordenboek van mijn grootvader – dat ik nooit heb teruggevonden – en het boek van Diógenes Laercio dat ik had ontvangen als prijs omdat ik als beste leerling was geslaagd voor de middelbare school.

Het enige wat mijn broer en ik konden bedenken was onderdak te vragen bij mijn oom Juanito, die met zijn vrouw en zijn kinderen Eduardo, Margarita en Nicolás – de oudste, die een tijdje bij mij in het pension had gezeten – slechts vier straten verderop woonde, in een appartement op de tweede verdieping dat bestond uit een zitkamer, een eetkamer en twee slaapkamers. We konden er nauwelijks bij, maar het echtpaar Márquez Caballero was ruimhartig en improviseerde ruimte waar die eigenlijk niet was, zelfs in de eetkamer, niet alleen voor ons, maar ook voor vrienden van ons en voor medepensiongasten: José Palencia, Domingo Manuel Vega, Carmelo Martínez – allemaal uit Sucre – en anderen die we nauwelijks kenden.

Kort voor middernacht, toen het ophield met regenen, gingen we naar het platte dak om te kijken naar de infernale aanblik van de stad, die werd verlicht door de nagloeiende as van de branden. Op de achtergrond vormden de bergen de Monserrate en de Guadalupe twee donkere kolossen tegen de met rookwolken bedekte bewolkte hemel, maar het enige wat ik in de troosteloze nevel voor me bleef zien was het enorme gezicht van de stervende, die zich naar me toe sleepte en smeekte om hulp die ik onmogelijk kon bieden. Het plunderen op straat was afgenomen en in de geweldige stilte hoorde je alleen de verspreide schoten van ontelbare scherpschutters, die overal in het centrum verstopt zaten, en het rumoer van de troepen, die geleidelijk iedere uiting van gewapend of ongewapend verzet de kop indrukten om de stad weer onder controle te krijgen. Geschokt door het landschap van de dood gaf oom Juanito met een enkele verzuchting uitdrukking aan de gevoelens van ons allen: 'Mijn god, dit lijkt wel een droom!'

Weer terug in de halfduistere zitkamer liet ik me op de bank vallen. De officiële nieuwsberichten van de door de regering bezette radiostations schilderden een beeld van geleidelijk weerkerende rust. Er werden geen toespraken meer gehouden, maar er was geen duidelijk verschil te horen tussen de officiële zenders en de stations die nog in handen waren van de rebellen, en zelfs die laatste konden onmogelijk worden onderscheiden van de onstuitbare geruchtenstroom. Er werd beweerd dat alle ambassades uitpuilden van de vluchtelingen en dat generaal Marshall in die van de Verenigde Staten bewaakt werd door een erewacht van de militaire academie. Ook Laureano Gómez had daar vanaf het begin zijn toevlucht gezocht, en hij had telefoongesprekken gevoerd met zijn president om te proberen te verhinderen dat deze zou onderhandelen met de liberalen in een situatie die, volgens hem, door de communisten werd beheerst. Ex-president Alberto Lleras, destijds algemeen secretaris van de Pan-Amerikaanse Unie, had als door een wonder het vege lijf gered toen hij bij het verlaten van het Capitolio in zijn ongeblindeerde auto herkend werd, waarna de mensen hadden geprobeerd hem te laten boeten voor de legale overdracht van de macht aan de conservatieven. De meeste afgevaardigden die deelnamen aan de Pan-Amerikaanse Conferentie waren om middernacht buiten gevaar.

Te midden van al die tegengestelde berichten werd bekendgemaakt dat Guillermo León Valencia, zoon van de dichter met dezelfde naam, was gestenigd en dat zijn lichaam was opgehangen op de plaza de Bolívar. Maar de indruk dat de regering de situatie onder controle had, kreeg voor het eerst vaste vorm toen het leger de door de rebellen bezette radiozenders weer in handen kreeg. In plaats van met oorlogsverklaringen probeerde men het volk gerust te stellen met de troostende mededeling dat de regering de toestand meester was, terwijl de kopstukken van de liberalen onderhandelden met de president van de republiek over het afstaan van de helft van de macht.

De geëxalteerde communisten waren in de minderheid, maar in feite waren zij de enigen die met politiek inzicht handelden. En in de chaos op straat zag je hoe ze de menigte als verkeersagenten naar de machtscentra leidden. De Liberale Partij liet daarentegen zien dat ze verdeeld was in de twee kampen die Gaitán in zijn campagne aan de kaak had gesteld: de leiders, die in het presidentiële paleis onderhandelden over hun deel van de macht, en de kiezers die het op torens en platte daken op alle mogelijke manieren zo lang mogelijk probeerden uit te houden.

De eerste twijfel met betrekking tot de dood van Gaitán betrof de identiteit van zijn moordenaar. Tot op de dag van vandaag is men het er niet unaniem over eens dat het Juan Roa Sierra was, de solitaire gangster die op hem schoot vanuit de menigte op de carrera Séptima. Het valt moeilijk te begrijpen dat hij alleen zou hebben gehandeld, terwijl hij over onvoldoende ontwikkeling leek te beschikken om zelfstandig te besluiten die rampzalige moord te plegen, op die dag, dat uur, die plek en juist op die manier. Zijn tweeënvijftigjarige moeder, Encarnación Roa Sierra, die weduwe was, had via de radio het bericht gehoord van de moord op Gaitán, haar politieke held, en ze was bezig haar zondagse jurk zwart te verven om voor hem in de rouw te gaan. Ze was er nog niet mee klaar toen ze hoorde dat de moordenaar Juan Roa Sierra was, de dertiende van haar veertien kinderen. Geen van hen was verder gekomen dan de lagere school, en vier van hen, twee jongens en twee meisjes, waren gestorven.

Ze verklaarde dat ze sinds ongeveer acht maanden merkwaardige veranderingen in Juans gedrag had opgemerkt. Hij praatte in zichzelf, lachte zonder reden en zei op een keer tegen zijn familie dat hij geloofde de reïncarnatie te zijn van generaal Francisco de Paula Santander, een held uit onze onafhankelijkheidsoorlog, maar ze dachten dat het een misplaatste dronkemansgrap was. Nooit had haar zoon, voorzover bekend, iemand kwaad gedaan, en hij was erin geslaagd aanbevelingsbrieven voor een baan los te krijgen van personen van een zeker aanzien. Een van die brieven zat in zijn portefeuille toen hij Gaitán doodde. Zes maanden daarvoor had hij een met de hand geschreven brief aan president Ospina Pérez gestuurd met het verzoek hem te ontvangen en hem een baan te bezorgen.

De moeder verklaarde tegenover de rechercheurs dat haar zoon zijn probleem ook persoonlijk aan Gaitán had voorgelegd, maar dat deze hem geen enkele hoop had gegeven. Het was niet bekend of hij ooit in zijn leven een schot had gelost, maar de manier waarop hij het wapen had gehanteerd waarmee de misdaad was gepleegd, was zeker niet die van een beginneling. De revolver was een .38 met lange loop, en was zo gebutst dat het een wonder was dat hij niet één keer had misgeschoten.

Enkele kantoorbedienden meenden hem de avond voor de moord te hebben gezien op de verdieping waar het kantoor van Gaitán zich bevond. De portier beweerde zeker te weten dat hij hem op de ochtend van 9 april via de trap naar boven had zien gaan en later met een onbekende uit de lift had zien komen. Hij meende dat die twee samen verscheidene uren bij de ingang van het gebouw hadden staan wachten, maar Roa stond alleen bij de deur toen Gaitán naar boven ging.

Gabriel Restrepo, een journalist van *La Jornada*, het blad dat campagne had gevoerd voor Gaitán, inventariseerde de identiteitsbewijzen die Roa Sierra bij zich had toen hij de misdaad pleegde. Die lieten geen twijfel bestaan over zijn identiteit en maatschappelijke status, maar wierpen geen enkel licht op zijn voornemens. In zijn broekzakken had hij tweeëntachtig centavo in losse munten, terwijl verschillende belangrijke dingen in het dagelijks leven slechts vijf centavo kostten. In de binnenzak van zijn jasje zat een zwartleren portefeuille met een biljet van één peso. Ook had hij een bewijs van goed gedrag bij zich dat zijn eerlijkheid garandeerde, een verklaring van de politie waaruit bleek dat hij geen strafblad had, en een papier met zijn adres in een armenwijk: calle Octava, nummer 30-73. Volgens het militaire dienstboekje dat in diezelfde zak zat, was hij reservist tweede klasse, en eenentwintig jaar geleden, op 4 november 1927, geboren als zoon van Rafael Roa en Encarnación Sierra.

Alles leek in orde, behalve dat een man zonder strafblad van zo eenvoudige komaf zoveel bewijzen van goed gedrag bij zich had. Wat bij mij echter een spoor van twijfel achterliet, die ik nooit heb kunnen wegnemen, was de elegante, goedgeklede man die hem voor de woedende horden had gegooid en daarna in een luxeauto voorgoed was verdwenen.

Terwijl het lichaam van de vermoorde apostel in het rumoer van de tragedie werd gebalsemd, waren de leden van de liberale top bijeengekomen in de eetzaal van het centrale ziekenhuis om noodmaatregelen op te stellen. Allereerst zou men, zonder vooraf audiëntie te hebben aangevraagd, naar het paleis gaan om met het staatshoofd een noodmaatregel te bespreken ter bezwering van de catastrofe die het land bedreigde. Even voor negen uur 's avonds was de regen afgenomen en baanden de eerste afgevaardigden zich zo goed en zo kwaad als het ging een weg door de straten, die als gevolg van de volksopstand vol lagen met puin, en met lijken die vanaf de balkons en platte daken door blinde kogels van de scherpschutters waren doorzeefd.

In de antichambre van de presidentiële werkkamer troffen ze enkele ambtenaren en conservatieve politici aan, evenals de echtgenote van de president, doña Bertha Hernández de Ospina, die haar gevoelens volkomen meester was. Ze droeg nog steeds de japon waarin ze haar echtgenoot had vergezeld naar de tentoonstelling in Engativá, en aan haar riem een reglementaire revolver.

Tegen het eind van de middag had de president het contact verloren met de plaatsen waar de situatie het zorgwekkendst was, en sindsdien probeerde hij achter gesloten deuren met militairen en ministers de toestand van het land te evalueren. Even voor tien uur 's avonds werd hij verrast door het bezoek van de liberale leiders, die hij niet allemaal tegelijk, maar slechts twee aan twee wilde ontvangen, waarop zij besloten dat er in dat geval niemand naar binnen zou gaan. De president gaf de liberalen hun zin, maar zij vatten het hoe dan ook op als een ontmoedigende geste.

Hij zat aan het hoofd van een lange vergadertafel, in een smetteloos pak en zonder enig uiterlijk teken van bezorgdheid. Alleen de gretige manier waarop hij aan één stuk door rookte en soms een half opgerookte sigaret uitdrukte om meteen een nieuwe op te steken, verraadde een zekere spanning. Een van de bezoekers vertelde me jaren later hoeveel indruk de weerschijn van de branden op het zilverkleurige hoofd van de onverschillige president op hem had gemaakt. Door de grote ramen van het presidentiële vertrek zag je zover het oog reikte smeulende puinhopen onder de roodgekleurde hemel.

Wat over die audiëntie bekend is hebben we te danken aan het weinige wat de hoofdpersonen zelf hebben verteld, aan de loslippigheid van een enkeling, de rijke fantasie van anderen en aan de reconstructie van die rampzalige dagen die de dichter en historicus Arturo Alape bij stukjes en beetjes tot stand heeft gebracht en die voor een groot deel de basis van deze memoires vormt.

De bezoekers waren don Luis Cano, directeur van de liberale avondkrant *El Espectador*, Plinio Mendoza Neira, die op de bijeenkomst had aangedrongen, en nog drie van de actiefste en jongste liberale leiders: Carlos Lleras Restrepo, Darío Echandía en Alfonso Araujo. In de loop van het gesprek was het een komen en gaan van andere vooraanstaande liberalen.

Volgens de glasheldere herinneringen van Plinio Mendoza

Neira, waar hij me jaren later tijdens zijn rusteloze ballingschap in Caracas deelgenoot van maakte, had geen van hen nog een plan opgesteld. Hij was de enige getuige van de moord op Gaitán, en hij deed daar stap voor stap verslag van met zijn vaardigheid van geboren verteller en doorgewinterde journalist. De president luisterde ernstig en aandachtig, en vroeg de bezoekers daarna hun plannen voor een rechtvaardige en patriottische oplossing van die levensgevaarlijke noodsituatie kenbaar te maken.

Mendoza, befaamd bij vriend en vijand vanwege zijn onopgesmukte openhartigheid, antwoordde dat de regering de macht het beste kon overdragen aan de strijdkrachten, omdat die tot op dat moment het vertrouwen van de bevolking genoten. Hij was minister van Oorlog geweest in het liberale kabinet van Alfonso López Pumarejo, kende het leger van binnenuit en dacht dat alleen de militairen in staat zouden zijn de toestand te normaliseren. Maar de president was het niet eens met deze realistische aanpak, en die werd ook niet gesteund door de liberalen.

De volgende interventie was van don Luis Cano, die bekendstond om zijn uitzonderlijke voorzichtigheid. Hij koesterde bijna vaderlijke gevoelens voor de president en beperkte zich ertoe te zeggen dat hij achter elke snelle, rechtvaardige beslissing zou staan die Ospina met steun van de meerderheid zou nemen. Deze verzekerde hem dat hij de middelen zou vinden die noodzakelijk waren voor het herstel van de normale toestand, maar dat hij zich altijd aan de grondwet zou houden. En wijzend op de hel die achter de ramen de stad verzwolg, herinnerde hij hen er met een slecht verholen ironie aan dat het niet de regering was die deze had veroorzaakt.

Hij genoot de reputatie kalm en welopgevoed te zijn, wat in contrast stond met de luidruchtigheid van Laureano Gómez en de hooghartigheid van anderen van zijn partijgenoten die bedreven waren in het manipuleren van verkiezingen, maar op die historische avond bewees hij dat hij niet bereid was minder recalcitrant te zijn dan zij. Dus duurde het gesprek voort tot middernacht, zonder dat er een akkoord werd bereikt, terwijl doña Bertha de Ospina hen af en toe onderbrak met berichten die steeds angstaanjagender werden.

Het aantal doden op straat was toen al niet meer te tellen, evenmin als het aantal scherpschutters op onbereikbare punten en de drommen mensen die gek waren geworden van verdriet en woede en van het drinken van dure merken gedistilleerd uit de geplunderde luxewinkels. Want het centrum van de stad was verwoest en stond nog steeds in brand, en de chique zaken, het paleis van justitie, het ministerie van Binnenlandse Zaken en veel andere historische gebouwen waren leeggehaald of in brand gestoken. Zo was de werkelijkheid, waardoor, op het verlaten eiland dat het presidentiële vertrek was geworden, geleidelijk en genadeloos de wegen werden versmald die tot een evenwichtig akkoord konden leiden tussen die ene man en een aantal andere mannen.

Darío Echandía, wellicht de man met het meeste gezag, zei minder dan wie ook. Hij maakte twee of drie ironische opmerkingen over de president en hulde zich daarna opnieuw in stilzwijgen. Hij leek de aangewezen kandidaat om de plaats van Ospina Pérez als president in te nemen, maar die avond deed hij niets om het te verdienen of te vermijden. De president, die werd gezien als een gematigd conservatief, leek dat steeds minder. Hij was respectievelijk de kleinzoon en de neef van twee presidenten binnen een eeuw, huisvader, gepensioneerd ingenieur en al heel lang miljonair. Verder had hij nog een paar functies die hij zonder de minste ruchtbaarheid uitvoerde, zo stilletjes dat er zonder gegronde reden werd beweerd dat degene die zowel in zijn huis als in het regeringspaleis werkelijk de touwtjes in handen had zijn bijdehante vrouw was. Desondanks, zei hij tot slot op een zure sarcastische toon, zou hij er niets op tegen hebben gehad het voorstel te aanvaarden, maar hij voelde zich bijzonder op zijn gemak in de zetel waarin het volk hem had laten plaatsnemen om de regering te leiden.

Het leed geen twijfel dat hij zich gesterkt voelde door inlichtingen waarover de liberalen niet beschikten: de volledige informatie over de actuele situatie met betrekking tot de openbare orde in het land. Die had híj wel, omdat hij verscheidene malen het vertrek had verlaten om zich grondig te laten informeren. Het garnizoen in Bogotá bestond uit nog geen duizend man, en uit alle delen van het land kwamen meer of minder ernstige berichten, maar de overheden hadden alles onder controle en werden gesteund door de loyale strijdkrachten. In het nabijgelegen departement Boyacá, dat bekendstond om zijn historische liberalisme en starre conservatisme, had gouverneur José María Villarreal, een doorgewinterde conservatief, niet alleen de lokale opstand vroegtijdig de kop ingedrukt, maar hij was ook bezig goedbewapende troepen te sturen om de hoofdstad te onderwerpen. Zodat de president de liberalen alleen maar aan het lijntje hoefde te houden door met zijn weloverwogen kalmte weinig te praten en langzaam te roken. Hij keek geen enkele keer op zijn horloge, maar moet precies hebben uitgerekend op welk tijdstip de verse troepen zouden arriveren die beproefd waren in het uitoefenen van repressie van regeringswege.

Na een hele lange tijd alle mogelijke ideeën te hebben afgetast stelde Carlos Lleras Restrepo iets voor wat de liberale top in het centrale ziekenhuis had bedacht en wat men als uiterste middel achter de hand had gehouden, namelijk dat de president de macht zou overdragen aan Darío Echandía, ter wille van de politieke eensgezindheid en de sociale rust. Het zou ongetwijfeld onvoorwaardelijk zijn aanvaard door Eduardo Santos en Alfonso López Pumarejo, ex-presidenten en mannen met veel politiek aanzien, maar zij bevonden zich op dat moment niet in het land.

Toch was het antwoord van de president, uitgesproken met dezelfde kalmte als waarmee hij rookte, niet het antwoord dat men verwachtte. Hij liet de gelegenheid niet voorbijgaan om zijn ware aard te tonen, die tot op dat moment slechts weinigen kenden, en zei dat het voor hem en zijn gezin het makkelijkst zou zijn als hij zich terugtrok en in het buitenland ging leven van zijn persoonlijke fortuin en zonder politieke beslommeringen, maar dat hij zich ongerust maakte over wat het voor het land zou betekenen als een gekozen president zijn ambt neerlegde en op de vlucht sloeg. Dan zou een burgeroorlog onvermijdelijk zijn. En toen Lleras Restrepo er nogmaals bij hem op aandrong af te treden, veroorloofde hij het zich hem te herinneren aan de verplichting die hij niet alleen was aangegaan met zijn vaderland maar ook met zijn geweten en met God, om de grondwet en de wetten te verdedigen. Op dat moment sprak hij, naar men zegt, de historische zin uit die hij vermoedelijk nooit heeft uitgesproken, maar die voorgoed aan hem zal worden toegeschreven: 'Voor de Colombiaanse democratie is een dode president meer waard dan een gevluchte president.'

Geen van de getuigen herinnert zich hem of iemand anders die zin te hebben horen zeggen. Mettertijd werd hij toegeschreven aan diverse grote geesten en er werd zelfs gediscussieerd over de politieke verdienste en historische waarde, maar nooit over de literaire schoonheid ervan. De uitspraak werd van toen af aan het devies van de regering van Ospina Pérez en vormde een van de pilaren van diens roem. Uiteindelijk werd zelfs beweerd dat hij was verzonnen door enkele conservatieve journalisten, of door de zeer bekende schrijver, politicus en minister van Mijnbouw en Oliewinning, Joaquín Estrada Monsalve, die daar nog meer reden voor had en die zich inderdaad in het presidentiële paleis bevond, maar niet in de vergaderzaal. En zo leeft de zin in de geschiedenis voort alsof die gezegd is door degene die hem had moeten zeggen, in een verwoeste stad waar de as begon af te koelen, en in een land dat nooit meer hetzelfde zou zijn.

De werkelijke verdienste van de president was uiteindelijk niet dat hij historische zinnen bedacht, maar dat hij de liberalen bezighield met slaapverwekkende zoethoudertjes, tot ver na middernacht, toen de verse troepen arriveerden om de opstand van het plebs te onderdrukken en de vrede van de conservatieven op te leggen. Pas toen, om acht uur in de ochtend van 10 april, wekte hij Darío Echandía door de telefoon, als in een nachtmerrie, elf keer te laten overgaan en benoemde hij hem tot minister van Binnenlandse Zaken in een uit twee partijen bestaande regering van verzoening. Laureano Gómez, die ontstemd was over de oplossing en ongerust over zijn persoonlijke veiligheid, reisde met zijn gezin naar New York, in afwachting van het moment waarop de omstandigheden zich zouden wijzigen en zijn eeuwige verlangen om president te worden werd verwezenlijkt.

Alle dromen over een grondige sociale verandering waarvoor Gaitán was gestorven, gingen in rook op te midden van de smeulende puinhopen. Het aantal dodelijke slachtoffers dat toen in de straten van Bogotá en in de daaropvolgende jaren viel ten gevolge van de repressie, bedraagt waarschijnlijk meer dan een miljoen, nog afgezien van al die mensen die armoede leden of werden verbannen. Pas veel later zouden de liberale leiders in de top van de regering beginnen te beseffen dat ze het risico hadden aanvaard dat ze als medeplichtigen de geschiedenis in zouden gaan.

Onder de vele getuigen van wat er die dag in Bogotá gebeurde, waren er twee die elkaar niet kenden en die later tot mijn beste vrienden zouden gaan behoren. De ene was Luis Cardoza y Aragón, een dichter en politiek en literair essayist uit Guatemala, die aan de Pan-Amerikaanse Conferentie deelnam als minister van Buitenlandse Zaken van de revolutionaire regering van zijn land en als leider van zijn delegatie. De andere was Fidel Castro. Beiden werden er bovendien op een zeker moment van beschuldigd betrokken te zijn geweest bij de onlusten.

Van Cardoza y Aragón werd in concreto gezegd dat hij een van de aanstichters was geweest en dat hij zijn status als speciale afgevaardigde van de progressieve regering van Jacobo Arbenz in Guatemala als dekmantel had gebruikt. Daarbij dient men te weten dat Cardoza y Aragón de afgevaardigde was van een voor Guatemala historisch bewind en dat hij een groot dichter en woordkunstenaar was die zich nooit zou hebben geleend voor een stompzinnig avontuur. De pijnlijkste herinnering in zijn prachtige memoires is de beschuldiging van Enrique Santos Montejo, 'Calibán', die in zijn populaire column 'La Danza de las Horas' ('De dans van de uren') in *El Tiempo* beweerde dat Cardoza van officiële zijde de opdracht had gekregen George Marshall te vermoorden. Talrijke deelnemers aan de conferentie ondernamen stappen om de krant ertoe te bewegen die krankzinnige roddel te rectificeren, maar dat lukte niet. *El Siglo*, het officiële orgaan van de conservatieve machthebbers, bazuinde rond dat Cardoza y Aragón de aanstichter van het oproer was geweest.

Vele jaren later leerde ik hem en zijn echtgenote Lya Kostakowsky in Mexico-Stad kennen, in hun huis in de wijk Coyoacán, een huis dat doordrenkt was van hun herinneringen en dat extra werd verfraaid door de originele werken van grote schilders uit hun tijd. Op zondagavond gingen wij als hun vrienden daarheen en hielden avondjes in intieme kring die van belang waren maar geen pretenties hadden. Hij beschouwde zichzelf als een overlevende, want eerst was zijn auto enkele uren na de moord door scherpschutters beschoten, en een paar dagen later, toen de opstand al was bedwongen, sneed een dronkelap hem op straat opeens de pas af en schoot hem in het gezicht met een revolver die tweemaal haperde. De negende april was een steeds terugkerend gespreksonderwerp, waarin de woede zich vermengde met het heimwee naar de verloren jaren.

Fidel Castro was, vanwege enkele activiteiten die te maken hadden met het feit dat hij studentenactivist was, op zijn beurt het slachtoffer van allerlei absurde beschuldigingen. Die zwarte nacht, na de afschuwelijke dag te midden van de uitzinnige massa's, belandde hij ten slotte in het gebouw van de vijfde divisie van de Nationale Politie, op zoek naar een manier om behulpzaam te zijn bij het beëindigen van de slachtpartij op straat. Je moet hem kennen om je te kunnen voorstellen hoe wanhopig hij zich voelde in dat fort waar het onmogelijk leek de opstandelingen op één lijn te brengen.

Hij onderhield zich met de bevelhebbers van het garnizoen en met andere rebellerende officieren en probeerde hen er, zonder succes, van te overtuigen dat een politiemacht die zich in de kazerne terugtrok verloren was. Hij gaf hun het advies hun mannen de straat op te sturen om te vechten voor de ordehandhaving en voor een rechtvaardiger systeem. Terwijl het fort beschoten werd door troepen en tanks van de regering, probeerde hij hen te motiveren met allerlei historische voorbeelden, maar ze luisterden niet. Uiteindelijk gaf hij het op en besloot hun lot te delen.

Tegen de ochtend arriveerde Plinio Mendoza Neira bij de vijfde divisie met instructies van de liberale top om een vreedzame overgave te bewerkstelligen van niet alleen de opstandige officieren en agenten, maar ook van de talloze liberalen op drift die wachtten op het bevel om handelend op te treden. Het beeld van die enthousiast discussiërende, zwaarlijvige Cubaanse student, die zich tijdens de urenlange onderhandelingen om tot een akkoord te komen verschillende malen in de discussies tussen de liberale leiders en de opstandige officieren mengde met een helder inzicht dat dat van alle anderen overtrof, bleef in Mendoza Neira's geheugen gegrift staan. Pas enkele jaren later kwam hij te weten wie het was omdat hij hem in Caracas bij toeval zag op een foto van die verschrikkelijke nacht. Fidel Castro was toen al in de Sierra Maestra.

Ik leerde hem elf jaar later kennen, toen ik als verslaggever aanwezig was bij zijn zegevierende intocht in Havana, en mettertijd groeide er een persoonlijke vriendschap, die door de jaren heen ontelbare botsingen heeft doorstaan. Gedurende mijn lange gesprekken met hem over van alles en nog wat is 9 april altijd een terugkerend onderwerp geweest, dat Fidel Castro iedere keer weer aanhaalde als een van de gebeurtenissen die beslissend waren voor zijn levensloop. Vooral de nacht bij de vijfde divisie, toen hij besefte dat de meerderheid van de opstandelingen die in- en uitliepen zichzelf omlaaghaalde door te plunderen in plaats van met hun daden kracht bij te zetten aan de noodzaak van een politieke verandering.

Terwijl die twee vrienden getuigen waren van de gebeurtenissen die de geschiedenis van Colombia in tweeën scheurden, verkeerden mijn broer en ik in onwetendheid en hielden we ons, samen met andere vluchtelingen, in leven in het huis van oom Juanito. Ik was me er geen moment van bewust dat ik al een beginnend schrijver was die ooit zou proberen aan de hand van zijn geheugen de gebeurtenissen van die afgrijselijke dagen te reconstrueren. Mijn enige zorg van toen kon niet aardser zijn: onze familie te laten weten dat we in leven waren, althans tot op dat moment, en tegelijk iets te horen over onze ouders en broers en zusters, vooral over Margot en Aida, de twee oudsten, die intern waren op scholen in verafgelegen steden.

Voor ons was de schuilplaats bij oom Juanito een wonder geweest. De eerste dagen waren moeilijk vanwege het aanhoudende schieten en omdat geen enkel bericht te vertrouwen was. Maar allengs begonnen we de winkels in de buurt te verkennen en slaagden we erin iets te eten te kopen. De straten werden gecontroleerd door stoottroepen die het strikte bevel hadden te schieten. Om ongehinderd rond te kunnen lopen verkleedde de onverbeterlijke José Palencia zich als militair met een verkennershoed en beenkappen die hij in een vuilnisbak had gevonden, en als door een wonder ontsnapte hij aan de eerste patrouille die hem ontmaskerde.

De commerciële zenders, die vóór middernacht tot zwijgen waren gebracht, bleven onder controle van het leger. De primitieve en schaarse telegraaftoestellen en telefoons waren gereserveerd voor de handhavers van de openbare orde, en andere communicatiemiddelen waren er niet. Voor de propvolle postkantoren kwam er geen eind aan de rijen mensen die telegrammen wilden versturen, maar de radiostations begonnen boodschappen uit te zenden naar wie het geluk hadden ze te kunnen ontvangen. Dat leek ons de gemakkelijkste en de betrouwbaarste manier en daarom kozen we daarvoor, zonder al te veel hoop op resultaat.

Na drie dagen binnen te hebben gezeten gingen mijn broer en ik de straat op. Het was een verschrikking. De stad lag in puin en er hing een grijzige nevel door de aanhoudende regen, die de branden had doen afnemen maar het opruimen had vertraagd. Veel straten waren afgesloten vanwege de scherpschutters op de platte daken in het centrum, en we moesten zinloze omwegen maken op bevel van patrouilles die gewapend waren als voor een wereldoorlog. De lijkenlucht op straat was ondraaglijk. De vrachtwagens van het leger waren ontoereikend om de hopen lichamen op de trottoirs weg te halen en de soldaten moesten het hoofd bieden aan de groepen mensen die wanhopig probeerden hun verwanten te identificeren.

Tussen de ruïnes van de voormalige winkelbuurt kon je door de stank bijna geen adem halen, zodat veel families het zoeken moesten staken. Op een van de grote piramiden van lijken lag het stoffelijk overschot van een man zonder broek en schoenen maar met een smetteloos jacquet. Drie dagen later wasemde de as nog de stank uit van de ontbonden, naamloze lichamen die tussen het puin of opgehoopt op de trottoirs lagen.

Toen we er het minst op bedacht waren, werden mijn broer en ik plotseling staande gehouden door het onmiskenbare geluid van een geweer dat achter onze rug werd ontgrendeld en een streng bevel: 'Handen omhoog!'

Ik stak ze op zonder er zelfs maar bij na te denken, verstijfd van angst, totdat ik weer tot leven werd gewekt door de schaterlach van onze vriend Ángel Casij, die als reservist eerste klasse gehoor had gegeven aan de oproep van de strijdkrachten. Dankzij hem slaagden wij, de vluchtelingen die onderdak hadden gekregen bij oom Juanito, erin na een dag wachten voor het gebouw van Radio Nacional een boodschap te laten uitzenden. Mijn vader ving haar op in Sucre, te midden van de talloze boodschappen die twee weken lang dag en nacht werden voorgelezen. Mijn broer en ik, ongeneeslijke slachtoffers van de familiemanie om alles naar eigen inzicht te interpreteren, waren bang dat onze moeder het bericht zou kunnen opvatten als een menslievende geste van onze vrienden om haar voor te bereiden op het ergste. We zaten er niet ver naast: mijn moeder had de eerste nacht gedroomd dat haar twee oudste zonen gedurende de onlusten waren verdronken in een zee van bloed. Die nachtmerrie moet zó overtuigend zijn geweest dat ze, toen ze langs andere wegen de waarheid hoorde, besloot geen van ons ooit nog naar Bogotá te laten terugkeren, ook al zouden we thuis van honger moeten omkomen. Het moet een onherroepelijk besluit zijn geweest, want het enige wat onze ouders ons in hun eerste telegram opdroegen was zo snel mogelijk naar Sucre te reizen om over de toekomst te praten.

Tijdens het gespannen wachten hadden verscheidene medestudenten enthousiast met me gepraat over de mogelijkheid onze studie voort te zetten in Cartagena de Indias, omdat we dachten dat Bogotá weliswaar uit zijn as zou herrijzen, maar dat de Bogotanen de verschrikking en de doodsangst van het bloedbad nooit te boven zouden komen. Cartagena had een eeuwenoude universiteit die net zo beroemd was als zijn historische relikwieën, en een rechtenfaculteit op menselijke maat, waar ze mijn slechte cijfers van de Nationale Universiteit als goede zouden aanvaarden.

Ik wilde het idee niet van de hand wijzen, maar een tijdje laten sudderen, en er al helemaal niet met mijn ouders over praten voordat ik zelf de proef op de som had genomen. Dus kondigde ik alleen maar aan dat ik via Cartagena naar Sucre zou vliegen, omdat de reis over de Magdalena in de verhitte oorlogssituatie uiterst riskant was. Wat Luis Enrique betreft, die liet hun weten dat hij naar Barranquilla zou vertrekken om daar werk te zoeken zodra hij zijn financiële zaakjes in Bogotá had geregeld.

In ieder geval wist ik al dat ik nooit ergens advocaat zou worden. Ik wilde alleen een beetje tijd winnen om mijn ouders af te leiden, en Cartagena kon een goede strategische tussenstop zijn om na te denken. Waar ik in de verste verte niet aan had gedacht, was dat die rationele overweging ertoe zou leiden dat ik met hart en ziel besloot daar voorgoed te blijven.

Mijn broer slaagde erin vijf tickets te bemachtigen voor een vlucht naar een plaats aan de kust, en dat was in die dagen een hele prestatie. Nadat hij eindeloos in de rij had gestaan, gevaren had getrotseerd en een hele dag op een noodvliegveld van hot naar haar was gerend, had hij die tickets gekregen, maar voor drie verschillende vliegtuigen die op onwaarschijnlijke uren vertrokken, te midden van schietpartijen en onzichtbare explosies. Mijn broer en mij werden uiteindelijk definitief twee plaatsen in hetzelfde vliegtuig naar Barranquilla toegezegd, maar op het laatste moment vertrokken we in verschillende toestellen. De motregen en de aanhoudende nevel waarin Bogotá sinds de vorige vrijdag was gehuld, stonken naar kruit en ontbonden lichamen. Van huis tot aan het vliegveld werden we achtereenvolgens aangehouden door twee militaire piketten en ondervraagd door soldaten die het bestierven van angst. De mannen van het tweede piket lieten zich op de grond vallen en bevalen ons dat ook te doen vanwege een explosie die werd gevolgd door een beschieting met zware wapens, en die het gevolg bleek te zijn van een gaslek in een fabriek. We begrepen hun angst toen een soldaat ons vertelde dat ze daar al drie dagen op wacht stonden zonder aflossing, maar ook zonder munitie, omdat die in de stad op was geraakt. Vanaf het moment dat ze ons aanhielden durfden we nog maar nauwelijks te praten, en de angst van de soldaten maakte dat wij ten slotte ook doodsbang waren. Maar nadat we ons hadden gelegitimeerd en ons reisdoel hadden genoemd, troostten we ons met de wetenschap dat we daar zonder verdere formaliteiten zouden blijven tot we aan boord werden gebracht. Terwijl we zaten te wachten rookte ik twee van de drie sigaretten die iemand zo vriendelijk was geweest me te geven, de derde bewaarde ik voor mijn vliegangst onderweg.

Aangezien er geen telefoons waren, werden de vertrektijden en wijzigingen door ordonnansen op motorfietsen aan de diverse piketten verstrekt. Om acht uur 's morgens kreeg een groep passagiers de opdracht onmiddellijk aan boord te gaan van een vliegtuig naar Barranquilla, maar dat was niet het mijne. Later kwam ik te weten dat de drie anderen uit mijn groep samen met mijn broer via een ander piket met dat toestel zouden vertrekken. Het eenzame wachten was een paardenmiddel tegen mijn aangeboren vliegangst, want op het moment dat ik aan boord moest gaan was het bewolkt en begon het te donderen en te hagelen. Bovendien was de vliegtuigtrap naar een ander toestel gebracht en moesten twee soldaten me met behulp van een bouwladder helpen instappen. Op hetzelfde vliegveld en op dezelfde tijd was Fidel Castro aan boord gegaan van een vliegtuig met bestemming Havana, dat beladen was met vechtstieren, zoals hijzelf me jaren later vertelde.

Tot mijn geluk of mijn ongeluk was mijn toestel een DC-3 die stonk naar verse verf en smeerolie, en waarin geen individuele verlichting was en geen ventilatie die in de passagierscabine kon worden geregeld. Het vliegtuig was geschikt gemaakt voor troepentransport en in plaats van twee aparte rijen met drie zitplaatsen, zoals op toeristische vluchten, waren er twee ruwhouten banken in de lengterichting gezet en stevig aan de vloer bevestigd. Mijn hele bagage bestond uit een linnen koffer met twee of drie stellen vuil goed, gedichtenbundels en knipsels uit literaire supplementen die mijn broer Luis Enrique had kunnen redden. De passagiers zaten tegenover elkaar, vanaf de cockpit tot aan de staart. In plaats van veiligheidsgordels waren er voor beide kanten twee kabeltouwen die fungeerden als twee lange collectieve veiligheidsgordels. Het ergste voor mij was dat zodra ik de enige sigaret opstak die ik bewaard had om de vlucht te overleven, de piloot in overall ons vanuit de cockpit meedeelde dat we niet mochten roken, omdat de brandstoftanks vlak onder onze voeten onder de houten vloer zaten. Die vlucht van drie uur duurde eindeloos lang.

Toen we in Barranquilla aankwamen, had het daar net geregend zoals het alleen in april kan regenen: huizen waren op drift geraakt en meegesleurd door het water dat door de straten kolkte, en eenzame zieken verdronken in hun bed. Op het vliegveld, dat door de zondvloed in een chaos was veranderd, moest ik blijven wachten tot het opklaarde, en met de grootste moeite kwam ik te weten dat het vliegtuig van mijn broer en zijn drie vrienden op tijd was geland, maar dat ze de terminal zo snel mogelijk hadden verlaten, nog vóór de eerste donderslagen van een nieuwe stortbui.

Ik had nog eens drie uur nodig om het reisbureau te bereiken en miste de laatste bus naar Cartagena, die met het oog op het onweer eerder was vertrokken. Ik maakte me geen zorgen, want ik dacht dat mijn broer daar al heen was gegaan, maar ik vond het voor mezelf een angstig idee om een nacht zonder geld in Barranquilla te moeten slapen. Op het laatst lukte het me via José Palencia tijdelijk onderdak te krijgen bij de knappe zusters Ilse en Lila Albarracín, en drie dagen daarna reisde ik in de gammele bus van de posterijen naar Cartagena. Mijn broer Luis Enrique zou in afwachting van een baan in Barranquilla blijven. Ik had nog maar acht peso, maar José Palencia beloofde me dat hij naar de nachtbus zou komen en me nog wat geld zou brengen. Er was geen plaats meer vrij, zelfs geen staanplaats, maar de chauffeur stemde ermee in drie extra passagiers mee te nemen voor een kwart van de reguliere prijs. Ze moesten dan wel op het dak zitten, boven op de vracht en de bagage. Ik geloof dat ik me in die merkwaardige situatie, in de volle zon, bewust werd van het feit dat op die negende april 1948 voor Colombia de twintigste eeuw was aangevangen.

6

Na een dag lang levensgevaarlijk hotsen en botsen over een ruiterpad blies de bus van de posterijen de laatste adem uit toen hij vastliep op de plek die hij verdiende: een stinkend mangrovebos vol rottende vis, op bijna drie kilometer afstand van Cartagena de Indias. Ik moest denken aan de woorden van mijn grootvader: 'Wie met een bus reist, weet nooit waar hij doodgaat.' De passagiers, afgestompt door zes uur onbarmhartige zon en door de stank van het moeras, wilden niet wachten tot de ladder was neergezet zodat ze van het dak konden klimmen, maar haastten zich om alles meteen overboord te gooien, de manden met kippen, de balen bananen en allerlei andere zaken die verkocht moesten worden om niet dood te gaan en die ze op het dak van de bus hadden gebruikt om op te zitten. De bestuurder sprong van zijn zitplaats en schreeuwde met bitse stem: 'De heroïsche stad!'

Dat is de symbolische naam waarmee Cartagena de Indias wordt aangeduid vanwege zijn glorieuze verleden, en het moest dáár ergens liggen. Maar ik zag de stad niet, want ik kon nauwelijks ademhalen in het zwartlakense pak dat ik al aanhad sinds 9 april. De andere twee pakken uit mijn klerenkast was hetzelfde lot ten deel gevallen als de schrijfmachine in het pandjeshuis, maar volgens de versie die we mijn ouders op de mouw spelden, was die samen met de kleren en andere onbruikbare persoonlijke zaken verdwenen tijdens de chaos van de brandstichtingen. De brutale chauffeur, die zich gedurende de hele reis vrolijk over me had gemaakt omdat ik eruitzag als een struikrover, lachte zich een ongeluk toen ik om mijn as ronddraaide zonder de stad te ontdekken.

'Vlak achter je kont!' schreeuwde hij me toe in het bijzijn van iedereen. 'En kijk uit, want flapdrollen worden daar gedecoreerd.'

Inderdaad, Cartagena de Indias lag daar achter mijn rug, al sinds vierhonderd jaar, maar het was niet makkelijk de stad te onderscheiden op drie kilometer afstand van de mangrovebossen, verscholen achter de legendarische muur die haar in haar glorietijd had beschermd tegen heidenen en piraten, en die langzamerhand schuil was gegaan onder een warboel van wortels en lange uitlopers van planten met gele klokjes. Ik sloot me aan bij de lawaaiige passagiers en sleepte mijn koffer door het lage struikgewas voort over de grond, die bedekt was met levende krabben, waarvan de schilden onder onze schoenzolen knalden als voetzoekers. Ik kon niet nalaten terug te denken aan de petate die mijn makkers op mijn eerste reis in de Magdalena hadden gegooid, en aan mijn hutkoffer, die eruitzag als een lijkkist en die ik de eerste jaren op het lyceum jankend van woede het halve land door had gesleept, om hem uiteindelijk ter ere van het behalen van mijn diploma in een ravijn in de Andes te kieperen. Altijd heb ik het gevoel gehad dat ik tegelijk met dat onverdiende overgewicht iets van het lot van een ander meezeulde, en mijn lange leven is nog niet lang genoeg geweest om dat te weerleggen.

Nauwelijks hadden we in de namiddagnevel het silhouet van enkele koepels van kerken en kloosters in het oog gekregen, of we werden verwelkomd door een wervelwind van vleermuizen die vlak over onze hoofden scheerden en ons alleen door hun instinctieve wijsheid niet tegen de grond smeten. Het klapperen van hun vleugels leek een ratelende donder en in het voorbijgaan lieten ze een verpestende stank achter. Door paniek overvallen liet ik mijn koffer los en dook ineen op de grond met mijn handen op mijn hoofd, waarna een vrouw die naast me liep me toeschreeuwde: 'Bid het Magnificat!'

Ze doelde op het geheime gebed dat dient om aanvallen van

de duivel te bezweren en dat door de kerk niet wordt erkend, maar wel door beroemde atheïsten, die zich ervan bedienen als hun vloeken niet toereikend zijn. De vrouw had in de gaten dat ik niet wist hoe ik moest bidden en ze pakte mijn koffer bij de andere riem om me die te helpen dragen.

'Zeg me maar na,' zei ze. 'Maar denk eraan: je moet er echt in geloven.'

Dus dicteerde ze me het Magnificat, vers na vers, en ik herhaalde haar woorden met een devotie die ik daarna nooit meer heb gevoeld. Hoewel ik het nu bijna niet meer kan geloven, verdween de groep vleermuizen uit de lucht voordat we het gebed beëindigd hadden. Toen was alleen nog het geweldige geraas van de zee tegen de klippen te horen.

We waren aangekomen bij de Gran Puerta del Reloj.* Al honderd jaar bevond zich daar een ophaalbrug die de oude stad verbond met de wijk Getsemaní en met de dichtbevolkte armenwijken in de mangrovebossen. Die brug werd om negen uur 's avonds opgehaald en 's morgens vroeg weer neergelaten, waardoor Cartagena niet alleen geïsoleerd werd van de rest van de wereld, maar ook van de geschiedenis. Er werd gezegd dat de Spaanse kolonisten die brug hadden gebouwd omdat ze bang waren dat de armen uit de buitenwijken midden in de nacht de stad zouden binnensluipen om hen in hun slaap te kelen. Toch moet de stad iets van haar goddelijke gratie hebben behouden, want nauwelijks had ik één stap binnen haar muren gezet, of ik zag haar in al haar grootsheid in het mauve licht van zes uur in de namiddag, en ik kon het gevoel dat ik opnieuw geboren was niet onderdrukken.

Het was ook niet gering. Aan het begin van de week had ik Bogotá klotsend in een moeras van bloed en modder achtergelaten, nog met stapels ongeïdentificeerde lijken tussen rokende puinhopen. En opeens, in Cartagena, was de wereld veranderd. Er waren geen sporen van de oorlog die het land teisterde, en ik kon bijna niet geloven dat ik dit beleefde, nauwelijks een week later en nog in hetzelfde leven, deze afgelegen plek zonder verdriet, deze eindeloos deinende zee en het geweldige gevoel dat ik er was.

Omdat ik er sinds mijn geboorte zo vaak over had horen praten, herkende ik onmiddellijk het pleintje waar de koetsen met paarden en de door ezels getrokken karren werden geparkeerd, en helemaal aan het eind de arcades met de markt, waar het drukker en lawaaiiger was. Hoewel het van officiële zijde niet werd erkend, was dat het laatste restant van het kloppende hart van de stad sinds haar oorsprong. In de koloniale tijd heette het Portal de los Mercaderes ('Galerij van de handelaren'). Op die plaats regelde men de slavenhandel via onzichtbare touwtjes en spande men samen tegen de Spaanse overheersers. Later heette het Portal de los Escribanos ('Galerij van de schrijvers'), vanwege de zwijgzame schoonschrijvers met hun lakense vesten en losse halve mouwen, die liefdesbrieven en allerlei documenten schreven voor de ongeletterde armen. Velen van hen verkochten tweedehandsboeken onder tafel, vooral werken die door het Heilig Officie waren verboden, en naar men aanneemt waren zij de orakels achter de inheemse samenzwering tegen de Spanjaarden. Aan het begin van de twintigste eeuw placht mijn vader onder die arcades zijn dichtwoede uit te leven via de kunst van het schrijven van liefdesbrieven. Overigens had hij noch als dichter noch als brievenschrijver succes, want sommige uitgekookte of echt behoeftige klanten wilden niet alleen dat hij de brief belangeloos schreef, maar vroegen hem ook nog om vijf realen voor de postzegel.

Nu heette het al sinds verscheidene jaren Portal de los Dulces ('Galerij van de lekkernijen'). Je zag er kraampjes met vergane dekzeilen, bedelaars die het afval van de markt kwamen opeten, en schreeuwende indiaanse waarzeggers die veel geld vroegen om hun klanten niet te vertellen op welke dag en welk uur ze dood zouden gaan. De schoeners van de Caribische Zee bleven treuzelen in de haven om lekkernijen te kopen waarvan de namen waren verzonnen door de comadres die ze maakten, en die ze voor de verkoop op rijm hadden gezet: 'Kolombijntjes voor begijntjes, ulevellen voor vrijgezellen, kokoskransjes voor domme gansjes, suikerperen voor hoge heren.' Want zowel in goede als in slechte tijden bleef de galerij het zenuwcentrum van de stad, waar achter de rug van de regering om staatszaken werden besproken, en het was tevens de enige plek op aarde waar de vrouwen die gefrituurde hapjes verkochten al wisten wie de volgende gouverneur zou zijn voordat de president van de republiek in Bogotá op het idee kwam.

Ik raakte onmiddellijk gefascineerd door het geroezemoes en baande me struikelend, mijn koffer achter me aan slepend, een weg door de mensenmenigte van zes uur in de middag. Een haveloze, broodmagere oude man keek me vanaf het platform van de schoenpoetsers strak aan met zijn kille sperwerogen. Ik bleef stokstijf staan. Zodra hij merkte dat ik hem had gezien, bood hij aan mijn koffer te dragen. Ik accepteerde zijn aanbod dankbaar, maar hij verduidelijkte in zijn moedertaal: 'Dat kost dertig centavo.'

Onmogelijk. Dertig centavo voor het dragen van een koffer was een te grote hap uit de vier peso waarmee ik het moest zien te redden totdat ik de volgende week weer geld van mijn ouders zou ontvangen.

'Dat is de koffer met alles wat erin zit waard,' antwoordde ik.

Bovendien was het hotel, waar de groep uit Bogotá waarschijnlijk al was aangekomen, niet erg ver weg. De oude man legde zich neer bij drie centavo, trok zijn sandalen uit en hing die om zijn nek, hees de koffer op zijn schouders met een voor zijn skelet onwaarschijnlijke kracht, en rende als een atleet op blote voeten door een wirwar van straatjes met koloniale huizen die door eeuwenlange verwaarlozing waren afgebladderd. Mijn eenentwintig jaar jonge hart ging als een razende tekeer, terwijl ik probeerde die olympische ouwe knar, die niet zo lang meer te leven kon hebben, niet uit het oog te verliezen. Na vijf straten ging hij de grote voordeur van het hotel binnen en beklom de trappen met twee treden tegelijk. Rustig ademhalend zette hij de koffer op de grond en hield me zijn geopende hand voor: 'Dertig centavo.'

Ik herinnerde hem eraan dat ik al betaald had, maar hij beweerde dat bij die drie centavo de trap niet was inbegrepen.

De hoteleigenares, die ons verwelkomde, gaf hem gelijk: voor de trap werd apart betaald. En ze deed een voorspellende uitspraak die mijn hele leven van kracht is gebleven: 'Je zult wel merken dat in Cartagena alles anders is.'

Ik werd ook geconfronteerd met het slechte nieuws dat nog geen van mijn medepensiongasten uit Bogotá was aangekomen, hoewel er gereserveerd was voor vier personen, van wie ik er een was. We hadden afgesproken elkaar die dag vóór vier uur 's middags in het hotel te ontmoeten. Doordat ik de gewone bus had moeten inruilen voor de onbetrouwbare van de posterijen, had ik drie uur vertraging opgelopen, maar ik was er toch nog eerder dan de anderen. Ik kon echter niets beginnen met mijn vier peso min drieëndertig centavo, want de hoteleigenares was een allerliefste moeder, maar de slavin van haar eigen normen, zoals ik zou vaststellen tijdens de ruim twee maanden dat ik in haar hotel verbleef. Ze weigerde me in te schrijven als ik de eerste maand niet vooruitbetaalde: achttien peso voor drie maaltijden per dag en een slaapplaats in een zespersoonskamer.

Het geld van mijn ouders verwachtte ik niet binnen een week, en zolang de vrienden die me konden helpen niet arriveerden, kwam mijn koffer daarom niet verder dan de overloop. Ik ging zitten wachten in een met grote bloemen beschilderde, aartsbisschoppelijke leunstoel, een geschenk uit de hemel na de hele dag pal in de zon op die vermaledijde bus. In feite was niemand ergens zeker van in die dagen. De afspraak dat we elkaar daar zouden treffen op een bepaalde dag en een bepaald uur, gaf geen blijk van realiteitszin, omdat we zelfs tegenover onszelf niet durfden te bekennen dat het halve land in een bloedige oorlog was verwikkeld, die al sinds enkele jaren ondergronds woedde in de provincies, en sinds een week openlijk en dodelijk in de steden.

Om acht uur zat ik nog steeds op mijn stoel in het hotel in Cartagena, en begreep niet wat José Palencia en zijn vrienden overkomen kon zijn. Na nog een uur vruchteloos wachten zonder verder nieuws ging ik de verlaten straat op om wat rond te lopen. In april wordt het al vroeg donker. De straatverlichting brandde, maar was zo armzalig dat je de lantaarns tussen de bomen voor sterren kon aanzien. Een eerste ommetje van een kwartier door de geplaveide kronkelstraatjes van het koloniale stadsdeel was voor mij voldoende om opgelucht vast te stellen dat die merkwaardige stad niets te maken had met het ingeblikte fossiel dat ons op school was voorgeschoteld.

Er was geen sterveling op straat. De menigte die hier in de vroege ochtend uit de buitenwijken kwam om te werken of iets te verkopen, keerde om vijf uur 's middags en masse terug naar hun krottenbuurten, en de bewoners van de ommuurde stad trokken zich terug in hun huizen om het avondeten te gebruiken en tot middernacht domino te spelen. Het bezit van een eigen auto was nog geen usance, en de enkele auto's die werden gebruikt bleven buiten de muren. Zelfs de hoogste ambtenaren kwamen nog steeds met autobussen van nationale makelij naar de plaza de los Coches, en vandaar baanden ze zich een weg naar hun kantoren tussen de uitgestalde prullaria op het trottoir of sprongen eroverheen. Een van de aanstelllerigste gouverneurs uit die tragische jaren ging er prat op dat hij vanuit de wijk van de geprivilegieerden nog steeds met dezelfde bus naar de plaza de los Coches ging als waarmee hij vroeger naar school was gegaan.

Dat er geen auto's waren, kwam natuurlijk ook doordat ze niet strookten met de historisch gegroeide realiteit: ze konden niet door de smalle, bochtige straatjes, waar 's nachts de onbeslagen hoeven van de schonkige paarden weerklonken. In tijden van grote hitte, als de balkondeuren werden opengezet om de koelte van de parken binnen te laten, hoorde je flarden van de meest intieme gesprekken, met een spookachtige resonantie. De dommelende grootouders hoorden vluchtige voetstappen op de stenen straten, luisterden zonder hun ogen te openen totdat ze ze herkenden, en zeiden dan ontgoocheld: 'Daar gaat José Antonio, hij is op weg naar Chabela.' Het enige wat de mensen die de slaap niet konden vatten echt razend maakte, waren de harde klappen van de stenen op de dominotafel die in de hele ommuurde stad te horen waren.

Voor mij was het een legendarische nacht. Het lukte me maar nauwelijks de scholastieke verzinsels uit de boeken in de werkelijkheid te herkennen, omdat het leven die al had achterhaald. Het ontroerde me diep dat de oude paleizen van de markiezen, die ik nu met eigen ogen zag, vervallen waren en dat er bedelaars in de voorportalen sliepen. Ik zag de kathedraal, waarvan de piraat Francis Drake de klokken had meegenomen om er kanonnen van te maken. Bij de enkele klokken die de aanval hadden overleefd, werd de duivel uitgedreven nadat de heksenmeesters van de bisschop ze tot de brandstapel hadden veroordeeld, omdat ze met hun malicieuze galm de duivel opriepen. Ik zag de armetierige bomen en de standbeelden van illustere figuren, die niet uit vergankelijk marmer gehouwen, maar poedelnaakt en dood leken te zijn. Want in Cartagena werden ze niet beschermd tegen de roest van de tijd, integendeel, men beschermde de tijd om de dingen hun originele leeftijd te laten behouden, terwijl de eeuwen verouderden. En dus onthulde de stad mij op de avond na mijn aankomst, bij elke stap die ik zette, haar eigen leven, niet als het bordkartonnen fossiel van de historici, maar als een stad van vlees en bloed die niet langer steunde op haar krijgshaftige verleden, maar op de waardigheid van haar puinhopen.

Hierdoor keerde ik met nieuwe moed terug naar het hotel toen de Torre del Reloj tien uur sloeg. De bewaker, die half zat te slapen, deelde me mee dat geen van mijn vrienden was aangekomen, maar dat mijn koffer veilig was opgeborgen in het magazijn van het hotel. Pas toen besefte ik dat ik sinds mijn povere ontbijt in Barranquilla niets had gegeten of gedronken. Ik kon nauwelijks op mijn benen blijven staan van de honger, maar ik zou het zonder eten hebben kunnen stellen als de hoteleigenares me in ruil voor mijn koffer die ene nacht in het hotel had laten slapen, al was het maar in de leunstoel in de salon. De bewaker lachte om mijn naïviteit.

'Doe niet zo onnozel!' zei hij met Caribische openhartigheid. 'Die madam heeft zoveel poen dat ze om zeven uur naar bed gaat en pas de volgende morgen om elf uur opstaat.'

Dat leek me zo'n legitiem argument dat ik in het parque de

Bolívar, aan de overkant van de straat, op een bank ging zitten wachten op de komst van mijn vrienden, zonder iemand tot last te zijn. De armetierige bomen waren nauwelijks zichtbaar bij het licht van de straatlantaarns, want de lantaarns in het park brandden alleen op zon- en feestdagen. De marmeren banken droegen sporen van vaak uitgewiste en opnieuw geschreven teksten van obscene dichters. In het paleis van de Inquisitie met zijn gebeeldhouwde koloniale gevel en zijn poort als van een aartsbisschoppelijke basiliek, was de ontroostbare klacht te horen van een zieke vogel die niet van deze wereld kon zijn. Opeens werd ik overvallen door een onbedwingbare lust om zowel te roken als te lezen, twee verslavingen die zich in mijn jeugd met elkaar vermengden, doordat ze allebei even opdringerig en hardnekkig waren. *Punt contra punt*, de roman van Aldous Huxley, waar ik door mijn angst in het vliegtuig niet verder in had kunnen lezen, zat opgeborgen in mijn koffer. Dus stak ik met een merkwaardige mengeling van opluchting en doodsangst mijn laatste sigaret op, en maakte die halverwege uit om de helft te bewaren voor een nacht zonder ochtend.

Toen ik me er al bij had neergelegd om op die bank te moeten slapen, meende ik opeens een donkere gestalte te zien tussen de dichtste schaduwen van de bomen. Het was het ruiterstandbeeld van Simón Bolívar. Niemand minder dan hij, generaal Simón José Antonio de la Santísima Trinidad Bolívar y Palacios, mijn held op bevel van mijn grootvader, in zijn schitterende gala-uniform en met zijn hoofd als van een Romeinse gladiator, ondergescheten door de zwaluwen.

Voor mij was hij nog steeds een onvergetelijk personage, ondanks of misschien juist dankzij zijn onverbeterlijke inconsequenties. Per slot van rekening waren die nauwelijks te vergelijken met de tegenstrijdigheden waardoor mijn grootvader zijn kolonelsrang had veroverd en zijn leven zo vaak op het spel had gezet in de oorlog van de liberalen tegen diezelfde, door Bolívar opgerichte en gesteunde Conservatieve Partij. In die nevelige sferen vertoefde ik toen een gebiedende stem achter mijn rug me met beide benen op de grond zette.

'Handen omhoog!'

Opgelucht stak ik ze op, in de overtuiging dat het eindelijk mijn vrienden waren, maar er stonden twee woest uitziende en nogal haveloos geklede agenten voor me die hun nieuwe geweren op me gericht hielden. Ze wilden weten waarom ik me niet aan de avondklok had gehouden, die al twee uur van kracht was. Ik wist niet eens dat die de vorige zondag was ingesteld, zoals zij me vertelden, en ik had ook geen kornetgeschal of klokgelui gehoord, of enig ander signaal opgevangen dat duidelijk maakte waarom er niemand op straat was. De agenten reageerden eerder laks dan begrijpend toen ik hun mijn identiteitspapieren liet zien en uitlegde waarom ik me daar bevond. Ze gaven me de papieren terug zonder ze in te kijken en vroegen hoeveel geld ik had. 'Nog geen vier peso,' antwoordde ik. Toen vroeg de voortvarendste van de twee me om een sigaret en ik liet de gedoofde peuk zien die ik van plan was op te roken voordat ik ging slapen. Hij pakte hem af en rookte hem op tot hij bijna zijn vingers brandde. Na een tijdje namen ze me bij de arm en liepen de hele straat met me af, niet zozeer omdat de wet dat voorschreef, maar omdat ze snakten naar een sigaret en wilden kijken of er iets open was waar losse sigaretten voor één centavo werden verkocht. De maan was vol, het was een heldere en frisse nacht, en de stilte leek een onzichtbare substantie die je kon inademen als lucht. Toen begreep ik wat mijn vader ons zo vaak had verteld en wat wij nooit geloofden: dat hij 's ochtends heel vroeg in de stilte van het kerkhof viool speelde om te voelen dat zijn liefdeswalsen in het hele Caribische gebied gehoord zouden worden.

Toen we genoeg kregen van het nutteloze zoeken naar losse sigaretten, lieten we de stadsmuur achter ons en gingen naar een aanlegplaats van kustvaarders achter de markt, waar schoeners uit Curaçao, Aruba en andere eilanden van de Kleine Antillen aanmeerden en waar een heel eigen leven heerste. Op die plek verzamelden zich 's nachts de onderhoudendste en bekwaamste mensen uit de hele stad, die zich uit hoofde van hun beroep niet aan de avondklok hoefden te houden. Tot in de vroege uurtjes zaten ze daar in een restaurant onder de blote hemel te eten voor een redelijke prijs en in voortreffelijk gezelschap, want niet alleen de mensen die nachtdienst hadden kwamen daar terecht, ook iedereen die wilde eten als er niets anders meer open was. De zaak had geen officiële naam, maar stond bekend onder de naam die er het minst bij paste: La Cueva ('De Grot').

De agenten waren er kind aan huis. Het was duidelijk dat de klanten die al aan tafel zaten elkaar van jongs af kenden en zich prettig voelden in elkaars gezelschap. Het was onmogelijk hun namen te achterhalen, want ze noemden elkaar allemaal bij de bijnamen die ze op school hadden gekregen, en schreeuwden allemaal door elkaar heen zonder elkaar te verstaan of aan te kijken. Iedereen was in werkkleding, behalve een zestigjarige adonis met een sneeuwwit hoofd in een smoking uit vroeger tijden, die vergezeld werd door een oudere, nog knappe vrouw die een versleten japon met lovertjes droeg en overdreven veel echte juwelen. Uit het feit dat ze daar waren, zou je kunnen afleiden tot welke maatschappelijke klasse ze behoorden, want er waren maar weinig mannen die goedvonden dat hun vrouw zich in dergelijke slecht bekendstaande gelegenheden vertoonde. Als ik niet had gehoord hoe ze praatten en als ze niet zo ongedwongen en vertrouwelijk met iedereen waren omgegaan, had ik hen voor toeristen kunnen aanzien. Later hoorde ik dat ze helemaal niet waren wat ze leken, maar dat het een warhoofdig Cartageens echtpaar op leeftijd betrof dat elk voorwendsel aangreep om in gala buitenshuis te dineren. Die avond waren echter alle gastheren naar bed en alle restaurants gesloten vanwege de avondklok.

Zij waren het die ons uitnodigden. De anderen maakten plaats aan de grote tafel, waarna wij drieën, een beetje ingeklemd en geïntimideerd, aanschoven. Ze gingen ook familiair met de agenten om, alsof het bedienden waren. De ene agent was serieus en vlot en gedroeg zich aan tafel als een kind van goeden huize. De andere zag er een beetje onnozel uit, behalve als het op eten en roken aankwam. Meer uit verlegenheid dan uit beleefdheid bestelde ik minder gerechten dan zij, en toen ik in de gaten kreeg dat mijn honger nog niet voor de helft gestild was, waren de anderen al klaar.

De eigenaar en enige bediende van La Cueva, Juan de las Nieves, was een onrustbarend knappe, zwarte jongen, nog bijna een adolescent, die zich hulde in smetteloze moslimlakens en altijd een verse anjer achter zijn oor droeg. Maar wat het meest opviel aan hem was zijn buitengewone intelligentie, die hij zonder voorbehoud benutte om gelukkig te zijn en anderen gelukkig te maken. Het was duidelijk dat het hem maar aan heel weinig ontbrak om een vrouw te zijn, en hij stond er terecht om bekend uitsluitend met zijn vriend naar bed te gaan. Niemand maakte ooit een grapje over zijn geaardheid, want hij was charmant en zo gevat dat elke gunst direct beantwoord, en elke belediging direct afgestraft werd. Hij deed alles in zijn eentje, van het bereiden van precies die gerechten waarvan hij dacht dat ze pasten bij de smaak van de klant, tot en met het bakken van schijfjes groene banaan met zijn ene hand en het afrekenen met de andere, waarbij hij alleen, en maar een heel klein beetje, werd bijgestaan door een ongeveer zesjarig jongetje dat hem mama noemde. Bij het afscheidnemen was ik geroerd door deze vondst, maar ik had niet kunnen denken dat die verzamelplaats van rebelse nachtbrakers een van de onvergetelijke plekken in mijn leven zou worden.

Na het eten ging ik met de agenten mee om hun verlate nachtelijke ronde af te maken. De maan was een gouden schotel aan de hemel. Er stak een bries op die van een grote afstand flarden muziek en ver geschreeuw van een wild feest meevoerde. De agenten wisten echter dat niemand in de armenwijken naar bed ging vanwege de avondklok, maar dat er dansfeesten werden georganiseerd, elke avond in een ander huis, en dat men de straat niet opging voor het aanbreken van de dag.

Toen het twee uur sloeg, klopten we aan bij mijn hotel, er vast van overtuigd dat mijn vrienden waren aangekomen, maar deze keer zei de bewaker zonder pardon dat we naar de hel konden lopen, omdat we hem voor niets wakker hadden gemaakt. Nu pas drong het tot de agenten door dat ik geen slaapplaats had, en ze besloten me mee te nemen naar het bureau. Dat leek me zo'n gotspe dat ik kwaad werd en hun een belediging naar het hoofd slingerde. Een van hen was zo verrast door mijn kinderachtige reactie dat hij me tot de orde riep door de loop van zijn geweer tegen mijn maag te drukken.

'Hou op met die flauwekul,' zei hij, stikkend van het lachen. 'Denk eraan dat je nog steeds onder arrest staat omdat je je niet aan de avondklok hebt gehouden.'

Zo bracht ik dus mijn eerste gelukkige nacht door in Cartagena, in een cel voor zes personen, slapend op een mat die doordrenkt was van andermans zweet.

Het was veel gemakkelijker tot de ziel van de stad door te dringen dan de eerste dag te overleven. Binnen twee weken had ik de problemen met mijn ouders opgelost; mijn besluit om in een stad zonder oorlog te gaan wonen keurden ze zonder meer goed. De hoteleigenares, die er spijt van had dat ze me tot een nacht cel had veroordeeld, huisvestte me met nog twintig studenten in een onlangs gebouwd vertrek op het platte dak van haar prachtige koloniale huis. Ik had geen reden tot klagen, want het was een Caribische kopie van onze slaapzaal op het Nationaal Lyceum, en alles inclusief kostte het me minder dan het pension in Bogotá.

Mijn toelating tot de rechtenfaculteit was in een uur geregeld met een examen dat werd afgenomen door Ignacio Vélez Martínez, de secretaris, en een docent politieke economie, wiens naam ik niet heb kunnen terugvinden in mijn geheugen. Zoals gebruikelijk vond die plechtigheid plaats in aanwezigheid van het voltallige tweede jaar. Vanaf het allereerste moment vielen me het heldere oordeel en het accurate taalgebruik van de beide docenten op, in een streek die in de rest van het land bekendstond om zijn verbale slordigheid. Het eerste onderwerp dat ik lootte was de Amerikaanse Burgeroorlog, waar ik minder dan niets van wist. Het was jammer dat ik de nieuwe Amerikaanse schrijvers, die ons mondjesmaat begonnen te bereiken, nog niet had gelezen, maar ik had het geluk dat doctor Vélez Martínez begon met een toevallige verwijzing naar *De negerhut van Oom Tom*, een roman die ik op de middelbare school goed gelezen had. Ik pakte het onderwerp onmiddellijk op. De beide docenten moeten een aanval van nostalgie hebben gehad, want de zestig minuten die we voor het examen hadden gereserveerd gingen helemaal op aan een emotionele analyse van het schandelijke, op slavernij gebaseerde bestuur van het zuiden van de Verenigde Staten. En daar bleef het bij. Vandaar dat het examen, waarvan ik verwacht had dat het een spelletje Russische roulette zou zijn, uitdraaide op een onderhoudend gesprek dat beloond werd met een goed cijfer en een hartelijk applaus.

Zo werd ik toegelaten tot de universiteit om het tweede jaar rechten af te maken, onder de voorwaarde – waaraan ik nooit heb voldaan – dat ik herexamen zou doen in één of twee vakken waarvoor ik als eerstejaars in Bogotá was gezakt. Enkele medestudenten waren enthousiast over de manier waarop ik de onderwerpen naar mijn hand zette, want ze ijverden voorzichtig voor meer creatieve vrijheid op een universiteit die was vastgelopen in academische starheid. Al sinds het lyceum droomde ik daar in mijn eentje van, niet omdat ik verlangde naar een vrijblijvend non-conformisme, maar omdat het mijn enige hoop was om voor de examens te slagen zonder te studeren. Degenen die het vormen van een onafhankelijk oordeel in de collegezalen voorstonden, moesten zich echter bij hun lot neerleggen en bestegen het schavot van de examens met hun atavistische dikke pillen waarin de koloniale teksten stonden die ze uit het hoofd hadden geleerd. Gelukkig waren ze in het echte leven ervaren meesters in de kunst van het instandhouden van de vrijdagse dansfeesten, waarvan de kosten werden gedeeld, ondanks de gevaren van de repressie, die onder het mom van de staat van beleg met de dag schaamtelozer werd. Zolang de avondklok van kracht was, konden de dansfeesten doorgaan doordat er ondershands afspraken werden gemaakt met de autoriteiten die voor de openbare orde verantwoordelijk waren, en toen de avondklok werd opgeheven, herrezen die feesten van hun doodsbed en werden nog veel geanimeerder dan daarvoor. Vooral in Torices, Getsemaní of El Pie de la Popa, de wijken waar in die sombere jaren het meest werd geboemeld. We hoefden maar door de ramen naar binnen te kijken om het feest uit te zoeken dat ons het meest aanstond, en waar je voor vijftig centavo tot het ochtendgloren kon dansen op de opzwependste Caribische muziek, die nog werd versterkt door het gedreun van de luidsprekers. De meisjes die we uit beleefdheid uitnodigden, waren dezelfden die we door de week uit school zagen komen, alleen droegen ze nu hun uniform voor de zondagsmis en dansten ze als argeloze vrouwen uit het leven onder de spiedende blikken van chaperonnerende tantes of geëmancipeerde moeders. Op een van die avonden zwierf ik op jacht naar groot wild rond door Getsemaní – in de koloniale tijd de slavenwijk – toen ik aan een harde klap op mijn rug en het bulderende geluid van een stem een wachtwoord herkende: 'Ouwe schurk!'

Het was Manuel Zapata Olivella, een eeuwige bewoner van de calle de la Mala Crianza,* waar ooit de familie van de grootouders van zijn Afrikaanse betovergrootouders had gewoond. Twee weken daarvoor hadden we elkaar gezien in Bogotá, te midden van het geweld van 9 april, en onze eerste verbazing in Cartagena betrof het feit dat we elkaar levend terugvonden. Behalve armendokter was Manuel romanschrijver, politiek activist en promotor van de Caribische muziek, maar in de eerste plaats voelde hij zich geroepen te proberen ieders problemen op te lossen. Nauwelijks hadden we onze ervaringen tijdens die noodlottige vrijdag en onze plannen voor de toekomst uitgewisseld, of hij stelde me voor mijn geluk in de journalistiek te gaan beproeven. Een maand eerder had de liberale leider Domingo López Escauriaza het dagblad *El Universal* opgericht, met als hoofdredacteur Clemente Manuel Zabala. Ik had al over hem horen praten, niet als journalist maar als deskundige op het gebied van alle soorten muziek en als communist in ruste. Zapata Olivella stond erop dat we hem zouden opzoeken, want hij wist dat Zabala nieuwe mensen zocht die op een creatieve manier journalistiek bedreven. Daarmee wilde hij de routineuze, slaafse berichtgeving provoceren die gemeengoed was in het hele land en vooral in Cartagena, destijds een van de reactionairste steden.

Het stond voor mij vast dat ik niet voor journalist in de wieg was gelegd. Ik wilde een ander soort schrijver worden en probeerde dat te bereiken door andere auteurs, die niets met mij te maken hadden, te imiteren. In die dagen beleefde ik een periode van bezinning, want na mijn eerste drie, in Bogotá gepubliceerde korte verhalen, die zozeer geprezen waren door Eduardo Zalamea en andere, goede en slechte critici en vrienden, had ik het gevoel dat ik me op een doodlopende weg bevond. Zapata Olivella weerlegde mijn argumenten en hield vol dat journalistiek en literatuur uiteindelijk op hetzelfde neerkwamen, en dat een band met *El Universal* in één klap drie zaken voor me zou kunnen regelen: op een waardige en nuttige manier in mijn levensonderhoud voorzien, me een baan verschaffen in een beroepsmatige omgeving, wat op zich al belangrijk was, en samenwerken met Clemente Manuel Zabala, de best denkbare leermeester in de journalistiek. De schroom die deze eenvoudige redenering bij me teweegbracht, had me voor onheil kunnen behoeden. Maar Zapata Olivella was er de man niet naar zijn mislukkingen te aanvaarden, en hij sommeerde me de volgende dag om vijf uur 's middags aanwezig te zijn in de calle de San Juan de Dios nummer 381, waar de krant was gevestigd.

Die nacht sliep ik onrustig. De volgende morgen bij het ontbijt vroeg ik aan de hotelhoudster waar ik de calle de San Juan de Dios kon vinden, en ze wees uit het raam.

'Vlakbij,' zei ze, 'twee straten verderop.'

Daar stond het kantoor van *El Universal* tegenover de immense, goudgele stenen muur van de San Pedro Claverkerk, die vernoemd is naar de eerste Latijns-Amerikaanse heilige, wiens onaangetaste lichaam al ruim honderd jaar onder het hoofdaltaar prijkt. Het was een oud koloniaal gebouw, versierd met republikeins broddelwerk, met twee grote deuren en ramen waardoor het hele krantenbedrijf te zien was. Maar de figuur die me echt angst aanjoeg, zat achter een ruwhouten balie op ongeveer drie meter afstand van het raam: een solitaire man van middelbare leeftijd met de donkere huid en het stugge, zwarte haar van een indiaan, in een wit denim pak met een jasje en een das, die met een potlood zat te schrijven aan een oud bureau waarop stapels papieren lagen. Ik liep in tegengestelde richting nog eens langs het gebouw en voelde een beklemmende fascinatie, en nog twee keer, en zowel de vierde als de eerste keer twijfelde ik er geen moment aan dat die man Clemente Manuel Zabala was, precies zoals ik me hem had voorgesteld, maar dan nog angstaanjagender. Uit doodsangst nam ik het simpele besluit mijn afspraak van die middag niet na te komen, omdat je die man maar door een raam hoefde te zien om te weten dat hij alles wist van het leven en de perikelen ervan. Ik keerde terug naar het hotel, deed mezelf een van die dagen cadeau die ik zonder gewetenswroeging languit op bed doorbracht, las *De valsemunters* van André Gide en rookte de ene sigaret na de andere. Om vijf uur 's middags trilde de grote deur van de slaapzaal door een klap die zo droog was als een geweerschot.

'Kom op, verdomme!' schreeuwde Zapata Olivella vanuit de deuropening. 'Zabala verwacht je en niemand in dit land kan zich de luxe permitteren hem te laten barsten.'

Het begin was nog moeilijker dan ik me in een nachtmerrie had kunnen voorstellen. Zabala ontving me zonder te weten wat hij moest doen, terwijl hij aan één stuk door rookte met een onrust die nog toenam door de hitte. Hij liet ons alles zien. Aan de ene kant de kamers van de directie en de bedrijfsleiding. Aan de andere kant het redactielokaal en een werkruimte met drie bureaus die nog onbezet waren op dat vroege uur, en achterin een rotatiepers die een oproer had overleefd, en de twee enige linotypemachines.

Tot mijn grote verrassing had Zabala mijn drie verhalen gelezen en was hij het eens met het artikel van Zalamea.

'Ik niet,' zei ik. 'De verhalen bevallen me niet. Ik heb ze in een opwelling en nogal ondoordacht geschreven en nadat ik ze in gedrukte vorm had gelezen wist ik niet meer hoe ik verder moest.'

Zabala inhaleerde diep en zei tegen Zapata Olivella: 'Dat is een goed teken.'

Manuel nam de gelegenheid onmiddellijk te baat en zei dat ik hem bij de krant van nut zou kunnen zijn als ik niet naar college hoefde. Zabala antwoordde dat hij hetzelfde had gedacht toen Manuel hem had gevraagd of hij mij wilde ontvangen. Aan doctor López Escauriaza, de directeur, stelde hij me voor als de mogelijke medewerker over wie hij de vorige avond met hem had gesproken.

'Dat zou geweldig zijn,' zei de directeur met zijn eeuwige glimlach als van een ouderwetse gentleman.

Er werd niets afgesproken, maar maestro Zabala vroeg me de volgende dag terug te komen omdat hij me wilde voorstellen aan Héctor Rojas Herazo, een van de betere dichters en schilders, en de belangrijkste columnist. Uit een soort verlegenheid die me nu onverklaarbaar lijkt, vertelde ik hem niet dat deze op het San Josécollege mijn tekenleraar was geweest. Toen we weer buiten stonden maakte Manuel een sprongetje op de plaza de la Aduana, vóór de imposante gevel van de San Pedro Claver, en riep met voorbarige blijdschap: 'Zie je nou wel, tijger, het is verdomme gelukt!'

Om hem niet teleur te stellen omarmde ik hem hartelijk, maar ik koesterde ernstige twijfels over mijn toekomst. Daarna vroeg Manuel wat ik van Zabala vond, en ik gaf hem een eerlijk antwoord. Hij leek me iemand die naar heel bijzondere mensen zocht. Dat verklaarde misschien waarom hij zoveel jongelui om zich heen had die onder de indruk waren van zijn inzicht en bedachtzaamheid. En ik concludeerde, en het was ongetwijfeld het foutieve oordeel van een voortijdig oude man, dat het wellicht door die karaktertrek kwam dat hij in het openbare leven nooit een rol van betekenis had gespeeld.

's Avonds belde Manuel me op, gierend van het lachen om een gesprek dat hij met Zabala had gevoerd. Deze had heel enthousiast over mij gesproken en nog eens gezegd dat hij er zeker van was dat ik een belangrijke aanwinst zou zijn voor zijn redactionele pagina, en dat de directeur er precies zo over dacht. Maar eigenlijk belde hij me op om me te vertellen dat maestro Zabala zich alleen zorgen maakte over het feit dat mijn ziekelijke verlegenheid een groot obstakel voor me kon zijn.

Dat ik op het laatste moment besloot naar de krant terug te gaan, was een gevolg van het feit dat een kamergenoot de volgende morgen de deur van de douche opengooide en me de redactionale pagina van *El Universal* onder de neus duwde. Daar stond een angstaanjagend bericht over mijn aankomst in de stad, waarin ik werd betiteld als schrijver in spe, en als aankomend journalist, terwijl het minder dan vierentwintig uur geleden was sinds ik voor het eerst een krantenkantoor vanbinnen had gezien. Manuel, die me onmiddellijk opbelde om me te feliciteren, wreef ik woedend onder zijn neus dat hij zoiets onverantwoordelijks had geschreven zonder er eerst met mij over te praten. Maar toen ik hoorde dat maestro Zabala het artikel eigenhandig had geschreven, veranderde er iets in mij, en misschien wel voorgoed. Dus trok ik de stoute schoenen aan en ging terug naar de redactie om hem te bedanken. Hij keek nauwelijks op, maar stelde me voor aan Héctor Rojas Herazo, in kaki broek en hawaïhemd. Hij had een stentorstem waarmee hij bijzondere woorden zei en hij gaf zich in het gesprek niet gewonnen voordat hij de ander eronder had. Natuurlijk herkende hij me niet als een van zijn leerlingen van het San Josécollege in Barranquilla.

Maestro Zabala, zoals iedereen hem noemde, betrok ons in zijn leven door herinneringen op te halen aan twee of drie gemeenschappelijke vrienden, en aan andere mensen die ik waarschijnlijk ook kende. Daarna liet hij ons alleen en keerde terug naar de verbitterde strijd tussen zijn roodgloeiende potlood en de spoedeisende papieren, alsof hij nooit iets met ons te maken had gehad. Met op de achtergrond het ruisende geluid van de linotypemachines als van fijne motregen bleef Héctor tegen me praten alsof hij op zijn beurt niets met Zabala te maken had gehad. Hij was een onvermoeibare causeur met een verbazingwekkende verbale intelligentie, een avonturier van de verbeelding die ongeloofwaardige gebeurtenissen verzon die hij uiteindelijk zelf geloofde. We praatten uren over andere levende en dode vrienden, over boeken die nooit geschreven hadden moeten worden, over vrouwen die ons vergeten waren en die wij niet konden vergeten, over de idyllische stranden van het Caribische paradijs Tolú, waar hij was geboren, en over de onfeilbare tovenaars en de bijbelse rampspoed van Aracataca. Over alle mogelijke dingen, zonder iets te drinken, vrijwel zonder te ademen en onophoudelijk rokend uit angst dat ons leven niet toereikend zou zijn om alles te bespreken wat nog niet aan de orde was geweest.

Om tien uur 's avonds, toen de krant sloot, trok maestro Zabala zijn jasje aan, strikte zijn das en nodigde ons met een al niet meer zo jeugdige balletpas uit voor het avondeten. In La Cueva, zoals te verwachten was, waar ze tot hun verrassing ontdekten dat Juan de las Nieves en verscheidene andere late eters me begroetten als een oude klant. De verbazing werd nog groter toen een van de agenten van mijn eerste bezoek langs ons liep, een misplaatste grap maakte over mijn slechte nacht in de cel en mijn pas geopende pakje sigaretten confisqueerde. Héctor begon op zijn beurt samen met Juan de las Nieves een wedstrijd in dubbelzinnigheden, die alle gasten deed stikken van het lachen, terwijl maestro Zabala er vergenoegd het zwijgen toe deed. Ik waagde het een enkele opmerking te maken, die weliswaar flauw was, maar waardoor ik op zijn minst gezien werd als een van de weinige klanten die door Juan de las Nieves vereerd werden met vier maaltijden op de pof binnen een maand.

Na de maaltijd zetten Héctor en ik ons gesprek van die middag voort op de paseo de los Mártires, langs de baai waar het stonk naar het republikeinse afval van de markt. Het was een schitterende nacht in het centrum van de wereld, en de eerste Curaçaose schoeners voeren heimelijk uit. Bij de dageraad liet Héctor zijn eerste licht schijnen over de ondergrondse geschiedenis van Cartagena, die onder veel tranen en zakdoeken verborgen zat, en die de waarheid misschien dichter benaderde dan de gedienstige fictie van de academici. Hij vertelde me over de levens van de tien martelaren, wier marmeren borstbeelden aan beide zijden van het wandelpad prijkten, ter nagedachtenis aan hun heldendaden. De overlevering wilde – en daarmee leek hij het eens te zijn – dat de beeldhouwers, toen de beelden werden geplaatst, de namen en de data niet op de busten maar op de sokkels hadden gegraveerd. Dus toen ze ter gelegenheid van het eeuwfeest werden gedemonteerd om te worden schoongemaakt, herinnerde men zich niet meer welke namen en data bij welke beelden hoorden en werden ze lukraak op de sokkels gezet, omdat niemand meer wist wie wie was. Het verhaal deed al jaren als grap de ronde, maar het leek mij juist een daad van historische gerechtigheid de illustere figuren nu niet zozeer te eren om hun geleefde levens, als wel om hun gedeelde lot.

Die doorwaakte nachten herhaalden zich bijna dagelijks gedurende mijn jarenlange verblijf in Cartagena, maar al na de eerste twee of drie besefte ik dat Héctor begiftigd was met de gave iemand onmiddellijk te verleiden, maar dat zijn idee van vriendschap zo complex was dat alleen wij, die veel van hem hielden, het zonder meer konden begrijpen. Hij was een uiterst gevoelig mens die tegelijkertijd tot luidruchtige en soms zelfs catastrofale woede-uitbarstingen in staat was, waarmee hij zichzelf dan later feliciteerde, alsof hij genade had gekregen van het kindje Jezus. Dan begreep je hoe hij in elkaar zat en waarom maestro Zabala al het mogelijke deed om te bereiken dat we net zoveel van hem gingen houden als hij. De eerste nacht, zoals zovele andere, bleven we tot het aanbreken van de dag op de paseo de los Mártires, beschermd tegen de avondklok door ons beroep van journalist. Héctors stem en geheugen waren volkomen helder toen hij de gloed van de nieuwe dag aan de horizon van de zee zag en zei: ‘Eindigde deze nacht maar zoals in *Casablanca*.’

Dat was alles wat hij zei, maar zijn stem gaf me in al zijn pracht het beeld terug van Humphrey Bogart en Claude Rains die schouder aan schouder in de nevels van de vroege ochtend naar de stralende gloed aan de horizon wandelden, en de toen al legendarische zin van het tragische gelukkige einde: ‘Dit moet het begin zijn van een mooie vriendschap.’

Drie uur later werd ik per telefoon gewekt door maestro

Zabala met een minder gelukkige zin: 'Hoe staat het met dat meesterwerk?'

Ik had een paar minuten nodig om te begrijpen dat hij doelde op mijn bijdrage voor de krant van de volgende dag. Ik herinnerde me niet dat we iets hadden afgesproken of dat ik ja of nee had geantwoord toen hij me vroeg mijn eerste bijdrage te schrijven, maar die ochtend voelde ik me tot alles in staat, na de verbale olympiade van de afgelopen nacht. Zabala moet dat hebben aangevoeld, want hij had al enkele actuele onderwerpen uitgezocht, maar ik stelde hem een ander voor, dat me nog actueler leek: de avondklok.

Hij gaf me geen enkele aanwijzing. Ik was van plan het avontuur van mijn eerste nacht in Cartagena te vertellen en dat deed ik, met de hand geschreven omdat ik niet overweg kon met de prehistorische schrijfmachines op de redactie. De bevalling duurde bijna vier uur en het resultaat werd door de maestro in mijn bijzijn gekeurd, met zo'n strak gezicht dat ik er zijn gedachten niet van kon aflezen. Ten slotte vond hij de minst pijnlijke manier om het me te zeggen: 'Helemaal niet slecht, maar het kan onmogelijk worden gepubliceerd.'

Dat verbaasde me niet. Integendeel, ik had erop gerekend, en daardoor voelde ik me enkele minuten lang bevrijd van de ondankbare last van het journalist-zijn. Maar zijn werkelijke redenen, die ik niet kende, waren zeer stellig: sinds 9 april had elke krant in het land een officiële censor die zich vanaf zes uur 's middags aan een redactiebureau installeerde alsof hij thuis was, en die de opdracht had geen letter goed te keuren die iets te maken zou kunnen hebben met de openbare orde.

Zabala's argumenten wogen voor mij veel zwaarder dan die van de regering, want ik had geen perscommentaar geschreven, maar op een subjectieve manier een persoonlijke gebeurtenis naverteld zonder ook maar in het minst te pretenderen dat het om redactionele journalistiek ging. Bovendien had ik het niet over de avondklok als legitiem instrument van de staat, maar als een slimmigheidje van een paar stompzinnige agenten om sigaretten van één centavo te bemachtigen. Gelukkig gaf maestro Zabala me het stuk terug en liet me dat, in plaats van me ter dood te veroordelen, van a tot z herschrijven, niet voor hem maar voor de censor, en hij was zo welwillend een tweeledig vonnis te vellen.

'Het heeft zeker literaire kwaliteit, daar ontbreekt het niet aan,' zei hij. 'Maar daar hebben we het later nog wel over.'

Zo was hij. Al op mijn eerste dag bij de krant, toen Zabala met mij en met Zapata Olivella praatte, viel me zijn eigenaardige gewoonte op om tegen de een te praten en de ander aan te kijken, terwijl hij zijn nagels brandde aan zijn sigaret. Daardoor voelde ik me in het begin onzeker en opgelaten. Het minst stomme wat ik kon bedenken, uit louter verlegenheid, was echt aandachtig en vol belangstelling naar hem te luisteren, maar daarbij niet naar hém maar naar Manuel te kijken, om over beiden mijn eigen conclusies te trekken. Toen ik er later met Rojas Herazo over sprak, en nog later met directeur López Escauriaza en met vele anderen, realiseerde ik me dat Zabala die methode toepaste als hij met meerdere mensen tegelijk praatte. Zo vatte ik het tenminste op, en op die manier konden hij en ik via argeloze medeplichtigen en onschuldige tussenpersonen ideeën en gevoelens uitwisselen. Toen we met de jaren op vertrouwelijke voet kwamen te staan, waagde ik het een opmerking te maken over die eerste indruk, en zonder enige verbazing legde hij me uit dat hij zijn gesprekspartner bijna van opzij aankeek om geen rook in diens gezicht te blazen. Zo was hij: nooit heb ik iemand gekend die zo vreedzaam en discreet was, zo beschaafd van aard, iemand die er altijd in slaagde te zijn wie hij wilde zijn: een wijze man op de achtergrond.

Ik had tot dan toe toespraken en onrijpe gedichten, patriottische oproepen en protestbrieven tegen het slechte eten geschreven op het lyceum in Zipaquirá, en niet meer dan dat, afgezien van de brieven aan mijn familie die mijn moeder me nadat ze de spelfouten had gecorrigeerd terugstuurde, zelfs toen ik al een bekende schrijver was. Het stuk dat uiteindelijk op de redactionele pagina werd gepubliceerd, had niets te maken met het artikel dat ik geschreven had. Wat er door de verbeteringen van maestro Zabala en die van de censor van mij overbleef, waren enkele flarden poëtisch proza zonder standpunt of stijl, die ook nog eens waren afgevlakt door het grammatische sektarisme van de corrector. Op het laatste moment kwamen we een dagelijkse column overeen, wellicht om de verantwoordelijkheden af te bakenen, onder mijn volledige naam en met een vaste kop: 'Punt, nieuwe alinea'.

Zabala en Rojas Herazo, beiden gehard door de dagelijkse routine, troostten me toen ik gebukt ging onder de zware last van mijn eerste artikel, en daardoor durfde ik door te gaan met het tweede en het derde, die niet veel beter waren. Bijna twee jaar bleef ik op de redactie en uiteindelijk publiceerde ik zelfs twee stukken per dag, die ik, met of zonder mijn naam eronder, door de censuur wist te krijgen, en het had niet veel gescheeld of ik was getrouwd met het nichtje van de censor.

Ik vraag me nog altijd af hoe mijn leven geweest zou zijn zonder het potlood van maestro Zabala en de tourniquet van de censuur, waarvan het bestaan alleen al een creatieve uitdaging vormde. Maar doordat de censor aan achtervolgingswaan leed, was hij meer op zijn hoede dan wij. Citaten van grote schrijvers leken hem verdachte hinderlagen, wat ze in veel gevallen inderdaad waren. Hij zag spoken, hij was een soort Don Quichot die denkbeeldige dubbele bodems zag. Op een ongelukkige avond moest hij elk kwartier naar de wc, en toen durfde hij ons eindelijk te vertellen dat hij gek van ons werd omdat wij hem de stuipen op het lijf joegen.

'Verdomme!' schreeuwde hij. 'Met al dat geren hou ik geen kont meer over!'

De politie was gemilitariseerd, als extra bewijs van de strengheid waarmee de regering het politieke geweld te lijf ging waardoor het land doodbloedde, hoewel de repressie aan de Atlantische kust iets gematigder was. In de stille week, begin mei, schoot de politie echter zonder reden – goede noch slechte – op een processie die gehouden werd in de straten van Carmen de Bolívar, op ongeveer honderd kilometer van Cartagena. Ik had een zwak voor dat dorp, waar mijn tante Mama was opgegroeid en waar mijn grootvader Nicolás zijn beroemde gouden visjes had uitgevonden. Maestro Zabala, die in het naastgelegen dorp San Jacinto was geboren, droeg me met een merkwaardige verbetenheid op een redactioneel stuk over de gebeurtenis te schrijven zonder me iets aan te trekken van de censuur en van alle mogelijke consequenties. In mijn eerste niet-gesigneerde artikel op de redactionele pagina eiste ik van de regering een diepgaand onderzoek naar de agressie, en straf voor de daders. Het stuk eindigde met een vraag: 'Wat is er gebeurd in Carmen de Bolívar?' Omdat we van officiële zijde werden genegeerd en toch al openlijk in oorlog waren met de censuur, bleven we de vraag herhalen, elke dag op dezelfde pagina en met een toenemende voortvarendheid, bereid om de geïrriteerde regering nog veel meer te irriteren. Na drie dagen informeerde de directeur van de krant bij Zabala of deze met de hele redactie had overlegd, en zei dat hij het ermee eens was dat we met het onderwerp zouden doorgaan. En dus bleven we de vraag stellen. Ondertussen kwam de enige reactie van de regering ons ter ore door iemands loslippigheid: men had opdracht gegeven ons onze gang te laten gaan met onze idioterie totdat we er zelf genoeg van kregen. Dat zou niet snel gebeuren, want onze dagelijkse vraag begon op straat al een eigen leven te leiden als groet: 'Hallo, mijn beste vriend. Wat is er gebeurd in Carmen de Bolívar?'

Op de avond dat we er het minst op bedacht waren sloot een legerpatrouille, zonder enige waarschuwing en met veel geschreeuw en wapengekletter, de calle de San Juan de Dios af, en kolonel Jaime Polanía Puyo, de commandant van de militaire politie, betrad met ferme tred het gebouw van *El Universal.* Hij droeg zijn gala-uniform, zo wit als meringue, met lakleren beenkappen, een sabel aan een zijden koord, en knopen en insignes die blonken als goud. Op geen enkele manier deed hij afbreuk aan zijn faam van elegante, charmante man, hoewel we wisten dat hij zowel in tijden van oorlog als in tijden van vrede bikkelhard was, en dat bewees hij jaren later als commandant van het bataljon Colombia in de Koreaoorlog. Niemand bewoog zich tijdens het twee spannende uren durende gesprek dat hij achter gesloten deuren voerde met de directeur. Ze dronken tweeëntwintig kopjes zwarte koffie, en ze rookten niet en dronken geen alcohol, want geen van beiden hield er slechte gewoonten op na. Bij zijn vertrek, toen de kolonel een voor een afscheid van ons nam, zag hij er nog ontspannener uit. Hij bleef iets langer bij mij stilstaan, keek me recht in de ogen met zijn lynxogen en zei: 'U zult het ver brengen.'

Mijn hart sloeg over, omdat ik dacht dat hij misschien alles al van me wist en dat 'ver' voor hem weleens de dood kon betekenen. Tijdens het vertrouwelijke verslag dat de directeur aan Zabala deed van zijn gesprek met de kolonel, onthulde hij dat deze precies wist wie welk dagelijks artikel schreef. De directeur had gereageerd op de voor hem kenmerkende manier en gezegd dat ik die artikelen schreef op zijn bevel en dat het er bij de krant net zo aan toeging als in de kazerne: bevelen werden opgevolgd. In elk geval had de kolonel de directeur het advies gegeven dat we onze campagne een beetje moesten matigen, om te voorkomen dat de een of andere barbaarse holbewoner in naam van de regering eigen rechter zou willen spelen. De directeur begreep het, en allemaal begrepen wij zelfs wat hij níet zei. Wat de directeur het meest had verrast, was dat hij er prat op ging zó goed op de hoogte te zijn van de ins en outs van de krant dat het leek alsof hij op de redactie woonde. Niemand twijfelde eraan dat de censor zijn geheim agent was, hoewel deze bij het stoffelijk overschot van zijn overleden moeder zwoer dat hij dat niet was. Het enige wat de kolonel tijdens zijn bezoek niet probeerde te beantwoorden, was onze dagelijkse vraag. De directeur, die bekendstond als een wijs man, gaf ons het advies alles wat er gezegd was te geloven, want de waarheid zou weleens erger kunnen zijn.

Vanaf het moment dat ik betrokken raakte bij de oorlog tegen de censuur, liet ik de universiteit en mijn verhalen links liggen. Gelukkig hielden de meeste docenten geen presentielijst bij, waardoor het verzuim toenam. Bovendien hadden de liberale docenten, die op de hoogte waren van mijn manoeuvres om de censuur om de tuin te leiden, het zwaarder dan ik, omdat ze zochten naar een manier om me door de examens te slepen. Nu ik over die dagen probeer te vertellen, vind ik ze niet terug in mijn herinnering, en uiteindelijk hecht ik meer geloof aan de vergetelheid dan aan mijn geheugen.

Mijn ouders konden rustig slapen vanaf het moment dat ik hun liet weten dat ik bij de krant genoeg verdiende om in leven te blijven. Dat was niet waar. Met het maandsalaris van een leerling-journalist kwam ik nog geen week rond. Voordat er drie maanden waren verstreken, verliet ik het hotel met achterlating van een onbetaalbare schuld, die de eigenares me later kwijtschold in ruil voor een stukje over het bereiken van de vijftienjarige leeftijd van haar kleindochter op de pagina met familieberichten. Maar ze accepteerde dit handeltje slechts één keer.

De drukste en koelste slaapplek van de stad was nog steeds de paseo de los Mártires, ondanks de avondklok. Daar bleef ik op een bank zitten slapen als de nachtelijke tertulias waren afgelopen. Andere keren sliep ik in de kelder van de krant, op de rollen papier, of ik verscheen onverwachts met mijn circushangmat onder mijn arm bij andere rechtenstudenten, die me in hun kamer lieten slapen zolang ze mijn nachtmerries en mijn slechte gewoonte om in mijn slaap te praten konden verdragen. Zo leefde ik op goed geluk, etend waar iets te eten viel en slapend waar God dat wilde, totdat de menslievende clan van de familie Franco Múnera me tegen een vriendenprijsje twee dagelijkse maaltijden aanbood. De vader van de clan, Bolívar Franco Pareja, gaf geschiedenisles aan de lagere school en hij had een vrolijk gezin, dat gek was op kunstenaars en schrijvers en dat me dwong meer te eten dan waarvoor ik betaalde, om te voorkomen dat mijn hersens zouden uitdrogen. Vaak had ik geen centavo om ze te betalen, maar ze namen genoegen met declamaties tijdens het natafelen. Voor dit lucratieve handeltje maakte ik herhaaldelijk gebruik van de door don Jorge Manrique bij de dood van zijn vader geschreven 'gebroken' copla's* en van de *Romancero gitano* van García Lorca.

De bordelen onder de blote hemel op de open plekken in de bossen bij Tesca, ver van de storende stilte van de stadsmuur, waren gastvrijer dan de toeristenhotels langs de stranden. Een half dozijn studenten, onder wie ik, installeerde zich aan het begin van de avond in El Cisne om onder het verblindende licht boven de dansvloer onze tentamens voor te bereiden. Het zeewindje en het geloei van de scheepstoeters tegen het aanbreken van de dag vormden een tegenwicht tegen het lawaai van de Caribische koperblazers en de provocerende meisjes die dansten zonder slipjes en met heel wijde rokken aan om die door de zeewind tot aan hun middel te laten opwaaien. Af en toe nodigde een hoertje dat haar vader miste ons uit voor het beetje liefde dat haar bij het aanbreken van de dag nog restte. Een van de meisjes, wier naam en vormen ik me nog heel goed herinner, liet zich verleiden door de fantasieën die ik haar in mijn slaap vertelde. Dankzij haar slaagde ik voor mijn examen Romeins recht en ontkwam ik aan verscheidene razzia's toen de politie het slapen in parken verbood. We gedroegen ons als een echtpaar, niet alleen in bed, maar ook omdat ik 's morgens vroeg huishoudelijke karweitjes voor haar verrichtte, zodat ze een paar uur langer kon slapen.

Tegen die tijd begon ik het schrijven van redactionele artikelen, dat ik altijd meer als een vorm van literatuur dan als journalistiek heb beschouwd, goed onder de knie te krijgen. Bogotá was een nachtmerrie uit het verleden, duizend kilometer hiervandaan en op meer dan tweeduizend meter boven de zeespiegel, en mijn enige herinnering aan die stad was de stank van de rokende puinhopen op 9 april. Ik was nog steeds bezeten van kunst en letteren, vooral gedurende onze middernachtelijke tertulias, maar mijn enthousiasme om schrijver te worden begon te tanen. Zelfs zozeer dat ik geen enkel verhaal meer schreef na de drie die gepubliceerd waren in *El Espectador*, totdat Eduardo Zalamea me begin juli opspoorde en me via maestro Zabala verzocht een nieuw verhaal voor zijn krant te sturen, na zes maanden van stilzwijgen. Omdat het verzoek kwam van wie het kwam, viste ik lukraak een paar vergeten ideeën uit mijn aantekeningen en schreef 'De andere zijde van de dood', dat weinig meer was dan een variatie op hetzelfde thema. Ik herinner me nog goed dat ik helemaal geen plot in mijn hoofd had en die al schrijvende verzon. Het verhaal werd op 25 juli 1948 gepubliceerd in het supplement 'Fin de Semana', net als de vorige verhalen, en tot het volgende jaar, toen mijn leven al was veranderd, schreef ik geen nieuwe meer. Het ontbrak er alleen maar aan dat ik ook de enkele rechtencolleges, die ik heel af en toe volgde, opgaf, maar ze waren mijn enige alibi om de droom van mijn ouders levend te houden.

Ik kon op dat moment zelf niet vermoeden dat ik spoedig meer zou studeren dan ooit tevoren in de bibliotheek van Gustavo Ibarra Merlano, een nieuwe vriend aan wie Zabala en Rojas Herazo me met groot enthousiasme voorstelden. Gustavo was onlangs teruggekeerd uit Bogotá met een diploma van de pedagogische academie, en hij nam onmiddellijk deel aan de tertulias bij *El Universal* en aan de discussies in de vroege uurtjes op de paseo de los Mártires. Te midden van de vulkanische woordenvloed van Héctor en de creatieve scepsis van Zabala was Gustavo degene die me de systematische strengheid bijbracht waaraan ik, met mijn geïmproviseerde, versnipperde ideeën en mijn luchthartigheid, zo'n behoefte had. Daarbij was hij ook heel aardig en had hij een ijzersterk karakter.

Al de volgende dag nodigde hij me uit in het huis van zijn ouders aan het strand van Marbella, met de immense zee als achtererf en een nieuwe, geordende boekenkast tegen een wand van twaalf meter, waarin hij alleen de boeken bewaarde die je gelezen moest hebben om zonder wroeging te kunnen leven. Hij bezat uitgaven van de klassieke Grieken, Romeinen en Spanjaarden, die hij zo netjes had behandeld dat ze ongelezen leken, maar in de kantlijnen van de bladzijden stonden erudiete aantekeningen gekrabbeld, soms in het Latijn. Gustavo sprak zulke dingen ook hardop uit en terwijl hij dat deed, bloosde hij tot aan zijn haarwortels en probeerde ze met een bijtende humor te maskeren. Voordat ik kennis met hem maakte, had een vriend over hem gezegd: 'Die knaap is een priester.' Algauw begreep ik waarom je dat makkelijk kon geloven, en als je hem eenmaal goed kende was het bijna onmogelijk je voor te stellen dat hij het niet was.

Die eerste keer praatten we onafgebroken door tot de vroege ochtend en ik ontdekte dat hij veel en over uiteenlopende onderwerpen had gelezen, maar dat de keuze van zijn boeken vooral bepaald werd door zijn grondige kennis van de katholieke intellectuelen van dat moment, over wie ik nog nooit had horen spreken. Hij wist alles wat een mens hoorde te weten van poëzie, in het bijzonder van die van de klassieke Grieken en Romeinen, die hij las in het origineel. Hij had een goed gefundeerd oordeel over onze gezamenlijke vrienden en verschafte me waardevolle informatie, waardoor ik nog meer van hen ging houden. Ook vond hij het heel belangrijk dat ik de drie journalisten uit Barranquilla zou leren kennen, Cepeda, Vargas en Fuenmayor, over wie Rojas Herazo en maestro Zabala me zoveel hadden verteld. Het viel me op dat hij naast al die intellectuele en deugdzame eigenschappen ook nog kon zwemmen als een olympisch kampioen, met een lichaam dat daarvoor getraind en geschapen was. Waar hij, wat mij betrof, het meest over inzat, was mijn gevaarlijke minachting voor de Griekse en Romeinse klassieken, die ik saai en nutteloos vond, met uitzondering van de *Odyssee*, die ik op school bij stukjes en beetjes meerdere malen had gelezen. Zodat hij, alvorens me uitgeleide te doen, een in leer gebonden boek uit zijn kast haalde en me dat op een min of meer plechtige manier overhandigde. 'Je kunt een goede schrijver worden,' zei hij, 'maar je zult nooit écht goed worden als je de Griekse klassieken niet kent.' Het waren de verzamelde werken van Sophocles. Vanaf dat moment was Gustavo een van de mensen die een beslissende rol in mijn leven hebben gespeeld, want al bij de eerste lezing openbaarde *Oedipus Rex* zich aan mij als het volmaakte werk.

Het was een gedenkwaardige avond voor me, omdat ik Gustavo Ibarra en Sophocles tegelijk had ontdekt, en omdat ik uren daarna op een armzalige manier de dood had kunnen vinden in de kamer van mijn geheime vriendin in El Cisne. Ik herinner me als de dag van gisteren dat daar toen een vroegere pooier, die ze al meer dan een jaar dood waande, razend en tierend als een gek de deur van haar kamer intrapte. Ik herkende hem onmiddellijk als een brave klasgenoot van me op de lagere school in Aracataca, die furieus teruggekeerd was om zijn bed weer in bezit te nemen. We hadden elkaar al die tijd niet gezien en hij was zo tactvol niets te laten merken toen hij me naakt en sidderend van angst in zijn bed aantrof en herkende.

Dat jaar maakte ik ook kennis met Ramiro en Óscar de la Espriella, onvermoeibare causeurs, vooral in huizen die door de christelijke moraal verboden waren. Ze woonden allebei bij hun ouders in Turbaco, op een uur afstand van Cartagena, en ze verschenen bijna dagelijks bij de tertulias van schrijvers en kunstenaars in ijssalon Americana. Ramiro was afgestudeerd aan de rechtenfaculteit van Bogotá, en had nauwe banden met de groep van *El Universal*, waarin hij een column publiceerde over alle mogelijke onderwerpen. Zijn vader was een keiharde advocaat en een vrijgevochten liberaal, en zijn moeder een charmante vrouw die niet op haar mondje was gevallen. Beiden hielden er de goede gewoonte op na met jonge mensen te converseren. Tijdens onze lange gesprekken onder de bladerrijke essen in Turbaco verschaften ze me onschatbare informatie over de Oorlog van Duizend Dagen, de literaire bron die met de dood van mijn grootvader was opgedroogd. Het betrouwbare beeld dat zij schetsten van generaal Rafael Uribe Uribe, met zijn respectabele voorkomen en zijn dunne polsen, is me altijd bijgebleven.

Het beste bewijs van hoe Ramiro en ik er in die dagen uitzagen is het olieverfschilderij van de schilderes Cecilia Porras, die zich niets aantrok van de preutsheid van haar milieu en zich helemaal thuis voelde te midden van die boemelende mannen. Het is een portret van ons beiden aan de tafel van het café waar we haar en andere vrienden tweemaal per dag ontmoetten. Toen Ramiro en ik verschillende wegen insloegen, konden we het onmogelijk eens worden over wie de eigenaar van het portret was. Cecilia vond een Salomonische oplossing voor het probleem door het doek met een snoeischaar door te knippen en ons ieder onze helft te geven. De mijne is jaren daarna opgerold blijven liggen in de kast van een appartement in Caracas en ik heb hem nooit terug weten te krijgen.

In tegenstelling tot wat er gebeurde in de rest van het land, had de repressie in Cartagena niet veel schade aangericht, tot aan het begin van dat jaar, toen onze vriend Carlos Alemán als gedeputeerde in de Departementale Assemblee gekozen werd voor het vooraanstaande kiesdistrict Mompox. Hij was een pas afgestudeerd advocaat met een vrolijk temperament, maar de duivel had hem een streek geleverd: tijdens de openingszitting ontstond er een vuurgevecht tussen de elkaar vijandig gezinde partijen, en daarbij schroeide een verdwaalde kogel zijn schoudervulling. Alemán moet terecht gedacht hebben dat zo'n nutteloze wetgevende macht als de onze het niet waard was dat er een leven voor werd opgeofferd, en dus nam hij liever een voorschot op zijn presentiegeld om het in het goede gezelschap van zijn vrienden op te maken.

Óscar de la Espriella was een feestnummer van het zuiverste water, en hij was het volledig eens met William Faulkner, die beweerde dat een bordeel de beste woning voor een schrijver is, omdat de ochtenden er rustig zijn, omdat er elke avond feest is en omdat je op goede voet staat met de politie. Gedeputeerde Alemán vatte dit letterlijk op en hij werd dag en nacht onze gastheer. Maar toen op een van die avonden de deur werd ingetrapt door een voormalige minnaar van de eigenares van het huis, Mary Reyes, die hun ongeveer vijf jaar oude zoontje, dat bij haar woonde, wilde meenemen, speet het me geloof te hebben gehecht aan Faulkners ideeën. Haar huidige minnaar, die politieofficier was geweest, kwam in zijn onderbroek de slaapkamer uit om met zijn dienstrevolver de eer en de inboedel van het huis te verdedigen, en de ander ontving hem met een salvo dat als een kanonschot weerklonk in de danszaal. De brigadier trok zich geschrokken terug in zijn kamer. Toen ik half gekleed uit de mijne kwam, stonden de tijdelijke huurders in de deuropeningen van hun kamers en keken naar het jongetje, dat aan het eind van de gang stond te plassen, terwijl de vader met zijn linkerhand zijn haren kamde en in zijn rechter de nog rokende revolver hield. In het huis waren alleen de scheldwoorden van Mary te horen, die de brigadier zijn laffe gedrag verweet.

In diezelfde periode verscheen er onaangekondigd een reusachtige kerel op de burelen van *El Universal* die met een theatraal gebaar zijn hemd uittrok en door het redactielokaal begon te paraderen om ons te verrassen met de littekens waarmee zijn rug en armen waren overdekt en die van cement leken te zijn. Opgewonden door de verbazing die hij bij ons had weten te wekken, gaf hij met een stentorstem de verklaring voor zijn toegetakelde lichaam: 'Leeuwenschrammen!'

Het was Emilio Razzore, die zojuist in Cartagena was aangekomen om het optreden van zijn beroemde familiecircus voor te bereiden, een van de grootste ter wereld. Dat was de vorige week met de oceaanstomer Euskera, die onder Spaanse vlag voer, uit Havana vertrokken en werd de volgende zaterdag in Cartagena verwacht. Razzore ging er prat op dat hij al voor zijn geboorte deel uitmaakte van het circus, en je hoefde hem niet te zien optreden om vast te stellen dat hij temmer van grote roofdieren was. Hij noemde ze bij hun naam alsof ze zijn familieleden waren, en zij beantwoordden zijn attenties door met hem om te gaan op een manier die tegelijk teder en woest was. Ongewapend ging hij de kooien van de tijgers en de leeuwen binnen en liet ze uit zijn hand eten. Zijn lievelingsbeer had hem eens zo liefdevol omhelsd dat hij een hele lente in het ziekenhuis had gelegen. Toch was niet hij of de vuurvreter de grootste attractie van het circus, maar de man die zijn hoofd afschroefde, het onder zijn arm nam en er een rondje mee door de piste maakte. Wat je van Emilio Razzore het langst bijbleef was zijn onwankelbare karakter. Nadat ik urenlang gefascineerd naar hem had geluisterd, publiceerde ik in *El Universal* een redactioneel artikel waarin ik hem waagde te beschrijven als 'de menselijkste mens die ik ooit had ontmoet'. Dat waren er op mijn eenentwintigste nog niet zoveel geweest, maar ik geloof dat ik het ook nu nog zou kunnen zeggen. We aten met de mensen van de krant in La Cueva en ook daar maakte hij zich geliefd met zijn verhalen over roofdieren die hij met zijn liefde had vermenselijkt. Na er lang over te hebben nagedacht waagde ik het hem op een van die avonden te vragen of ik met zijn circus mee mocht, al was het maar om de kooien schoon te maken als de tijgers er niet in zaten. Hij zei niets, maar gaf me zwijgend een hand. Dat vatte ik op als een wachtwoord van het circus, en ik ging ervan uit dat het in orde was. De enige aan wie ik het opbiechtte was Salvador Mesa Nicholls, een dichter uit Antioquia die gek was op circus, en die pas in Cartagena was aangekomen als plaatselijke vertegenwoordiger van de familie Razzore. Ook hij was met een circus meegegaan toen hij zo oud was als ik, en hij waarschuwde me dat mensen die voor het eerst clowns zien huilen meteen met hen mee willen, maar er de volgende dag al spijt van hebben. Toch keurde hij mijn besluit niet alleen goed, maar hij overtuigde ook de temmer, die ermee instemde onder voorwaarde dat we het volkomen geheim zouden houden, om te voorkomen dat het voortijdig bekend werd. Het wachten op het circus, dat tot op dat moment alleen maar opwindend was geweest, werd nu onverdraaglijk voor me.

De Euskera kwam niet op de afgesproken datum aan en het bleek onmogelijk contact te krijgen met het schip. Een week later schakelden we via de krant radioamateurs in om de weersomstandigheden op de Caribische Zee na te gaan, maar we konden niet verhinderen dat men in de pers en op de radio begon te speculeren over de mogelijkheid van een afschuwelijke tijding. Tijdens die dagen vol spanning hielden Mesa Nicholls en ik, zonder te eten of te slapen, Emilio Razzore gezelschap in zijn hotelkamer. We zagen hoe hij instortte en ineenschrompelde tijdens het eindeloze wachten, totdat ons hart ons ingaf dat de Euskera nooit meer ergens zou aankomen, dat er niets meer van het schip zou worden vernomen. De temmer bleef nog een dag in zijn eentje op zijn kamer, en de dag daarna kwam hij me op de krant opzoeken om me te vertellen dat honderd jaar dagelijkse strijd niet in één dag kon verdwijnen en dat hij daarom zonder een cent en zonder familie naar Miami vertrok om het gezonken circus stukje bij beetje, vanuit het niets, weer op te bouwen. Ik was zo onder de indruk van zijn vastbeslotenheid na die tragedie, dat ik met hem meeging naar Barranquilla om hem op het vliegtuig naar Florida te zetten. Voordat hij aan boord ging, bedankte hij me voor mijn besluit toe te treden tot zijn circus en beloofde dat hij me zou laten halen zodra hij iets concreets had bereikt. Hij nam met zo'n hartverscheurende omhelzing afscheid van me dat ik de liefde van zijn leeuwen met hart en ziel begreep. Er is nooit meer iets van hem vernomen.

Het vliegtuig naar Miami vertrok om tien uur in de ochtend van dezelfde dag waarop mijn artikel over Razzore verscheen: 16 september 1948. Ik maakte me al gereed om nog diezelfde middag terug te keren, toen ik op het idee kwam langs te gaan bij *El Nacional*, een avondkrant waarin Germán Vargas en Álvaro Cepeda schreven, vrienden van mijn vrienden in Cartagena. De redactie was gevestigd in een bouwvallig gebouw in de oude stad, in een lange lege zaal die in tweeën werd gedeeld door een houten balustrade. Achter in de zaal zat een blonde jongeman in hemdsmouwen te tikken op een schrijfmachine waarvan de toetsen in de lege ruimte knalden als voetzoekers. Bijna op mijn tenen, geïntimideerd door de luguber krakende vloerplanken, ging ik naar hem toe en wachtte bij de balustrade tot hij zich naar me omdraaide en met de welluidende stem van de professionele omroeper kortaf vroeg: 'Wat is er?'

Hij had kort haar, stevige jukbeenderen en felle, blauwe ogen die, zo leek me, ergernis uitdrukten vanwege de onderbreking. Ik antwoordde, zo duidelijk mogelijk articulerend: 'Ik ben García Márquez.'

Pas toen ik mijn eigen, met zoveel overtuiging uitgesproken naam hoorde, besefte ik dat het heel goed mogelijk was dat Germán Vargas niet precies wist wie ik was, hoewel ze me in Cartagena hadden verteld dat ze vaak over mij spraken met hun vrienden in Barranquilla sinds ze mijn eerste verhaal hadden gelezen. *El Nacional* had een enthousiast artikel gepubliceerd van Germán Vargas, die op het gebied van literaire noviteiten niet zomaar alles slikte. Maar het enthousiasme waarmee hij me ontving, maakte me duidelijk dat hij heel goed wist wie ik was en dat zijn genegenheid nog oprechter was dan men mij had verteld. Een paar uur daarna maakte ik in boekhandel Mundo kennis met Alfonso Fuenmayor en Álvaro Cepeda en dronken we een borreltje in café Colombia. Don Ramón Vinyes, de wijze Catalaan die ik dolgraag wilde leren kennen terwijl ik het tegelijk doodeng vond, was die middag niet naar de tertulia van zes uur gekomen. Toen we café Colombia na vijf borrels verlieten, leek het wel of we al jaren vrienden waren.

Het werd een lange, maagdelijke nacht. Álvaro, een geniale chauffeur die veiliger en voorzichtiger reed naarmate hij meer dronk, nam ons mee op de route van de gedenkwaardige gelegenheden. In Los Almendros, een kroeg in de openlucht onder bloeiende bomen waar alleen supporters van Deportivo Junior werden toegelaten, liep een ruzie tussen enkele klanten bijna uit op een handgemeen. Ik probeerde de kemphanen te kalmeren, maar Alfonso gaf me het advies niet tussenbeide te komen, want in dat hol van voetbalgeleerden liep het altijd erg slecht af met pacifisten. En zo bracht ik de nacht door in een stad die voor mij nooit meer dezelfde zou zijn, niet de stad van mijn ouders in hun eerste huwelijksjaren, noch die van mijn moeders armoede of die van het San Josécollege, maar mijn eerste Barranquilla als volwassene in het paradijs van zijn bordelen.

De rosse buurt besloeg vier huizenblokken, waar altijd muziek schalde die de aarde deed trillen, maar er waren ook huiselijke hoekjes waarvan je bijna kon zeggen dat er liefdadigheid werd bedreven. Je had familiebordelen waarvan de bazen, met hun echtgenotes en kinderen, hun oude, vertrouwde klanten bedienden overeenkomstig de normen van de christelijke moraal en de etiquette van don Manuel Antonio Carreño.* In enkele van die huizen stond men borg voor de leerling-hoertjes, zodat die op krediet naar bed konden met bekende klanten. Martina Alvarado, de oudste bordeelhoudster, had een geheime deur en humane tarieven voor geestelijken die spijt hadden van hun keuze. Er waren geen nepdrankjes, geen opgepepte rekeningen, geen venerische verrassingen. Na het invallen van de duisternis gingen de laatst overgebleven Franse matrones uit de Eerste Wereldoorlog, verzwakt en treurig, in de deuren van hun huizen zitten, onder het stigma van de rode lampen, wachtend op een nieuwe generatie die misschien nog geloofde in hun prikkelende condooms. Er waren huizen met gekoelde vertrekken voor geheime bijeenkomsten van samenzweerders, en schuilplaatsen voor burgemeesters die hun echtgenotes waren ontvlucht.

El Gato Negro, met een dansvloer onder een pergola van astromelia's, was het paradijs voor de koopvaardijvloot vanaf het moment dat het gekocht werd door een geblondeerde indiaanse die Engelse liedjes zong en onder de toonbank hallucinerende zalfjes voor dames en heren verkocht. Op een nacht die als legendarisch staat opgetekend in de annalen van het bordeel, konden Álvaro Cepeda en Quique Scopell het racisme van een dozijn Noorse zeelui die in de rij stonden voor het vertrek van de enige zwarte vrouw, terwijl er zestien blanke vrouwen op de binnenplaats zaten te snurken, niet langer aanzien en ze daagden hen uit tot een gevecht. Met z'n tweeën gingen ze met de twaalf Noren op de vuist en joegen hen op de vlucht, bijgestaan door de blanke vrouwen, die wakker waren geworden en de klus tevreden afmaakten door ze er met stoelen van langs te geven. Tot slot kroonden ze, om het op een absurde manier goed te maken, de naakte zwarte vrouw tot koningin van Noorwegen.

Buiten de rosse buurt waren ook bordelen, legale en clandestiene, en de eigenaren ervan stonden allemaal op goede voet met de politie. Een van die bordelen lag in een armenwijk en was niet meer dan een binnenplaats met grote, bloeiende amandelbomen, een armzalig winkeltje en één slaapkamer met twee veldbedden die je kon huren. De koopwaar bestond uit anemische meisjes uit de buurt die een peso per klus verdienden aan hopeloze dronkelappen. Álvaro Cepeda ontdekte de plek bij toeval, op een middag toen hij verdwaald was tijdens een oktoberstortbui en hij in het winkeltje ging schuilen. De madam trakteerde hem op een biertje en bood hem twee meisjes aan in plaats van één, met recht op herhaling zolang het niet opklaarde. Álvaro is daarna vrienden blijven uitnodigen voor een koud biertje onder de amandelbomen, niet om ze met de meisjes te laten neuken, maar om die te leren lezen. Het lukte hem voor de ijverigste meisjes beurzen te krijgen zodat ze naar officiële scholen konden gaan. Een van hen werd verpleegster en werkte jarenlang in het Caridadziekenhuis. Het bordeel deed hij cadeau aan de madam, en tot het moment waarop die armzalige kleuterschool een natuurlijke dood stierf, droeg deze de verleidelijke naam 'Het huis van de hongerbloempjes'.

Voor mijn eerste gedenkwaardige nacht in Barranquilla kozen ze alleen het huis van de Zwarte Eufemia, met een enorme cementen binnenplaats waar we dansten te midden van bladerrijke tamarindebomen, kamertjes à vijf peso per uur, en tafeltjes en stoelen die in vrolijke kleuren waren geschilderd en waar de grielen vrolijk tussendoor trippelden. De monumentale, bijna honderdjarige Eufemia ontving en selecteerde de klanten persoonlijk bij de ingang, zittend achter een kantoorbureau waarop als enig werktuig – onverklaarbaar – een enorme kerkdeurspijker lag. Ze koos zelf de meisjes uit aan de hand van hun goede manieren en natuurlijke charmes. De meisjes gaven zichzelf de naam die ze leuk vonden, maar sommige wilden liever de naam die Álvaro Cepeda, met zijn passie voor Mexicaanse films, hun gaf: 'Irma de Slechte', 'Wulpse Susana', 'Middernachtelijke Maagd'.

Het leek onmogelijk een gesprek te voeren bij een Caribisch orkest dat uit volle borst en bijna in trance de nieuwe mambo's van Pérez Prado speelde en daarna een aantal bolero's om narigheden te vergeten, maar wij waren allemaal ervaren in het schreeuwend converseren. Het onderwerp van die avond was aangedragen door Germán en Álvaro, en het betrof de overeenkomsten tussen de roman en de reportage. Ze waren enthousiast over de reportage die John Hersey zojuist had gepubliceerd over de atoombom van Hiroshima, maar als directe journalistieke getuigenis prefereerde ik *A Journal of the Plague Year*, totdat de anderen me erop attendeerden dat Daniel Defoe niet meer dan vijf of zes jaar oud was toen de pest, die hem tot model gediend had, in Londen huishield.

Hierdoor kwamen we op het raadsel van *De graaf van Monte-Cristo*, waarvan ze sinds vorige discussies alle drie nog steeds vonden dat romanschrijvers het moesten oplossen: hoe had Alexandre Dumas het voor elkaar gekregen om een onschuldige, onwetende, arme en zonder reden gevangengenomen zeeman uit een onneembaar fort te laten ontsnappen, en hem te veranderen in de rijkste en meest geletterde man van zijn tijd? Het antwoord luidde dat Edmond Dantès, toen hij het kasteel d'If binnenging, de abt Faria al in zich had, en dat deze in de gevangenis de essentie van zijn wijsheid op hem overbracht en hem onthulde wat hij nog moest weten voor zijn nieuwe leven: de plaats waar de fantastische schat verborgen lag en de manier waarop hij moest vluchten. Dat wil zeggen, Dumas schiep twee verschillende personages en verwisselde vervolgens hun lot. Dus toen Dantès ontsnapte, was hij al een persoon in een ander, en was het enige wat er van hem over was het lichaam van een goede zwemmer.

Voor Germán was het duidelijk dat Dumas van zijn personage een zeeman had gemaakt om hem uit de linnen zak te kunnen laten ontsnappen en naar de kust te laten zwemmen nadat ze hem in zee hadden gegooid. Alfonso, de erudiet en ongetwijfeld de scherpzinnigste van de drie, antwoordde dat dit geen enkele garantie vormde, want zestig procent van de bemanning van het schip van Columbus had niet kunnen zwemmen. Hij had nergens zoveel lol in als in het rondstrooien van zulke peperkorrels om het gerecht elke bijsmaak van pedanterie te ontnemen. Geestdriftig geworden door het spelletje van de literaire raadsels, begon ik grote hoeveelheden rum met citroen achterover te slaan, terwijl de anderen er genietend kleine slokjes van namen. De conclusie van alle drie was dat het talent van Dumas en de manier waarop hij in die roman – en misschien in zijn hele oeuvre – met de gegevens was omgesprongen, meer die van een journalist dan van een romanschrijver waren.

Uiteindelijk was het me duidelijk dat mijn nieuwe vrienden evenveel baat hadden bij het lezen van Quevedo en James Joyce als van Conan Doyle. Ze hadden een onuitputtelijk gevoel voor humor en waren in staat hele avonden bolero's en vallenatos te zingen of zonder te stotteren de beste poëzie uit de Spaanse Gouden Eeuw voor te dragen. Langs verschillende paden kwamen we allemaal tot de conclusie dat het hoogtepunt van de universele poëzie de copla's van don Jorge Manrique waren die hij bij de dood van zijn vader schreef. Het werd een heerlijk ontspannen avond, die een eind maakte aan de laatste vooroordelen die mijn vriendschap met dat stel geletterde gekken nog konden verstoren. Ik voelde me zo prettig in hun gezelschap en met de fantastische rum dat ik mijn dwangbuis van verlegenheid uittrok. Wulpse Susana, die in maart van dat jaar, tijdens carnaval, de danswedstrijd had gewonnen, vroeg me ten dans. De kippen en de grielen werden van de dansvloer gejaagd en men ging om ons heen staan om ons aan te moedigen.

We dansten de serie *Mambo nummer 5* van Dámaso Pérez Prado. Met de adem die me nog restte beklom ik het toneel van het tropische ensemble, pakte de maracas en zong ruim een uur achter elkaar bolero's van Daniel Santos, Agustín Lara en Bienvenido Granda. Al zingend had ik het gevoel gered te worden door een frisse bevrijdende wind. Ik heb nooit geweten of de drie vrienden trots op me waren of zich voor me schaamden, maar toen ik aan hun tafeltje terugkeerde werd ik ontvangen als een van de hunnen.

Álvaro had toen net een onderwerp aangesneden waarover de anderen nooit met hem in discussie gingen: de filmkunst. Voor mij was het een gelukkige vondst, want ik had film altijd beschouwd als een secundaire kunst die zich meer voedde met het toneel dan met de roman. Álvaro daarentegen zag film in zekere zin zoals ik muziek zag: een kunst die nuttig was voor alle andere kunsten.

Al tegen de ochtend bestuurde Álvaro, half slapend en half dronken, als een volleerde taxichauffeur zijn auto, die propvol recent verschenen boeken en literaire supplementen van *The*

New York Times lag. We brachten Germán en Alfonso thuis en Álvaro stond erop me naar zijn huis mee te nemen zodat ik kennis kon maken met zijn bibliotheek, die drie wanden van zijn slaapkamer besloeg, tot aan het plafond. Terwijl hij ze met zijn wijsvinger aanwees, draaide hij om zijn as en zei: 'Dit zijn de enige schrijvers op aarde die kunnen schrijven.'

Ik was zo opgewonden dat ik vergat dat ik gisteren nog honger en slaap had gehad. De alcohol leefde in mijn binnenste voort als een staat van genade. Álvaro liet me zijn favoriete boeken zien, in het Spaans en in het Engels, en sprak over elk ervan met een hesige stem, zijn haren in de war en een blik in zijn ogen die nog krankzinniger was dan daarvoor. Hij noemde Azorín* en Saroyan,* voor wie hij allebei een zwak had, en anderen wier openbare en privé-leven hij tot in detail kende. Voor het eerst hoorde ik de naam Virginia Woolf, die hij 'de oude Woolf' noemde, zoals hij over Faulkner sprak als over 'de oude Faulkner'. Door mijn verbazing raakte hij in vuur en vlam. Hij greep de stapel boeken die hij me had laten zien als zijn lievelingsboeken, en gaf me die.

'Niet lullig doen,' zei hij, 'neem ze allemaal mee en als u ze uit hebt komen we ze ophalen, waar dan ook.'

Voor mij betekenden ze een onvoorstelbaar fortuin dat ik niet durfde aan te nemen, omdat ik nog niet eens een armoedig krot had om ze op te bergen. Uiteindelijk nam hij er genoegen mee me alleen de Spaanse vertaling van *Mrs. Dalloway* van Virginia Woolf cadeau te doen, en hij voorspelde dat ik het vast en zeker uit mijn hoofd zou leren.

Het begon licht te worden. Ik wilde met de eerste bus naar Cartagena teruggaan, maar Álvaro stond erop dat ik in het andere deel van zijn lits-jumeaux bleef slapen.

'Verdomme nog aan toe,' kon hij nog net uitbrengen. 'Blijft u toch hier, dan bezorgen we u morgen een hartstikke goeie baan.'

Ik ging gekleed op het bed liggen en pas toen voelde ik het immense gewicht van het leven. Hij ging ook naar bed en we sliepen tot elf uur 's ochtends, toen zijn moeder, de aanbeden en gevreesde Sara Samudio, met haar vuist op de deur bonsde omdat ze bang was dat haar enige zoon dood was.

‘Niet op reageren, grote meester,’ zei Álvaro uit de diepte van zijn slaap. ‘Elke morgen zegt ze hetzelfde en het ergste is dat het op een dag waar zal zijn.’

Ik keerde naar Cartagena terug als iemand die de wereld heeft ontdekt. De gesprekken na het eten ten huize van de familie Franco Múnera werden daarna niet meer gewijd aan gedichten uit de Gouden Eeuw en de *Twintig liefdesgedichten* van Neruda, maar aan alinea’s uit *Mrs. Dalloway* en aan de hallucinaties van de verscheurde hoofdpersoon, Septimus Warren Smith. Ik veranderde, werd gespannen en opstandig, zozeer dat Héctor en maestro Zabala vonden dat ik Álvaro Cepeda bewust na-aapte. Gustavo Ibarra, met zijn meelevende Caribische hart, vond mijn verhaal over de nacht in Barranquilla amusant, terwijl hij me ondertussen steeds beter afgewogen lepeltjes Griekse dichters toediende, met de uitdrukkelijke maar nooit verklaarde uitzondering van Euripides. Hij openbaarde me Melville: diens literaire prestatie *Moby Dick*, de grandioze preek over Jonas voor de doorgewinterde walvisvaarders op alle zeeën der aarde, onder het immense, uit ribbenkasten van walvissen opgetrokken gewelf. Hij leende me *The House of the Seven Gables* van Nathaniel Hawthorne, dat me brandmerkte voor het leven. We probeerden samen een theorie op te stellen over de noodlottigheid van het heimwee in Odysseus’ odyssee, waarin we hopeloos verdwaalden. Een halve eeuw later vond ik de oplossing in een magistrale tekst van Milan Kundera.

Uit diezelfde periode dateert mijn enige ontmoeting met de grote dichter Luis Carlos López, beter bekend als de Eenoog, die een prettige manier had bedacht om dood te zijn zonder dood te gaan, en begraven te zijn zonder begrafenis, en vooral zonder toespraken. Hij woonde in het historische centrum in een historisch huis in de historische calle del Tablón, waar hij van zijn geboorte tot zijn dood verbleef zonder iemand tot last te zijn geweest. Hij ging om met enkele oude vrienden, terwijl zijn faam als groot dichter bij zijn leven bleef toenemen zoals alleen postume roem groeit.

Ze noemden hem de Eenoog, hoewel hij met beide ogen

kon zien en in feite alleen loenste, maar dan wel op een vreemde manier die erg moeilijk waar te nemen viel. Zijn broer, Domingo López Escauriaza, de directeur van *El Universal*, gaf altijd hetzelfde antwoord aan mensen die naar hem informeerden: 'Hij zit thuis.'

Het leek een ontwijkend antwoord, maar het was de enige waarheid: hij zat thuis. Net zo springlevend als wie dan ook, maar met het bijkomende voordeel levend te zijn zonder dat al te veel mensen het wisten, zich bewust van alles en vastbesloten om op zijn eigen voeten naar zijn graf te wandelen. Er werd over hem gepraat als over een historisch relikwie, vooral door de mensen die hem niet hadden gelezen. Dat was de reden waarom ik, sinds mijn aankomst in Cartagena, niet geprobeerd had hem op te zoeken, uit respect voor zijn privilege van onzichtbare man. Hij was toen achtenzestig, en niemand twijfelde eraan dat hij een groot dichter in het Spaans van alle tijden was, hoewel er maar weinigen waren die net als wij wisten wie hij was en waar zijn faam vandaan kwam, al was dat gezien de uitzonderlijke kwaliteit van zijn werk maar moeilijk te geloven.

Zabala, Rojas Herazo, Gustavo Ibarra en ik kenden allemaal gedichten van hem uit ons hoofd en haalden die altijd aan om onze gesprekken te illustreren, zonder erover na te denken, op een spontane en trefzekere manier. Hij was niet mensenschuw, maar verlegen. Tot op de dag van vandaag herinner ik me niet een portret van hem te hebben gezien – als dat al bestond –, alleen enkele vlotte karikaturen die in plaats daarvan gepubliceerd werden. Omdat we hem nooit zagen, geloof ik dat we vergeten waren dat hij nog leefde. Maar toen ik op een avond de laatste hand legde aan mijn artikel van die dag, hoorde ik de onderdrukte uitroep van Zabala: 'Asjemenou, de Eenoog!'

Ik keek op van de schrijfmachine en zag de vreemdste man die ik ooit had gezien. Een stuk kleiner dan we ons hadden voorgesteld, met haar zo wit dat het blauw en zo weerbarstig dat het een pruik leek. Hij was niet blind aan zijn linkeroog, zoals zijn bijnaam suggereerde, maar scheel. Hij droeg daagse kleren, een donkere denim broek en een gestreept hemd, en in zijn rechterhand, ter hoogte van zijn schouder, hield hij een zilveren pijpje waarin een brandende sigaret stak die hij niet rookte en waar de as op een bepaald moment vanzelf af viel.

Hij liep door naar het kantoor van zijn broer en vertrok na twee uur, toen alleen Zabala en ik nog op de redactie zaten te wachten om hem te begroeten. Ongeveer twee jaar daarna stierf hij, en te oordelen naar de schok die dat onder zijn getrouwen veroorzaakte, was het alsof hij niet was gestorven, maar uit de dood was opgestaan. In zijn doodskist leek hij minder dood dan toen hij nog leefde.

In diezelfde periode gaven de Spaanse auteur Dámaso Alonso en zijn echtgenote, de schrijfster Eulalia Galvarriato, twee lezingen in de aula van de universiteit. Maestro Zabala, die er niet van hield anderen lastig te vallen, overwon voor één keer zijn discretie en verzocht hun om een onderhoud. Gustavo Ibarra, Héctor Rojas Herazo en ik gingen met hem mee, en het klikte meteen tussen ons. We brachten vier uur met hen door in een privé-salon van hotel El Caribe, waarbij zij ons vertelden welke indrukken ze tijdens hun eerste reis naar Latijns-Amerika hadden opgedaan en wij hen deelgenoot maakten van onze dromen van beginnende schrijvers. Héctor deed hun een gedichtenbundel cadeau, en ik een fotokopie van een kort verhaal dat in *El Espectador* was gepubliceerd. Wat ons allebei het meest opviel, was hun oprechte gereserveerdheid, een manier om hun loftuitingen te camoufleren.

In oktober ontving ik bij *El Universal* een boodschap van Gonzalo Mallarino waarin hij zei dat hij me samen met de dichter Álvaro Mutis verwachtte in villa Tulipán, een onvergetelijk pension in de badplaats Bocagrande, op een paar meter van de plek waar Charles Lindbergh ongeveer twintig jaar eerder was geland. Gonzalo, met wie ik op de universiteit voordrachten had gehouden, was inmiddels praktiserend advocaat, en Mutis, die chef public relations was van de LANSA, een binnenlandse luchtvaartmaatschappij die was opgericht door haar eigen piloten, had hem uitgenodigd om kennis te maken met de zee.

Minstens één keer hadden een gedicht van Mutis en een verhaal van mij tegelijk in het supplement 'Fin de Semana' gestaan, en zodra we elkaar zagen, begonnen we een gesprek dat al meer dan een halve eeuw duurt en op ontelbare plaatsen op aarde is voortgezet en waar nog steeds geen eind aan is gekomen. Eerst waren het onze kinderen en daarna onze kleinkinderen die telkens weer vroegen waarover we toch met zoveel passie praatten, en dan antwoordden we naar waarheid: altijd over hetzelfde.

Mijn wonderbaarlijke vriendschappen met volwassen beoefenaars van kunsten en letteren hebben me de moed gegeven om overeind te blijven in de jaren die ik me nog steeds herinner als de onzekerste van mijn leven. Op 10 juli had ik mijn laatste 'Punt, nieuwe alinea' in *El Universal* gepubliceerd, na drie inspannende maanden waarin het me niet gelukt was de barrières van de beginneling te nemen, en ik besloot ermee te stoppen, met als enig positief punt dat ik tijdig ontsnapte. Ik nam mijn toevlucht tot de commentaren op de redactionele pagina, waarin ik straffeloos mijn gang kon gaan omdat ze anoniem waren, behalve wanneer de artikelen een persoonlijk tintje moesten hebben. Louter uit sleur hield ik dat vol tot september 1950, met een aanmatigend artikel over Edgar Allan Poe, waarvan de enige verdienste was dat het het slechtste was.

Gedurende dat hele jaar had ik er bij maestro Zabala op aangedrongen me de geheimen van het schrijven van reportages bij te brengen. Mysterieus als hij was kwam hij er nooit toe dat te doen, maar zadelde hij me wel op met het raadsel van een twaalfjarig, in het Santa Claraklooster begraven meisje, wier haar in de twee eeuwen na haar dood nog ruim tweeëntwintig meter was gegroeid. Ik had nooit gedacht dat ik veertig jaar later op dat onderwerp terug zou komen om erover te vertellen in een romantische roman met sinistere trekjes. Maar het was niet mijn beste tijd om na te denken. Om het minste of geringste kreeg ik een woedeaanval, en ik bleef zomaar weg van mijn werk, totdat maestro Zabala iemand op me afstuurde om me te temmen. Voor het overgangsexamen aan het eind van het tweede jaar rechten slaagde ik door een gelukkig toeval met slechts twee herexamens, en dus kon ik me inschrijven voor het derde jaar, maar het gerucht deed de ronde dat ik het gered had omdat de krant politieke druk had uitgeoefend. De directeur moest tussenbeide komen toen ik bij het uitgaan van de bioscoop was opgepakt met een vals militair dienstboekje op zak, en ik werd op een lijst geplaatst om ingezet te kunnen worden bij taakstraffen ter handhaving van de openbare orde.

Omdat ik in die dagen geen oog had voor de politiek, had ik niet eens gemerkt dat de staat van beleg opnieuw was afgekondigd vanwege de verslechtering van de situatie. De perscensuur draaide de duimschroeven nog wat aan. De sfeer werd beklemmend, zoals in de slechtste tijden, en de geheime politie, versterkt met gewone misdadigers, zaaide paniek op het platteland. Het geweld dwong de liberalen hun landerijen en hun huizen te verlaten. Hun mogelijke kandidaat, Darío Echandía, de hoogste leermeester op het gebied van burgerlijk recht, geboren scepticus en verslaafd aan het lezen van de oude Grieken en Romeinen, sprak zich uit voor stemonthouding van de kant van de liberalen. De weg stond open voor de verkiezing van Laureano Gómez, die de regering met onzichtbare touwtjes leek te leiden vanuit New York.

Ik was me er toen niet duidelijk van bewust dat die rampspoed niet uitsluitend het gevolg was van streken van de conservatieven, maar ook een symptoom van veranderingen ten kwade in ons leven, totdat ik het op een van de vele avonden in La Cueva in mijn hoofd haalde op te scheppen over het feit dat ik kon doen waar ik zin in had. Maestro Zabala stak de lepel waarmee hij net zijn soep wilde gaan eten omhoog, keek me over zijn bril heen aan en snoerde me de mond: 'Vertel me eens even, Gabriel, heb je terwijl je al die stommiteiten uithaalt ook nog in de gaten dat dit land bezig is naar de bliksem te gaan?'

De vraag trof doel. Stomdronken viel ik die nacht in slaap

op een bank op de paseo de los Mártires en veranderde door een bijbelse wolkbreuk in een doorweekt hoopje ellende. Ik lag twee weken in het ziekenhuis met een longontsteking die niet reageerde op de eerste antibiotica, waarvan men beweerde dat die verschrikkelijke gevolgen konden hebben, zoals impotentie. Ik was nog magerder en bleker dan gewoonlijk toen mijn ouders me naar Sucre lieten komen om te herstellen van mijn drukke werkzaamheden, zoals ze in hun brief schreven. *El Universal* ging nog verder, in de vorm van een redactioneel afscheidsartikel waarin ik werd afgeschilderd als een getalenteerde journalist en schrijver, en met nog een stuk waarin ik werd genoemd als de auteur van een roman die nooit heeft bestaan, met een titel die niet van mij was: *Ya cortamos el heno* ('Het hooi is al binnen'). Dat was des te vreemder omdat ik op dat moment totaal geen plannen had om weer fictie te gaan schrijven. De waarheid is dat die titel, die zo ver van me af staat, al tikkend verzonnen werd door Héctor Rojas Herazo, in een van zijn bijdragen onder de naam César Guerra Valdés, een niet-bestaande schrijver van het zuiverste Latijns-Amerikaanse water, die hij had gecreëerd om onze polemieken te verrijken. Héctor had in *El Universal* het bericht van diens aankomst in Cartagena gepubliceerd, en ik had hem verwelkomd in mijn column 'Punt, nieuwe alinea', in de hoop het slapende geweten van onze ware Latijns-Amerikaanse vertelkunst wakker te schudden. Hoe het ook zij, de denkbeeldige roman met de mooie, door Héctor verzonnen titel werd jaren later, god mag weten hoe en waarom, in een essay besproken en geroemd als een belangrijk werk van de nieuwe literatuur.

De sfeer die ik in Sucre aantrof, was heel gunstig voor de ideeën die ik er in die dagen op na hield. Per brief vroeg ik Germán Vargas me veel boeken te sturen, zoveel mogelijk, om me gedurende mijn herstelperiode, die naar men verwachtte zes maanden zou duren, onder te dompelen in meesterwerken. Het dorp was in verval geraakt. Mijn vader had afstand gedaan van het slavenbestaan in de apotheek en bouwde aan het begin van het dorp een huis dat plaats bood aan alle kinderen, elf sinds de geboorte van Eligio, zestien maanden daarvoor. Een groot huis in het volle licht, met een terras voor bezoekers dat uitzag op de rivier met zijn donkere water, en met ramen die de januaribries ongehinderd binnenlieten. Er waren zes goed geventileerde slaapkamers met een bed voor ieder afzonderlijk en niet voor twee personen tegelijk, zoals vroeger, en ringen om op verschillende hoogten hangmatten op te hangen, zelfs in de gangen. Het niet-omheinde erf liep door tot aan het ruige terrein erachter, er stonden fruitbomen die publiek bezit waren, en er scharrelden dieren van onszelf en van anderen door de slaapkamers. Want mijn moeder, die heimwee had naar de binnenplaatsen uit haar jeugd in Barrancas en Aracataca, deed alsof het nieuwe huis een boerderij was, met kippen en eenden zonder ren en vrijgevochten varkens die de keuken binnendrongen om de proviand voor het middagmaal te verorberen. Je kon toen in de zomer nog met open ramen slapen, bij het astmatische gehijg van de kippen op stok en de geur van de rijpe guanábanas,* die in de vroege ochtend met een harde plof uit de bomen vielen. 'Ze klinken net als kinderen,' zei mijn moeder altijd. Mijn vader beperkte zijn consulten voor de paar mensen die de homeopathie trouw waren gebleven, tot de ochtend, las, liggend in een hangmat die hij tussen de bomen had gehangen, nog steeds elk stuk drukwerk dat hem in handen viel, en liet zich aansteken door de ledige koorts van het biljarten om de treurnis van de namiddagen te verdrijven. Hij had ook afstand gedaan van zijn witte denim pakken met das, en vertoonde zich nu op straat zoals men hem nooit eerder had gezien, in jeugdige hemden met korte mouwen.

Grootmoeder Tranquilina Iguarán was twee maanden daarvoor overleden, al blind en dement, en tijdens de heldere momenten van haar doodsstrijd bleef ze, met haar stralende stem en haar volmaakte dictie, de familiegeheimen verkondigen. Haar eeuwige onderwerp, tot aan haar laatste snik, was grootvaders pensioen. Mijn vader behandelde het lijk met beschermende aloë en bedekte het in de kist met kalk, zodat het vreedzaam zou vergaan. Luisa Santiaga had altijd bewondering gehad voor haar moeders passie voor rode rozen, en legde op het achtererf een tuin aan om ervoor te zorgen dat het op haar graf nooit aan die bloemen zou ontbreken. Ze bloeiden met zoveel pracht dat de tijd niet toereikend was om de vreemdelingen ter wille te zijn, die van heinde en ver kwamen om te zien of al die ravissante rozen een zaak van God of van de duivel waren.

De veranderingen in mijn leven en in mijn karakter correspondeerden met de veranderingen van ons huis. Bij elk bezoek leek het me anders door de verbouwingen en verhuizingen van mijn ouders, door de broertjes en zusjes die geboren waren en die zo op elkaar leken dat je ze gemakkelijker kon verwisselen dan herkennen. Jaime, die al tien was, had er als zesmaands kindje het langst over gedaan zich los te maken van moeders rokken, en hij was nog maar nauwelijks van de borst toen Hernando (Nanchi) al werd geboren. Drie jaar daarna kwam Alfredo Ricardo (Cuqui) en anderhalf jaar daarna Eligio (Yiyo), de laatste, die tijdens die vakantie het wonder van het kruipen al begon te ontdekken.

Bovendien rekenden we mijn vaders kinderen van voor en na zijn huwelijk mee: Carmen Rosa, in San Marcos, en Abelardo, die samen perioden in Sucre doorbrachten, Germaine Hanai (Emi), die mijn moeder met goedkeuring van de broers en zusters als haar dochter had aangenomen, en als laatste Antonio María Claret (Toño), die door zijn moeder in Since werd opgevoed en ons vaak bezocht. Vijftien in totaal, die voor dertig aten als er wat te eten viel, en gingen zitten waar maar plaats was.

De verhalen die mijn oudste zusters over die jaren hebben verteld, schetsen een exact beeld van het leven in het huis waar het ene kind nauwelijks van de borst was of het volgende werd al geboren. Mijn moeder zelf was zich van haar schuld bewust en vroeg aan haar dochters of ze voor de kleintjes wilden zorgen. Margot schrok zich steeds weer dood als ze ontdekte dat moeder zwanger was, omdat ze wist dat zij in haar eentje geen tijd zou hebben om hen allemaal groot te brengen. En daarom smeekte ze mijn moeder, voordat ze naar het internaat in Montería vertrok, volkomen serieus of haar volgende kind het laatste zou kunnen zijn. Mijn moeder beloofde dat, net als altijd, al was het alleen maar om haar een genoegen te doen, want ze was ervan overtuigd dat God in Zijn oneindige wijsheid het probleem op de best mogelijke manier zou oplossen.

Eten aan tafel was een ramp, want er was geen plaats voor iedereen. Mijn moeder en mijn oudste zusters schepten ieder die kwam op, maar het was geen uitzondering dat er tijdens het dessert nog eentje kwam opdagen om zijn portie op te eisen. In de loop van de nacht verhuisden de kleintjes een voor een naar het bed van mijn ouders, omdat ze niet konden slapen door de kou of de hitte, door kiespijn of angst voor de doden, uit liefde voor hun ouders of uit jaloersheid jegens de anderen, en 's morgens werden ze allemaal op een hoopje wakker in het ouderlijk bed. Dat er na Eligio geen kinderen meer kwamen was te danken aan Margot, die haar autoriteit liet gelden toen ze van het internaat naar huis kwam, en mijn moeder hield zich aan haar belofte geen enkel kind meer te krijgen.

Helaas doorkruiste de realiteit de plannen van mijn twee oudste zusters, die hun leven lang ongetrouwd zouden blijven. Aida koos, zoals in stuiversromannetjes, voor levenslange opsluiting in een klooster, maar besloot na tweeëntwintig jaar, toen ze niet meer dezelfde Rafael aantrof en ook geen andere man kon vinden, dat leven voorgoed de rug toe te keren. Margot, met haar onbuigzame karakter, raakte háár Rafael kwijt door een vergissing van hen beiden. Als remedie tegen zulke treurige precedenten trouwde Rita met de eerste de beste man die bij haar in de smaak viel, en ze werd gelukkig met vijf kinderen en negen kleinkinderen. Ligia en Emi trouwden met de man van hun keuze toen mijn ouders hun strijd tegen het echte leven al hadden opgegeven.

De spanningen in ons gezin leken samen te gaan met de crisis die het land teisterde en die het gevolg was van de economische onzekerheid en het bloedige politieke geweld. Die crisis had Sucre bereikt als een onheilspellend jaargetijde en was op kousenvoeten, maar met vaste tred het huis binnengedrongen. Tegen die tijd hadden we al onze reserves al opgesoupeerd en waren we net zo arm als we geweest waren in Barranquilla, voordat we naar Sucre kwamen. Maar mijn moeder liet zich niet van de wijs brengen, omdat ze zeker wist dat elk kind geboren wordt met zijn brood onder de arm. Zo stond het er thuis voor toen ik aankwam uit Cartagena om te herstellen van mijn longontsteking, maar de familie had tijdig samengespannen om te voorkomen dat ik het merkte.

Hét gespreksonderwerp in het dorp was een veronderstelde verhouding van onze vriend Cayetano Gentile met de onderwijzeres uit het nabijgelegen gehucht Chaparral, een knap meisje uit een ander milieu dan het zijne, maar erg serieus en uit een respectabele familie. Dat was niet vreemd: Cayetano was altijd al een versierder geweest, niet alleen in Sucre maar ook in Cartagena, waar hij de middelbare school had doorlopen en zijn studie medicijnen was begonnen. Maar voorzover bekend had hij in Sucre geen vaste vriendin en ook geen voorkeur voor bepaalde danspartners.

Op een avond zagen we hem op zijn beste paard van zijn landgoed aankomen, de onderwijzeres in het zadel met de teugels in haar hand, en hij achter op het paard met zijn armen om haar middel. We waren niet alleen verbaasd over de mate van vertrouwelijkheid tussen die twee, maar ook over hun lef om op het drukste uur van de avond het belangrijkste plein van een zo achterdochtig dorp op te rijden. Aan iedereen die het wilde horen legde Cayetano uit dat hij haar voor de deur van haar school had aangetroffen, waar ze stond te wachten tot iemand zo vriendelijk was om haar op dat uur van de avond naar het dorp te brengen. Voor de grap zei ik dat hij op een ochtend weleens wakker zou kunnen worden met een schotschrift op zijn deur. Hij haalde op die voor hem zo kenmerkende manier zijn schouders op en antwoordde met zijn favoriete grap: 'Bij rijkelui durven ze dat niet.'

Inderdaad, de schotschriften waren even snel uit de mode geraakt als ze waren opgekomen, en men meende dat ze wellicht een van de vele symptomen waren geweest van het politieke klimaat waar het land onder gebukt ging. Mensen die er bang voor waren geweest, konden weer rustig slapen. Enkele dagen na mijn aankomst voelde ik echter dat er ten aanzien van mij iets was veranderd in de houding van enkele partijgenoten van mijn vader, die mij aanwezen als de schrijver van artikelen die gericht waren tegen de conservatieve regering en die in *El Universal* waren gepubliceerd. Dat klopte niet. Als ik al een enkele keer politieke stukken moest schrijven, was dat altijd anoniem en onder verantwoordelijkheid van de directie, vanaf het moment dat die besloot te stoppen met het stellen van de vraag wat er gebeurd was in Carmen de Bolívar. De door mij ondertekende columns gaven zonder enige twijfel blijk van een duidelijke stellingname ten aanzien van de slechte toestand in het land, en de schande van het geweld en het onrecht, maar ze waren niet partijgebonden. In feite ben ik nooit lid van een politieke partij geweest, toen niet en ook later niet. De beschuldiging alarmeerde mijn ouders en mijn moeder begon kaarsjes voor me te branden bij de heiligenbeelden, vooral wanneer ik 's nachts erg laat thuiskwam. Voor het eerst voelde ik zo'n drukkende sfeer om me heen dat ik besloot zo min mogelijk het huis uit te gaan.

In die bange tijden verscheen er op mijn vaders spreekuur een indrukwekkende man die al een geestverschijning van zichzelf leek te zijn, met een huid waar zijn botten doorheen schemerden en een opgezwollen buik die zo strak stond als het vel van een trommel. Hij hoefde maar één zin uit te spreken om voorgoed onvergetelijk te worden: 'Dokter, ik kom u vragen de aap weg te halen die ze in mijn buik hebben laten groeien.'

Na hem te hebben onderzocht besefte mijn vader dat zijn kennis in dit geval niet toereikend was, en hij verwees hem naar een chirurg, die niet de door de patiënt veronderstelde aap aantrof, maar een vormeloos monster dat wel een eigen leven leidde. Wat mij interesseerde was echter niet het beest uit zijn buik, maar het verhaal van de patiënt over de magische wereld van La Sierpe, een legendarische streek in het grensgebied van Sucre, die men alleen kon bereiken via een moerassig terrein, en waar het de gewoonste zaak van de wereld was een belediging te wreken met een vloek zoals die van een demonisch schepsel in iemands buik.

De bewoners van La Sierpe waren overtuigde katholieken, maar ze beleefden de religie op hun eigen manier, met magische gebeden voor elke gelegenheid. Ze geloofden in God, de Maagd en de Heilige Drie-eenheid, maar ze aanbaden hen in elk voorwerp dat naar hun idee goddelijke eigenschappen bezat. Wat voor hen misschien ongeloofwaardig kon zijn, was dat iemand met een satanisch gedrocht in zijn buik zo rationeel was dat hij een beroep deed op de ketterij van een chirurg.

Algauw ontdekte ik tot mijn verbazing dat iedereen in Sucre het bestaan van La Sierpe als een feit beschouwde en dat het enige probleem was dat er allerlei geografische en mentale obstakels moesten worden overwonnen om er te komen. Uiteindelijk ontdekte ik bij toeval dat een vriend van mij, Ángel Casij, alles over La Sierpe wist. Ik had hem voor het laatst gezien toen hij op 9 april, te midden van de stinkende puinhopen, samen met ons op zoek was naar een manier om in contact te komen met onze families. Toen ik hem deze keer terugzag, was hij meer bij de tijd dan die keer, en hij vertelde me een fascinerend verhaal over diverse reizen naar La Sierpe. Zo hoorde ik alles wat een mens maar te weten kon komen over La Marquesita, de eigenares van en heerseres over dat uitgestrekte rijk waar men geheime gebeden kende om goed of kwaad te doen, om een stervende, van wie men alleen maar wist hoe hij eruitzag en waar hij zich precies bevond, van zijn bed te laten opstaan, of om een slang door de moerassen te sturen en na zes dagen een vijand te laten doden.

Het enige wat ze niet mocht doen was doden tot leven wekken, omdat die bevoegdheid aan God was voorbehouden. Ze leefde alle jaren die ze wenste te leven, en men neemt aan dat het er wel tweehonderddrieëndertig waren, maar zonder na haar zesenzestigste ook maar een dag te verouderen. Voordat ze stierf bracht ze haar fabelachtige kudden bijeen en liet die gedurende twee dagen en twee nachten rond haar huis lopen, totdat het meer van La Sierpe was gevormd, een eindeloze ruimte bezaaid met lichtgevende anemonen. Men zegt dat er in het midden een boom met gouden kalebassen staat, waaraan een kano is vastgemaakt die op 2 november, Allerzielen, onder bewaking van witte kaaimannen en slangen met gouden belletjes, zonder schipper naar de andere oever vaart, waar La Marquesita haar immense fortuin heeft begraven.

Vanaf het moment dat Ángel Casij me dit fantastische verhaal vertelde, begon ik te popelen van verlangen om een bezoek te brengen aan dat in de realiteit gestrande paradijs van La Sierpe. We brachten alles in gereedheid, paarden die immuun waren gemaakt met bezwerende gebeden, onzichtbare kano's, magiërs-gidsen en alles wat noodzakelijk was om de kroniek van een bovennatuurlijk realisme te beschrijven.

De muilezels waren echter voor niets gezadeld. Door mijn trage herstel van de longontsteking, de spotternijen van mijn vrienden tijdens de dansfeesten op het plein en de angstaanjagende ervaringen van oudere vrienden werd ik gedwongen mijn reis uit te stellen tot een later moment, dat nooit aanbrak. Nu denk ik echter dat die tegenslag me geluk heeft gebracht, want bij gebrek aan de fantastische La Marquesita concentreerde ik me vanaf de volgende dag volkomen op het schrijven van een eerste roman, waarvan ik alleen nog de titel overheb: *Het huis*.

Het was de bedoeling dat het een drama zou worden over de Oorlog van Duizend Dagen in het Caribische deel van Colombia, waarover ik bij een eerder bezoek aan Cartagena gepraat had met Manuel Zapata Olivella. Bij die gelegenheid, en zonder dat het iets met mijn plan te maken had, schonk hij me een door zijn vader geschreven brochure over een veteraan uit die oorlog, wiens foto op het omslag stond, met zijn liquilique en zijn door het kruit geschroeide snor, en die me op de een of andere manier aan mijn grootvader deed denken. Zijn voornaam ben ik vergeten, maar zijn achternaam zou me voorgoed gezelschap blijven houden: Buendía. Daarom vatte ik het plan op een roman te schrijven met de titel *Het huis*, het epos van een familie die veel weg kon hebben van de onze, gedurende de onvruchtbare oorlogen van kolonel Nicolás Márquez.

De titel was gebaseerd op mijn plan om het hele verhaal uitsluitend in het huis te laten plaatsvinden. Ik maakte verschillende opzetjes en schema's van nog niet uitgewerkte personages die ik familienamen gaf die me later voor andere boeken van pas kwamen. Ik ben erg gevoelig voor de zwakte van een zin waarin twee dicht bij elkaar staande woorden onderling rijmen, ook al betreft het slechts klinkerrijm; ik geef er de voorkeur aan die zin niet te publiceren voordat ik dat probleem heb opgelost. Omdat de achternaam Buendía in het Spaans onvermijdelijk rijmt op de uitgang van de onvoltooid verleden tijd, heb ik er vaak over gedacht hem weg te doen. Maar toch is het die naam geworden, omdat het me was gelukt er een overtuigende identiteit voor te vinden.

Daar was ik mee bezig toen er op een ochtend een houten kist zonder opschrift of wat voor aanduiding dan ook werd afgeleverd in het huis in Sucre. Mijn zuster Margot had hem in ontvangst genomen zonder te weten van wie hij kwam, in de overtuiging dat het een of ander restant van de verkochte apotheek betrof. Dat dacht ik ook en dus ging ik rustig met mijn familie aan tafel om te ontbijten. Mijn vader legde uit dat hij de kist niet had opengemaakt, omdat hij dacht dat het de rest van mijn bagage was, zonder te bedenken dat ik in de hele wereld niet eens meer de rest van niets bezat. Mijn broer Gustavo, die op zijn dertiende al handig genoeg was om wat dan ook dicht te spijkeren of open te breken, besloot de kist zonder toestemming te openen. Een paar minuten daarna hoorden we zijn schreeuw: 'Het zijn boeken!'

Mijn hart maakte een sprongetje nog voordat ik opveerde. Inderdaad, het waren boeken, zonder een spoor van de afzender maar met meesterhand ingepakt tot aan de rand van de kist, en met een door de hiëroglyfische kalligrafie en de hermetische lyriek van Germán Vargas moeilijk te ontcijferen brief: 'Hierbij wat ouwe rommel, maestro, misschien dat u nu eindelijk iets leert.' Ook de naam van Alfonso Fuenmayor stond eronder, en nog een krabbeltje dat ik identificeerde als dat van don Ramón Vinyes, met wie ik nog geen kennis had gemaakt. Het enige advies dat ze me gaven was geen plagiaat te plegen dat al te veel opviel. In een van de boeken van Faulkner vond ik een briefje van Álvaro Cepeda, in haast geschreven in zijn vrijwel onleesbare handschrift, waarin hij me meedeelde dat hij de week daarop voor een jaar naar New York vertrok om aan de school voor journalistiek van de Columbia University een speciale cursus te volgen.

Het eerste wat ik deed was de boeken uitstallen op de tafel in de eetkamer, terwijl mijn moeder de ontbijtboel opruimde. Gewapend met een bezem moest ze de kleintjes verjagen, die de plaatjes met een snoeischaar wilden uitknippen, en de straathonden, die de boeken besnuffelden alsof ze eetbaar waren. Ik rook er ook aan, zoals ik altijd doe met elk nieuw boek, en ik bladerde ze allemaal door, af en toe een alinea lezend. 's Avonds ging ik drie- of viermaal op een andere plek zitten omdat ik geen rust vond of doodmoe werd van het zwakke licht op de galerij aan de binnenplaats, en de volgende ochtend had ik pijn in mijn rug en wist ik in de verste verte niet wat ik van dit wonder zou kunnen opsteken.

Het waren drieëntwintig belangrijke werken van hedendaagse schrijvers, allemaal in het Spaans en heel duidelijk uitgezocht om gelezen te worden met als enig doel te leren schrijven. En in zeer recente vertalingen, zoals *Het geraas en gebral* van William Faulkner. Nu, vijftig jaar na dato, kan ik me onmogelijk de hele lijst nog voor de geest halen, en mijn drie gezworen kameraden die het wel zouden weten, zijn er niet meer om me te helpen herinneren. Ik had er slechts twee gelezen: *Mrs. Dalloway* van mevrouw Woolf, en *Punt contra punt* van Aldous Huxley. De boeken die ik me het best herinner zijn die van William Faulkner: *Het gehucht*, *Het geraas en gebral*, *Terwijl ik al heenging* en *The Wild Palms*. Ook *Manhattan Transfer* en misschien nog een ander van John Dos Passos, *Orlando* van Virginia Woolf, *Van muizen en mensen* en *De druiven der gramschap* van John Steinbeck, *The Portrait of Jenny* van Robert Nathan en *Tobacco Road* van Erskine Caldwell. Onder de titels die ik me na een halve eeuw niet meer herinner, was er minstens één bij van Hemingway, misschien een verhalenbundel, omdat de drie in Barranquilla het meest van zijn verhalen hielden, één van Jorge Luis Borges, ongetwijfeld ook een verhalenbundel, en wellicht nog een van Felisberto Hernández, de unieke Uruguayaanse verhalenschrijver die mijn vrienden onlangs hadden ontdekt en over wie ze juichend waren. In de daaropvolgende maanden las ik die boeken allemaal, sommige goed en andere minder goed, en daardoor lukte het me te ontsnappen uit het creatieve voorgeborchte waarin ik was vastgelopen.

Vanwege de longontsteking had men me verboden te roken, maar ik rookte op de wc, alsof ik me voor mezelf verstopte. De dokter merkte dat en sprak me ernstig toe, maar het lukte me niet hem te gehoorzamen. Al in Sucre, terwijl ik de mij toegestuurde boeken achter elkaar probeerde te lezen, stak ik de ene sigaret aan met de peuk van de vorige totdat ik niet meer kon, en hoe meer ik trachtte ermee op te houden, hoe meer ik rookte. Ik kwam tot vier pakjes per dag, onderbrak mijn maaltijden om te roken en brandde gaten in de lakens doordat ik in slaap viel met een brandende sigaret. Uit angst voor de dood werd ik 's nachts steeds wakker, en alleen door meer te roken kon ik die angst verdragen, tot ik besloot dat ik liever doodging dan op te houden met roken.

Meer dan twintig jaar later, toen ik al getrouwd was en kinderen had, rookte ik nog steeds. Een arts die mijn longfoto's op het röntgenscherm bekeek, zei hevig geschrokken dat ik over twee of drie jaar niet meer zou kunnen ademen. Ik schrok daar zo van dat ik urenlang doodsbang bleef zitten zonder iets te doen, want ik kon niet lezen, naar muziek luisteren of met vrienden of vijanden converseren zonder te roken. Op een avond, tijdens een informeel etentje in Barcelona, legde een bevriende psychiater aan anderen uit dat tabaksverslaving misschien wel het moeilijkst te overwinnen was. Ik waagde het hem te vragen wat daar eigenlijk de reden van was, en zijn antwoord was van een huiveringwekkende eenvoud: 'Omdat stoppen met roken voor jou hetzelfde zou zijn als het doden van iemand van wie je houdt.'

In een flits was het me duidelijk. Waarom ik het deed, heb ik nooit geweten en ook nooit willen weten, maar ik drukte de sigaret die ik net had opgestoken uit in de asbak en heb, zonder een gevoel van verlangen of spijt, de rest van mijn leven nooit meer gerookt.

Mijn andere verslaving was niet minder hardnekkig. Op een middag verscheen een van de dienstmeisjes van de buren, en nadat ze met iedereen een praatje had gemaakt kwam ze naar het terras en vroeg heel eerbiedig of ze me even mocht spreken. Ik hield pas op met lezen toen ze me vroeg: 'Herinnert u zich Matilde?'

Ik herinnerde me niet wie dat was, maar zij geloofde me niet.

'Doe maar niet alsof uw neus bloedt, señor Gabito.' En ze zei met nadruk op elke lettergreep: 'Ni-gro-man-ta.'

Maar natuurlijk: Nigromanta was nu een vrije vrouw met een zoon van de gedode politieman, en ze woonde met haar moeder en andere familieleden nog in hetzelfde huis, maar haar slaapkamer lag een beetje apart en had een eigen uitgang, die uitkwam op de achterkant van de begraafplaats. Ik ging haar opzoeken en onze hereniging hield ruim een maand stand. Ik stelde mijn terugkeer naar Cartagena steeds opnieuw uit en ik wilde voorgoed in Sucre blijven. Tot ik op een vroege ochtend in haar huis verrast werd door een enorme bui met donder en bliksem, zoals in de nacht van de Russische roulette. Ik probeerde droog te blijven onder de uitstekende daken, maar toen dat niet meer lukte ging ik midden op straat lopen, waar het water tot aan mijn knieën kwam. Ik had het geluk dat mijn moeder alleen in de keuken was en me via de tuinpaadjes naar mijn slaapkamer bracht, zodat mijn vader niets zou merken. Zodra ze me geholpen had mijn kletsnatte hemd uit te trekken, pakte ze dat tussen de toppen van haar duim en wijsvinger, hield het op een armlengte van zich af en gooide het met een vies gezicht in de hoek.

'Je bent bij die meid geweest,' zei ze.

Ik stond paf.

'Hoe weet u dat?'

'Omdat het net zo ruikt als de vorige keer,' zei ze onverstoorbaar. 'Gelukkig dat die man dood is.'

Een dergelijk gebrek aan compassie, voor het eerst in haar leven, verbaasde me. Dat moet ze hebben gemerkt, want zonder na te denken benadrukte ze het nog eens extra.

'Het is de enige keer dat ik blij was te horen dat er iemand dood was.'

Stomverbaasd vroeg ik: 'Hoe weet u wie zij is?'

'Ach, jongen,' zuchtte ze, 'God houdt me op de hoogte van alles wat met jullie te maken heeft.'

Ten slotte hielp ze me mijn kletsnatte broek uit te trekken en smeet die in de hoek bij de rest van mijn kleren. 'Jullie gaan allemaal je vader achterna,' zei ze opeens met een diepe zucht, terwijl ze mijn rug afdroogde met een ruwe badhanddoek. En uit de grond van haar hart voegde ze eraan toe: 'God geve dat jullie net zulke goede echtgenoten worden als hij.'

De spectaculaire zorg waarmee mijn moeder me behandelde om te voorkomen dat de longontsteking opnieuw de kop opstak, moet succes hebben gehad. Tot ik op een gegeven moment besefte dat ze het zich zo ingewikkeld maakte om te voorkomen dat ik terugging naar het bed van donder en bliksem van Nigromanta, die ik nooit meer heb gezien.

Hersteld en vrolijk keerde ik terug naar Cartagena, met het nieuws dat ik *Het huis* aan het schrijven was, en ik praatte erover alsof de roman al voltooid was, terwijl ik nog maar nauwelijks aan het eerste hoofdstuk was begonnen. Zabala en Héctor ontvingen me als de verloren zoon. Op de universiteit leek het alsof mijn aardige docenten zich erbij hadden neergelegd dat ze mij moesten nemen zoals ik was. Ik schreef heel af en toe nog een artikel voor *El Universal*, waar ik per stuk voor betaald kreeg. Mijn carrière als verhalenschrijver zette ik voort met het weinige wat ik, bijna om maestro Zabala te plezieren, uit mijn pen kreeg: 'Dialoog met de spiegel' en 'Nachtmerrie voor drie slaapwandelaars', die in *El Espectador* gepubliceerd werden. Hoewel aan beide verhalen te zien was dat ze minder te lijden hadden onder de primaire retoriek van de vier vorige, was ik er niet in geslaagd uit het moeras te komen.

Cartagena was in die dagen ook aangetast door de politieke spanning van de rest van het land, en dit moest beschouwd worden als een voorteken dat er iets ergs te gebeuren stond. Tegen het eind van het jaar kondigden de liberalen over de hele linie stemonthouding af vanwege de barbaarsheid van de politieke vervolgingen, maar ze kwamen niet terug van hun ondergrondse plannen om de regering omver te werpen. Op het platteland nam het geweld toe en de mensen vluchtten naar de steden, maar de censuur dwong de pers tussen de regels te schrijven. Toch was het algemeen bekend dat de in het nauw gedreven liberalen op verschillende plaatsen in het land guerrillastrijders hadden bewapend. In de Llanos Orientales, een immense oceaan van groene weidegronden die meer dan een kwart van het nationale grondgebied beslaat, waren die al legendarisch. Hun hoofdcommandant, Guadalupe Salcedo, werd gezien als een mythische figuur, zelfs door het leger, zijn foto's werden in het geheim verspreid en bij honderden gekopieerd, en op de altaren werden kaarsen voor hem gebrand.

De broers De la Espriella wisten blijkbaar meer dan ze zeiden, en binnen het ommuurde deel van de stad werd openlijk gesproken over een ophanden zijnde coup tegen het conservatieve bewind. Ik kende geen details, maar maestro Zabala had me gewaarschuwd dat ik, zodra ik op straat iets merkte van een zekere opwinding, direct naar de krant moest komen. De spanning was tastbaar toen ik ijssalon Americana binnenging, waar ik om drie uur 's middags met iemand had afgesproken. Ik zat aan een apart tafeltje te lezen in afwachting van de komst van die persoon, toen een van mijn vroegere medestudenten, met wie ik nooit over politiek had gepraat, langs me liep en in het voorbijgaan zonder me aan te kijken zei: 'Ga naar de krant, het gedonder begint.'

Ik deed het tegenovergestelde, ik wilde weten hoe het er in het hart van de stad aan toe zou gaan, in plaats van me terug te trekken op de redactie. Enkele minuten later kwam een persofficier van de regering aan mijn tafeltje zitten, die ik goed kende en daarom dacht ik niet meteen dat ze hem hadden aangewezen om mij onschadelijk te maken. Ik zat een halfuur in een opperste staat van naïviteit met hem te praten, en toen hij opstond om te vertrekken, ontdekte ik dat iedereen de enorme ijssalon had verlaten zonder dat ik het had gemerkt. Hij volgde mijn blik en controleerde de tijd: tien over één.

'Maak je geen zorgen,' zei hij met ingehouden opluchting. 'Er is niets gebeurd.'

De belangrijkste groep liberale leiders, tot wanhoop gedreven door de repressie, had met democratische militairen van de hoogste rang inderdaad een akkoord gesloten om een eind te maken aan de slachtpartijen die in het hele land waren ontketend door het conservatieve bewind, dat tot elke prijs de macht in handen wilde houden. De meesten van hen hadden meegewerkt aan het op 9 april bereikte akkoord met president Ospina Pérez om tot vrede te komen, maar nauwelijks twintig maanden daarna beseften ze te laat dat ze het slachtoffer waren geworden van een kolossaal bedrog. De mislukte actie van die dag was goedgekeurd door de voorzitter van de Liberale Partij in eigen persoon, Carlos Lleras Restrepo, via Plinio Mendoza Neira, die uitstekende relaties had binnen de strijdkrachten sinds hij minister van Oorlog was geweest in de liberale regering. De actie, die door Mendoza Neira werd gecoördineerd en waaraan stilzwijgend werd deelgenomen door vooraanstaande partijgenoten in het hele land, zou in de vroege ochtend van die dag beginnen met het bombarderen van het presidentiële paleis door vliegtuigen van de luchtmacht. De actie werd gesteund door de marinebases in Cartagena en Apiay, door de meeste militaire garnizoenen in het land, en door vakorganisaties die vastbesloten waren de macht te grijpen ten behoeve van een burgerregering van nationale verzoening.

Pas na de mislukking werd bekend dat ex-president Eduardo Santos, twee dagen voor de datum waarop de actie zou worden uitgevoerd, de liberale kopstukken en de coupleiders in zijn huis in Bogotá had ontvangen om het plan voor de laatste maal door te nemen. Midden in het debat stelde iemand de geijkte vraag: 'Zal er bloed vloeien?'

Niemand was zo naïef of zo cynisch om te zeggen van niet. Enkele leiders legden uit dat er maximale maatregelen waren getroffen om ervoor te zorgen dat dat niet gebeurde, maar dat er geen magische recepten bestonden om onvoorspelbare gebeurtenissen te voorkomen. Geschrokken door de omvang van haar eigen samenzwering vaardigde de leiding van de Liberale Partij zonder verdere discussie het tegenbevel uit. Velen van hen die bij de couppoging betrokken waren en die het bevel niet tijdig ontvingen, werden gevangengenomen of gedood. Anderen gaven Mendoza het advies in zijn eentje door te gaan tot de machtsovername, wat hij eerder om ethische dan om politieke redenen niet deed, maar hij had niet voldoende tijd en middelen om alle betrokkenen te waarschuwen. Hij zocht asiel in de Venezolaanse ambassade en woonde vervolgens vier jaar lang in ballingschap in Caracas, onbereikbaar voor de krijgsraad, die hem wegens rebellie bij verstek veroordeelde tot vijfentwintig jaar cel. Tweeënvijftig jaar na dato waag ik het met vaste hand, en zonder zijn toestemming, te schrijven dat hij zijn besluit gedurende de rest van zijn leven in ballingschap in Caracas heeft betreurd, vanwege het trieste resultaat dat het conservatisme heeft opgeleverd toen het aan de macht was: niet minder dan driehonderdduizend doden.

Voor mij was het in zekere zin ook een cruciaal moment. Binnen twee maanden zakte ik voor mijn derde jaar rechten en maakte ik een eind aan mijn afspraak met *El Universal*, want ik zag toekomst in het een noch in het ander. Als voorwendsel voerde ik aan dat ik tijd vrij wilde maken voor mijn roman, die nog maar nauwelijks van de grond begon te komen. Hoewel ik diep in mijn hart wist dat het geen waarheid en geen leugen was, zag ik mijn project plotseling als een retorische formule, waarin ik heel weinig van het goede van Faulkner had weten te verwerken en al het slechte van mijn onervarenheid. Algauw leerde ik dat het vertellen van een verhaal parallel aan het verhaal dat je aan het schrijven bent –

zonder de essentie ervan te onthullen – een waardevol onderdeel is van het bedenken en het schrijven. Dat was toen echter niet het geval, maar omdat ik niets kon laten zien, had ik een gesproken roman verzonnen om mijn toehoorders zoet te houden en mezelf om de tuin te leiden.

Dit inzicht dwong me het project – dat nooit meer heeft omvat dan veertig onsamenhangende velletjes, maar waar toch over was geschreven in tijdschriften en kranten, ook door mijzelf, en waar zelfs al enkele zeer spitsvondige kritieken van lezers met veel verbeeldingskracht over waren gepubliceerd – van a tot z te herzien. Eigenlijk zou een schrijver vanwege deze gewoonte om parallelle verhalen te vertellen eerder medelijden dan verwijten moeten oproepen: de angst voor het schrijven kan net zo onverdraaglijk zijn als de angst om niet te schrijven. In mijn geval ben ik er bovendien van overtuigd dat het vertellen van het ware verhaal ongeluk brengt. Het troost me echter dat de mondelinge versie een enkele keer wellicht beter is dan het geschreven verhaal, en dat we zonder het te weten bezig zijn een nieuw genre uit te vinden waar de literatuur zeker behoefte aan heeft: de fictie van de fictie.

Eerlijk gezegd wist ik niet hoe ik verder moest leven. Door de herstelperiode in Sucre was ik tot het besef gekomen dat ik niet wist welke kant mijn leven op ging, maar ik had geen aanwijzingen gekregen over de goede richting en ook geen enkel nieuw argument om mijn ouders ervan te overtuigen dat ze niet dood zouden gaan als ik de vrijheid nam om voor mezelf te beslissen, zodat ik naar Barranquilla vertrok met de tweehonderd peso die mijn moeder had verdonkeremaand uit de huishoudpot en die ze me had gegeven voordat ik terugkeerde naar Cartagena.

Op 15 december 1949 ging ik om vijf uur 's middags boekhandel Mundo binnen om te wachten op de vrienden die ik niet had teruggezien na onze nacht in mei, toen ik met de onvergetelijke meneer Razzore naar Barranquilla was gegaan. Ik had niets anders bij me dan een strandtas met een stel schone kleren, een paar boeken en de leren map met mijn kladversie. Enkele minuten na mij kwamen ze allemaal de boekhandel binnen, de een na de ander. Het was een lawaaiig welkom zonder Álvaro Cepeda, die nog in New York zat. Toen de groep compleet was, gingen we een borrel drinken, niet meer in café Colombia naast de boekhandel, maar aan de overkant, in het pas door goede vrienden geopende café Happy.

Ik volgde geen vaste koers, noch die avond, noch gedurende mijn verdere leven. Het vreemde is dat ik nooit had gedacht dat Barranquilla mijn bestemming zou zijn, omdat ik daar alleen heen ging om over literatuur te praten en om mijn vrienden persoonlijk te bedanken voor de boeken die ze naar Sucre hadden gestuurd. Dat eerste deden we in ruime mate, maar van bedanken was geen sprake, hoe vaak ik het ook probeerde, want de groep had een heilige afkeer van de gewoonte elkaar te bedanken of die dank van de eigen vrienden in ontvangst te nemen.

Germán Vargas improviseerde die avond een etentje voor twaalf personen, onder wie journalisten, schilders en notarissen, en zelfs de provinciale gouverneur, een typische in Barranquilla geboren conservatief, die er een eigen visie op na hield en een eigen manier van besturen. Na middernacht trokken de meesten zich terug en de rest verdween druppelsgewijs totdat alleen Alfonso, Germán en ik en de gouverneur waren overgebleven, allemaal nog min of meer bij ons volle verstand, net zoals in de kleine uurtjes in onze jonge jaren.

Tijdens de lange gesprekken die avond kreeg ik van hem een verrassend lesje over het karakter van de stadsbestuurders in de bloedige jaren. De gouverneur meende dat het minst opwekkende van alle rampzalige gevolgen van die barbaarse politiek het indrukwekkende aantal dakloze en brodeloze vluchtelingen in de steden was.

‘Als het zo doorgaat,’ concludeerde hij, ‘zal mijn partij, met steun van het leger, bij de volgende verkiezingen geen tegenstander meer hebben en de absolute macht verwerven.’

De enige uitzondering was Barranquilla, dankzij een cultuur van politieke verdraagzaamheid waarin de plaatselijke conservatieven zelf deelden, en waardoor de stad een vredige schuilplaats in het oog van de orkaan was. Ik wilde een moralistische opmerking maken, maar hij legde me met een handgebaar het zwijgen op.

'Neem me niet kwalijk,' zei hij, 'dit betekent niet dat we onszelf buiten het nationale leven plaatsen. Integendeel, juist vanwege ons pacifisme is het sociale drama van het land door de achterdeur weer binnengeslopen en bevindt het zich nu hier in onze stad.'

Op dat moment vernam ik dat er ongeveer vijfduizend straatarme vluchtelingen uit het binnenland naar Barranquilla waren gekomen en dat het stadsbestuur niet wist hoe men ze moest opvangen en waar men ze moest verbergen om te voorkomen dat het probleem algemeen bekend werd. Voor het eerst in de geschiedenis van de stad werden strategische plaatsen bewaakt door militaire patrouilles, die door iedereen werden gezien. De regering ontkende echter en de censuur zorgde ervoor dat er in de pers geen aandacht aan werd besteed.

Tegen de ochtend, na meneer de gouverneur bijna naar de auto te hebben gesleurd, gingen we naar Chop Suey, het vaste ontbijtrestaurant voor grote doorzakkers. Bij de kiosk op de hoek kocht Alfonso drie exemplaren van *El Heraldo*, waarin op de redactionele pagina een stukje stond dat ondertekend was met 'Puck', het pseudoniem waaronder hij om de dag zijn column schreef. Het was alleen een groet aan mij, maar Germán joeg hem op stang, omdat in het stuk stond dat ik hier informeel op vakantie was.

'U had beter kunnen schrijven dat hij hier blijft wonen, want dan hoeft u niet eerst een welkomstgroet en daarna een afscheidsgroet te schrijven,' spotte Germán. 'Minder onkosten voor zo'n gierige krant als *El Heraldo*.'

Alfonso meende, nu weer serieus, dat zijn redactionele pagina best nog een columnist kon gebruiken. Maar Germán was ontembaar in het eerste ochtendlicht.

'Dan zou hij een quintacolumnista* zijn, want ze hebben er al vier.'

Geen van hen informeerde of ik beschikbaar was, wat ik graag gewild had om ja te kunnen zeggen. Het onderwerp werd niet meer aangeroerd. En het was ook niet nodig, want

Alfonso vertelde me die avond dat hij met de directieleden van de krant had gepraat en dat ze wel iets zagen in een nieuwe columnist, mits hij goed was en niet al te veel pretenties had. Ze konden hoe dan ook niets beslissen tot na nieuwjaar. En dus bleef ik in Barranquilla met de baan als voorwendsel, ook al zouden ze in februari zeggen dat die niet doorging.

7

Zo werd op 5 januari 1950 mijn eerste artikel op de redactiepagina van *El Heraldo* uit Barranquilla afgedrukt. Ik wilde er mijn naam niet onder zetten, om me enigszins in te dekken voor het geval ik niet de juiste toon zou weten te treffen, zoals me bij *El Universal* was overkomen. Over een pseudoniem hoefde ik geen twee keer na te denken: Septimus, van Septimus Warren Smith, het gestoorde personage in Virginia Woolfs *Mrs. Dalloway*. De naam van de column, 'De Giraf', was afgeleid van de vertrouwelijke bijnaam waaronder alleen ik mijn enige danspartner in Sucre kende.

Ik had het gevoel dat het dat jaar in januari harder waaide dan ooit, en je kwam nauwelijks vooruit tegen de rukwinden die de straten tot de vroege ochtend teisterden. De gespreksonderwerpen bij het opstaan waren de verwoestingen die de waanzinnige stormen in de loop van de nacht hadden aangericht. Ze sleurden dromen en kippenhokken mee en veranderden de zinken platen van de daken in vliegende guillotines.

Nu denk ik dat die waanzinnige winden de stoppels van een onvruchtbaar verleden wegbliezen en de deuren naar een nieuw leven voor me openden. Mijn relatie met de groep veranderde van welwillende gedienstigheid in professionele betrokkenheid. In het begin bespraken we de voorgenomen plannen of wisselden allesbehalve hoogstaande maar onvergetelijke gedachten uit. Het definitieve oordeel over mij werd geveld op een ochtend toen ik de Happy binnenstapte en

Germán Vargas bijna klaar was met het in stilte lezen van 'De Giraf', die hij uit de krant van die dag had gescheurd. De anderen van de groep zaten rond de tafel te wachten op zijn uitspraak, met een soort angstig ontzag dat de rook in het vertrek nog dichter maakte. Toen hij klaar was scheurde Germán, zonder me zelfs maar een blik waardig te keuren en zonder een woord te zeggen, het papier in stukjes en vermengde de snippers met de peuken en afgebrande lucifers in de asbak. Niemand zei iets, de stemming aan tafel veranderde niet en er werd geen moment over het voorval gesproken. Maar het is nog altijd een les die ik ter harte neem wanneer ik door luiheid of haast in de verleiding kom een alinea te schrijven om me ervan af te maken.

In het doorgangshotel waar ik bijna een jaar logeerde, werd ik door de eigenaren ten slotte als een lid van de familie behandeld. Mijn enige bezit in die tijd waren de legendarische sandalen en twee stel kleren die ik onder de douche waste, en de leren map die ik tijdens de rellen van 9 april in de nuffigste theesalon van Bogotá had gestolen. Ik nam hem overal mee naartoe, met daarin het enige van waarde wat ik kwijt zou kunnen raken: het manuscript van wat ik op dat moment aan het schrijven was. Ik zou het zelfs niet geriskeerd hebben hem in de kluis van een bank achter te laten, al zaten er nog zoveel sloten op. De enige persoon aan wie ik hem tijdens mijn eerste nachten had toevertrouwd was de discrete Lácides, de portier van het hotel, die hem had aangenomen als onderpand voor de prijs van de kamer. Hij had een indringende blik geworpen op de getypte en van correcties wemelende stroken papier en had de map opgeborgen in de la van de balie. De volgende dag loste ik mijn schuld op het afgesproken tijdstip af en daarna bleef ik mijn betalingen zo stipt nakomen dat hij de map zelfs voor drie nachten als borg accepteerde. Het werd ten slotte zo'n serieuze overeenkomst dat ik hem soms op de balie achterliet en alleen maar goedenacht zei, waarna ik zelf de sleutel van het bord pakte en de trap op liep naar mijn kamer.

Germán was voortdurend op de hoogte van mijn gebrekkige omstandigheden, hij wist zelfs wanneer ik geen plek had om te slapen, en dan stopte hij me stiekem de anderhalve peso voor het bed toe. Ik heb nooit begrepen hoe hij daar steeds achter kwam. Dankzij mijn voorbeeldige gedrag kwam ik op vertrouwelijke voet te staan met het personeel van het hotel, zelfs zo vertrouwelijk dat de hoertjes me hun persoonlijke stukje zeep leenden om te douchen. Het bewind werd gevoerd door Catalina de Grote, de eigenares, met haar astronomische tieten en een hoofd als een kalebas. Haar vaste kerel, de mulat Jonás San Vicente, was een veelgevraagde trompettist geweest, totdat ze bij een overval zijn gebit kapot hadden geslagen om zijn gouden kronen te stelen. Gehavend en niet meer in staat om fatsoenlijk te blazen moest hij op zoek naar een ander beroep, en hij kon geen betere werkplek vinden voor zijn twintig centimeter lange knuppel dan het gouden bed van Catalina de Grote. Ook zij had haar intieme schat, die haar in staat stelde om in twee jaar tijd op te klimmen van de ellendige nachten aan de kade langs de rivier naar haar troon van oppermadam. Ik had het geluk de vindingrijkheid en de ongedwongenheid te leren kennen waarmee ze hun vrienden gelukkig maakten. Maar ze hebben nooit begrepen waarom ik zo vaak de anderhalve peso om te slapen niet kon betalen, terwijl ik aan de andere kant regelmatig door chique mensen met regeringslimousines werd opgehaald.

Een andere gelukkige bijkomstigheid in die dagen was dat ik de enige bijrijder werd van de Blonde Guerra, een taxichauffeur die zo blond was dat hij wel een albino leek, en zo intelligent en aardig dat hij zonder campagne te voeren tot eregemeenteraadslid was gekozen. De nachten met hem in de hoerenbuurt leken wel een film, omdat hij ze wist te verrijken – soms bij het waanzinnige af – met de briljantste invallen. Wanneer hij het een avond niet druk had waarschuwde hij me en brachten we samen de nacht door in de volledig vervallen hoerenbuurt, waar onze vaders en de vaders van hun vaders hadden geleerd hoe ze ons moesten maken.

Ik heb nooit kunnen ontdekken waarom ik, met zo'n onbekommerd leventje, plotseling ten prooi viel aan een onverwachte lusteloosheid. Mijn roman in wording – *Het huis* – kwam me, zo'n zes maanden nadat ik eraan begonnen was, voor als een bloedeloze farce. Ik praatte er meer over dan dat ik eraan schreef, en het weinige samenhangende dat ik inmiddels had waren de fragmenten die ik eerst in 'De Giraf' en later in *Crónica* publiceerde als ik geen onderwerp had. In de eenzaamheid van de weekenden, wanneer de anderen hun toevlucht zochten in hun huizen, voelde ik me in de uitgestorven stad verlatener dan ooit. Ik was zo arm als een kerkrat en vreselijk schuchter, wat ik probeerde te compenseren met een onuitstaanbare arrogantie en een onbeschofte openhartigheid. Ik voelde dat ik overal te veel was, en sommige bekenden lieten me dat merken ook. Dit alles was zorgwekkender in het redactielokaal van *El Heraldo*, waar ik soms tien uur achter elkaar, in een afgescheiden hoek en zonder met iemand contact te hebben, zat te schrijven, gehuld in de dichte rook van de goedkope sigaretten die ik aan één stuk door rookte in een eenzaamheid die geen moment werd verlicht. Ik werkte gejaagd, vaak tot het aanbreken van de dag, en op stroken drukpapier die ik in de leren map overal mee naartoe nam.

Op een van de vele momenten van onoplettendheid in die dagen liet ik de map in een taxi liggen, en dat vatte ik zonder verbittering op als een nieuwe streek van mijn ongelukkige gesternte. Ik deed geen enkele poging hem terug te krijgen, maar Alfonso Fuenmayor, geschrokken van mijn onachtzaamheid, schreef een kort berichtje en liet dat opnemen aan het eind van mijn rubriek: 'Afgelopen zaterdag zijn in een auto van het openbaar vervoer papieren blijven liggen. Aangezien de eigenaar van die papieren en de schrijver van deze rubriek toevalligerwijs een en dezelfde zijn, zouden wij het zeer op prijs stellen als degene die ze in zijn bezit heeft met een van beiden contact zou willen opnemen. De papieren hebben geen enkele waarde, het gaat slechts om ongepubliceerde "giraffen".' Twee dagen later gaf iemand mijn aantekeningen af bij de portiersloge van *El Heraldo*, zonder map, maar met drie in fraai handschrift en met groene inkt gecorrigeerde spelfouten.

Mijn salaris was net genoeg om de kamer te betalen, maar wat me in die dagen nog het minst interesseerde was de afgrond van de armoede. De vele keren dat ik geen geld had voor de kamer ging ik in café Roma zitten lezen als wat ik in feite was: een solitair die doelloos rondzwierf in de duisternis van de paseo Bolívar. Bekenden groette ik van een afstand, als ik me al verwaardigde naar hen te kijken, en ik liep langs hen heen naar mijn vaste plek, waar ik vaak zat te lezen totdat ik opschrok van de zon. Want ook toen bleef ik een onverzadigbare lezer zonder enige systematische vorming. Vooral van poëzie, zelfs van de slechte, omdat ik er ook in mijn moedelooste momenten van overtuigd was dat slechte poëzie vroeg of laat naar goede leidde.

In mijn stukken voor 'De Giraf' toonde ik me heel ontvankelijk voor de cultuur van het volk, dit in tegenstelling tot mijn verhalen, die eerder leken op kafkaiaanse raadsels, geschreven door iemand die niet wist in welk land hij leefde. Maar de eerlijkheid gebiedt me te zeggen dat het drama van Colombia tot me kwam als een verre echo en me alleen schokte wanneer het overstroomde in rivieren van bloed. Ik stak een sigaret aan terwijl ik de vorige nog niet op had, inhaleerde de rook met de levensdrift waarmee astmatici lucht inademen, en de drie pakjes die ik per dag rookte waren zichtbaar aan de nagels van mijn vingers en hoorbaar aan een blaffende hoest die mijn jeugd bedierf. Kortom, ik was verlegen en somber, als een echte Caribiër, en zo gesteld op mijn privacy dat ik elke vraag daarover beantwoordde met een gevatte opmerking. Ik was ervan overtuigd dat mijn ongeluk aangeboren en onvermijdelijk was, vooral wat vrouwen en geld betrof, maar het kon me niet schelen, want ik dacht dat ik geen geluk nodig had om goed te schrijven. Ik was niet geïnteresseerd in roem, geld of ouderdom, omdat ik zeker wist dat ik heel jong en op straat zou sterven.

De reis met mijn moeder om het huis in Aracataca te verkopen redde me uit die afgrond, en de zekerheid van de nieuwe roman bood me zicht op een andere horizon. Van de talrijke reizen die ik in mijn leven heb gemaakt, was deze wel de meest cruciale, omdat ik aan den lijve ondervond dat het boek dat ik had proberen te schrijven louter een hoogdravend bedenksel was dat op geen enkele manier steunde op een poëtische waarheid. Het project spatte vanzelfsprekend in stukken uiteen toen ik het confronteerde met de werkelijkheid van die onthullende reis.

Het model van het epos waarvan ik droomde kon alleen maar dat van mijn eigen familie zijn, een familie die nooit hoofdrolspeler of zelfs maar slachtoffer van iets was geweest, maar slechts nutteloze getuige en slachtoffer van alles. Ik begon er meteen na mijn terugkeer aan te schrijven, want ik had niets meer aan het uitwerken van kunstmatige middelen, ik moest gebruikmaken van de emotionele lading die ik zonder het te weten met me meedroeg en die onaangeroerd op me had liggen wachten in het huis van mijn grootouders. Vanaf mijn eerste stap in het gloeiend hete zand van het dorp was ik me ervan bewust dat mijn methode om dat aardse paradijs van verlatenheid en nostalgie in woorden uit te beelden niet de gelukkigste was, hoewel ik veel tijd en werk had besteed aan het vinden van de juiste methode. De drukke werkzaamheden voor *Crónica*, dat op het punt van verschijnen stond, vormden geen beletsel. Integendeel, ze waren een ordenende beteugeling van mijn gespannenheid.

Behalve Alfonso Fuenmayor, die me een paar uur nadat ik begonnen was met schrijven in mijn creatieve koorts had verrast, dacht de rest van mijn vrienden lange tijd dat ik nog altijd bezig was met het oude project van *Het huis*. Ik besloot dat zo te houden, in de kinderlijke angst dat ze het echec van een concept zouden blootleggen waarover ik steeds gesproken had alsof het om een meesterwerk ging. Maar ik deed het ook uit het nog altijd gekoesterde bijgeloof dat het beter is het ene verhaal te vertellen en het andere te schrijven, zodat niemand weet waar je nu eigenlijk mee bezig bent. Vooral in interviews, die tenslotte een gevaarlijke vorm van fictie zijn voor verlegen schrijvers die niet te veel willen loslaten. Toch moet Germán Vargas het met zijn mysterieuze scherpzinnigheid hebben ontdekt, want een paar maanden nadat don Ramón naar Barcelona was afgereisd sprak hij erover in een brief aan hem: 'Ik geloof dat Gabito het project van *Het huis* heeft laten vallen en bezig is met een andere roman.' Don Ramón wist het natuurlijk al voordat hij wegging.

Vanaf de eerste regel ging ik ervan uit dat het nieuwe boek moest steunen op de herinneringen van een zevenjarig kind dat het beruchte bloedbad in 1928 in het bananengebied had overleefd. Maar ik verwierp dit idee al snel, omdat het verhaal daarmee beperkt bleef tot het standpunt van een personage dat niet over voldoende poëtische middelen beschikte om het te vertellen. Toen werd ik me ervan bewust dat mijn gewaagde poging om op twintigjarige leeftijd *Ulysses* en later *Het geraas en gebral* te lezen nogal prematuur, vermetel en uitzichtloos was geweest, en ik besloot ze vanuit een minder vooringenomen gezichtspunt te herlezen. Inderdaad werd veel van wat me bij Joyce en Faulkner pedant of ondoorgrondelijk was voorgekomen toen met verbluffende schoonheid en eenvoud voor me onthuld. Ik dacht erover de monoloog af te wisselen met stemmen van het hele dorp, als een vertellend Grieks koor, zoals in *Terwijl ik al heenging*, dat bestaat uit de bespiegelingen van een hele familie aan het bed van een stervende. Ik voelde me niet in staat om Faulkners eenvoudige hulpmiddel van het bij elke monoloog aangeven van de naam van de hoofdpersoon, zoals in toneelteksten, te herhalen, maar het bracht me op het idee alleen de drie stemmen van de grootvader, de moeder en het kind te gebruiken, omdat die door hun zo verschillende manier van spreken en lotsbestemming vanzelf herkend zouden worden. De grootvader in de roman zou niet eenogig zijn zoals de mijne, maar mank, de moeder afwezig maar intelligent, net als de mijne, en het kind stug, angstig en nadenkend, zoals ik altijd was op die leeftijd. Het was geen creatieve vondst, zeker niet, hoogstens een technisch hulpmiddel.

Het nieuwe boek onderging tijdens het schrijven geen enkele wezenlijke verandering en er was ook geen enkele versie die afweek van het origineel, afgezien van de weglatingen en toevoegingen gedurende een jaar of twee vóór de eerste uitgave, maar dat kwam doordat ik de slechte gewoonte heb om tot aan de dood te blijven corrigeren. Van het dorp – heel anders dan dat van het vorige project – had ik me in de realiteit een beeld gevormd toen ik met mijn moeder terugkeerde naar Aracataca, maar deze naam – zoals de zeer wijze don Ramón tegen me had opgemerkt – leek me even weinig overtuigend als die van Barranquilla, omdat ook die de mythische klank miste die ik voor de roman zocht. Zo besloot ik het de naam te geven die ik ongetwijfeld als kind al kende, maar waarvan de magische lading zich tot dat moment nog niet aan me had geopenbaard: Macondo.

Ik moest de titel van *Het huis* – inmiddels zo vertrouwd onder mijn vrienden – veranderen omdat hij niets met het nieuwe project te maken had, maar ik beging de fout om de titels die tijdens het schrijven bij me opkwamen te noteren in een schoolschrift, en uiteindelijk had ik er meer dan tachtig. Ten slotte vond ik hem, zonder ernaar te zoeken, in de eerste al bijna voltooide versie, toen ik toegaf aan de verleiding om een voorwoord te schrijven. De titel schoot me plotseling te binnen, als de meest minachtende en tegelijk meelevende benaming waarmee mijn grootmoeder, op een toon die ze had overgehouden aan haar contacten met de aristocratie, het bonte gezelschap van de United Fruit Company had gedoopt: *Afval en dorre bladeren*.

De auteurs die me het meest hebben geïnspireerd om de roman te schrijven waren de Amerikaanse romanschrijvers, en in het bijzonder de schrijvers van wie mijn vrienden uit Barranquilla boeken naar Sucre hadden gestuurd. Dat kwam vooral door de meest uiteenlopende verwantschappen die ik ontdekte tussen de cultuur van het diepe Zuiden en die van het Caribisch gebied, waarmee ik me volledig en op een fundamentele en onvervangbare manier identificeer in mijn ontwikkeling als mens en schrijver. Vanaf het moment dat ik me dit bewust werd, begon ik als een echte ambachtelijke romanschrijver te lezen, niet alleen voor mijn genoegen, maar ook uit een onverzadigbare nieuwsgierigheid naar de wijze waarop de boeken van de experts waren geschreven. Ik las ze eerst van voren naar achteren, daarna van achteren naar voren, en onderwierp ze vervolgens aan een soort chirurgisch ontledingsproces, totdat ik de meest verborgen mysteries van hun structuur had blootgelegd. Daarom is mijn bibliotheek ook nooit veel meer geweest dan een werkinstrument, waar ik ogenblikkelijk een hoofdstuk van Dostojevski kan raadplegen, of informatie over de epilepsie van Julius Caesar of over de werking van een carburateur kan opzoeken. Ik heb zelfs een handboek voor het plegen van perfecte moorden, voor het geval een van mijn hulpeloze personages dat nodig mocht hebben. De rest hebben de vrienden gedaan die me de weg wezen bij wat ik moest lezen en die me op het juiste moment boeken leenden, en degenen die zich met een nietsontziende blik over mijn manuscripten hebben gebogen voordat ze gepubliceerd werden.

Door dit soort voorbeelden kreeg ik een nieuw gevoel van zelfbewustzijn, en het *Crónica*-project gaf me ten slotte vleugels. We waren zo hooggestemd dat we ondanks de onoverkomelijke hindernissen uiteindelijk een eigen kantoor wisten te bemachtigen op een derde verdieping zonder lift, te midden van het geschreeuw van de marktverkoopsters en de wetteloze autobussen in de calle San Blas, waar van de vroege ochtend tot zeven uur 's avonds een turbulente chaos heerste. We pasten er amper in. Er was nog geen telefoonaansluiting, en de airconditioning was een versiering die ons weleens meer kon gaan kosten dan het weekblad zelf, maar Fuenmayor had al tijd gehad om het kantoor vol te proppen met zijn uit elkaar gevallen encyclopedieën, krantenknipsels in alle talen en befaamde handboeken voor de vreemdste beroepen. Op zijn directeursbureau stond de legendarische Underwood die hij met groot gevaar voor eigen leven had gered uit een brandende ambassade, en die vandaag de dag een pronkstuk is in het Museo Romántico in Barranquilla. Achter het enige andere bureau zat ik, met een door *El Heraldo* uitgeleende schrijfmachine, in mijn gloednieuwe hoedanigheid van hoofdredacteur. Er stond een tekentafel voor Alejandro Obregón, Orlando Guerra en Alfonso Melo, drie beroemde schilders die bij hun volle verstand hadden toegezegd de bijdragen gratis te illustreren, en dat ook deden, eerst vanwege hun aangeboren grootmoedigheid, en ten slotte omdat we geen rooie cent te besteden hadden, niet eens voor onszelf. De trouwste en meest opofferingsgezinde fotograaf was Quique Scopell.

Afgezien van het redactiewerk, dat bij mijn functie hoorde, moest ik ook toezicht houden op het opmaakproces en, ondanks mijn bedroevende spelling, de corrector assisteren bij het doornemen van de drukproeven. Aangezien ik mijn toezegging aan *El Heraldo* om door te gaan met 'De Giraf' wilde nakomen, had ik niet veel tijd voor regelmatige bijdragen aan *Crónica*. Wél voor het schrijven van mijn verhalen in de stille uurtjes van de vroege ochtend.

Alfonso, specialist in alle genres, legde zich volledig toe op misdaadverhalen, waarvoor hij een onverzadigbare passie had. Hij vertaalde of selecteerde ze, en ik paste een soort vormvereenvoudiging toe die uiteindelijk nuttig zou blijken voor mijn beroep. Het ging erom ruimte te sparen door niet alleen de onnodige woorden te schrappen, maar ook de overbodige feiten, totdat de inhoud was teruggebracht tot zijn pure essentie zonder aan overtuigingskracht in te boeten. Dat wil zeggen, alles schrappen wat overtollig was in een radicaal genre waarin elk woord in dienst zou moeten staan van de hele structuur. Dit was een van de nuttigste oefeningen in mijn voortdurende onderzoek om de techniek van het vertellen van een verhaal onder de knie te krijgen.

Een paar van de beste verhalen van José Félix Fuenmayor vormden verscheidene zaterdagen onze redding, en de verspreiding ging onverschrokken door. Het laatste redmiddel was echter steeds de doortastendheid van Alfonso Fuenmayor, die niet bepaald bekendstond om zijn verdiensten als ondernemer, maar die zich inzette met een vasthoudendheid die zijn krachten te boven ging, iets wat hij zelf steeds met zijn verschrikkelijke gevoel voor humor probeerde te bagatelliseren. Hij deed alles, van het schrijven van de scherpzinnigste hoofdartikelen tot de onbeduidendste stukjes, met dezelfde volharding als waarmee hij advertenties, onvoorstelbare kredieten en exclusieve bijdragen van lastige medewerkers binnensleepte. Niemand kon geloven dat al die uiteenlopende taken met zoveel elegantie werden verricht door een en dezelfde man. Maar het waren onvruchtbare wonderen. Wanneer de verkopers met dezelfde hoeveelheid exemplaren terugkeerden als ze hadden meegenomen, probeerden we ze persoonlijk te verspreiden in onze favoriete cafés, van El Tercer Hombre tot aan de duistere kroegen aan de rivierhaven, waar we de schaarse opbrengsten moesten innen in de vorm van spiritualiën.

Een van de trouwste medewerkers, en ongetwijfeld de meest gelezen, bleek de Bard Osío te zijn. Vanaf het eerste nummer van *Crónica* was hij een van de onfeilbaren, en zijn 'Dagboek van een typiste', onder het pseudoniem Dolly Melo, veroverde de harten van de lezers.

Bob Prieto kon *Crónica* met elke medische of artistieke vondst uit de Middeleeuwen van de ondergang redden, maar als het om werk ging had hij één glasheldere stelregel: als er niet betaald wordt is er geen product. En al heel snel moesten we natuurlijk, met pijn in ons hart, vaststellen dat dat er inderdaad niet meer was.

Van Julio Mario Santodomingo wisten we vier raadselachtige, in het Engels geschreven verhalen te publiceren, die door Alfonso werden vertaald met de gedrevenheid van een jager op libellen in het gebladerte van zijn zonderlinge woordenboeken, en die door Alejandro Obregón met grote artistieke verfijning van illustraties werden voorzien. Maar Julio Mario reisde zoveel en naar zulke ver uit elkaar gelegen bestemmingen dat hij een onzichtbare compagnon werd. Alleen Alfonso Fuenmayor wist waar hij hem kon vinden, en dat maakte hij ons met een verontrustende opmerking duidelijk: 'Telkens wanneer ik een vliegtuig zie overvliegen denk ik: daar gaat Julio Mario Santodomingo.'

De rest bestond uit gelegenheidsmedewerkers die ons tot de laatste minuten voor het sluiten van de editie – of voor het overmaken van het honorarium – in spanning lieten zitten.

In Bogotá behandelde men ons als gelijken, maar geen van

onze nuttige vrienden deed ook maar enige poging om het weekblad te redden. Behalve Jorge Zalamea, die de verwantschap tussen zijn tijdschrift en het onze begreep en ons voorstelde materiaal uit te wisselen, iets wat positieve resultaten opleverde. Maar ik geloof dat eigenlijk niemand doorhad wat voor een wonder *Crónica* in feite al was. De redactieraad bestond uit zestien leden, die door ons waren gekozen op grond van hun persoonlijke verdiensten, allemaal mensen van vlees en bloed, maar zo machtig en drukbezet dat je heel goed aan hun bestaan had kunnen twijfelen.

Crónica had voor mij de bijkomende betekenis dat het me dwong snel noodverhalen te improviseren om de onverwachte leemten op te vullen die ontstonden in de opgewonden spanning vlak voor het ter perse gaan. Dan ging ik achter de schrijfmachine zitten, terwijl linotypezetters en opmaakredacteuren hun werk deden, en verzon uit het niets een verhaal ter grootte van de op te vullen ruimte. Zo schreef ik 'Hoe Natanael een bezoek aflegt', dat tegen het aanbreken van de dag een dringend probleem voor me oploste, en vijf weken later 'Ogen van een blauwe hond'.

Het eerste van die twee verhalen vormde het begin van een serie met hetzelfde personage, wiens naam ik zonder toestemming had overgenomen van André Gide. Later schreef ik 'Het einde van Natanael' om een nieuw drama op het laatste moment te voorkomen. Beide maakten deel uit van een reeks van zes verhalen, die ik zonder spijt heb weggeborgen toen ik erachter kwam dat ze niets met mij te maken hadden. Van de overige, die ik zo'n beetje half af had, herinner ik me er nog een, maar ik heb geen idee meer van de plot: 'Hoe Natanael zich als bruid verkleedde'. Vandaag de dag heb ik niet de indruk dat het personage ook maar op iemand lijkt die ik heb gekend, noch dat het was gebaseerd op eigen of andermans ervaringen, en ik kan me zelfs niet voorstellen hoe het met zo'n dubieus thema een verhaal van mij kon zijn. Natanael was kortom een literair waagstuk zonder enige menselijke meerwaarde. Het is goed aan deze rampen herinnerd te worden om niet te vergeten dat je een personage niet uit het niets verzint, zoals ik met Natanael wilde doen. Gelukkig had ik niet genoeg verbeeldingskracht om zo ver van mezelf af te raken, bovendien was ik, ongelukkig genoeg, de overtuiging toegedaan dat literair werk net zo goed betaald diende te worden als metselen, en dat als we de drukkers goed en op tijd betaalden, dat des te meer reden moest zijn om de schrijvers te betalen.

De gunstigste reacties op ons werk in *Crónica* kregen we via de brieven van don Ramón aan Germán Vargas. Hij interesseerde zich voor de meest onverwachte nieuwtjes en voor de vrienden en gebeurtenissen in Colombia, en Germán stuurde hem krantenknipsels en vertelde hem in eindeloze brieven het nieuws dat door de censuur verboden werd. Dat wil zeggen, voor hem waren er twee *Crónica*'s: het tijdschrift dat wij maakten, en dat wat Germán in het weekend voor hem samenvatte. Naar de enthousiaste of strenge commentaren van don Ramón op onze artikelen keken we altijd reikhalzend uit.

Wat de verschillende oorzaken betrof waarmee men de tegenslagen van *Crónica*, en zelfs de onzekerheden van de groep, wilde verklaren hoorde ik toevallig dat sommigen die toeschreven aan mijn aangeboren en besmettelijke slechte gesternte. Als dodelijk bewijs daarvoor werd mijn reportage over Berascochea, de Uruguayaanse voetballer, aangehaald, waarmee we sport en literatuur wilden samenbrengen in een nieuw genre, een poging die de genadeklap betekende. Toen ik van mijn schandelijke faam hoorde, was die al wijdverbreid onder de klanten van de Happy. Volkomen ontmoedigd vertelde ik het aan Germán Vargas, die het al wist, net als de rest van de groep.

'Rustig maar, maestro,' zei hij zonder een zweem van twijfel. 'Schrijven zoals u schrijft is alleen maar te verklaren als een onverwoestbare vorm van geluk.'

Het waren niet allemaal slechte nachten. Die van 27 juli 1950, in het huis van plezier van de Zwarte Eufemia, had een zekere historische waarde in mijn leven als schrijver. Ik weet niet welke gelukkige ingeving de eigenares ertoe had gebracht een gigantische pan soep met vier soorten vlees op te dienen, waarbij de grielen vanwege de wildgeuren hun gekrijs rond het fornuis nog versterkten. Een uitzinnige klant greep een van de grielen bij zijn nek en gooide hem levend in de kokende pan. Het dier kon nog net een kreet van pijn uitstoten voordat het met een laatste klapwieken in de helse diepten verdween. De brute moordenaar probeerde er nog een te grijpen, maar de Zwarte Eufemia was inmiddels met al haar autoriteit opgestaan van haar troon.

'Ophouden, verdomme,' schreeuwde ze, 'straks pikken de grielen jullie ogen uit!'

Het kon alleen mij iets schelen, want ik was de enige die niet het lef had om van de ontheiligde soep te eten. In plaats van te gaan slapen haastte ik me naar het kantoor van *Crónica* en schreef in één ruk het verhaal van drie klanten in een bordeel bij wie de grielen de ogen uitpikten en niemand die het geloofde. Het bestond uit maar vier velletjes met dubbele regelafstand en werd door een naamloze stem in de eerste persoon meervoud verteld. Het is van een helder realisme en toch het raadselachtigste van al mijn verhalen, dat me bovendien een richting deed inslaan die ik al bijna had opgegeven omdat ik er geen vat op kreeg. Ik was vrijdag om vier uur 's nachts met schrijven begonnen en was om acht uur 's morgens klaar, gekweld door het verbijsterende inzicht van een helderziende. Met de onfeilbare medewerking van Porfirio Mendoza, de legendarische opmaakredacteur van *El Heraldo*, herzag ik het opmaakschema voor de editie van *Crónica* die de volgende dag zou verschijnen. In de laatste minuut, vertwijfeld door de guillotine van het ter perse gaan, dicteerde ik Porfirio de definitieve titel die ik eindelijk had gevonden, waarna hij deze rechtstreeks in het gesmolten lood schreef: 'De nacht van de grielen'.

Voor mij vormde dit het begin van een nieuw tijdperk, na negen verhalen die nog in een metafysisch voorstadium verkeerden, terwijl ik geen enkel project had om verder te gaan in een genre dat ik maar niet onder de knie kreeg. Jorge Zalamea publiceerde het verhaal de daaropvolgende maand nogmaals in *Crítica*, zijn uitstekende tijdschrift voor grote poëzie. Ik heb het vijftig jaar later, voordat ik deze alinea schreef, herlezen en ik geloof dat ik er geen komma aan zou veranderen. Te midden van de richtingloze wanorde waarin ik leefde was dát het begin van een nieuwe lente.

Het land raakte daarentegen in een neergaande spiraal. Laureano Gómez was teruggekeerd uit New York om uitgeroepen te worden tot presidentskandidaat voor de conservatieven. De liberalen trokken zich onder het heersende geweld terug, en Gómez werd op 7 augustus 1950 zonder tegenstander tot president gekozen. Aangezien het Congres officieel gesloten was trad hij in functie voor het Hooggerechtshof.

Hij kwam nauwelijks aan daadwerkelijk regeren toe, want na vijftien maanden deed hij om concrete gezondheidsredenen afstand van het presidentschap. Hij werd vervangen door de jurist en conservatieve parlementariër Roberto Urdaneta Arbeláez, die als eerste opvolger was aangewezen. De goede verstaanders vatten dit op als een voor Laureano Gómez kenmerkende kunstgreep om de macht aan een ander over te dragen zonder die werkelijk uit handen te geven, en via een tussenpersoon vanuit zijn huis te kunnen blijven regeren. En in dringende gevallen via de telefoon.

Ik denk dat de terugkeer van Álvaro Cepeda met zijn aan Columbia University behaalde graad, een maand voor het offer van de griel, van doorslaggevende betekenis was om de noodlottige omstandigheden van die dagen te doorstaan. Hij kwam, zonder zijn borstelsnor, woester en onbehouwener terug dan hij gegaan was. Germán Vargas en ik, die al verscheidene maanden op hem wachtten in de angst dat ze hem in New York hadden getemd, lagen krom van het lachen toen we hem met colbert en stropdas uit het vliegtuig zagen stappen, vanaf de passagierstrap zwaaiend met de primeur van Hemingway: *Across the River and into the Trees*. Ik rukte het boek uit zijn handen, streelde het aan beide kanten en toen ik hem iets wilde vragen was Álvaro me voor: 'Het is waardeloos!'

Germán Vargas fluisterde stikkend van het lachen in mijn oor: 'Hij is niks veranderd.' Later legde Álvaro uit dat zijn oordeel over het boek een grap was geweest, want hij was er nog maar net aan begonnen in het vliegtuig uit Miami. Hoe het ook zij, wat ons vooral opbeurde was dat hij ons, opgewondener dan daarvoor, aanstak met de journalistieke, cinematografische en literaire mazelen. In de daaropvolgende maanden, terwijl hij al weer begon te wennen, hield hij onze koorts voortdurend op veertig graden.

We werden er direct door aangestoken. 'De Giraf', die al maanden als een blindeman om zijn eigen as tolde, begon weer adem te halen dankzij twee fragmenten uit de kladversie van *Het huis*. Het ene was 'De zoon van de kolonel', die nooit was geboren, en het andere 'Ny', een weggelopen meisje bij wie ik vaak had aangeklopt op zoek naar nieuwe wegen, maar dat nooit had opengedaan. Ook kreeg ik als volwassene weer belangstelling voor stripverhalen, niet bij wijze van zondags tijdverdrijf maar als een nieuw literair genre dat zonder reden naar de kinderkamer was verbannen. Mijn held, een van de vele, was Dick Tracy. En bovendien, hoe kon het ook anders, begon ik me weer te wijden aan de cultus van de film, die mijn grootvader er bij me had ingehamerd en waarmee don Antonio Daconte me in Aracataca had gevoed, en die door toedoen van Álvaro Cepeda in een evangelische passie veranderde in een land waar de beste films bekend werden via de verhalen van reizigers. Het was een gelukkig toeval dat zijn terugkeer samenviel met de première van twee meesterwerken: *Intruder in the Dust*, geregisseerd door Clarence Brown naar de roman van William Faulkner, en *Portrait of Jennie*, geregisseerd door William Dieterle naar de roman van Robert Nathan. Beide heb ik gerecenseerd in 'De Giraf', na lange discussies met Álvaro Cepeda. Ik vond het allemaal zo interessant dat ik film met andere ogen ging bekijken. Voordat ik hem leerde kennen wist ik niet dat de naam van de regisseur, die als laatste op de credits staat, het belangrijkste is. Voor mij was het eenvoudigweg een kwestie van scenario's schrijven en acteurs aanwijzingen geven, want de rest werd gedaan door de vele leden van de filmploeg. Toen Álvaro terugkwam gaf hij me aan de tafeltjes in de meest haveloze kroegen met veel geschreeuw en witte rum tot in de kleine uurtjes een volledige cursus, om me bij te brengen wat ze hem in de Verenigde Staten over film geleerd hadden, en bij het aanbreken van de dag zaten we wakker te dromen over hoe we dat in Colombia zouden gaan doen.

Los van die lumineuze uitbarstingen hadden de vrienden die Álvaro probeerden te volgen, die voortsnelde als een kruiser, niet de indruk dat hij de rust had om te gaan zitten schrijven. Wij, die hem van dichtbij meemaakten, konden ons niet voorstellen dat hij langer dan een uur achter een bureau zou kunnen zitten. Maar twee of drie maanden na zijn terugkeer belde Tita Manotas – toen al vele jaren zijn vriendin en inmiddels zijn levensgezellin – ons hevig geschrokken op om te vertellen dat Álvaro zijn legendarische bestelwagen had verkocht en het manuscript van zijn onuitgegeven verhalen in het dashboardkastje had laten liggen, en er waren geen kopieën van. Hij had geen enkele moeite gedaan ze terug te vinden, met het voor hem typerende argument dat het toch maar 'zes of zeven waardeloze verhalen' waren. Vrienden en verslaggevers hielpen Tita bij het zoeken naar de bestelwagen, die al verschillende keren was doorverkocht langs de hele Caribische kust en landinwaarts tot aan Medellín. Ten slotte vonden we hem in een werkplaats in Sincelejo, ongeveer tweehonderd kilometer verderop. Het op stroken drukpapier getypte manuscript, verfrommeld en onvolledig, vertrouwden we toe aan Tita, uit angst dat Álvaro het nog eens kwijt zou raken, per ongeluk of expres.

Twee van die verhalen werden in *Crónica* gepubliceerd en de andere heeft Germán Vargas een jaar of twee bewaard terwijl er gezocht werd naar een uitgever. De schilderes Cecilia Porras, altijd trouw aan de groep, voorzag ze van een aantal bevlogen tekeningen, een soort röntgenfoto van Álvaro gekleed als alles wat hij tegelijk kon zijn: vrachtwagenchauffeur, circusclown, dwaze dichter, student aan Columbia University of elk willekeurig ander beroep, behalve een doorsneeman. Het boek werd uitgegeven door boekhandel Mundo onder de titel *Todos estábamos a la espera* ('We waren allemaal in afwachting') en was een grote gebeurtenis in de uitgeverswereld, die alleen onopgemerkt voorbijging aan de wereld van de kritiek. Voor mij – en dat heb ik toen ook geschreven – was het de beste verhalenbundel die tot dan toe in Colombia was verschenen.

Alfonso Fuenmayor schreef op zijn beurt kritische en literaire commentaren in kranten en tijdschriften, maar was heel terughoudend wanneer het erom ging ze te bundelen. Hij was een buitengewoon gretig lezer, misschien alleen vergelijkbaar met Álvaro Mutis of Eduardo Zalamea. Germán Vargas en hij waren zo radicaal dat ze kritischer waren op hun eigen verhalen dan op die van anderen, maar hun obsessie om talentrijke jongeren te vinden leverde altijd resultaat op. Het was een creatieve lente, waarin het hardnekkige gerucht ging dat Germán hele nachten zat te schrijven aan meesterlijke verhalen, maar pas jaren later hoorden we daar meer van toen hij zich opsloot in de slaapkamer van zijn ouderlijk huis en ze, enkele uren voordat hij zou trouwen met mijn comadre Susana Linares, allemaal verbrandde om er zeker van te zijn dat ze zelfs niet door haar gelezen zouden worden. Vermoedelijk ging het om verhalen en essays, en misschien de opzet voor een roman, maar Germán heeft er nooit met een woord over gesproken, en pas aan de vooravond van zijn huwelijk nam hij die drastische maatregelen, die ervoor moesten zorgen dat zelfs de vrouw die de volgende dag zijn echtgenote zou worden, er niets van zou weten. Susana had het wel door, maar ging niet de kamer in om hem tegen te houden, want dat zou haar schoonmoeder niet hebben toegestaan. 'In die tijd,' zei Susi jaren later tegen me met haar ontwapenende gevoel voor humor, 'mocht een vrouw pas in de slaapkamer van haar aanstaande komen als ze getrouwd waren.'

Er was nog geen jaar verstreken toen de brieven van don Ramón minder expliciet en steeds treuriger en schaarser begonnen te worden. Op 7 mei 1952 ging ik om twaalf uur 's middags boekhandel Mundo binnen en Germán hoefde niets te zeggen, want ik begreep meteen dat don Ramón gestorven was, twee dagen eerder, in het Barcelona van zijn dromen. Het commentaar dat geleverd werd was van iedereen die rond het middaguur het café binnendruppelde hetzelfde: 'Wat klote!'

Ik was me er toen niet van bewust dat ik een bijzonder jaar in mijn leven meemaakte, en vandaag de dag twijfel ik er niet aan dat het een doorslaggevend jaar was. Tot dan toe had ik me tevredengesteld met mijn onverzorgde uiterlijk. Er waren veel mensen die van me hielden en me respecteerden, en enkelen die me bewonderden, in een stad waar iedereen zijn eigen leventje leidde. Ik had een druk sociaal leven, nam deel aan artistieke en sociale bijeenkomsten op mijn pelgrimssandalen, die leken te zijn gekocht om Álvaro Cepeda te imiteren, en met maar één linnen broek en twee gestreepte overhemden, die ik onder de douche waste.

Van de ene op de andere dag begon ik me om verschillende redenen – waarvan sommige tamelijk frivool – beter te kleden, ik liet mijn haar knippen als een rekruut, dunde mijn snor uit en leerde op de senatorschoenen van doctor Rafael Marriaga te lopen, reizend lid van de groep en historicus van de stad, die hijzelf nooit had gedragen en die hij me cadeau had gedaan omdat ze hem te groot waren. Door de onbewuste dynamiek van het maatschappelijke streven om vooruit te komen begon ik het gevoel te krijgen dat ik stikte van de hitte in de kamer in De Wolkenkrabber – alsof Aracataca in Siberië had gelegen – en leed ik onder de klanten die hardop praatten wanneer ze opstonden, terwijl ik aan één stuk door foeterde op de nachtvlinders, die hele troepen zoetwatermatrozen meesleepten naar hun kamers.

Nu besef ik dat ik er niet als een bedelaar had uitgezien omdat ik arm was of een dichter, maar omdat ik mijn energie volledig richtte op het onverzettelijke verlangen te leren schrijven. Zodra ik het vage vermoeden kreeg dat ik op de goede weg was, verliet ik De Wolkenkrabber en verhuisde naar de rustige wijk El Prado, aan het andere uiteinde van de stad en van de sociale rangorde, op twee straten van het huis van Meira Delmar en op vijf van het legendarische hotel waar de rijkeluiszoontjes na de zondagsmis altijd met hun maagdelijke geliefden gingen dansen. Of zoals Germán zei: ik begon ten kwade te verbeteren.

Ik woonde in het huis van de gezusters Ávila – Esther, Mayito en Toña – die ik had leren kennen in Sucre en die er sinds enige tijd hun zinnen op hadden gezet mij van de ondergang te redden. In plaats van het kartonnen kamertje waar ik mijn onschuld van verwend kleinzoontje was kwijtgeraakt, had ik nu een eigen slaapkamer met bad en een raam dat uitkeek op de tuin, inclusief drie maaltijden per dag voor weinig meer dan mijn arbeiderssalaris. Ik kocht een broek en een half dozijn hawaïhemden bedrukt met bloemen en vogels, die me enige tijd de heimelijke faam van scheepsflikker opleverden. Oude vrienden die mijn pad niet meer gekruist hadden, kwam ik ineens overal tegen. Ik ontdekte tot mijn niet geringe vreugde dat ze allerlei onzin uit 'De Giraf' uit hun hoofd citeerden, dweepten met *Crónica* vanwege wat zij het sportieve gevoel van eigenwaarde noemden, en zelfs mijn verhalen lazen, zonder er uiteindelijk veel van te begrijpen. Ik kwam Ricardo González Ripoll tegen, mijn buurman op de slaapzaal van het Nationaal Lyceum. Hij had zich met zijn architectendiploma in Barranquilla gevestigd en binnen een jaar zijn leven verrijkt met een Chevrolet van onzeker bouwjaar met staartvinnen, waarin hij bij het aanbreken van de dag wel acht passagiers wist in te blikken. Hij haalde me drie keer per week aan het begin van de avond op om aan de boemel te gaan met nieuwe vrienden die geobsedeerd waren door het idee het land uit het slop te halen, sommige met magische politieke formules en andere door op de vuist te gaan met de politie.

Toen ze al die nieuwtjes hoorde, stuurde mijn moeder me een voor haar kenmerkend bericht: 'Waar geld is, wil geld wezen.' De leden van de groep vertelde ik niets over mijn verhuizing, totdat ik ze op een avond tegenkwam aan de stamtafel van café Happy en mijn toevlucht nam tot de meesterlijke formule van Lope de Vega: 'En ik heb orde aangebracht in mijn leven, voorzover het gepast was orde aan te brengen in mijn wanorde.' Ik kan me een vergelijkbaar fluitconcert niet heugen, niet eens in het voetbalstadion. Germán durfde erom te wedden dat er buiten De Wolkenkrabber geen enkel idee bij me op zou komen. Volgens Álvaro zou ik de buikkrampen ten gevolge van drie maaltijden per dag op vaste tijdstippen niet overleven. Alfonso ging ertegen in en protesteerde dat niemand het recht had zich te bemoeien met mijn privé-leven, waarna hij de kwestie verder als afgedaan beschouwde en een discussie begon over de dringende noodzaak om ingrijpende beslissingen te nemen met betrekking tot het lot van *Crónica*. Ik denk dat ze zich in wezen schuldig voelden over mijn slordigheid, maar te fatsoenlijk waren om mijn besluit niet met een zucht van verlichting in dank te aanvaarden.

Tegen de verwachting in verbeterden mijn gezondheid en moraal. Door tijdgebrek las ik minder, maar ik sloeg een fellere toon aan in 'De Giraf' en dwong mezelf op mijn nieuwe kamer verder te schrijven aan *Afval en dorre bladeren* op de voorwereldlijke schrijfmachine die ik van Alfonso Fuenmayor geleend had, zelfs in de kleine uurtjes die ik voorheen verspilde met de Blonde Guerra. In een normale middag op de redactie van de krant schreef ik 'De Giraf', een redactioneel artikel, een paar van de vele berichten die zonder mijn naam verschenen, kortte ik een misdaadverhaal in en schreef ik de stukken die vlak voor het ter perse gaan nog in *Crónica* moesten worden opgenomen. Gelukkig begon de roman in wording, in plaats van me met de tijd gemakkelijker te vallen, zijn eigen criteria op te leggen, ook al was ik zo naïef dit op te vatten als een teken dat ik de wind in de zeilen had.

Ik voelde me zo vastberaden dat ik, toen de nood aan de man kwam, mijn tiende verhaal improviseerde – 'Iemand gooit de rozen door elkaar' – omdat de politiek commentator voor wie we drie bladzijden in *Crónica* hadden vrijgehouden, voor een artikel dat op het laatste moment zou worden toegevoegd, een ernstig hartinfarct kreeg. Pas toen ik de drukproeven van mijn verhaal corrigeerde, ontdekte ik dat het opnieuw een statisch drama was zoals ik er onbewust al meerdere had geschreven. Daardoor kreeg ik nog meer wroeging over het feit dat ik een vriend kort voor middernacht wakker had gemaakt om het artikel binnen drie uur voor me te schrijven. In die boetvaardige gemoedstoestand schreef ik het verhaal in dezelfde tijd, en die maandag bracht ik bij de redactieraad opnieuw naar voren dat we dringend de straat op moesten om het tijdschrift met opzienbarende reportages uit het slop te halen. Toch werd dit idee – dat bij iedereen leefde – opnieuw verworpen, met een argument dat mijn geluksgevoel ten goede kwam: als we de straat op gingen, met de idyllische opvatting die we van de reportage hadden, zou het tijdschrift nooit meer op tijd uitkomen, als het al uitkwam. Ik moest het opvatten als een compliment, maar ik heb nooit de boosaardige gedachte van me kunnen afzetten dat de werkelijke reden voor de afwijzing de onaangename herinnering aan mijn reportage over Berascochea was.

Een welkome troost in die dagen was het telefoontje van Rafael Escalona, schrijver van liedjes die aan deze kant van de wereld gezongen werden en nog altijd gezongen worden. Barranquilla was een levendig centrum, door de regelmatige bezoeken van de troubadours met accordeon die we kenden van de feesten in Aracataca, en doordat ze altijd te horen waren op de radiozenders langs de Caribische kust. Een heel bekende zanger in die tijd was Guillermo Buitrago, die er prat op ging alle nieuwtjes uit de Provincie bij te houden. Een andere heel populaire zanger was Crescencio Salcedo, een indiaan op blote voeten die altijd op de hoek van de Amerikaanse lunchroom stond en zonder begeleiding liedjes van zichzelf en anderen zong, met een stem die iets blikkerigs had, maar in een heel eigen stijl, die de aandacht trok van de dagelijkse mensenmassa in de calle San Blas. In mijn prille jeugd heb ik heel vaak vlak bij hem gestaan, zonder hem zelfs maar te groeten, zonder me te laten zien, totdat ik zijn omvangrijke repertoire van de meest uiteenlopende liedjes uit mijn hoofd kende.

Die hartstocht bereikte zijn hoogtepunt op een lome namiddag toen de telefoon me onderbrak bij het schrijven van 'De Giraf'. Een stem die klonk als die van zovele bekenden uit mijn jeugd begroette me zonder voorafgaande plichtplegingen: 'Hoe is het ermee, makker? Met Rafael Escalona.'

Vijf minuten later ontmoetten we elkaar in een rustig hoekje in café Roma, voor wat het begin zou blijken van een vriendschap voor het leven. We hadden elkaar nog maar nauwelijks begroet of ik begon er al bij Escalona op aan te dringen zijn laatste liederen voor me te zingen. Hij zong losse versregels, met een heel lage en welluidende stem, en begeleidde zichzelf door met zijn vingers op de tafel te trommelen. De populaire poëzie uit onze streken trok in elk couplet in een nieuwe gedaante aan me voorbij. 'Ik zal je een bosje vergeet-mij-nietjes geven zodat je doet wat de naam al zegt,' zong hij. Ik op mijn beurt liet hem horen dat ik de beste liederen uit zijn streek uit mijn hoofd kende, omdat ik die van jongs af had opgepikt uit de woelige rivier van de mondelinge traditie. Maar wat hem het meest verbaasde was dat ik over de Provincie sprak alsof ik die kende.

Dagen tevoren was Escalona per bus van Villanueva naar Valledupar gereisd, terwijl hij in zijn hoofd de muziek en de tekst maakte van een nieuw lied voor het carnaval van de zondag daarop. Het was zijn eigen, unieke methode, want hij kon geen muziek schrijven of ook maar enig instrument bespelen. In een van de dorpen onderweg stapte er een troubadour in op sandalen en met zijn accordeon, een van die inmiddels ontelbare muzikanten die van feest naar feest door de streek trokken om te zingen. Escalona nodigde hem uit naast hem te komen zitten en zong in diens oor de enige twee coupletten van zijn nieuwe lied die hij klaar had.

De troubadour stapte halverwege dolgelukkig uit en Escalona reed door tot Valledupar, waar hij meteen naar bed moest om de veertig graden koorts van een griepje uit te zweten. Drie dagen later was het carnavalszondag, en het onafgemaakte lied dat Escalona heimelijk voor de toevallige vriend gezongen had, drong alle oude en nieuwe muziek van Valledupar tot aan Cabo de la Vela naar de achtergrond. Alleen híj wist wie het verspreid had, terwijl hij zijn carnavalskoorts lag uit te zweten, en wie het de titel had gegeven: 'De oude Sara'.

Het verhaal berust op waarheid, maar is niet uitzonderlijk in een streek en in een beroepsgroep waarin het verbazingwekkende de gewoonste zaak van de wereld is. De accordeon, geen typisch Colombiaans instrument en ook niet wijdverbreid, is populair in de provincie Valledupar en werd mogelijk geïmporteerd uit Aruba en Curaçao. Gedurende de Tweede Wereldoorlog werd de invoer uit Duitsland onderbroken, en de instrumenten die al aanwezig waren in de Provincie, overleefden het dankzij de goede zorgen van hun inheemse bezitters. Een van hen was Leandro Díaz, een timmerman die niet alleen een geniaal componist en een meester op de accordeon was, maar ook de enige die ze in die oorlogsjaren kon repareren, ondanks het feit dat hij vanaf zijn geboorte blind was. De leefwijze van die typische troubadours is dat ze van dorp tot dorp trekken en zingen over de grappige en eenvoudige gebeurtenissen van het dagelijks leven, zowel op religieuze als op heidense feesten en vooral tijdens de wilde dagen en nachten van het carnaval. Rafael Escalona was een geval apart. Als zoon van kolonel Clemente Escalona, neef van de beroemde bisschop Celedón en afgestudeerd aan het lyceum in Santa Marta dat zijn naam draagt, begon hij al heel jong te componeren, tot niet geringe ergernis van zijn familie, die het zingen bij de accordeon beschouwde als iets voor handwerkslieden. Niet alleen was hij de enige troubadour met een middelbareschooldiploma, maar ook een van de weinigen in die tijd die konden lezen en schrijven, en de hooghartigste en snelst verliefd wordende man die ooit heeft bestaan. Maar hij is en zal niet de enige zijn; tegenwoordig zijn er honderden en ze worden steeds jonger. Dat werd ook Bill Clinton duidelijk toen hij in de laatste dagen van zijn presidentschap een groep lagereschoolkinderen hoorde die vanuit de Provincie naar het Witte Huis waren gereisd om voor hem te zingen.

In die gelukkige dagen kwam ik toevallig Mercedes Barcha tegen, de dochter van de apotheker uit Sucre wie ik al vanaf haar dertiende huwelijksaanzoeken had gedaan. En in tegenstelling tot de vorige keren ging ze eindelijk op mijn uitnodiging in om de volgende zondag in hotel El Prado te gaan dansen. Toen pas hoorde ik dat ze met haar familie naar Barranquilla was verhuisd vanwege de politieke situatie, die steeds repressiever werd. Demetrio, haar vader, was een liberaal in hart en nieren die zich niet liet intimideren door de eerste bedreigingen toen de achtervolging en de maatschappelijke schande door de schotschriften toenamen. Maar onder druk van zijn gezin verkocht hij het weinige wat hij in Sucre nog had, en vestigde zijn apotheek in Barranquilla, vlak bij hotel El Prado. Hoewel hij net zo oud was als mijn vader, onderhield hij altijd een jeugdige vriendschap met mij, die we van tijd tot tijd nieuw leven inbliezen in het café aan de overkant, en meer dan eens eindigde dit in een zuippartij als van galeiboeven met de hele groep in El Tercer Hombre. Mercedes studeerde toen in Medellín en ging alleen in de kerstvakantie naar haar familie. Ze was altijd opgewekt en vriendelijk tegen me, maar ze had het talent van een illusioniste om vragen en antwoorden te ontwijken en zich nergens op te laten vastleggen. Ik moest het wel aanvaarden als een strategie die barmhartiger was dan onverschilligheid of afwijzing, en ik stelde me ermee tevreden dat ze me met haar vader en zijn vrienden in het café aan de overkant zag zitten. Dat hij geen vermoeden heeft gekregen van mijn belangstelling voor die vakanties waar ik reikhalzend naar uitkeek, kwam doordat het wel het best bewaarde geheim in de eerste twintig eeuwen van het christendom moet zijn geweest. Bij verschillende gelegenheden beroemde hij zich in El Tercer Hombre op de uitspraak die zij bij onze eerste dans in Sucre had geciteerd: 'Mijn vader zegt dat de prins die met mij trouwt nog geboren moet worden.' Ik weet niet of ze dat zelf geloofde, maar ze gedroeg zich alsof dat wel zo was, tot vlak voor die Kerstmis, toen ze ermee instemde elkaar de volgende zondag op de dansochtend in hotel El Prado te ontmoeten. Ik was zo bijgelovig dat ik haar besluit toeschreef aan het kapsel en de kunstenaarssnor die de kapper me had aangemeten, en aan het pak van ongebleekt linnen en de zijden stropdas die ik voor de gelegenheid in een uitdragerij had gekocht. In de overtuiging dat ze met haar vader zou komen, omdat ze hem altijd overal mee naartoe nam, nodigde ik ook mijn zus Aida Rosa uit, die haar vakantie bij me doorbracht. Maar Mercedes kwam moederziel alleen en danste met een natuurlijkheid en met zoveel ironie dat elk serieus voorstel haar wel belachelijk moest zijn voorgekomen. Die dag was het begin van het onvergetelijke tijdperk van mijn compadre Pacho Galán, roemrijk schepper van de merecumbé, die jarenlang gedanst werd en de oorsprong vormde van nieuwe, nog altijd levende Caribische melodieën. Ze danste heel goed op de muziek die in de mode was, en maakte van haar meesterschap gebruik om de voorstellen waarmee ik haar belaagde met magische spitsvondigheden te omzeilen. Ik heb het idee dat haar tactiek erin bestond me te laten geloven dat ze me niet serieus nam, maar dat deed ze met zoveel behendigheid dat ik steeds weer een manier vond om door te gaan.

Om twaalf uur precies schrok ze dat het al zo laat was en liet me halverwege het nummer midden op de dansvloer staan, en ze wilde niet eens dat ik meeliep tot aan de deur. Mijn zus vond dat zo vreemd, dat ze zich op een of andere manier schuldig voelde, en nog altijd vraag ik me af of dat slechte voorbeeld niet van invloed is geweest op haar onverwachte besluit om tot de orde der salesianen in Medellín toe te treden. Mercedes en ik hadden sinds die dag een persoonlijke code, waarmee we elkaar begrepen zonder een woord te zeggen, en zelfs zonder elkaar te zien.

Na een maand, op 22 januari van het daaropvolgende jaar, hoorde ik weer iets van haar via een sober bericht dat ze voor me had achtergelaten bij *El Heraldo*: 'Ze hebben Cayetano vermoord.' Voor ons kon dat er maar één zijn: Cayetano Gentile, onze vriend uit Sucre, aanstaand arts, gangmaker op dansfeesten en eeuwig verliefd. De eerste lezing was dat hij was doodgestoken door twee broers van de schooljuffrouw in Chaparral die we hem destijds op zijn paard hadden zien meenemen. In de loop van de dag, van telegram tot telegram, kreeg ik het volledige verhaal.

In die tijd was telefoneren nog niet zo gemakkelijk en voor een persoonlijk interlokaal telefoontje moest eerst van tevoren een telegram worden gestuurd. Mijn onmiddellijke reactie was die van een verslaggever. Ik besloot naar Sucre te reizen om erover te schrijven, maar bij de krant legden ze dit uit als een emotionele bevlieging. En nu begrijp ik dat, want wij Colombianen hadden elkaar al sinds mensenheugenis om elke willekeurige reden vermoord, en anders verzonnen we wel een reden om elkaar te vermoorden, maar een crime passionnel was voorbehouden aan het luxeleventje van de rijken in de steden. Ik vond dat het thema van alle tijden was en begon gegevens van getuigen te verzamelen, totdat mijn moeder mijn heimelijke bedoelingen ontdekte en me vroeg de reportage niet te schrijven. Tenminste niet zolang de moeder van Cayetano nog leefde, doña Julieta Chimento, die niet alleen de peettante van Hernando, het negende kind van ons gezin, maar ook nog eens haar hartsvriendin was. Ze had een reden – onmisbaar bij een goede reportage – die zwaar woog. Twee broers van de schooljuffrouw hadden Cayetano achtervolgd toen hij probeerde zijn eigen huis in te vluchten, maar doña Julieta had snel de voordeur op slot gedaan omdat ze dacht dat haar zoon al in de slaapkamer was, zodat híj degene was die niet naar binnen kon, en ze hem tegen de dichte deur doodstaken.

Mijn eerste reactie was de reportage over het misdrijf meteen te gaan schrijven, maar ik kwam allerlei hindernissen tegen. Wat me interesseerde was niet meer de misdaad op zich, maar het literaire thema van de collectieve verantwoordelijkheid. Mijn moeder liet zich echter door geen enkel argument overreden en ik vond het getuigen van gebrek aan respect om er zonder haar toestemming mee door te gaan. Toch ging er sindsdien geen dag voorbij dat me niet de lust bekroop om het verhaal alsnog te schrijven. Ik had me er al bijna bij neergelegd toen ik vele jaren later op de luchthaven van Algiers zat te wachten op het vertrek van mijn vliegtuig. De deur van de vip-room ging plotseling open en er kwam een Arabische prins binnen in het smetteloze lange gewaad dat bij zijn afkomst paste, met op zijn hand een schitterende vrouwtjesvalk, die in plaats van de leren huif van de klassieke valkenjacht een gouden, met diamanten ingelegde kap droeg. Vanzelfsprekend dacht ik meteen aan Cayetano Gentile, die van zijn vader de schone kunst van de valkerij had geleerd, eerst met Zuid-Amerikaanse roofvogels en later met schitterende, uit Jemen overgebrachte exemplaren. Op het moment van zijn dood had hij op zijn haciënda een professioneel valkenhof, met twee vrouwtjes en een mannetje die afgericht waren voor de patrijzenjacht, en een Schotse slechtvalk, getraind om hemzelf te verdedigen. Ik kende toen al het legendarische interview van George Plimpton met Ernest Hemingway in *The Paris Review* over het proces van het veranderen van een persoon uit het echte leven in een romanpersonage. Hemingway antwoordde: 'Als ik zou uitleggen hoe je dat doet, zou het weleens kunnen lijken op een handboek voor advocaten die gespecialiseerd zijn in gevallen van laster.' Toch was, sinds die fortuinlijke ochtend in Algiers, mijn situatie precies het tegenovergestelde: ik voelde me niet in staat rustig verder te leven als ik de geschiedenis van de dood van Cayetano niet schreef. Welk argument ik ook aanvoerde, mijn moeder bleef bij haar besluit om me tegen te houden, tot dertig jaar na het drama, toen ze me zelf opbelde in Barcelona met het slechte nieuws dat Julieta Chimento, Cayetano's moeder, was overleden zonder ooit het gemis van haar zoon te boven te zijn gekomen. Maar dit keer vond mijn moeder, met haar ijzeren moraal, geen redenen meer om zich tegen de reportage te verzetten.

'Eén ding wil ik je als moeder nog vragen,' zei ze tegen me. 'Ga ermee om alsof Cayetano een zoon van mij was.'

Het verhaal, met de titel *Kroniek van een aangekondigde dood*, werd twee jaar later gepubliceerd. Mijn moeder heeft het niet gelezen, om een reden die ik als een van haar vele sieraden in mijn persoonlijke museum bewaar: 'Iets wat in het leven zo slecht is afgelopen kan in een boek niet goed aflopen.'

De telefoon op mijn bureau was om vijf uur 's middags, een week na de dood van Cayetano, overgegaan terwijl ik bezig was met mijn dagelijkse bijdrage aan *El Heraldo*. Het was mijn vader, die, onaangekondigd, net in Barranquilla was aangekomen en dringend op me zat te wachten in café Roma. De spanning in zijn stem maakte me bang, maar ik schrok nog meer toen ik hem in een toestand zag waarin ik hem nog nooit eerder had gezien, onverzorgd en ongeschoren, in het hemelsblauwe pak van de negende april, dat gekreukt was door de stoffige hitte onderweg, en amper overeind gehouden door de vreemde kalmte van de overwonnenen.

Ik was zo overweldigd dat ik niet in staat ben de beklemming en de helderheid van geest over te brengen waarmee mijn vader me op de hoogte bracht van de ramp die zich thuis had voltrokken. Sucre, het paradijs van het onbekommerde leven en de mooie meisjes, was bezweken onder de seismische schok van het politieke geweld. De dood van Cayetano was alleen maar een symptoom.

'Je hebt geen idee wat voor een hel het daar is, omdat je in deze oase van rust leeft,' zei hij. 'Maar degenen die daar nog in leven zijn, hebben dat alleen te danken aan het feit dat God ons kent.'

Hij was een van de weinige leden van de Conservatieve Partij die zich na 9 april niet hadden hoeven te verbergen voor de verhitte liberalen, en nu veroordeelden dezelfde mensen die zich in zijn schaduw hadden verscholen hem om zijn slapheid. Hij schilderde zo'n afschrikwekkend beeld – en tegelijk ook zo reëel – dat dit op zich al meer dan voldoende rechtvaardiging was voor zijn overijlde besluit om alles achter zich te laten en de familie mee te nemen naar Cartagena. Ik durfde er niets tegen in te brengen, maar ik dacht dat ik hem tot kalmte kon manen met een minder radicale oplossing dan een onmiddellijke verhuizing.

Er was tijd nodig om na te denken. We dronken in stilte twee glazen fris, ieder verdiept in zijn eigen gedachten, en hij hervond zijn koortsige idealisme nog voordat hij zijn glas had leeggedronken. 'De enige troost in deze hele toestand,' zei hij met een beverige zucht, 'is dat het me heel gelukkig maakt dat jij nu eindelijk je studie kunt afmaken.' Ik was sprakeloos. Ik heb hem nooit gezegd hoezeer dat fantastische geluksgevoel om zoiets banaals me ontroerde. Ik kreeg een ijskoud gevoel in mijn buik, en de perverse gedachte schoot door me heen dat de uittocht van de familie niets anders dan een sluwe zet van hem was om me te dwingen advocaat te worden. Ik keek hem recht in de ogen, maar zag alleen twee verbaasde, rustige meren. Ik besefte dat hij zo weerloos en gespannen was dat hij me nergens toe zou dwingen, noch me iets zou weigeren, maar hij had voldoende vertrouwen in de Goddelijke Voorzienigheid om te geloven dat ik me uit vermoeidheid zou overgeven. Sterker nog, om me nog weerlozer te maken onthulde hij dat hij een baan voor me gevonden had in Cartagena, en dat alles geregeld was voor mijn indiensttreding de volgende maandag. Een geweldige baan, legde hij me uit, waar ik alleen maar om de veertien dagen naartoe hoefde om mijn salaris te innen.

Het was meer dan ik kon verwerken. Met mijn kiezen op elkaar maakte ik wat toespelingen om hem voor te bereiden op een uiteindelijke afwijzing. Ik vertelde over het lange gesprek met mijn moeder tijdens de reis naar Aracataca, waarop ik nooit enig commentaar van hem had gehad, maar ik begreep dat zijn onverschilligheid voor het onderwerp het best mogelijke antwoord was. Het treurigste was dat ik met gemerkte kaarten speelde, want ik wist dat ik niet zou worden aangenomen op de universiteit omdat ik was gezakt voor twee tentamens uit het tweede jaar, die ik nooit had ingehaald, en voor nog eens drie uit het derde jaar, die ik nooit meer over zou kunnen doen. Ik had het voor de familie verborgen gehouden om mijn ouders zinloos verdriet te besparen en ik wilde me niet eens voorstellen wat de reactie van mijn vader zou zijn als ik het hem die middag vertelde. Aan het begin van het gesprek had ik me vast voorgenomen aan geen enkele zwakheid toe te geven, want het deed me pijn dat zo'n goedaardige man zijn kinderen in een dergelijke verslagen toestand onder ogen moest komen. Maar ik vond dat ik daarmee te veel vertrouwen in het leven stelde. Ten slotte koos ik de weg van de minste weerstand door hem om een nacht bedenktijd te vragen.

'Akkoord,' zei hij, 'zolang je maar niet uit het oog verliest dat het lot van de familie in jouw handen ligt.'

Die voorwaarde was genoeg. Ik was me zo bewust van mijn zwakheid dat, toen ik hem om zeven uur 's avonds op de laatste bus zette, ik mezelf geweld aan moest doen om niet op de stoel naast hem te gaan zitten. Voor mij was het duidelijk dat de cirkel gesloten was, en dat de familie weer zo arm zou worden dat ze alleen met de hulp van iedereen het hoofd boven water kon houden.

Het was geen goede nacht om wat dan ook te beslissen. De politie had verscheidene families verdreven die, op de vlucht voor het geweld in het binnenland, hun tenten hadden opgeslagen in het parque de San Nicolás. Toch heerste er in café Roma een onverstoorbare rust. De Spaanse vluchtelingen vroegen me altijd wat ik over don Ramón Vinyes wist, en voor de grap antwoordde ik dan steeds dat in zijn brieven geen nieuws over Spanje stond, maar gretige vragen over het nieuws uit Barranquilla. Sinds zijn dood noemden ze zijn naam niet meer, maar aan tafel hielden ze zijn stoel vrij. Een medestamgast complimenteerde me met 'De Giraf' van de vorige dag, die hem op een of andere manier had herinnerd aan de losbandige romantiek van Mariano José de Larra,* al heb ik nooit geweten waarom. Professor Pérez Domenech haalde me uit mijn sombere stemming met een van zijn passende uitspraken: 'Ik hoop niet dat u zijn slechte voorbeeld volgt door uzelf een kogel door het hoofd te jagen.' Ik denk dat hij dat niet zou hebben gezegd als hij geweten had hoe dicht dat die avond bij de waarheid kwam.

Een halfuur later trok ik Germán Vargas aan zijn arm mee tot achter in café Happy. Zodra onze bestelling was gebracht, zei ik tegen hem dat ik dringend zijn advies nodig had. Het glaasje, dat hij net aan zijn lippen had gezet, bleef halverwege in de lucht hangen – net don Ramón – en hij vroeg geschrokken: 'Waar gaat u naartoe?'

Zijn helderziendheid maakte indruk op me.

'Hoe weet u dat, verdomme?' vroeg ik.

Hij wist het niet, maar had het zien aankomen, en hij dacht dat mijn ontslag het einde van *Crónica* zou betekenen, en vond dat getuigen van een ernstig gebrek aan verantwoordelijkheid dat ik de rest van mijn leven met me mee zou dragen. Hij gaf me te kennen dat het weinig minder dan verraad was, en niemand had meer recht me dat te zeggen dan hij. Niemand wist wat hij met *Crónica* aan moest, maar we waren ons er allemaal van bewust dat Alfonso het tijdschrift op een cruciaal moment gered had, zelfs met investeringen die zijn mogelijkheden te boven gingen, zodat ik Germán nooit het onaangename idee uit het hoofd heb kunnen praten dat mijn onvermijdelijke verhuizing de doodssteek voor het tijdschrift betekende. Ik ben ervan overtuigd dat hij, die alles begreep, wist dat mijn beweegredenen onafwendbaar waren, maar hij deed zijn morele plicht door te zeggen wat hij dacht.

De volgende dag gaf Álvaro Cepeda, terwijl hij me in zijn auto naar het kantoor van *Crónica* bracht, op een ontroerende manier blijk van de mate waarin hij leed onder ruzies tussen vrienden. Ongetwijfeld had hij al van Germán gehoord over mijn besluit om weg te gaan, en zijn kenmerkende schuchterheid behoedde ons allebei voor zinloze salonredeneringen.

'Wat maakt het verdomme ook uit,' zei hij. 'Naar Cartagena gaan is hetzelfde als nergens heen gaan. Het zou pas klote zijn als u naar New York ging, zoals ik, en kijk eens, ik zit hier toch ook weer in volle glorie naast u.'

Het was het soort parabolische antwoorden dat hij in gevallen als het mijne gebruikte om te voorkomen dat hij in tranen zou uitbarsten. Daarom verbaasde het me niet dat hij liever, voor het eerst, wilde praten over het plan om films te gaan maken in Colombia, iets wat we de rest van ons leven zonder resultaat zouden blijven doen. Hij stipte het terloops aan als wilde hij me nog enige hoop geven, en remde plotseling te midden van de drukke mensenmassa en de rommeltentjes in de calle San Blas.

'Ik heb al tegen Alfonso gezegd,' schreeuwde hij naar me uit het raampje, 'dat hij het tijdschrift maar naar de bliksem moet laten gaan, dan maken we er een als *Time*!'

Het gesprek met Alfonso was voor mij noch voor hem gemakkelijk, omdat we nog iets op te helderen hadden wat zo'n zes maanden daarvoor gebeurd was, en we in moeilijke omstandigheden allebei last hadden van een soort geestelijk stotteren. Het geval wilde dat ik, bij wijze van metafoor voor mijn officiële ontslag, in een van mijn kinderlijke driftbuien in de opmaakkamer mijn naam en functie uit de lijst van medewerkers van *Crónica* verwijderd had en nadat de storm was gaan liggen vergeten was die weer terug te zetten. Niemand had het in de gaten, totdat Germán Vargas het twee weken later opmerkte en het met Alfonso besprak. Ook voor hem was het een verrassing. Porfirio, de opmaakredacteur, vertelde hun over mijn driftbui en ze spraken af de zaak zo te laten totdat ik hun mijn motieven had gegeven. Ongelukkig genoeg vergat ik het volledig tot de dag waarop Alfonso en ik het erover eens werden dat ik weg zou gaan bij *Crónica*. Toen we klaar waren, deed hij me stikkend van het lachen uitgeleide met een van zijn kenmerkende grappen, hard maar onweerstaanbaar.

'Gelukkig,' zei hij, 'hoeven we niet eens uw naam uit de lijst van medewerkers te verwijderen.'

Met een steek in mijn hart schoot het voorval me weer te binnen en ik had het gevoel of de grond onder mijn voeten wegzonk, niet om Alfonso's treffende opmerking, maar omdat ik vergeten was de zaak uit te leggen. Alfonso gaf me, zoals te verwachten viel, een volwassen verklaring. Als dit het enige probleem was dat we niet hadden uitgepraat, dan was het niet netjes het zonder nadere toelichting in de lucht te laten hangen. De rest zou Alfonso wel met Álvaro en Germán regelen, en als we met z'n allen het schip moesten redden, zou ik binnen twee uur weer terug kunnen zijn. In het uiterste geval hadden we de redactieraad nog achter de hand, een soort van Goddelijke Voorzienigheid, die we echter nog nooit om de lange notenhouten tafel van de grote beslissingen hadden kunnen krijgen.

De reacties van Germán en Álvaro gaven me de moed die ik nodig had om weg te gaan. Alfonso begreep mijn motieven en hoorde ze aan alsof ze voor hem een opluchting betekenden, maar hij gaf op geen enkele manier te kennen dat het na mijn ontslag weleens afgelopen zou kunnen zijn met *Crónica*. Integendeel, hij adviseerde me de crisis niet te zwaar op te nemen, stelde me gerust met de gedachte dat hij bij de redactieraad voor een stevige basis zou pleiten, en hij zou me wel waarschuwen wanneer er iets gedaan zou kunnen worden wat echt de moeite waard was.

Het was de eerste aanwijzing die ik kreeg dat Alfonso rekening hield met de onwaarschijnlijke mogelijkheid dat het afgelopen zou zijn met *Crónica*. En zo gebeurde het ook, zonder veel ophef, op 28 juni, na achtenvijftig nummers in veertien maanden. Toch heb ik, een halve eeuw later, de indruk dat het tijdschrift een belangrijke functie heeft vervuld in de nationale journalistiek. Er is geen volledige collectie overgebleven, alleen de eerste zes nummers, en enkele knipsels in de Catalaanse bibliotheek van don Ramón Vinyes.

Een gelukkig toeval voor mij was dat ze in het huis waar ik woonde de meubels in de woonkamer wilden vervangen en me die voor een zacht prijsje aanboden. Aan de vooravond van de reis gingen ze er bij *El Heraldo* mee akkoord dat ik zes maanden vooruitbetaald kreeg voor 'De Giraf'. Met een deel van dat geld kocht ik de meubels van Mayito voor ons huis in Cartagena, omdat ik wist dat de familie die uit Sucre niet meenam en ook geen andere kon kopen. Ik kan niet onvermeld laten dat ze na nog eens vijftig jaar gebruikt te zijn nog altijd dienstdoen en in goede staat zijn, omdat mijn dankbare moeder nooit heeft toegestaan dat ze werden verkocht.

Een week na het bezoek van mijn vader verhuisde ik naar Cartagena, met als enige bagage de meubels en weinig meer dan wat ik aanhad. In tegenstelling tot de eerste keer wist ik wat ik moest doen, kende ik iedereen die ik nodig had in Cartagena, en wenste ik van ganser harte dat het de familie goed en mij slecht zou gaan, als straf voor mijn gebrek aan karakter.

Het huis stond op een goede plek in de wijk El Pie de La Popa, in de schaduw van een oud klooster dat er altijd uitzag of het elk moment kon instorten. De vier slaapkamers en de twee badkamers op de benedenverdieping waren gereserveerd voor mijn ouders en de elf kinderen, van wie ik de oudste was, bijna zesentwintig, en Eligio de jongste, vijf. Allemaal goed opgevoed in de Caribische cultuur van hang- en slaapmatten en bedden voorzover daar plaats voor is.

Op de bovenverdieping woonde oom Hermógenes Sol, een broer van mijn vader, met zijn zoon Carlos Martínez Simahan. Het hele huis was niet groot genoeg voor zoveel mensen, maar de huur was bescheiden dankzij de onderhandelingen van mijn oom met de eigenares, van wie we alleen wisten dat ze heel rijk was en dat ze haar La Pepa noemden. De familie, met haar onverwoestbare talent voor spotternijen, vond al snel het volmaakte adres op de melodie van een populair liedje: 'Het huis van La Pepa in El Pie de La Popa.'

De aankomst van de kinderen is voor mij een mysterieuze herinnering. In de halve stad was het licht uitgevallen en we probeerden het huis in het donker op orde te brengen, zodat de kinderen naar bed konden. Mijn oudste broers en ik herkenden elkaar aan onze stemmen, maar de jongsten waren zo veranderd sinds mijn laatste bezoek dat hun enorme, droevige ogen in het licht van de kaarsen me angst aanjoegen. De chaos van hutkoffers, gedaanten en in het donker opgehangen hangmatten onderging ik als een huiselijke negende april. Maar de meeste indruk maakte het op me toen ik probeerde een vormeloze zak te verplaatsen die uit mijn handen gleed. Het waren de stoffelijke resten van grootmoeder Tranquilina, die mijn moeder had opgegraven en had meegenomen om ze onder te brengen in het knekelhuis van het San Pedro Claverklooster, waar nu de resten van mijn vader en tante Elvira Carrillo in één grafkelder liggen.

Mijn oom Hermógenes Sol was de door de voorzienigheid gezonden man in die noodsituatie. Hij was benoemd tot algemeen secretaris van het departement van politie in Cartagena en zijn eerste radicale verordening was het slaan van een bureaucratische bres om de familie te redden, inclusief mij, de politieke verschoppeling met een reputatie als communist die ik niet verdiend had vanwege mijn ideologie, maar door mijn manier van kleden. Er was werk voor iedereen. Mijn vader kreeg een administratieve functie zonder politieke verantwoordelijkheid. Mijn broer Luis Enrique werd tot rechercheur benoemd en ik kreeg een luizenbaantje op het kantoor van de Nationale Censuur, die de conservatieve regering hardnekkig in stand bleef houden, misschien om enig idee te krijgen hoeveel tegenstanders er nog in leven waren. De morele prijs van die baan was gevaarlijker voor me dan de politieke, want ik ontving elke veertien dagen mijn salaris en mocht me dan de rest van de maand niet op de afdeling laten zien, om vragen te vermijden. De officiële rechtvaardiging, niet alleen voor mij, maar ook voor een stuk of honderd andere medewerkers, was dat ik voor mijn werk buiten de stad verbleef.

Café Moka, tegenover het kantoor van de Censuur, zat altijd vol met valse bureaucraten uit de aangrenzende dorpen, die alleen kwamen om hun salaris op te halen. In de tijd dat ik de loonlijst tekende hield ik geen cent over voor persoonlijk gebruik, want mijn salaris stelde niet veel voor en ging volledig op aan het huishoudelijk budget. Intussen had mijn vader geprobeerd me in te schrijven aan de rechtenfaculteit en was hij frontaal op de waarheid gestuit die ik voor hem verborgen had gehouden. Alleen al het feit dat hij het wist maakte me net zo gelukkig als wanneer ze me het diploma hadden overhandigd. Mijn geluksgevoel was des te verdienender omdat ik te midden van al die tegenslagen en alle drukte eindelijk de tijd en de ruimte gevonden had om mijn roman af te maken.

Toen ik bij *El Universal* binnenliep, gaven ze me het gevoel of ik weer thuisgekomen was. Het was zes uur 's avonds, de drukste tijd, en ik kreeg een brok in mijn keel van de plotselinge stilte die mijn binnenkomst achter de zet- en schrijfmachines veroorzaakte. Aan de indianenlokken van maestro Zabala was niet te zien dat er sinds de laatste keer ook maar een minuut verstreken was. Alsof ik nooit was weggeweest vroeg hij me of ik een redactioneel artikel wilde schrijven dat snel af moest. Achter mijn schrijfmachine zat een jonge leerling-verslaggever die in de onbezonnen haast waarmee hij zijn stoel aan me afstond, tegen de grond smakte. Het eerste wat me verbaasde was hoe moeilijk het me viel om met de vereiste redactionele behoedzaamheid een anoniem stuk te schrijven na zo'n jaar of twee van buitensporige vrijheid met 'De Giraf'. Ik had een velletje volgeschreven toen de directeur, López Escauriaza, me kwam begroeten. Zijn Britse flegma was een gemeenplaats onder vrienden en in politieke karikaturen, en ik was ontroerd door zijn blos van vreugde toen hij me met een omhelzing begroette. Toen ik het artikel af had, stond Zabala te wachten met een papiertje waarop de directeur berekeningen had gemaakt om me een salarisvoorstel te doen van honderdtwintig peso per maand voor redactionele artikelen. Ik was zo onder de indruk van het bedrag, ongewoon voor die tijd en plaats, dat ik niet eens antwoordde of bedankte maar meteen nog twee artikelen ging zitten schrijven, bedwelmd door het gevoel dat de aarde werkelijk om de zon draaide.

Het was alsof ik was teruggekeerd naar mijn oorsprong. Dezelfde onderwerpen, die met liberaal rood door maestro Zabala gecorrigeerd werden, dezelfde doorhalingen van een censor die allang verslagen was door de onbarmhartige listigheden van de redactie, dezelfde middernachtelijke bijeenkomsten met biefstuk met spiegeleieren en gebakken banaan in La Cueva en hetzelfde eindeloze componeren van de wereld tot het aanbreken van de dag op de paseo de los Mártires. Rojas Herazo had een jaar lang schilderijen verkocht om waar dan ook naartoe te kunnen verhuizen, totdat hij trouwde met Rosa Isabel en definitief naar Bogotá vertrok. Aan het eind van de avond ging ik 'De Giraf' zitten schrijven, noodgedwongen met zo weinig mogelijk fouten, en stuurde die vervolgens naar *El Heraldo* via het enige moderne medium uit die tijd, de post. Ik wilde daar in elk geval mee doorgaan totdat ik mijn schuld had afgelost.

Het leven met de voltallige familie, onder moeizame omstandigheden, maakt geen deel uit van mijn geheugen, maar van mijn verbeelding. Mijn ouders sliepen met een aantal kleintjes in een slaapkamer op de benedenverdieping. Mijn vier zusters hadden het gevoel dat ze inmiddels recht hadden op een eigen slaapkamer, en in de derde sliepen Hernando en Alfredo Ricardo, onder de hoede van Jaime, die hen in een voortdurende staat van waakzaamheid hield met zijn filosofische en wiskundige betogen. Rita, die bijna veertien was, studeerde tot middernacht in de deuropening bij het licht van de straatlantaarn, om de lampen in huis te sparen. Ze leerde de lessen uit haar hoofd door ze hardop te zingen, met de charme en de zuivere uitspraak die ze nog altijd heeft. Veel eigenaardigheden in mijn boeken zijn afkomstig van haar leesoefeningen, over de muilezel die naar de molen gaat, de charmante Charlotte die chocolade schenkt, en de helderziende die zonder helder bier zelden helder ziet. Na middernacht werd het huis levendiger en vooral menselijker, wanneer er heen en weer gelopen werd naar de keuken om water te drinken of naar de wc voor een kleine of grote boodschap, of iedereen door elkaar heen de hangmatten op verschillende niveaus in de gangen ophing. Toen mijn oom en zijn zoon hun intrek hadden genomen in het huis van zijn familie, woonde ik op de eerste verdieping met Gustavo en Luis Enrique, en later met Jaime, wie ik de zware straf had opgelegd dat hij na negen uur 's avonds nergens meer over mocht orakelen. Op een nacht werden we verscheidene uren uit onze slaap gehouden door het regelmatig terugkerende geblaat van een lam dat zijn moeder kwijt was. Gustavo zei geërgerd: 'Het lijkt wel een vuurtoren.'

Dat ben ik nooit vergeten, omdat het dit soort vergelijkingen was dat ik in die tijd oppikte uit het dagelijks leven voor mijn roman in wording.

Het was het levendigste huis van de ettelijke huizen die we in Cartagena hebben gehad en die tegelijk met de financiële middelen van de familie almaar minder werden. Op zoek naar goedkopere wijken daalden we geleidelijk af in stand tot aan het huis in El Toril, waar 's nachts het spook van een vrouw verscheen. Ik had het geluk dat ik er niet was, maar alleen al de verklaringen van mijn ouders en broers en zusters joegen me evenveel angst aan als wanneer ik er wel was geweest. Mijn ouders lagen de eerste nacht op de bank in de kamer te doezelen en zagen hoe de verschijning zonder naar hen te kijken van slaapkamer naar slaapkamer trok, gekleed in een jurk met rode bloemetjes en met kort haar dat achter haar oren bijeen werd gehouden door rode strikken. Mijn moeder beschreef haar tot aan de noppen op haar jurk en het model van haar schoenen. Mijn vader ontkende haar te hebben gezien om zijn vrouw niet nog meer in verwarring te brengen en de kinderen geen angst aan te jagen, maar de ongedwongenheid waarmee de verschijning zich vanaf het invallen van de duisternis door het huis bewoog, maakte het onmogelijk haar te negeren. Mijn zus Margot werd op een nacht wakker en zag haar op de rand van haar bed met een indringende blik naar haar zitten kijken. Maar wat nog de meeste indruk op haar maakte, was het angstige besef dat er vanuit een ander leven naar haar gekeken werd.

Die zondag, bij het uitgaan van de mis, bevestigde een buurvrouw tegenover mijn moeder dat er in dat huis al jarenlang niemand meer woonde vanwege de vrijpostigheid van de spookvrouw, die een keer midden op de dag in de eetkamer verscheen terwijl de familie zat te lunchen. De volgende dag ging mijn moeder met twee van de kleintjes op zoek naar een nieuw huis en vond het binnen vier uur. Toch kostte het de meeste van mijn broers en zusters grote moeite om de gedachte van zich af te zetten dat de schim van de dode vrouw met hen meeverhuisd was.

In het huis in El Pie de La Popa had ik zoveel schrijflust dat de dagen me, ondanks het feit dat ik over veel tijd beschikte, te kort voorkwamen. Daar was het ook dat Ramiro de la Espriella weer opdook, inmiddels meester in de rechten, meer politicus dan ooit en opgetogen over de pas verschenen romans die hij gelezen had. Vooral over *La pelle* ('De huid') van Curzio Malaparte, dat dat jaar een doorslaggevend boek voor mijn generatie was geworden. De doeltreffendheid van het proza, de kracht van zijn intelligentie en zijn gruwelijke voorstelling van de moderne geschiedenis hielden ons tot de vroege ochtend in de ban. Toch heeft de tijd bewezen dat Malaparte voorbestemd was een nuttig voorbeeld te zijn van andere deugden dan die welke ik nastreefde, en daardoor is zijn beeld ten slotte vervaagd. Het tegendeel van wat ons vrijwel tegelijkertijd met Albert Camus overkwam.

De familie De la Espriella woonde toen vlak bij ons en had een wijnkelder, die we leegplunderden en in onopzichtige flessen naar ons huis brachten. Tegen het advies van don Ramón Vinyes in las ik hun en mijn broers en zusters in die tijd lange stukken van de eerste versie van mijn roman voor, in de nog ongeschoonde staat waarin die zich bevond, en vanaf de rollen drukpapier waarop ik alles schreef in mijn slapeloze nachten bij *El Universal.*

Rond die tijd kwamen Álvaro Mutis en Gonzalo Mallarino terug, maar gelukkig had ik genoeg schaamtegevoel om hun niet te vragen de onvoltooide kladversie, waarvoor ik nog niet eens een titel had, te lezen. Ik wilde me ononderbroken opsluiten om het eerste afschrift op officieel kopijpapier te maken voordat ik aan de laatste correctie begon. Ik had zo'n veertig pagina's meer dan de geplande versie, maar ik wist toen nog niet dat dat een groot struikelblok zou kunnen vormen. Niet lang daarna wist ik het wél: ik ben slaaf van een perfectionistische nauwkeurigheid die me dwingt bij voorbaat een schatting te maken van de lengte van het boek, met het exacte aantal pagina's voor elk hoofdstuk en voor het boek in zijn geheel. Eén opvallende fout in deze schattingen dwingt me alles te herzien, want zelfs een typefout brengt me van mijn stuk alsof het om een creatieve dwaling gaat. Ik dacht destijds dat deze absolute methode het gevolg was van overdreven verantwoordelijkheidsgevoel, maar nu weet ik dat het pure en fysieke panische angst was.

Toen ik vond dat de volledige eerste versie, nog altijd zonder titel, klaar was, liet ik die echter wel, opnieuw doof voor de raad van don Ramón Vinyes, aan Gustavo Ibarra lezen. Twee dagen later nodigde hij me bij hem thuis uit. Ik trof hem aan in een rieten schommelstoel op het terras aan zee, bruinverbrand door de zon en heel ontspannen in strandkleding, en ik was ontroerd door de tederheid waarmee hij mijn bladzijden streelde terwijl hij sprak. Een echte leermeester, die me geen college gaf over het boek en ook niet zei of hij het goed of slecht vond, maar me bewust probeerde te maken van de ethische waarden. Na afloop keek hij me tevreden aan en besloot met zijn alledaagse eenvoud: 'Dit is de mythe van Antigone.'

Uit mijn gezichtsuitdrukking leidde hij af dat ik hem niet kon volgen, en hij pakte het boek van Sophocles uit de kast en las me voor wat hij bedoelde. De dramatische situatie van mijn roman was inderdaad in wezen dezelfde als die van Antigone, die haar omgekomen broer Polynices niet mocht begraven op bevel van koning Creon, oom van beiden. Ik had *Oedipus in Colonus* gelezen in de band die Gustavo me zelf gegeven had in de dagen dat we elkaar leerden kennen, maar ik herinnerde me de mythe van Antigone te slecht om die uit mijn hoofd te reconstrueren en over te plaatsen naar het drama van het bananengebied, waarmee ik de emotionele verwantschap tot dan toe niet had opgemerkt. Ik werd heen en weer geslingerd tussen gevoelens van geluk en teleurstelling. Die avond herlas ik het werk, met een vreemde mengeling van trots, omdat ik te goeder trouw hetzelfde had gedaan als zo'n groot schrijver, en verdriet, vanwege de publieke schande van het plagiaat. Na een bewogen crisisweek besloot ik enkele ingrijpende veranderingen door te voeren om te bewijzen dat ik wel degelijk te goeder trouw was, me nog niet bewust van wat voor buitengewone ijdelheid het getuigde om een boek van mij aan te passen zodat het niet op Sophocles zou lijken. Uiteindelijk besloot ik gelaten dat ik het morele recht had om bij wijze van eerbiedig motto een citaat van hem te gebruiken, en dat deed ik.

De verhuizing naar Cartagena behoedde ons op tijd voor de diepgaande en riskante verslechtering van de situatie in Sucre, maar het grootste deel van de ramingen bleek bedrieglijk, zowel door de schaarse inkomsten als door de omvang van de familie. Mijn moeder zei altijd dat de kinderen van de armen meer aten en sneller groeiden dan die van de rijken, en om dat te bewijzen volstond het voorbeeld van haar eigen huishouden. De salarissen van ons allemaal bij elkaar zouden niet genoeg zijn geweest om er onbekommerd van te kunnen leven.

De tijd zorgde voor de rest. Jaime werd, door een andere familiesamenzwering, civiel ingenieur, de enige van een familie die een diploma waardeerde als was het een adellijke titel. Luis Enrique werd hoofdboekhouder en Gustavo studeerde af als topograaf, en beiden bleven dezelfde gitaristen en zangers van andermans serenades. Yiyo verbaasde ons al heel jong met een duidelijke literaire roeping en door zijn sterke karakter, waarvan hij ons op vijfjarige leeftijd een vroegtijdig staaltje had gegeven toen hij betrapt werd bij een poging een klerenkast in brand te steken in de hoop dat de brandweer het vuur in huis zou komen blussen. Jaren later, toen hij en zijn broer Cuqui door oudere medeleerlingen werden uitgenodigd marihuana te roken, weigerde Yiyo geschrokken. Cuqui, daarentegen, die altijd al nieuwsgierig en roekeloos was geweest, inhaleerde diep. Een paar jaar daarna, als drenkeling in het moeras van de drugs, vertelde hij me dat hij tijdens die eerste ervaring bij zichzelf had gezegd: 'Verdomme! Ik wil in mijn leven niets anders doen dan dit.' In de volgende veertig jaar deed hij inderdaad niets anders, met een uitzichtloze hartstocht, dan de belofte nakomen om op zijn eigen wijze te sterven. Op zijn tweeënvijftigste verloor hij de greep op zijn aardse paradijs en werd hij getroffen door een fatale hartaanval.

Nanchi – de vredelievendste man ter wereld – bleef na zijn militaire dienstplicht in het leger, oefende met allerlei moderne wapens en nam deel aan talrijke schijngevechten, maar kreeg nooit de kans in een van onze vele chronische oorlogen. Zodat hij zich tevredenstelde met het beroep van brandweerman toen hij het leger verliet, maar ook daar kreeg hij in meer dan vijf jaar geen kans om ook maar één brand te blussen. Toch voelde hij zich nooit gefrustreerd, dankzij een gevoel voor humor dat hem binnen de familie erkenning opleverde als meester van de kwinkslag en dat hem in staat stelde gelukkig te zijn vanwege het simpele feit dat hij leefde.

Yiyo werd, in de moeilijkste jaren van de armoede, louter op eigen kracht schrijver en journalist, zonder ooit te hebben gerookt of ook maar één glas te veel te hebben gedronken in zijn leven. Zijn allesoverheersende literaire roeping en zijn heimelijke creativiteit zetten zich tegen de stroom in door. Hij stierf op vierenvijftigjarige leeftijd en had net genoeg tijd gehad om een boek van meer dan zeshonderd pagina's te publiceren, de neerslag van een meesterlijk onderzoek naar het verborgen leven in *Honderd jaar eenzaamheid*, waaraan hij jarenlang gewerkt had zonder dat ik het wist, en zonder me ooit rechtstreeks om informatie te vragen.

Rita, nog maar net een tiener, wist te profiteren van de les van andermans fouten. Toen ik na een lange afwezigheid terugkeerde naar het huis van mijn ouders, onderging ze dezelfde lijdensweg als alle meisjes, omdat ze verliefd was op een knappe, serieuze en keurige donkere jongen, wiens enige onverenigbaarheid met haar een lengteverschil van vijfentwintig centimeter was. Diezelfde avond lag mijn vader in de hangmat in de slaapkamer naar het nieuws te luisteren. Ik zette het geluid van de radio zachter, ging op het bed tegenover hem zitten en vroeg in overeenstemming met mijn rechten als eerstgeborene wat er mis was met de liefde van Rita. Hij vuurde het antwoord op me af dat hij ongetwijfeld al van het begin af aan had voorbereid: 'Het enige wat er mis is, is dat die vent een dief is.'

Precies wat ik verwachtte.

'Wat voor dief?' vroeg ik.

'Gewoon een dief,' zei hij, nog altijd zonder me aan te kijken.

'Maar wat heeft hij dan gestolen?' vroeg ik zonder mededogen.

Hij keek me nog steeds niet aan.

'Goed dan,' zuchtte hij ten slotte. 'Hij niet, maar hij heeft een broer die gevangenzit wegens diefstal.'

'Dan is er dus geen probleem,' zei ik licht onnozel, 'want Rita wil niet met hém trouwen, maar met degene die niet gevangenzit.'

Hij gaf geen antwoord. Zijn onkreukbare eerlijkheid had vanaf zijn eerste antwoord de grenzen al overschreden, want hij wist ook wel dat het gerucht van de gevangen broer niet waar was. Omdat hij geen argumenten meer had probeerde hij zich vast te klampen aan de mythe van de waardigheid.

'Al goed, maar laten ze dan zo snel mogelijk trouwen, want ik wil geen lange verlovingen in dit huis.'

Mijn antwoord kwam onmiddellijk en met een gebrek aan naastenliefde dat ik mezelf nooit heb kunnen vergeven: 'Meteen morgenvroeg.'

'Jezus! Je hoeft ook weer niet te overdrijven,' reageerde mijn vader geschrokken, maar inmiddels met een beginnende glimlach op zijn lippen. 'Dat meisje heeft nog niet eens iets om aan te trekken.'

De laatste keer dat ik tante Pa zag, ze was toen bijna negentig, was op een vreselijk hete middag toen ze zonder haar bezoek te hebben aangekondigd in Cartagena arriveerde. Ze kwam met een taxi uit Riohacha, een schoolkoffertje in haar hand, in zware rouw gekleed en met een zwarte tulband op haar hoofd. Met gespreide armen en een gelukkige uitdrukking op haar gezicht kwam ze binnen en riep tegen iedereen: 'Ik kom afscheid nemen, want ik ga sterven.'

We namen haar op in huis, niet alleen om wie ze was, maar ook omdat we wisten dat ze haar zaakjes met de dood maar al te goed kende. Ze bleef in huis, wachtend op haar uur in het dienstbodekamertje, het enige dat ze accepteerde om te slapen, en daar stierf ze in een geur van kuisheid op een leeftijd die we schatten op honderd en één jaar.

Het was de drukste periode bij *El Universal*. Zabala maakte me wegwijs met zijn politieke inzicht, zodat mijn artikelen zouden zeggen wat ze moesten zeggen zonder over het potlood van de censuur te struikelen, en voor het eerst interesseerde hij zich voor mijn oude idee om reportages voor de krant te schrijven. Al snel dook het geweldige onderwerp op van de toeristen die op de stranden van Marbella waren aangevallen door haaien. Het origineelste wat het gemeentebestuur echter kon bedenken was vijftig peso uitloven voor elke dode haai, en de volgende dag waren de takken van de amandelbomen niet toereikend om de gedurende de nacht gevangen exemplaren aan op te hangen. Vanuit Bogotá schreef Héctor Rojas Herazo stikkend van de lach in zijn nieuwe column in *El Tiempo* een spottend bericht over de stommiteit om bij de jacht op de haai de afgezaagde methode van het achter de feiten aan lopen toe te passen. Dit bracht me op het idee om een reportage over de nachtelijke haaienjacht te schrijven. Zabala steunde me enthousiast, maar mijn mislukking begon al op het moment dat ik aan boord stapte en ze me vroegen of ik snel zeeziek werd, waarop ik nee antwoordde; ze vroegen me ook of ik bang was voor de zee, en dat was ik inderdaad, maar ook nu antwoordde ik ontkennend, en ten slotte of ik kon zwemmen – wat eigenlijk de eerste vraag had moeten zijn – en ik durfde niet te liegen door ja te zeggen. Hoe dan ook, op het vasteland had ik uit een gesprek onder zeelui opgemaakt dat de jagers naar de Bocas de Ceniza gingen, negenentachtig zeemijl van Cartagena, en beladen met onschuldige haaien terugkeerden om ze tegen vijftig peso per stuk als misdadig te verkopen. Het grote nieuws was nog dezelfde dag voorbij, en daarmee mijn hoop op de reportage. In plaats daarvan publiceerde ik mijn achtste verhaal: 'Nabo, de neger die de engelen liet wachten'. Ten minste twee serieuze critici en mijn strenge vrienden uit Barranquilla beoordeelden het als een positieve koerswijziging.

Ik geloof niet dat ik politiek al volwassen genoeg was om me door de omstandigheden te laten beïnvloeden, maar de waarheid is dat ik net zo'n inzinking beleefde als de vorige keer. Ik voelde me zo vastgelopen dat mijn enige afleiding bestond in het tot de vroege ochtend zingen met de dronkelappen in Las Bóvedas bij de stadsmuur, waar in de koloniale tijd soldatenbordelen hadden gezeten en later een gruwelijke politieke gevangenis. Generaal Francisco de Paula Santander had daar een straf van acht maanden uitgezeten voordat hij door zijn ideologische kameraden en wapenbroeders naar Europa werd verbannen.

De bewaarder van die historische relikwieën was een gepensioneerde linotypezetter wiens actieve collega's elke dag na het sluiten van de kranten bij hem samenkwamen om de nieuwe dag te vieren met een grote mandfles vol illegaal gestookte witte rum. Het waren van huis uit ontwikkelde typografen, dramatische grammatici en zware zaterdagavonddrinkers. Ik sloot me aan bij hun gilde.

De jongste van hen heette Guillermo Dávila en hij had het

gepresteerd om werk te vinden aan de kust ondanks de onverdraagzaamheid van sommige regionale leiders die weigerden cachacos in de beroepsgroep toe te laten. Misschien was hij daarin geslaagd door zijn vaardigheid in een handvaardigheid, want behalve een goed vakman en een sympathiek mens was hij ook een fantastische goochelaar. Hij hield ons in de ban met zijn magische kwajongensstreken, waarbij hij levende vogels uit de bureauladen toverde of de tekst liet verdwijnen van een stuk papier waarop het redactionele artikel geschreven stond dat we net voor het sluiten van de editie hadden ingeleverd. Maestro Zabala, altijd zeer plichtsgetrouw, vergat dan voor even Paderewski en de proletarische revolutie en vroeg om applaus voor de magiër, met de steeds weer herhaalde en in de wind geslagen waarschuwing dat dit de laatste keer was. Voor mij was het alsof ik door de dagelijkse bezigheden met een magiër te delen eindelijk de werkelijkheid ontdekte.

In een van die doorwaakte nachten in Las Bóvedas vertelde Dávila me over zijn idee om een krant van vierentwintig bij vierentwintig centimeter te maken, die dan gratis moest worden uitgedeeld rond het drukke uur waarop de winkels gingen sluiten. Het moest de kleinste krant ter wereld worden en je moest hem in tien minuten kunnen lezen. Zo gebeurde het. Hij heette *Comprimido*, ik schreef hem om elf uur 's morgens in een uur, Dávila zorgde voor de opmaak en drukte hem in twee uur, en een vermetele krantenjongen die niet eens genoeg adem had om hem meer dan één keer aan te prijzen verspreidde hem.

Het eerste nummer kwam op 18 september 1951 uit en je kon je onmogelijk een overweldigender en korter succes voorstellen: drie nummers in drie dagen. Dávila bekende me dat hij zo'n geweldig idee, tegen zulke lage kosten, dat zo weinig ruimte innam, in zo korte tijd werd uitgevoerd en zo snel weer verdwenen was, zelfs niet met behulp van zwarte magie had kunnen uitdenken. Het vreemdste was dat ik op de tweede dag, bedwelmd door het straatgewoel en het vuur van de fanatici, heel even op de gedachte kwam dat de oplossing voor mijn leven ook zo eenvoudig kon zijn. De droom duurde tot donderdag, toen de directeur ons liet zien dat nog een nummer ons faillissement zou betekenen, zelfs als we besloten commerciële advertenties te plaatsen, want die moesten zo klein zijn en zouden zo duur worden dat een redelijke oplossing onmogelijk was. Het concept van de krant, dat gebaseerd was op de afmetingen ervan, droeg de mathematische kiem van zijn eigen ondergang in zich: hoe meer ervan verkocht werden, hoe onbetaalbaarder hij werd.

Ik verkeerde in grote onzekerheid. De verhuizing naar Cartagena was opportuun en nuttig geweest na de ervaring met *Crónica*, en bovendien bood het me een heel geschikte omgeving om verder te schrijven aan *Afval en dorre bladeren*, vooral door de creatieve koorts waarmee in ons huis geleefd werd, waar het meest ongewone altijd mogelijk leek. Ik hoef alleen maar een lunch in herinnering te roepen waarbij we met mijn vader zaten te praten over de moeite die veel schrijvers hebben om hun memoires te schrijven wanneer ze zich al bijna niets meer herinneren. Cuqui, amper zes jaar oud, trok met geniale eenvoud de conclusie: 'Dan moet een schrijver beginnen met zijn memoires te schrijven als hij zich nog alles herinnert.'

Ik durfde mezelf niet te bekennen dat me met *Afval en dorre bladeren* hetzelfde overkwam als met *Het huis*: ik begon me meer voor de techniek te interesseren dan voor het onderwerp. Nadat ik een jaar zo uitbundig had gewerkt, ontpopte het zich als een cirkelvormig labyrint zonder in- of uitgang. Vandaag meen ik te weten waardoor dat kwam. Het costumbrisme* dat aanvankelijk zulke goede vernieuwende voorbeelden opleverde, had uiteindelijk ook de grote nationale thema's die probeerden een uitweg te bieden, volledig laten verstarren. Feit is dat ik de onzekerheid geen minuut langer kon verdragen. Ik hoefde alleen nog maar bepaalde gegevens te controleren en beslissingen te nemen betreffende de stijl voordat ik de laatste punt kon zetten, en toch had ik niet het gevoel dat de roman ademde. Maar ik was zo vastgelopen na al die tijd in het duister getast te hebben, dat ik het boek schipbreuk zag lijden zonder te weten waar de scheuren zaten. Het ergste was dat ik op dat punt van het schrijven niets had aan de hulp van wie dan ook, want de barsten zaten niet in de tekst, maar in mij, en alleen ík kon ze zien en met mijn hart voelen. Misschien besloot ik om diezelfde reden, zonder er al te veel over na te denken, met 'De Giraf' te stoppen toen ik eenmaal het voorschot had terugbetaald waarmee ik de meubels had gekocht.

Helaas was vindingrijkheid, uithoudingsvermogen noch liefde voldoende om de armoede te verslaan. Alles leek op de hand van de schaarste te zijn. Het orgaan van de Censuur was binnen een jaar opgeheven en mijn salaris bij *El Universal* was niet toereikend om dat te compenseren. Ik ging niet terug naar de rechtenfaculteit, in weerwil van de listen van sommige docenten die samenspanden om me verder te helpen ondanks mijn desinteresse voor hun interesse en hun wetenschap. Zelfs met het geld van allemaal bij elkaar kwamen we thuis niet rond, maar het gat was zo groot dat mijn bijdrage nooit genoeg was en het gebrek aan illusies raakte me meer dan het gebrek aan geld.

'Als we toch allemaal moeten verdrinken,' zei ik op een cruciale dag bij de lunch, 'laat me dan mezelf redden om te proberen jullie op zijn minst een roeiboot te sturen.'

Vandaar dat ik de eerste week van december opnieuw naar Barranquilla verhuisde, met de berustende instemming van iedereen en in de overtuiging dat die roeiboot er zou komen. Alfonso Fuenmayor moet het bij de eerste oogopslag al doorgehad hebben toen hij me onaangekondigd zag binnenkomen in ons oude kantoor van *El Heraldo*, want dat van *Crónica* had geen financiële middelen meer. Hij keek me van achter zijn schrijfmachine aan alsof ik een geestverschijning was en riep geschrokken uit: 'Wat doet u verdomme hier zonder het van tevoren te laten weten!'

Zelden in mijn leven heb ik iets geantwoord wat zo dicht bij de waarheid lag: 'Ik zit tot mijn nek in de stront, maestro.'

Alfonso kwam wat tot rust.

'Ah, mooi zo!' antwoordde hij met hetzelfde goede humeur

als altijd en met de meest Colombiaanse versregel uit het volkslied: 'Gelukkig is dat het geval met de hele mensheid, die in ketenen geklonken zucht.'

Hij toonde niet de minste nieuwsgierigheid naar de reden voor mijn reis. Hij beschouwde het als een vorm van telepathie, want iedereen die de laatste maanden naar me gevraagd had, had hij geantwoord dat ik elk moment kon aankomen om voorgoed te blijven. Onder het aantrekken van zijn colbertje stond hij tevreden op van achter zijn bureau, want ik kwam toevallig als een geschenk uit de hemel. Hij was een halfuur te laat voor een afspraak, had het redactionele artikel voor de volgende dag nog niet af en vroeg me of ik het voor hem wilde afmaken. Ik kon nog net vragen wat het onderwerp was en hij antwoordde vliegensvlug vanaf de gang, met een koelheid die kenmerkend was voor onze vriendschap: 'Lees maar, dan ziet u het wel.'

De volgende dag stonden er opnieuw twee schrijfmachines tegenover elkaar in het kantoor van *El Heraldo* en zat ik opnieuw 'De Giraf' te schrijven voor dezelfde pagina als altijd. En – hoe kon het ook anders! – tegen hetzelfde tarief. En onder dezelfde persoonlijke condities tussen Alfonso en mij, waarbij veel artikelen alinea's van de een of van de ander bevatten en het onmogelijk was ze van elkaar te onderscheiden. Enkele studenten journalistiek of literatuur hebben in de archieven gezocht naar dat onderscheid, maar zijn er niet in geslaagd het te vinden, behalve wanneer het ging om specifieke onderwerpen, en dan niet vanwege de stijl maar door de culturele informatie.

In El Tercer Hombre hoorde ik het droevige nieuws dat ons bevriende diefje was gedood. Op een avond was hij er zoals altijd op uitgetrokken om zijn beroep uit te oefenen, en het enige wat daarna van hem vernomen werd was dat hij een kogel in zijn hart had gekregen in het huis waar hij aan het stelen was. Het lichaam werd opgeëist door een oudere zuster, als enige van de familie, en alleen wij en de eigenaar van de bar waren aanwezig bij zijn armenbegrafenis.

Ik ging terug naar het huis van de gezusters Ávila. Meira

Delmar, die opnieuw in de buurt was, was weer degene die met haar rustgevende avondjes mijn kwade nachten in El Gato Negro louterde. Zij en haar zus Alicia leken wel een tweeling, op grond van hun karakter en omdat ze ons het gevoel wisten te geven dat de tijd circulair was wanneer we bij hen waren. Op een heel bijzondere manier bleven ze deel uitmaken van de groep. Minstens één keer per jaar nodigden ze ons uit aan een tafel met heerlijke Arabische gerechten die onze ziel voedden, en ze organiseerden verrassende avondjes met illustere bezoekers, van grote kunstenaars van elk denkbaar genre tot verdwaasde dichters. Ik heb het idee dat zij, samen met maestro Pedro Viaba, orde aanbrachten in mijn op hol geslagen melomanie en me bij de vrolijke bende van het artistieke centrum betrokken.

Tegenwoordig heb ik het gevoel dat ik in Barranquilla een beter zicht kreeg op *Afval en dorre bladeren*, want zodra ik een bureau met schrijfmachine had nam ik de correcties weer met hernieuwd enthousiasme ter hand. Rond die tijd durfde ik de eerste leesbare kopie aan de groep te laten zien, hoewel ik wist dat het nog niet af was. We hadden er zo vaak over gesproken dat elke waarschuwing overbodig was. Alfonso zat twee dagen tegenover me te schrijven zonder er zelfs maar één toespeling op te maken. Op de derde dag, toen we aan het eind van de middag klaar waren met ons werk, legde hij de eerste versie opengeslagen op het bureau en las de pagina's die hij met strookjes papier had gemarkeerd. Hij leek niet zozeer een criticus, als wel een speurder naar inconsequenties en een stijlzuiveraar. Zijn observaties waren zo trefzeker dat ik ze allemaal heb gebruikt, behalve één ding, waarvan hij vond dat het er met de haren bij gesleept was, zelfs nadat ik hem had aangetoond dat het om een bestaand voorval uit mijn kindertijd ging.

'Zelfs de werkelijkheid vergist zich als de literatuur slecht is,' zei hij stikkend van het lachen.

De methode van Germán Vargas bestond eruit dat hij geen onmiddellijk commentaar gaf als de tekst goed was, maar een geruststellende mening uitsprak, die eindigde met een uitroepteken: 'Verdomd goed!'

Maar in de daaropvolgende dagen bleef hij dan allerlei losse ideeën over het boek spuien, die vervolgens tijdens een avondje stappen uitmondden in een trefzeker oordeel. Als hij het gelezene niet goed vond, nam hij de auteur apart en sprak hij zijn mening zo oprecht en elegant uit dat de leerling geen andere keus had dan hem uit de grond van zijn hart te bedanken, ook al stond het huilen hem nader dan het lachen. Dat was bij mij niet het geval. Geheel onverwacht maakte Germán op een dag half schertsend, half ernstig een opmerking over mijn boek die me weer helemaal opvrolijkte.

Álvaro was zonder een teken van leven uit de Happy verdwenen. Bijna een week later, toen ik hem het minst verwachtte, sneed hij me op de paseo Bolívar de pas af met zijn auto en schreeuwde me in zijn beste humeur toe: 'Stap in, maestro, dan zal ik u eens flink op uw donder geven.'

Dat was de uitdrukking waarmee hij je meteen verdoofde. We reden doelloos rondjes door het centrum van de stad in de verzengende hitte van het warmste uur van de dag, terwijl Álvaro luidkeels een tamelijk emotionele maar indrukwekkende analyse gaf van wat hij gelezen had. Telkens wanneer hij op het trottoir een bekende zag, onderbrak hij zijn uiteenzetting om de persoon in kwestie een of andere hartelijke of spottende opmerking toe te schreeuwen, waarna hij, met overslaande stem van de inspanning, verwarde haren en uitpuilende ogen die naar me leken te kijken als door het hek van een wassenbeeldenmuseum, zijn opgewonden relaas weer voortzette. Ten slotte dronken we een glas ijskoud bier op het terras van Los Almendros, waarbij we werden belaagd door de voetbalfanaten van Junior en Sporting op het trottoir aan de overkant en bijna onder de voet werden gelopen door de menigte bezetenen die het stadion uit stroomde, teleurgesteld over een onwaardige twee-twee. Het enige definitieve oordeel over de eerste versie van mijn boek schreeuwde Álvaro me op het laatste moment toe door het autoraampje: 'Er zit in elk geval nog veel costumbrisme in u, maestro!'

Dankbaar kon ik nog net terugschreeuwen: 'Maar dan wel van het goede soort van Faulkner!'

En hij maakte met een geweldige schaterlach een eind aan alles wat we niet uitgesproken of gedacht hadden: 'Zeik niet!'

Vijftig jaar later hoor ik, telkens wanneer ik aan die middag terugdenk, weer die explosieve schaterlach die als een steenlawine weergalmde in de zinderende straat.

Het was me duidelijk dat ze alle drie, met hun persoonlijke en misschien gerechtvaardigde voorbehoud, de roman de moeite waard hadden gevonden, maar ze zeiden het niet met zoveel woorden, wellicht omdat ze dat te gemakkelijk vonden. Niemand had het over publiceren, wat ook heel kenmerkend voor hen was, omdat ze goed schrijven nu eenmaal het belangrijkst vonden. De rest was een zaak van de uitgevers.

Met andere woorden, ik was weer in ons oude vertrouwde Barranquilla, maar ongelukkig genoeg besefte ik dat ik dit keer niet voldoende energie had om verder te gaan met 'De Giraf'. In feite had die zijn opdracht vervuld door me een dagelijkse werkplaats te bieden waar ik de allereerste beginselen van het schrijven kon leren, met de vasthoudendheid en de verwoede ambitie een andere schrijver te worden. Vaak kon ik het onderwerp niet aan en verruilde ik het voor een ander wanneer ik besefte dat het nog te groot voor me was. Maar in elk geval was het een belangrijke oefening voor mijn vorming als schrijver, met de prettige zekerheid dat het alleen om een voedingsbodem ging, zonder enige historische verplichting.

Alleen al het zoeken naar een dagelijks onderwerp had de eerste maanden voor me vergald. Ik had nergens anders tijd voor: ik was uren bezig met het doorpluizen van andere kranten, maakte aantekeningen van privé-gesprekken, ging me te buiten aan fantasieën die me uit mijn slaap hielden, totdat het echte leven me tegemoetkwam. In die zin was mijn gelukkigste ervaring dat ik op een middag vanuit een bus een simpel opschrift op de deur van een huis zag: 'Rouwpalmen te koop'.

Mijn eerste opwelling was om aan te bellen en de gegevens van die vondst na te trekken, maar mijn verlegenheid hield me tegen. Zodat het leven zelf me leerde dat het een van de nuttigste geheimen van het schrijven is om te leren de hiëroglyfen van de werkelijkheid te lezen zonder ergens aan te bellen om wat dan ook te vragen. Dit werd nog veel duidelijker toen ik de afgelopen jaren de meer dan vierhonderd gepubliceerde 'giraffen' herlas en ze vergeleek met enkele van de literaire teksten waartoe ze de aanzet hadden gevormd.

Rond Kerstmis kwam de staf van *El Espectador* op vakantie naar Barranquilla, de algemeen directeur, don Gabriel Cano, inclusief al zijn kinderen: Luis Gabriel, de algemeen bedrijfsleider, Guillermo, in die tijd adjunct-directeur, Alfonso, tweede bedrijfsleider, en Fidel, de jongste, leerling op elk gebied. Ze waren in gezelschap van Eduardo Zalamea – Ulises – die een bijzondere waarde voor me had vanwege de publicatie van mijn verhalen en het artikel waarin hij me had geïntroduceerd. Ze hadden de gewoonte om met de hele groep de eerste week van het nieuwe jaar door te brengen in de badplaats Pradomar, op ruim vijftig kilometer van Barranquilla, waar ze stormenderhand de bar veroverden. Het enige wat ik me enigszins scherp herinner van die chaotische indrukken, is dat Ulises als persoon een van de grote verrassingen van mijn leven was. Ik had hem vaak in Bogotá gezien, eerst in El Molino en jaren later in El Automático, en soms bij de bijeenkomsten van maestro De Greiff. Ik herinnerde me hem door zijn stugge gelaatsuitdrukking en de metalen klank van zijn stem, waaruit ik afleidde dat hij een driftkikker was, wat trouwens inderdaad zijn reputatie was onder de goede lezers van de universiteitsstad. Daarom was ik hem bij verschillende gelegenheden uit de weg gegaan om het beeld dat ik me voor persoonlijk gebruik van hem gevormd had niet te verstoren. Ik had me vergist. Hij was een van de vriendelijkste en behulpzaamste mensen die ik me kan herinneren, al begrijp ik dat hij daarvoor wel een speciale intellectuele of gevoelsmatige reden nodig had. In de omgang was hij totaal anders dan don Ramón Vinyes, Álvaro Mutis of León de Greiff, maar hij deelde met hen het aangeboren talent om zich op elk uur van de dag als leermeester op te werpen, en het zeldzame toeval dat hij alle boeken gelezen had die je hoorde te lezen.

Van de jonge Cano's – Luis Gabriel, Guillermo, Alfonso en

Fidel – zou ik meer dan een vriend worden toen ik als redacteur voor *El Espectador* werkte. Het zou lichtvaardig zijn te proberen me een of andere dialoog te herinneren uit die gesprekken van iedereen tegen iedereen in de nachten in Pradomar, maar het zou ook onmogelijk zijn te vergeten hoe ondraaglijk volhardend ze vasthielden aan de dodelijke ziekte van de journalistiek en de literatuur. Ze namen me op als een van de hunnen, als hun persoonlijke verhalenverteller, door en voor hen ontdekt en geadopteerd. Maar ik herinner me niet – zoals zo vaak is beweerd – dat iemand zelfs maar heeft gesuggereerd dat ik voor hen zou komen werken. Dit betreurde ik niet, want op dat moeilijke moment had ik geen flauw idee wat mijn bestemming zou zijn, noch of ik de kans zou krijgen die zelf te kiezen.

Álvaro Mutis, aangestoken door het enthousiasme van de Cano's, keerde terug naar Barranquilla toen hij net was benoemd tot hoofd public relations van de Colombiaanse afdeling van Esso, en hij probeerde me over te halen bij hem in Bogotá te komen werken. Zijn ware missie was echter veel dramatischer: door een afschuwelijke vergissing van een of andere plaatselijke vertegenwoordiger waren de brandstoftanks van het vliegveld gevuld met autobenzine in plaats van kerosine, en het was ondenkbaar dat een toestel dat voorzien was van die verkeerde brandstof, ook maar ergens zou kunnen komen. Het was Mutis' taak de fout in het diepste geheim vóór het aanbreken van de dag te herstellen zonder dat de functionarissen van het vliegveld, laat staan de pers, erachter kwamen. Zo gebeurde het ook. De brandstof werd in vier uur tijd omgeruild voor de goede, onder het genot van whisky en drukke gesprekken in de cellen voor illegale passagiers van het plaatselijke vliegveld. We hadden tijd genoeg om over van alles te praten, maar het voor mij onvoorstelbare onderwerp was de mogelijkheid dat uitgeverij Losada uit Buenos Aires mijn vrijwel voltooide roman zou publiceren. Álvaro Mutis wist dat uit de eerste hand van de nieuwe commercieel directeur van de uitgeverij in Bogotá, Julio César Villegas, een voormalige minister van de Peruaanse regering, die kort daarvoor asiel had gekregen in Colombia.

Ik kan me niet herinneren dat ik ooit zo opgewonden ben geweest. Uitgeverij Losada behoorde tot de beste uitgeverijen in Buenos Aires, die de leegte in de uitgeverswereld als gevolg van de Spaanse Burgeroorlog hadden opgevuld. Hun redacteuren voedden ons dagelijks met zulke interessante en bijzondere nieuwe uitgaven dat we nauwelijks tijd hadden om ze te lezen. Hun verkopers kwamen stipt op tijd met de boeken die we hadden besteld, en we namen ze in ontvangst als waren ze uit de hemel gezonden. Alleen al het idee dat een van hen *Afval en dorre bladeren* zou kunnen uitgeven maakte me bijna gek. Ik had Mutis nog maar net op een vliegtuig met de juiste brandstof gezet, of ik rende al naar de krant om mijn manuscript nog eens grondig te herzien.

In de daaropvolgende dagen zat ik hartstochtelijk een tekst te bestuderen die me net zo goed door de vingers had kunnen glippen. Het waren niet meer dan honderdtwintig velletjes met dubbele regelafstand, maar ik bracht zoveel aanpassingen, wijzigingen en nieuwe vondsten aan dat ik nooit heb geweten of het nu beter of slechter was geworden. Germán en Alfonso herlazen de lastigste passages en waren zo goed niet met onoverkomelijke bezwaren te komen. In die toestand van angstige opwinding keek ik zorgvuldig de laatste versie na en nam het kalme besluit het boek niet te publiceren. In de toekomst zou dat een obsessie worden. Wanneer ik eenmaal tevreden ben over een voltooid boek, blijft het vernietigende gevoel over dat ik niet in staat zal zijn ooit nog een beter te schrijven.

Gelukkig vermoedde Álvaro Mutis wat de oorzaak was van mijn getreuzel, en hij vloog naar Barranquilla om het enige in het net getypte origineel op te halen en naar Buenos Aires te sturen, zonder me de tijd te geven het nog een laatste keer te lezen. Commerciële fotokopieën bestonden nog niet en het enige wat ik zelf nog had was de eerste kladversie vol correcties in de marges en tussen de regels, aangebracht met verschillende kleuren inkt om verwarring te voorkomen. Ik gooide die in de prullenbak en kon gedurende de twee lange maanden waarin het antwoord op zich liet wachten geen rust meer vinden.

Op een dag overhandigden ze me op het kantoor van *El Heraldo* een brief die ergens tussen de papieren op het bureau van de hoofdredacteur was terechtgekomen. Het logo van uitgeverij Losada deed het bloed in mijn aderen stollen, maar ik had genoeg schaamtegevoel om hem niet ter plekke te openen maar in mijn eigen kamertje. Daardoor werd ik gelukkig zonder getuigen geconfronteerd met de onomwonden boodschap dat *Afval en dorre bladeren* was afgewezen. Ik hoefde het volledige vonnis niet te lezen om de heftige schok te voelen dat ik op dat moment doodging.

De brief was het hoogste oordeel van don Guillermo de Torre, voorzitter van de redactieraad, onderbouwd met een reeks simpele argumenten waarin het woordgebruik, de klemtoon en de zelfgenoegzaamheid van de blanken uit Castilië doorschemerden. De enige troost was de verrassende concessie aan het eind: 'De auteur kunnen een groot observatietalent en een sterk ontwikkeld poëtisch gevoel niet ontzegd worden.' Toch verbaast het me nog steeds dat los van mijn verslagenheid en schaamtegevoel zelfs de zuurste tegenwerpingen me gerechtvaardigd voorkwamen.

Ik heb nooit een kopie van de brief gemaakt en ik weet ook niet waar hij gebleven is nadat hij verscheidene maanden had gecirculeerd onder mijn vrienden in Barranquilla, die allerlei verzachtende argumenten aanvoerden in een poging me te troosten. Toen ik trouwens vijftig jaar later, ten behoeve van de documentatie van deze memoires, probeerde een kopie te pakken te krijgen, was daar geen spoor meer van te vinden op de uitgeverij in Buenos Aires. Ik herinner me niet of hij als nieuwsbericht is gepubliceerd, hoewel ik dat nooit heb gewild, maar ik weet wel dat ik een hele tijd nodig had om mijn moed weer bijeen te rapen nadat ik naar hartelust tekeer was gegaan en een woedende brief had geschreven die zonder mijn toestemming openbaar werd gemaakt. Een vorm van verraad die des te pijnlijker voor mij was omdat mijn uiteindelijke reactie was geweest dat ik gebruik zou maken van wat nuttig was aan het oordeel, alles wat volgens mijn inzicht corrigeerbaar was zou corrigeren, en gewoon door zou gaan.

Het opbeurendst waren de meningen van Germán Vargas, Alfonso Fuenmayor en Álvaro Cepeda. Alfonso trof ik aan in een eettentje op de markt, waar hij een oase had ontdekt om te midden van de drukte van het handelsverkeer te lezen. Ik vroeg hem of ik mijn roman moest laten zoals hij was of dat ik moest proberen de structuur te veranderen, want ik had het gevoel dat de spanning van de eerste helft in de tweede verloren ging. Alfonso luisterde enigszins ongeduldig naar me en gaf me zijn mening.

'Kijk, maestro,' zei hij ten slotte, als een echte leermeester, 'Guillermo de Torre mag zo eerbiedwaardig zijn als hij zelf denkt dat hij is, maar ik heb niet het idee dat hij erg op de hoogte is van de moderne roman.'

Tijdens enkele andere vrijblijvende gesprekken in die dagen troostte hij me met het precedent dat Guillermo de Torre in 1927 het manuscript van *Residencia en la Tierra* ('Verblijf op aarde') van Pablo Neruda had afgewezen. Fuenmayor dacht dat het lot van mijn roman anders had kunnen zijn als Jorge Luis Borges hem had gelezen, maar daar stond tegenover dat de schade groter zou zijn geweest als hij hem ook had afgewezen.

'Dus niet langer zeiken,' besloot Alfonso. 'Uw roman is zo goed als wij al dachten dat hij was, en het enige wat u van nu af aan moet doen is doorgaan met schrijven.'

Germán – trouw aan zijn rustige aard – was zo vriendelijk om niet te overdrijven. Hij vond dat de roman niet zo slecht was dat hij niet gepubliceerd zou kunnen worden op een continent waar het genre in een crisis verkeerde, maar ook niet zo goed dat het de moeite loonde een internationaal schandaal te veroorzaken, waarvan de enige verliezer een beginnend en onbekend auteur zou zijn. Álvaro Cepeda vatte het oordeel van Guillermo de Torre samen met een van zijn gedenkwaardige en bloemrijke uitspraken: 'Spanjaarden zijn nu eenmaal heel lomp.'

Toen het tot me doordrong dat ik geen schone kopie van mijn roman had, liet uitgeverij Losada me via een derde of vierde persoon weten dat ze als regel geen manuscripten terugstuurden. Gelukkig had Julio César Villegas een kopie gemaakt voordat hij de mijne naar Buenos Aires stuurde en die zond hij me toe. Hierna begon ik aan een nieuwe correctie op grond van de conclusies van mijn vrienden. Ik schrapte een lange scène waarin de hoofdpersoon vanaf de galerij met de begonia's naar de drie dagen durende regen zit te kijken, een episode die ik later omvormde tot 'Isabel en de regen in Macondo'. Ik schrapte een overbodige dialoog tussen de grootvader en kolonel Aureliano Buendía kort voor het bloedbad onder de bananenarbeiders, en zo'n dertig velletjes die wat vorm en inhoud betrof de eenheid in de structuur van de roman verstoorden. Bijna twintig jaar later, toen ik ze eigenlijk al vergeten was, hebben delen van die fragmenten me geholpen om over de hele lengte en breedte van *Honderd jaar eenzaamheid* bepaalde nostalgische gevoelens te onderbouwen.

Ik was de klap al bijna te boven toen het nieuws bekend werd dat de Colombiaanse roman die in plaats van de mijne was uitverkoren om door Losada te worden uitgegeven, *El Cristo de espaldas* ('De Christus op zijn rug') van Eduardo Caballero Calderón was. Dat was een vergissing of een kwaadwillige, voorgekookte waarheid, want het ging niet om een prijsvraag maar om een programma waarmee uitgeverij Losada zich met Colombiaanse auteurs op de Colombiaanse markt zou begeven, en mijn roman was niet afgewezen in competitie met een andere roman, maar omdat don Guillermo de Torre vond dat hij niet voor publicatie in aanmerking kwam.

Mijn verslagenheid was groter dan ik in die tijd wilde toegeven, en ik had niet de moed dat gevoel lijdzaam te ondergaan zonder te proberen mijn zelfvertrouwen terug te vinden. Vandaar dat ik onaangekondigd op bezoek ging bij mijn oude jeugdvriend, Luis Carmelo Correa, op de bananenplantage in Sevilla – een tiental kilometers van Cataca – waar hij in die jaren werkte als opzichter en accountant. Twee dagen lang haalden we, zoals altijd, voor de zoveelste keer herinneringen op aan onze gemeenschappelijke kindertijd. Zijn geheugen, zijn intuïtie en zijn oprechtheid waren zo onthullend voor me dat ze me een zekere angst inboezemden. Onder het praten repareerde hij met zijn gereedschappen de mankementen in huis en luisterde ik naar hem vanuit een hangmat die heen en weer gewiegd werd door de zachte bries op de plantages. Nena Sánchez, zijn vrouw, corrigeerde stikkend van het lachen vanuit de keuken onze dwaasheden en vulde aan wat we vergeten waren. Ten slotte, tijdens een verzoeningswandeling door de verlaten straten van Aracataca, besefte ik hoe goed dit bezoek me gedaan had, en ik twijfelde er geen moment meer aan dat *Afval en dorre bladeren* – afgewezen of niet – het boek was dat ik na de reis met mijn moeder had willen schrijven.

Aangemoedigd door die ervaring ging ik op zoek naar Rafael Escalona in zijn paradijs in Valledupar, in een poging mijn wereld tot aan de wortels om te wroeten. Die wereld verraste me niet, want bij alles wat ik aantrof, bij alles wat er gebeurde, bij alle mensen die aan me werden voorgesteld, was het alsof ik het al eerder had meegemaakt, en niet in een ander leven maar in het leven dat ik bezig was te leven. Later, op een van mijn vele reizen, leerde ik de vader van Rafael kennen, kolonel Clemente Escalona, die vanaf de eerste dag indruk op me maakte door zijn waardigheid en het uiterlijk van een ouderwetse patriarch. Hij was tenger en kaarsrecht, met een verweerde huid en stevige botten, een door en door eerbiedwaardig man. Van jongs af was ik gefascineerd geweest door de spanning en de uiterlijke waardigheid waarmee mijn grootouders tot het eind van hun lange leven op het veteranenpensioen hadden gewacht. Maar toen ik ten slotte vier jaar later in een oud hotel in Parijs het boek schreef, was het beeld dat altijd in mijn geheugen gegrift had gestaan als het fysieke evenbeeld van de kolonel die nooit post kreeg, niet dat van mijn grootvader maar dat van don Clemente Escalona.

Via Rafael Escalona wist ik dat Manuel Zapata Olivella zich als armenarts in La Paz had gevestigd, op enkele kilometers van Valledupar, en daar gingen we naartoe. We kwamen tegen het eind van de middag aan en er hing iets beklemmends in de lucht. Zapata en Escalona herinnerden me eraan dat het dorp nauwelijks drie weken eerder het slachtoffer was geworden van een overval door de politie, die paniek zaaide in de regio om die te onderwerpen aan de wil van de regering. Het was een nacht van verschrikking geweest. Er werd zonder aanzien des persoons gemoord en vijftien huizen werden in brand gestoken.

Door de ijzeren censuur hadden we de waarheid niet gehoord. Toch kon ik het me ook toen nog niet voorstellen. Juan López, de beste muzikant van de streek, was die zwarte nacht weggegaan om niet meer terug te komen. In zijn huis vroegen we Pablo, zijn jongere broer, of hij voor ons wilde spelen, en hij zei met onverschrokken eenvoud: 'Ik zal nooit in mijn leven meer zingen.'

Toen begrepen we dat niet alleen hij, maar alle muzikanten van het dorp hun accordeons, trommels en guacharacas* hadden opgeborgen en niet meer zouden zingen vanwege het verdriet om hun doden. Het was begrijpelijk, en Escalona zelf, die de leermeester van velen was, noch Zapata Olivella, die de arts van allen aan het worden was, slaagde erin ook maar iemand over te halen om te zingen.

Op ons aandringen kwamen de buurtbewoners hun verhaal vertellen, maar diep in hun hart voelden ze dat de rouw niet langer meer kon duren. 'Het is alsof we met de doden gestorven zijn,' zei een vrouw die een rode roos achter haar oor droeg. De mensen vielen haar bij. Op dat moment moet Pablo López zich gerechtigd hebben gevoeld om zijn verdriet de nek om te draaien, want zonder een woord te zeggen ging hij zijn huis binnen en kwam terug met de accordeon. Hij zong als nooit tevoren, en terwijl hij zong begonnen zich andere muzikanten bij hem te voegen. Iemand deed de winkel aan de overkant open en bood drank aan op eigen kosten. Ook de andere winkels gingen open na een maand van rouw, en de lichten werden ontstoken en we zongen allemaal. Een halfuur later zong het hele dorp. Op het verlaten plein kwam de eerste dronkaard sinds een maand naar buiten en begon luidkeels een lied van Escalona te zingen, gewijd aan Escalona zelf, als eerbetoon aan het wonder dat hij had verricht door het dorp uit de dood te laten herrijzen.

Gelukkig ging het leven in de rest van de wereld gewoon door. Twee maanden na de afwijzing van het manuscript leerde ik Julio César Villegas kennen, die met uitgeverij Losada gebroken had en was benoemd tot vertegenwoordiger in Colombia van uitgeverij González Porto, verkopers van encyclopedieën en wetenschappelijke en technische boeken op afbetaling. Villegas was een onvoorstelbaar lange en krachtig gebouwde man die zich door geen enkele hindernis in het leven uit het veld liet slaan, en daarnaast was hij een buitensporig gebruiker van de duurste whisky's, een onstuitbaar prater en salonfantast. Aan het eind van de avond van onze eerste ontmoeting in de presidentiële suite van hotel El Prado kwam ik naar buiten, gebukt onder het gewicht van een vertegenwoordigerskoffer boordevol reclamemateriaal en proefexemplaren van geïllustreerde encyclopedieën, boeken over geneeskunde, recht en techniek van uitgeverij González Porto. Vanaf de tweede whisky had ik erin toegestemd verkoper van boeken op afbetaling te worden in de provincie Padilla, van Valledupar tot La Guajira. Mijn verdiensten bestonden uit een voorschot van twintig procent in contanten, wat voldoende moest zijn voor een zorgeloos leven na betaling van de onkosten, inclusief het hotel.

Dit is de reis die ik zelf legendarisch heb gemaakt door mijn onverbeterlijke tekortkoming om niet voldoende na te denken over mijn bijvoeglijke naamwoorden. De legende is dat de reis was gepland als een mythische expeditie op zoek naar mijn wortels in het land van mijn voorouders, langs dezelfde romantische route die mijn moeder met haar moeder had gevolgd om haar in veiligheid te brengen voor de telegrafist uit Aracataca. De waarheid is dat het in mijn geval niet ging om één, maar om twee heel korte en onbezonnen reizen.

Bij de tweede ging ik alleen maar terug naar de dorpen rondom Valledupar. Eenmaal daar aangekomen was ik vanzelfsprekend van plan door te reizen naar Cabo de la Vela, langs dezelfde route als mijn verliefde moeder, maar ik kwam niet verder dan Manaure de la Sierra, La Paz en Villanueva, een tiental kilometers van Valledupar. Ik heb San Juan del

César toen niet leren kennen, net zomin als Barrancas, waar mijn grootouders getrouwd waren en mijn moeder geboren werd, en waar Medardo Pacheco door kolonel Nicolás Márquez gedood was; en Riohacha, de bakermat van mijn clan, zou ik pas in 1984 leren kennen, toen president Belisario Betancur een groep vrienden vanuit Bogotá naar de officiële opening van de steenkoolmijnen van El Cerrejón stuurde. Het was de eerste reis naar mijn denkbeeldige La Guajira, dat me even mythisch voorkwam als ik het zo vaak had beschreven zonder het te kennen. Ik denk niet dat dat kwam door mijn valse herinneringen, maar door het geheugen van de indianen die mijn grootvader voor tien peso per persoon had gekocht ten behoeve van het huis in Aracataca. Mijn grootste verrassing was vanzelfsprekend de eerste aanblik van Riohacha, de stad van zand en zout waar mijn hele familie, vanaf mijn betovergrootouders, geboren werd, waar mijn grootmoeder de Maagd van Altijddurende Bijstand met een ijskoude ademtocht de oven zag uitblazen toen het brood op het punt stond te verbranden, waar mijn grootvader zijn oorlogen uitvocht en in de gevangenis belandde door een misdrijf uit liefde, en waar ik werd verwekt tijdens de wittebroodsweken van mijn ouders.

In Valledupar had ik niet veel tijd om boeken te verkopen. Ik logeerde in hotel Wellcome, een prachtig en goed onderhouden koloniaal huis aan het grote plein, met een groot afdak van palmbladeren op de binnenplaats, en met rustieke tafeltjes, en hangmatten aan de pilaren. Víctor Cohen, de eigenaar, bewaakte als een cerberus de orde in huis, evenals zijn morele reputatie, die voortdurend bedreigd werd door losbandige vreemdelingen. Hij was ook een taalpurist die uit zijn hoofd Cervantes voordroeg met slissende Spaanse s'en, en die de moraal van García Lorca in twijfel trok. Ik kon het aan de ene kant goed met hem vinden vanwege zijn uitstekende beheersing van de werken van don Andrés Bello* en zijn zorgvuldige declamatie van de Colombiaanse romantici, maar aan de andere kant heel slecht vanwege zijn obsessieve drang om te voorkomen dat de morele codes in de zuivere ambiance van zijn hotel overtreden werden. Dit alles begon heel eenvoudig omdat hij een oude vriend van mijn oom Juan de Dios was en er plezier in had herinneringen op te halen.

Voor mij was die afgesloten binnenplaats een lot uit de loterij, omdat ik urenlang in de drukkende hitte van de middag in een hangmat kon liggen lezen. Om mijn leeshonger te stillen las ik alles wat ik in handen kreeg, van verhandelingen over chirurgie tot boekhoudkundige handleidingen, zonder erbij stil te staan dat ze nuttig konden zijn voor mijn schrijversavonturen. Het werk ging bijna vanzelf, want de meeste klanten zaten op een of andere manier vast aan de vislijn van de Iguaráns en de Cotes, en ik had dan genoeg aan één bezoek dat uitliep tot het middageten, waarbij we allerlei familieroddels in herinnering riepen. Sommigen tekenden het contract zonder het te lezen om op tijd bij de rest van de clan te zijn, die op ons wachtte om te lunchen in de luwte van accordeonmuziek. Tussen Valledupar en La Paz haalde ik binnen een week mijn grote opbrengst en ik keerde terug naar Barranquilla met het opgewonden gevoel op de enige plaats ter wereld te zijn geweest die ik werkelijk begreep.

Op 13 juni zat ik heel vroeg in de bus, ik weet niet waarnaartoe, toen ik hoorde dat de strijdkrachten de macht hadden gegrepen vanwege de wanorde die heerste binnen de regering en in het hele land. Op 6 september van het jaar daarvoor had een bende conservatieve gangsters en politieagenten in uniform in Bogotá de gebouwen van *El Tiempo* en *El Espectador*, de belangrijkste kranten van het land, in brand gestoken en de ambtswoningen van ex-president Alfonso López Pumarejo en Carlos Lleras Restrepo, de liberale partijvoorzitter, gewapenderhand overvallen. De laatste, een politicus die bekendstond om zijn moeilijke karakter, slaagde er nog in enkele schoten met zijn agressors te wisselen, maar zag zich ten slotte gedwongen te vluchten over de omheining van een aangrenzend huis. De toestand van regeringsgeweld waar het land sinds 9 april onder gebukt ging, was onhoudbaar geworden.

Tot de vroege ochtend van die dertiende juni, toen generaal-majoor Gustavo Rojas Pinilla de waarnemend president, Roberto Urdaneta Arbeláez, uit het paleis verdreef. Laureano Gómez, titulair president, op voorschrift van zijn artsen in ruste, nam daarop in zijn rolstoel het bevel weer op zich en probeerde een staatsgreep op zichzelf te plegen om de vijftien maanden van zijn grondwettelijke termijn die hem nog restten verder te regeren. Maar Rojas Pinilla en zijn generale staf waren gekomen om te blijven.

De nationale steun voor het besluit van de constituerende vergadering die de militaire staatsgreep wettig verklaarde, kwam onmiddellijk en was unaniem. Rojas Pinilla kreeg de macht tot het einde van de presidentiële periode, in augustus van het volgende jaar, en Laureano Gómez reisde met zijn familie naar Benidorm, aan de Spaanse kust, en liet de bedrieglijke indruk achter dat zijn jaren van razernij ten einde waren. De liberale patriarchen betuigden hun steun aan de nationale verzoening met een oproep aan hun gewapende partijgenoten in het hele land. De veelzeggendste foto die de kranten in de daaropvolgende dagen publiceerden, was die van de voormannen van de liberalen die een serenade brachten onder het balkon van de presidentiële slaapkamer. Het eerbetoon werd geleid door don Roberto García Peña, directeur van *El Tiempo*, een van de meest verbeten tegenstanders van het afgezette regime.

Hoe dan ook, de aangrijpendste foto uit die tijd was die van de eindeloze rij guerrillastrijders die op de Llanos Orientales hun wapens inleverden, onder aanvoering van Guadalupe Salcedo, wiens beeld van een romantische bandiet de Colombianen die gebukt gingen onder het regeringsgeweld diep had geraakt. Het ging om een nieuwe generatie strijders tegen het conservatieve regime, die op een of andere manier vereenzelvigd werden met een overblijfsel uit de Oorlog van Duizend Dagen, en die allesbehalve heimelijke betrekkingen onderhielden met de legale leiders van de Liberale Partij.

Guadalupe Salcedo was hun leider en had over alle lagen van de bevolking, of ze nu voor of tegen hem waren, een nieuw mythisch beeld verspreid. Misschien werd hij daarom

– vier jaar na zijn overgave – door de politie met kogels doorzeefd ergens op een plek in Bogotá die nooit precies is vastgesteld, zoals ook de omstandigheden van zijn dood nooit volledig zijn opgehelderd.

De officiële datum is 6 juni 1957, en het lichaam werd tijdens een ceremoniële plechtigheid bijgezet in een genummerde grafkelder op de hoofdbegraafplaats van Bogotá, in aanwezigheid van bekende politici. Want Guadalupe Salcedo onderhield vanuit zijn oorlogskwartier niet alleen politieke, maar ook sociale betrekkingen met de leiders van de in ongenade gevallen Liberale Partij. Toch zijn er minstens acht verschillende versies van zijn dood en ontbreekt het niet aan ongelovigen van toen en van nu die zich nog altijd afvragen of het lijk wel van hem was en of hij werkelijk in de grafkelder ligt waar hij werd bijgezet.

In die gemoedstoestand ondernam ik mijn tweede zakenreis naar de Provincie, na van Villegas de bevestiging te hebben gekregen dat alles in orde was. In Valledupar verliepen mijn verkopen net als de vorige keer heel snel, bij een clientèle die al bij voorbaat overtuigd was. Ik ging met Rafael Escalona en Poncho Cotes naar Villanueva, La Paz, Patillal en Manaure de la Sierra om een bezoek te brengen aan veeartsen en landbouwkundigen. Sommigen hadden met kopers van mijn vorige reis gesproken en wachtten op me met speciale bestellingen. Ze grepen elke gelegenheid aan voor het organiseren van een feest met de klanten en hun opgewekte vrienden, en we zongen tot het aanbreken van de dag met de grote accordeonisten zonder dat de onderhandelingen of het betalen van dringende kredieten hoefden te worden onderbroken, want het dagelijks leven volgde in het feestgedruis zijn natuurlijke ritme. In Villanueva waren we bij een accordeonist en twee trommelaars die blijkbaar kleinzonen waren van iemand naar wie we als kind in Aracataca hadden geluisterd. Zo openbaarde dat wat een kinderlijke verslaving was geweest, zich op die reis als een bevlogen beroep dat ik altijd zou koesteren.

Die keer leerde ik Manaure kennen, in het hart van de siërra, een prachtig en rustig dorp, legendarisch binnen de familie omdat ze daar mijn moeder heen hadden gebracht toen ze klein was om een derdendaagse koorts te temperen die tegen allerlei brouwseltjes bestand was geweest. Ik had zoveel over Manaure horen praten, over de avonden in mei en het geneeskrachtige ontbijt, dat ik toen ik er voor de eerste keer kwam besefte dat ik het me herinnerde alsof ik het in een vorig leven had gekend.

We zaten een koud biertje te drinken in de enige bar van het dorp, toen er een man naar onze tafel kwam die wel een boom leek, met beenkappen en een revolver aan zijn gordel. Rafael Escalona stelde ons aan elkaar voor, en hij bleef me strak aankijken met mijn hand in de zijne.

'Hebt u soms iets te maken met kolonel Nicolás Márquez?' vroeg hij me.

'Ik ben zijn kleinzoon,' zei ik.

'Dan,' zei hij, 'heeft uw grootvader mijn grootvader gedood.'

Dat wil zeggen, hij was de kleinzoon van Medardo Pacheco, de man die door mijn grootvader in een eerlijke strijd was gedood. Hij gaf me geen tijd om te schrikken, want hij zei het op zo'n warme toon dat het leek of dat ook een manier was om bloedverwanten te zijn. We gingen drie dagen en drie nachten met hem op stap in zijn vrachtwagen met dubbele bodem, dronken warme brandy en aten stoofschotel met geitenvlees ter nagedachtenis aan onze dode grootvaders. Het duurde verscheidene dagen voordat hij me de waarheid opbiechtte: hij had met Escalona afgesproken me te laten schrikken, maar hij had de moed niet om door te gaan met grappen maken over onze dode grootvaders. In werkelijkheid heette hij José Prudencio Aguilar en was hij smokkelaar van beroep, rechtdoorzee en met een goed hart. Ter ere van hem, en om niet voor hem onder te doen, gaf ik in *Honderd jaar eenzaamheid* zijn naam aan de rivaal die door José Arcadio Buendía in de arena van het hanengevecht met een speer werd gedood.

Het vervelende was dat aan het eind van die nostalgische reis de verkochte boeken nog niet waren aangekomen, waardoor ik mijn voorschot niet kon innen. Ik zat zonder een cent en de metronoom van het hotel tikte sneller dan mijn feestavonden. Víctor Cohen begon het weinige geduld dat hij nog had te verliezen door de kletspraatjes dat ik het geld dat ik hem schuldig was verkwistte aan goedkope drank en ordinaire wijven. Het enige wat me mijn kalmte teruggaf waren de ongelukkige liefdes in *El derecho de nacer* ('Het recht om geboren te worden'), het hoorspel van don Félix B. Caignet dat zo populair was dat mijn oude dromen over de sentimentele literatuur weer opleefden. Doordat ik onverwacht de kans kreeg *De oude man en de zee* van Hemingway te lezen, dat toevallig in het tijdschrift *Life en Español* bleek te staan, kwam ik mijn neerslachtige stemming uiteindelijk weer te boven.

Bij dezelfde postbestelling zat de lading boeken die ik aan hun eigenaren moest overhandigen om mijn voorschot te kunnen innen. Iedereen betaalde nauwgezet, maar het hotel was ik al het dubbele schuldig van wat ik had verdiend en Villegas waarschuwde me dat hij de eerstkomende drie weken geen cent zou hebben. Toen besloot ik serieus te gaan praten met Víctor Cohen en hij stemde in met een promesse op voorwaarde dat er iemand borg voor me stond. Omdat Escalona en zijn kameraden niet in de buurt waren, was een door de voorzienigheid gezonden vriend zo aardig me vrijblijvend dat plezier te doen, alleen maar omdat een verhaal van mij in *Crónica* hem zo goed was bevallen. Maar op het uur van de waarheid kon ik niemand betalen.

De promesse werd jaren later legendarisch toen Víctor Cohen haar aan zijn vrienden en gasten liet zien, niet als een beschuldigend document maar als een trofee. De laatste keer dat ik hem zag was hij al bijna honderd, spichtig, helder van geest en met een ongeschonden humeur. Bij de doop van een zoon van mijn comadre Consuelo Araujonoguera, van wie ik peetoom was, zag ik de onbetaalde promesse terug; dat was bijna vijftig jaar later. Víctor Cohen liet het papier aan iedereen zien die dat wilde, met dezelfde charme en fijngevoeligheid als altijd. Ik was verbaasd over hoe keurig het door hem opgestelde document eruitzag en over de enorme wil om te betalen die viel op te maken uit de schaamteloosheid van mijn handtekening. Víctor vierde het die avond door met een koloniale elegantie een vallenato te dansen zoals niemand die sinds de jaren van Francisco el Hombre meer had gedanst. Uiteindelijk waren veel vrienden mij er dankbaar voor dat ik de promesse die de aanleiding vormde voor die onbetaalbare avond niet op tijd had betaald.

De verleidelijke magie van doctor Villegas zou nog tot meer aanleiding geven, maar dat had niets meer met de boeken te maken. Het statige meesterschap waarmee hij de schuldeisers bevocht en de tevredenheid waarmee zij zijn redenen om niet op tijd te betalen accepteerden, zijn onvergetelijk. Een van zijn verlokkelijkste onderwerpen uit die tijd had te maken met de roman *Se han cerrado los caminos* ('De wegen zijn afgesloten') van de schrijfster Olga Salcedo de Medina uit Barranquilla, die een eerder sociale dan literaire opschudding had veroorzaakt, maar met weinig precedenten in de streek. Geïnspireerd door het succes van *El derecho de nacer*, dat ik de hele maand met groeiende belangstelling volgde, had ik gedacht dat we getuige waren van een populair fenomeen dat wij schrijvers niet mochten negeren. Zonder zelfs maar de openstaande schuld te noemen had ik er bij mijn terugkeer uit Valledupar met Villegas over gesproken, en hij stelde me voor de radiobewerking van de roman te schrijven, met voldoende boosaardigheid om het omvangrijke gehoor dat al geboeid was door het radiodrama van Félix B. Caignet te verdrievoudigen.

Ik maakte de bewerking voor de radio-uitzending in twee weken volledige afzondering, die me veel onthullender voorkwamen dan ik had voorzien, waarbij ik gebruikmaakte van afgemeten dialogen, verschillende spanningsniveaus en snel wisselende situaties en tijden die in niets leken op wat ik eerder had geschreven. Met mijn onervarenheid in het schrijven van dialogen – nog altijd niet een van mijn sterkste punten – bleek het een waardevol experiment en ik was dankbaarder voor het leerproces dan voor de verdiensten. Toch had ik ook wat dat betreft niets te klagen, want Villegas gaf me de helft als voorschot en zegde toe mijn openstaande schuld met de eerste inkomsten van het hoorspel te verrekenen.

Het werd opgenomen bij de radiozender Atlántico, met de best mogelijk regionale rolbezetting en zonder ervaring of inspiratie geregisseerd door Villegas zelf. Als verteller hadden ze hem Germán Vargas aanbevolen, vanwege het contrast tussen zijn ingetogenheid en de schreeuwerigheid van de lokale radio. De eerste grote verrassing was dat Germán toestemde, en de tweede dat hij meteen bij de eerste repetitie zelf tot de conclusie kwam dat hij er niet geschikt voor was. Villegas nam daarop persoonlijk de taak van het vertellen op zich, maar door zijn zinsmelodie en de sissende klanken van zijn Andesdialect werd dat stoutmoedige avontuur uiteindelijk danig verminkt.

Het hoorspel werd volledig uitgezonden, met meer slechte dan goede afleveringen, en was een fantastische leerschool voor mijn onverzadigbare ambities als verteller in elk denkbaar genre. Ik was aanwezig bij de opnamen, die rechtstreeks op de maagdelijke plaat gezet werden met een groefnaald die plukken zwarte en lichtgevende dunne draadjes achterliet, bijna ontastbaar, als engelenhaar. Elke avond nam ik een flinke handvol mee die ik onder mijn vrienden verdeelde als een zeldzame trofee. Met ontelbare blunders en slordigheden ging het hoorspel op tijd de lucht in, tegelijk met een geweldig feest dat kenmerkend was voor de initiatiefnemer.

Niemand slaagde erin uit beleefdheid een argument te verzinnen om me te laten geloven dat het werk hem beviel, maar het had een redelijke luisterdichtheid en kreeg voldoende publiciteit om mijn gezicht te redden. Mij gaf het gelukkig nieuwe daadkracht in een genre dat me ongekende mogelijkheden leek te bieden. Mijn bewondering en dankbaarheid jegens don Félix B. Caignet gingen zo ver dat ik hem een jaar of tien later, toen ik een paar maanden in Havana verbleef als redacteur van het Cubaanse persagentschap Prensa Latina, om een persoonlijk onderhoud vroeg. Maar ondanks allerlei door mij aangevoerde argumenten en schijnredenen liet hij zich nooit zien, en het enige wat me van hem is bijgebleven is een meesterlijke les die ik in een of ander interview met hem gelezen heb: 'De mensen willen altijd huilen: het enige wat ik doe is ze een aanleiding geven.' De toverkunsten van Villegas waren intussen uitgewerkt. Hij kreeg allerlei onenigheid met uitgeverij González Porto – net als daarvoor met Losada – en het was op geen enkele manier mogelijk onze laatste rekeningen te vereffenen, omdat hij zijn dromen over grootsheid liet voor wat ze waren en terugkeerde naar zijn land.

Álvaro Cepeda Samudio maakte een einde aan mijn lijdensweg met zijn oude idee om *El Nacional* te veranderen in een moderne krant zoals hij die in de Verenigde Staten had leren maken. Tot dan toe had hij, afgezien van zijn incidentele bijdragen aan *Crónica*, die altijd literair waren, alleen de kans gehad om zijn graad aan Columbia University in praktijk te brengen met de voorbeeldige korte stukken die hij naar *Sporting News* in Saint Louis in de staat Missouri stuurde. Ten slotte, in 1953, belde onze vriend Julián Davis Echandía, die Álvaro's eerste chef was geweest, hem op om te vragen of hij de algehele leiding van zijn avondkrant, *El Nacional*, op zich wilde nemen. Álvaro zelf had hem daartoe aangemoedigd met het astronomische project dat hij hem bij zijn terugkeer uit New York had voorgelegd, maar toen de mastodont eenmaal gevangen was belde hij me op met het verzoek te helpen deze te dragen, zonder duidelijk vastgelegde rechten of verplichtingen, maar met een eerste voorschot dat zelfs als ik het volledige salaris niet zou ontvangen voldoende was om van te leven.

Het was een levensgevaarlijk avontuur. Álvaro had het hele plan opgesteld aan de hand van modellen van de dagbladen in de Verenigde Staten. Davis Echandía bleef zitten als God in den hoge; hij was een voorloper van de heroïsche tijden van de plaatselijke sensatiejournalistiek en de ondoorgrondelijkste man die ik ooit heb gekend, goedaardig maar eerder sentimenteel dan meelevend. De rest van de loonlijst bestond uit bekende nieuwsjagers, journalisten van het ongetemde soort, allemaal vrienden van elkaar en sinds vele jaren collega's. In theorie had ieder zijn vastomlijnde werkterrein, maar daarbuiten heeft niemand ooit geweten wie precies wat had gedaan om ervoor te zorgen dat de enorme technische mastodont er niet in slaagde zelfs maar zijn eerste stap te zetten. De weinige nummers die uiteindelijk zijn uitgebracht waren het gevolg van een heroïsche daad, maar het is nooit duidelijk geworden van wie. Op het moment van het ter perse gaan waren de clichés dichtgesmeerd, was het spoedeisende materiaal plotseling verdwenen en werden de goedwillenden onder ons gek van woede. Ik kan me niet één keer herinneren dat de krant op tijd en zonder lapmiddelen uitkwam, vanwege de boze geesten die zich in de drukkerij hadden verstopt. Niemand heeft ooit geweten wat er precies gebeurd is. De verklaring die overheerste was misschien nog de minst perverse: enkele starre veteranen konden het vernieuwende regime niet accepteren en spanden met hun geestverwanten samen totdat ze erin geslaagd waren de onderneming te gronde te richten.

Álvaro vertrok en sloeg de deur met een klap achter zich dicht. Ik had een contract dat onder normale omstandigheden een garantie zou zijn geweest, maar in de ergst denkbare alleen maar een dwangbuis was. Popelend om een of ander voordeel te halen uit de verloren tijd probeerde ik al typend iets waardevols op te zetten met de losse eindjes die ik nog overhad van vorige pogingen. Fragmenten van *Het huis*, parodieën op de gruwelijke Faulkner van *Licht in augustus*, op de regen van dode vogels van Nathaniel Hawthorne, op de misdaadverhalen waar ik genoeg van had gekregen omdat ik ze te vaak gezien had, en op enkele blauwe plekken die ik nog had overgehouden aan de reis naar Aracataca met mijn moeder. Ik liet ze naar believen uit me stromen in mijn steriele kantoor, waar alleen nog het afgebladderde bureau stond met daarop de schrijfmachine, die op haar laatste benen liep, totdat ik in één keer de definitieve titel had: 'Een dag na zaterdag'. Een van mijn weinige verhalen waar ik na de eerste versie tevreden over was.

Bij *El Nacional* werd ik een keer aangesproken door een verkoper van polshorloges. Ik had er nooit een gehad, om voor de hand liggende redenen in die jaren, en het horloge dat hij me te koop aanbood was een opzichtig en duur exemplaar. De verkoper biechtte vervolgens op dat hij lid was van de Communistische Partij en opdracht had horloges te verkopen als lokaas om donateurs te werven.

'Het is zoiets als de revolutie kopen op afbetaling,' zei hij.

Ik antwoordde goedmoedig: 'Het verschil is dat ik het horloge meteen krijg en de revolutie niet.'

De verkoper kon het flauwe grapje niet erg waarderen en ten slotte kocht ik, om hem een plezier te doen, een goedkoper horloge, te betalen in termijnen die hij elke maand persoonlijk zou komen innen. Het was mijn eerste horloge en het liep zo precies op tijd en ging zo lang mee dat ik het nog altijd bewaar als een relikwie uit die tijd.

In die dagen kwam Álvaro Mutis terug met het nieuws dat zijn onderneming een flink budget had ingeruimd voor cultuur en dat het tijdschrift *Lámpara*, zijn literaire orgaan, binnenkort zou verschijnen. Op zijn uitnodiging om mee te werken stelde ik hem een noodproject voor: de legende van La Sierpe. Ik dacht dat als ik dat verhaal op een dag wilde vertellen, ik het niet via een of ander retorisch prisma moest doen, maar het aan de collectieve verbeelding moest ontrukken als wat het was: een geografische en historische waarheid. Met andere woorden, eindelijk een grote reportage.

'Het kan me niet schelen waar u het vandaan haalt,' zei Mutis tegen me. 'Als u het maar doet, want dat is precies de sfeer en de toon die we voor ons tijdschrift zoeken.'

Ik beloofde het hem twee weken later te zullen leveren. Voordat hij naar het vliegveld ging, had hij zijn kantoor in Bogotá gebeld en opdracht gegeven tot het uitbetalen van een voorschot. De cheque die ik een week later per post kreeg benam me de adem. Nog meer toen ik hem ging innen en de kassier bij de bank bezorgd naar me keek. Ze lieten me binnen in het kantoor van een superieur, waar een overdreven vriendelijke bedrijfsleider me vroeg waar ik werkte. Ik antwoordde, zoals ik altijd deed, dat ik voor *El Heraldo* schreef, hoewel dat toen al niet meer waar was. Dat was alles. De bedrijfsleider onderzocht de cheque op het bureau, keek er met professionele toewijding naar en sprak ten slotte zijn oordeel uit: 'Het gaat om een perfect document.'

Diezelfde middag, terwijl ik net begonnen was aan het schrijven van 'La Sierpe', kreeg ik te horen dat er telefoon was van de bank. Ik dacht al dat de cheque niet geldig was om een van de ontelbaar mogelijke redenen in Colombia. Ik had nog maar net de brok in mijn keel kunnen wegslikken toen de bankemployé, met in zijn stem het onmiskenbare ritme van de Andesbewoner, zich verontschuldigde voor het feit dat hij niet op tijd had ingezien dat de bedelaar die de cheque kwam innen de auteur van 'De Giraf' was.

Mutis kwam tegen het eind van het jaar weer terug. Hij at nauwelijks van de lunch terwijl hij me hielp na te denken over een of andere stabiele en duurzame mogelijkheid om zonder al te veel inspanning meer te verdienen. Wat hem tijdens het dessert het beste leek was de familie Cano te laten weten dat ik beschikbaar was voor *El Espectador*, hoewel ik nog steeds alleen al bij het idee om terug te keren naar Bogotá de zenuwen kreeg. Maar Álvaro gunde zich geen rust als het erom ging een vriend te helpen.

'Laten we iets geks afspreken,' zei hij, 'ik stuur u de tickets, u bepaalt zelf hoe en wanneer u gaat, en dan zien we verder wel wat er gebeurt.'

Het ging te ver om nee te zeggen, maar ik was ervan overtuigd dat het vliegtuig dat me na 9 april uit Bogotá had meegenomen het laatste van mijn leven was geweest. Bovendien hadden de schaarse privileges van het hoorspel en de opvallende publicatie van het eerste hoofdstuk van 'La Sierpe' in het tijdschrift *Lámpara* me enkele opdrachten voor reclameteksten opgeleverd die zelfs toereikend waren om een reddingsboot naar mijn familie in Cartagena te sturen. Zodat ik me opnieuw verzette tegen de verleiding om naar Bogotá te verhuizen.

Álvaro Cepeda, Germán en Alfonso, en de meeste vrienden uit de Happy en café Roma, spraken in lovende bewoordingen over 'La Sierpe' toen het eerste hoofdstuk in *Lámpara* verscheen. Ze waren het erover eens dat de directe formule van de reportage het geschiktst was geweest voor een onderwerp dat zich op de gevaarlijke grens bevond van wat nog geloofwaardig was. Alfonso, op die voor hem zo kenmerkende half schertsende, half ernstige toon, zei toen iets tegen me wat ik nooit ben vergeten: 'Geloofwaardigheid, mijn beste maestro, hangt vooral af van het gezicht dat iemand trekt wanneer hij iets vertelt.' Ik stond op het punt hun de werkvoorstellen van Álvaro Mutis te onthullen, maar ik durfde niet, en nu weet ik dat dat was uit angst dat ze ermee zouden instemmen. Hij had al verscheidene keren aangedrongen, zelfs nadat hij een plaats in het vliegtuig voor me gereserveerd had, die ik op het laatste moment had geannuleerd. Hij gaf me zijn woord dat hij geen tweedehands regeling voor me probeerde te treffen bij *El Espectador*, noch bij enig ander geschreven of gesproken medium. Zijn enige bedoeling – bleef hij tot het eind toe volhouden – was dat hij graag over een reeks vaste bijdragen voor het tijdschrift wilde praten en bepaalde technische details wilde bestuderen van de volledige serie van 'La Sierpe', waarvan het tweede hoofdstuk in het volgende nummer zou verschijnen. Álvaro Mutis was ervan overtuigd dat dit soort reportages het platte costumbrisme op zijn eigen terrein een flinke slag zou kunnen toebrengen. Van alle redenen die hij tot dan toe had aangevoerd was dit de enige die me aan het denken zette.

Op een naargeestige, regenachtige dinsdag realiseerde ik me dat ik zelfs als ik zou willen niet weg kon, omdat ik geen andere kleren had dan hemden die beter pasten bij een danser. Om zes uur 's avonds trof ik niemand aan in boekhandel Mundo en ik bleef voor de deur staan wachten, met een brok in mijn keel vanwege de trieste avondschemering die me terneer begon te drukken. Aan de overkant was een etalage met nette herenkleding die ik nooit eerder had gezien hoewel ze er altijd al geweest was, en zonder na te denken over wat ik deed stak ik in de asgrijze motregen de calle San Blas over en ging met ferme pas de duurste winkel van de stad binnen. Ik kocht een priesterachtig pak van nachtblauw laken, perfect passend bij de geest van het Bogotá van die tijd, twee witte overhemden met stijve boord, een stropdas met diagonale strepen en een paar schoenen zoals de acteur José Mojica* die in de mode had gebracht voordat hij een heilige werd. De enigen aan wie ik vertelde dat ik wegging waren Germán, Álvaro en Alfonso, die het goedkeurden als een verstandige beslissing, op voorwaarde dat ik niet als een cachaco zou terugkomen.

We vierden mijn afscheid met de voltallige groep tot vroeg in de ochtend in El Tercer Hombre, vooruitlopend op mijn aanstaande verjaardag, want Germán Vargas, de bewaker van de heiligenkalender, liet ons weten dat ik op 6 maart zevenentwintig jaar zou worden. Te midden van alle goede wensen van mijn beste vrienden had ik het gevoel dat ik de drieënzeventig jaren die nog ontbraken om de eerste honderd vol te maken, rauw lustte.

8

De directeur van *El Espectador*, Guillermo Cano, belde me op toen hij hoorde dat ik in het kantoor van Álvaro Mutis zat, vier verdiepingen boven het zijne, in een gebouw dat pas in gebruik was genomen op zo'n vijf straten van zijn vorige hoofdkantoor. Ik was de avond tevoren aangekomen en wilde net gaan lunchen met een groep vrienden van hem, maar Guillermo stond erop dat ik eerst bij hem langs zou komen om hem te begroeten. Dat deed ik. Na de voor de hoofdstad van de wellevendheid gebruikelijke hartelijke omhelzing, en een enkel commentaar over het nieuws van de dag, pakte hij me bij mijn arm en trok me weg van zijn redactiepersoneel. 'Luister eens, Gabriel, ik zit ergens vreselijk mee in mijn maag,' zei hij met een onvermoede argeloosheid. 'Zou u me niet een geweldig plezier willen doen door een redactioneel artikeltje voor me te schrijven dat ik nog nodig heb voor het sluiten van de editie?' Hij gaf met zijn duim en wijsvinger de grootte van een half glas water aan en besloot: 'Zó groot.'

Nog geamuseerder dan hij vroeg ik waar ik kon gaan zitten, en hij wees op een leeg bureau met een schrijfmachine uit vroeger tijden. Zonder nog verder vragen te stellen maakte ik het me gemakkelijk en begon na te denken over een voor hen geschikt onderwerp, en daar, op dezelfde stoel, achter hetzelfde bureau en dezelfde schrijfmachine, bleef ik de volgende achttien maanden zitten.

Enkele minuten na mijn komst kwam Eduardo Zalamea Borda, de onderdirecteur, verdiept in een stapel papieren, uit het aangrenzende kantoor. Hij schrok toen hij me herkende.

'Nee maar, don Gabo!' schreeuwde hij bijna, me aansprekend met de naam die hij, als afkorting van Gabito, in Barranquilla voor me had verzonnen en die alleen hij gebruikte. Maar van toen af aan werd die naam algemeen op de redactie en voortaan zouden ze hem zelfs in drukletters gebruiken: Gabo.

Ik kan me het onderwerp van het artikel dat Guillermo Cano me gevraagd had te schrijven niet herinneren, maar sinds de Nationale Universiteit kende ik de dynastieke stijl van *El Espectador* heel goed. En met name de rubriek 'Dag in dag uit' op de redactionele pagina, die een welverdiend prestige genoot, en ik besloot die stijl te imiteren met de koelbloedigheid waarmee Luisa Santiaga de demonen van de tegenspoed trotseerde. Ik had het in een halfuur klaar, bracht met de hand nog een paar correcties aan en overhandigde het aan Guillermo Cano, die het, kijkend over de rand van zijn bril, staande las. Zijn concentratie leek niet alleen iets van hem te zijn, maar leek deel uit te maken van een hele dynastie van voorouders met witte haren, te beginnen met don Fidel Cano, de oprichter van de krant in 1887, voortgezet door zijn zoon don Luis, geconsolideerd door diens broer don Gabriel en, inmiddels tot volle wasdom gekomen, opgenomen in de bloedstroom van zijn kleinzoon Guillermo, die zojuist op drieëntwintigjarige leeftijd de algehele leiding op zich had genomen. Net zoals zijn voorouders zouden hebben gedaan, bracht hij hier en daar een paar kleine verbeteringen aan en hij besloot met het eerste praktische en vereenvoudigde gebruik van mijn nieuwe naam: 'Heel goed, Gabo.'

De avond van mijn terugkeer was het tot me doorgedrongen dat Bogotá niet meer hetzelfde voor me zou zijn zolang mijn herinneringen zouden voortleven. Zoals veel grote rampen in het land had 9 april meer voor de vergetelheid dan voor de geschiedenis bewerkstelligd. Hotel Granada in het eeuwenoude park was gesloopt en op die plek begon het veel te nieuwe gebouw van de Banco de la República al gestalte te krijgen. Zonder de verlichte trams leken de oude straten uit onze jaren van niemand te zijn, en de hoek van het historische misdrijf had zijn grootsheid verloren te midden van de open plekken die door de branden waren ontstaan. 'Nu lijkt het echt een grote stad,' zei iemand die ons vergezelde verbaasd. En het sneed me door de ziel toen hij besloot met de rituele uitspraak: 'We moeten de negende april dankbaar zijn.'

Daar stond tegenover dat ik nooit op een betere plek had gezeten dan in het naamloze pension waar Álvaro Mutis me had ondergebracht. Een door het verval mooier geworden huis aan de rand van het parque Nacional, waar ik de eerste nacht werd verteerd van jaloezie op mijn buren, die de liefde bedreven alsof het om een gelukkige oorlog ging. Toen ik ze de volgende dag naar buiten zag komen, kon ik niet geloven dat zij het waren geweest: een broodmager klein meisje in een jurk alsof ze uit een openbaar weeshuis kwam, en een twee meter lange heer op gevorderde leeftijd met zilvergrijs haar, die net zo goed haar grootvader had kunnen zijn. Ik dacht dat ik me had vergist, maar zelf zorgden ze alle daaropvolgende nachten voor de bevestiging met hun doodskreten tot in de vroege ochtend.

El Espectador plaatste mijn artikel op de redactionele pagina en op de plaats van de goede stukken. Ik bracht de ochtend door in de grote winkels, waar ik de kleren kocht die Mutis me opdrong met het luidruchtige Engelse accent dat hij zich had aangemeten om de verkopers te amuseren. We lunchten met Gonzalo Mallarino en andere jonge schrijvers die hij had uitgenodigd om mij aan hen voor te stellen. Ik hoorde pas drie dagen later weer iets van Guillermo Cano, toen hij naar het kantoor van Mutis belde.

'Luister eens, Gabo, wat was er met u aan de hand?' vroeg hij met de slecht geïmiteerde strengheid van een leidinggevende. 'Gisteren waren we veel te laat met het sluiten van de editie omdat we op uw artikel zaten te wachten.'

Ik liep naar de redactie beneden om met hem te praten, en ik weet nog altijd niet hoe ik meer dan een week lang elke middag niet-ondertekende stukken kon blijven schrijven zonder dat iemand met me sprak over een vaste betrekking of een salaris. In de werkpauzes behandelden de redacteuren me als een der hunnen, en in feite was ik dat ook, al kon ik me niet precies voorstellen in hoeverre.

De rubriek 'Dag in dag uit', waar nooit een naam onder stond, werd gewoontegetrouw geopend met een politiek artikel van Guillermo Cano. In een door de directie vastgestelde volgorde kwam daarna het stuk naar vrij onderwerp van Gonzalo González, die bovendien de intelligentste en populairste rubriek van de krant voerde, 'Vragen en antwoorden', waarin hij alle vragen van lezers beantwoordde onder het pseudoniem Gog, niet afgeleid van Giovanni Papini maar van zijn eigen naam. Vervolgens kwamen mijn stukken, en in heel zeldzame gevallen een of andere special van Eduardo Zalamea. Deze bezette dagelijks de beste ruimte van de redactionele pagina, 'De stad en de wereld', onder het pseudoniem Ulises, niet van Homerus, zoals hij meestal toelichtte, maar van James Joyce.

Álvaro Mutis moest aan het begin van het nieuwe jaar voor zijn werk naar Port-au-Prince en nodigde me uit met hem mee te gaan. Haïti was toen, nadat ik *Het koninkrijk van deze wereld* van Alejo Carpentier had gelezen, het land van mijn dromen. Ik had hem nog niet geantwoord toen ik op 18 februari een artikel schreef over de koningin-moeder van Engeland, die verdwaald was in de eenzaamheid van het reusachtige Buckingham Palace. Het viel me op dat het op de beste plaats van 'Dag in dag uit' afgedrukt werd en dat er positief over werd gesproken binnen onze burelen. Die avond, tijdens een intiem feestje ten huize van de hoofdredacteur, José Salgar, maakte Eduardo Zalamea een nog enthousiastere opmerking. Iemand die me goed gezind was verklapte later dat die mening de laatste terughoudendheid van de directie had weggenomen om me officieel een vaste betrekking aan te bieden. De volgende dag riep Álvaro Mutis me heel vroeg bij zich in zijn kantoor om me het trieste nieuws mee te delen dat de reis naar Haïti was afgezegd. Wat hij er niet bij vertelde was dat hij dat had besloten na een toevallig gesprek met Guillermo Cano, waarbij de laatste hem met klem had gevraagd mij niet mee te nemen naar Port-au-Prince. Álvaro, die Haïti ook niet kende, wilde de reden weten. 'Wel, als je hem kent,' zei Guillermo, 'zul je begrijpen dat Gabo dat weleens de mooiste plek van de wereld zou kunnen vinden.' En hij rondde de middag af met een meesterlijke en elegante slotconclusie: 'Als Gabo naar Haïti gaat, komt hij nooit meer terug.'

Álvaro begreep het, annuleerde de reis, en deelde me dat mee alsof het een besluit was van de onderneming waarvoor hij werkte. Daardoor heb ik Port-au-Prince nooit leren kennen, maar de echte reden heb ik pas een paar jaar geleden vernomen, toen Álvaro het me allemaal vertelde terwijl we weer eens eindeloos oudemannenherinneringen zaten op te halen. Guillermo op zijn beurt bleef jarenlang herhalen, toen hij me eenmaal met een contract aan de krant had verbonden, dat ik eens moest nadenken over die grote reportage over Haïti, maar ik kon nooit weg en zei hem ook niet waarom.

Ik zou nooit de illusie hebben durven koesteren dat ik nog eens bureauredacteur van *El Espectador* zou worden. Ik kon begrijpen dat ze mijn verhalen publiceerden, vanwege de schaarste en de armoede van het genre in Colombia, maar de dagelijkse redactie bij een avondkrant was een heel andere uitdaging voor iemand met zo weinig ervaring in de harde wereld van de dagbladjournalistiek. Een halve eeuw oud, groot geworden in een huurhuis en op de overtollige machines van *El Tiempo* – een rijke, machtige en dominerende krant – was *El Espectador* een bescheiden avondkrant van zestien dichtbedrukte pagina's, maar de geschatte vijfduizend exemplaren werden de verkopers bijna al bij de deuren van de drukkerij uit handen gerukt en binnen een halfuur in de rustige cafés van de oude stad gelezen. Eduardo Zalamea Borda had persoonlijk via de BBC in Londen verklaard dat het de beste krant ter wereld was. Maar het opmerkelijkste was niet die verklaring op zich, maar het feit dat bijna iedereen die de krant maakte en velen van degenen die hem lazen ervan overtuigd waren dat het waar was.

Ik moet bekennen dat mijn hart oversloeg toen Luis Gabriel

Cano, de algemeen bedrijfsleider, me de dag na de annulering van de reis naar Haïti op zijn kamer liet komen. Het onderhoud was uiterst formeel en duurde nog geen vijf minuten. Luis Gabriel had de reputatie een stugge man te zijn, grootmoedig als vriend en krenterig als goede bedrijfsleider, maar ik vond hem, en dat ben ik altijd blijven vinden, heel zakelijk en hartelijk. Zijn in plechtige bewoordingen geformuleerde voorstel was dat ik als bureauredacteur bij de krant zou blijven werken om artikelen met algemene informatie en opiniestukken te schrijven, en alles wat verder in de chaos en drukte voor het ter perse gaan nog nodig mocht zijn, tegen een maandsalaris van negenhonderd peso. Ik hapte naar adem. Toen ik weer lucht had vroeg ik nog eens hoeveel, en hij herhaalde letter voor letter: negenhonderd. Ik was diep onder de indruk, en toen wij er een paar maanden later tijdens een feest over spraken, verklapte mijn beste Luis Gabriel me dat hij mijn verbazing als een afwijzing had opgevat. De laatste twijfel had don Gabriel verwoord, uit een niet ongegronde angst: 'Hij is zo mager en bleek dat hij weleens zomaar bij ons op kantoor dood zou kunnen gaan.' Zo trad ik als bureauredacteur toe tot *El Espectador*, waar ik in minder dan twee jaar de grootste hoeveelheid papier van mijn leven verslond.

Het was een gelukkige samenloop van omstandigheden. Het meest gevreesde instituut bij de krant was don Gabriel Cano, de patriarch, die zich uit eigen beweging tot de onverbiddelijke inquisiteur van de redactie had verheven. Hij zag met zijn haarfijne loep zelfs de onbeduidendste komma in de dagelijkse editie, streepte met rode inkt de fouten in elk artikel aan en hing de knipsels die bestraft waren met zijn vernietigende commentaar op een prikbord, dat vanaf de eerste dag bekendstond als 'De Muur van de Schande', en ik kan me geen redacteur herinneren die aan zijn bloedige pen is ontkomen.

De spectaculaire bevordering van Guillermo Cano op drieëntwintigjarige leeftijd tot directeur van *El Espectador* leek niet het vroegtijdige resultaat te zijn van zijn persoonlijke verdiensten, maar eerder het gevolg van een lotsbestemming die al voor zijn geboorte was bepaald. Daarom was ik ook zeer verbaasd toen ik vaststelde dat hij écht de directeur was, terwijl velen van ons dachten dat hij niets anders was dan een gehoorzaam zoontje. Wat me nog het meest opviel was de snelheid waarmee hij nieuws herkende.

Soms moest hij zich, zelfs zonder veel argumenten, tegenover iedereen verdedigen, totdat hij erin slaagde ons van zijn gelijk te overtuigen. Het was een tijd waarin het vak niet aan de universiteit gegeven werd, maar direct in de praktijk, onder het inademen van drukinkt, werd geleerd, en *El Espectador* had de beste leermeesters, mensen met een goed hart maar met een harde hand. Guillermo Cano was er vanaf de allereerste woorden begonnen, met artikelen over stierengevechten die zo meedogenloos en erudiet waren dat zijn overheersende roeping niet die van journalist, maar die van stierenvechter leek te zijn. Het moet dus wel de zwaarste ervaring van zijn leven zijn geweest dat hij zichzelf van de ene op de andere dag zag opklimmen, zonder tussenliggende treden, van beginnend leerling naar hoofdonderwijzer. Wie hem niet van dichtbij kende, zou achter zijn zachtaardige en enigszins ontwijkende manier van doen nooit zijn enorm vastberaden karakter hebben vermoed. Met dezelfde hartstocht ging hij grote en riskante gevechten aan, zonder ooit stil te staan bij de zekerheid dat zelfs achter de nobelste zaken de dood kan loeren.

Ik heb nooit iemand anders gekend die zo afkerig was van het openbare leven, zo wars van persoonlijke eerbewijzen, en zo terughoudend ten aanzien van de strelingen van de macht. Hij was een man met weinig vrienden, maar dat waren dan wel heel goede, en ik voelde me vanaf de eerste dag een van hen. Misschien heeft het feit dat ik een van de jongsten was in een redactielokaal met door de wol geverfde veteranen daaraan bijgedragen, want daardoor ontstond er tussen ons tweeën een gevoel van betrokkenheid dat nooit meer is verdwenen. Wat zo voorbeeldig was aan die vriendschap was het vermogen om boven onze tegenstellingen uit te stijgen. De politieke meningsverschillen waren diepgeworteld en werden steeds dieper naarmate de wereld uiteenviel, maar we wisten altijd weer een gemeenschappelijk terrein te vinden waarop we samen konden strijden voor de zaken die we rechtvaardig vonden.

Het redactielokaal was enorm, met aan beide kanten bureaus en een sfeer die overheerst werd door een goed humeur en harde grappen. Darío Bautista zat er, een vreemd soort schaduwminister van Financiën, die zich er vanaf het eerste hanengekraai op toelegde de dageraad van de hoogste ambtenaren te verzieken met zijn vrijwel altijd trefzekere voorspellingen van een sombere toekomst. Dan had je de juridisch redacteur, Felipe González Toledo, een geboren verslaggever die met zijn talent om elk onrecht aan de kaak te stellen en elk misdrijf op te helderen het officiële onderzoek vaak een slag voor was. Guillermo Lanao, die zich met verschillende ministeries bezighield, heeft het geheim hoe je kind kunt blijven tot zijn prille oude dag bewaard. Rogelio Echavarría, een van onze grote dichters, was verantwoordelijk voor de ochtendeditie en we zagen hem dan ook nooit bij daglicht. Mijn neef Gonzalo González, met één been in het gips als gevolg van een ongelukkig partijtje voetbal, moest de hele tijd studeren om vragen over van alles en nog wat te beantwoorden en werd ten slotte ook daadwerkelijk specialist in van alles en nog wat. Hoewel hij op de universiteit een eersteklas voetballer was geweest, had hij oneindig veel meer vertrouwen in de theoretische studie van alle mogelijke onderwerpen dan in de ervaring. Dat bewees hij een keer op grootse wijze bij de jaarlijkse kegelkampioenschappen voor journalisten, toen hij in een handboek de natuurkundige wetten van het spel bestudeerde, in plaats van zoals wij tot vroeg in de ochtend te oefenen op de kegelbaan, en kampioen werd.

Met dergelijke types was het redactielokaal een eeuwig recreatieoord, steeds onderworpen aan het devies van Darío Bautista of Felipe González Toledo: ‘Wie de boel verziekt is de lul.’ We wisten allemaal met welke onderwerpen de anderen bezig waren, en hielpen elkaar waar nodig en mogelijk. De samenwerking was zo groot dat je bijna kunt zeggen dat er hardop gewerkt werd. Maar wanneer het moeilijk werd kon je een speld horen vallen. Van achter het enige bureau dat schuin stond, achter in het lokaal, heerste José Salgar, die regelmatig de redactie op en neer liep, over van alles informatie verstrekkend en inwinnend, terwijl hij stoom afblies door te jongleren met zijn potlood.

Ik geloof dat de middag waarop Guillermo Cano me van tafel tot tafel door het lokaal voerde om me aan iedereen voor te stellen, de vuurproef voor mijn onoverkomelijke verlegenheid was. Ik kon geen woord uitbrengen en mijn knieën knikten toen Darío Bautista zonder iemand aan te kijken met zijn gevreesde donderstem brulde: 'Hier hebben we ons genie!'

Ik kon niets anders bedenken dan een theatrale halve draai maken en met mijn arm naar iedereen uitgestrekt het minst grappige zeggen wat bij me opkwam: 'Om u te dienen.'

Ik hoor nog het pijnlijke fluitconcert dat opsteeg, maar ik voel ook de opluchting bij de omhelzingen en de vriendelijke woorden waarmee ze me stuk voor stuk welkom heetten. Vanaf dat ogenblik maakte ik deel uit van die gemeenschap van barmhartige tijgers, verbonden door een niet-aflatende vriendschap en teamgeest. Alle informatie die ik nodig had voor een artikel, hoe klein ook, vroeg ik aan de desbetreffende redacteur en nooit werd ik teleurgesteld.

Mijn eerste grote les als verslaggever kreeg ik van Guillermo Cano in aanwezigheid van de voltallige redactie op een middag dat het zo stortregende boven Bogotá dat de stad drie uur ononderbroken in de greep leek van een universele zondvloed. De kolkende waterstroom in de avenida Jiménez de Quesada sleepte alles mee wat hij op zijn weg de berg af tegenkwam, en liet in de straten een spoor van vernieling achter. Alle mogelijke soorten auto's en voertuigen van het openbaar vervoer bleven staan waar ze door het noodweer verrast werden, en duizenden voetgangers vluchtten overhaast de ondergelopen gebouwen in tot er niemand meer bij kon. Wij, de redacteuren van de krant, verrast door de ramp op het moment van het sluiten van de editie, keken zonder te weten wat we moesten doen als gestrafte kinderen met de handen in de zakken vanuit de grote ramen neer op het trieste schouwspel. Plotseling scheen Guillermo Cano te ontwaken uit een bodemloze slaap, hij wendde zich tot de verlamde redactie en schreeuwde: 'Dit noodweer is nieuws!'

Het was een onuitgesproken bevel dat onmiddellijk werd opgevolgd. We renden naar onze gevechtsposten om via de telefoon de chaotische feiten te bemachtigen die we op aanwijzing van José Salgar gebruikten om gezamenlijk de reportage van de stortregens van de eeuw te schrijven. De ambulances en patrouillewagens die voor spoedgevallen werden opgeroepen, konden niet verder door de auto's die midden op straat vastzaten. De afvoerpijpen van de huizen raakten verstopt door het water en de inzet van het volledige brandweerkorps was niet toereikend om de noodsituatie te bezweren. Hele wijken moesten geëvacueerd worden door een breuk in een stuwdam vlak bij de stad. In andere wijken sprongen de rioleringen. De trottoirs stonden vol hulpbehoevende bejaarden, zieken en angstig kijkende kinderen. Te midden van de chaos organiseerden vijf mensen die een motorboot hadden waarmee ze in het weekend altijd gingen vissen, een wedstrijd op de avenida Caracas, de zwaarst getroffen straat van de stad. Deze onmiddellijk verzamelde gegevens werden door José Salgar onder de redacteuren verdeeld om te worden uitgewerkt voor de geïmproviseerde speciale editie over het verloop van de ramp. De fotografen, nog in hun doorweekte regenjassen, begonnen meteen met het ontwikkelen van de foto's. Kort voor vijf uur schreef Guillermo Cano een meesterlijke samenvatting van een van de meest dramatische stortregens die de stad zich kon heugen. Toen het eindelijk opklaarde, was de geïmproviseerde editie van *El Espectador* zoals elke dag in omloop, met amper een uur vertraging.

Mijn relatie met José Salgar was aanvankelijk de moeilijkste maar tegelijk ook de creatiefste van allemaal. Ik geloof dat zijn probleem tegengesteld was aan het mijne: hij probeerde voortdurend het uiterste uit zijn verslaggevers te halen, terwijl ik er hevig naar verlangde dat hij me dingen leerde die ik nog niet wist. Maar ik was gebonden aan mijn andere verplichtingen bij de krant en hield alleen de uren op zondag over. Ik heb het idee dat Salgar me op het oog had als verslaggever, terwijl de anderen me meer zagen als filmrecensent en schrijver van redactionele commentaren en culturele stukken, omdat ik altijd was aangeduid als verhalenverteller. Maar vanaf mijn eerste stappen aan de kust was het mijn droom geweest om verslaggever te worden, en ik wist dat Salgar de beste leermeester was, maar misschien sloot hij de deuren voor me in de hoop dat ik ze met geweld zou openen. We werkten heel goed samen, hartelijk en dynamisch, en telkens wanneer ik hem kopij overhandigde, geschreven in overleg met Guillermo Cano en zelfs met Eduardo Zalamea, keurde hij die zonder problemen goed, maar zijn ritueel bespaarde hij me niet. Hij maakte dan het gebaar van het moeizaam ontkurken van een fles en zei serieuzer dan hij zelf scheen te geloven: 'U moet de zwaan de nek omdraaien.'

Toch was hij nooit agressief. Integendeel, hij was een hartelijke man, die via een harde leerschool langs de trap van de dienstverlening, het rondbrengen van koffie in de drukkerij op zijn veertiende, was opgeklommen tot de positie van hoofdredacteur met het meeste professionele gezag in het land. Ik geloof dat hij me niet kon vergeven dat ik mijn tijd verspilde met lyrisch gejongleer in een land waar confronterende verslaggevers zo hard nodig waren. Ik vond daarentegen dat geen enkel journalistiek genre beter geschikt was voor het uitdrukken van het dagelijks leven dan de reportage. Toch weet ik nu dat de koppigheid waarmee we allebei ons doel probeerden te bereiken de beste prikkel was om mijn schuchtere droom om verslaggever te worden te verwezenlijken.

Mijn kans kwam op de ochtend van 9 juni 1954 om tien voor halftwaalf, toen ik terugkeerde van een bezoek aan een vriend in de Modelogevangenis van Bogotá. Legereenheden die bewapend waren als voor een oorlog, hielden een menigte studenten in bedwang op de carrera Séptima, op twee straten van dezelfde hoek waar zes jaar daarvoor Jorge Eliécer Gaitán vermoord was. Het was een protestdemonstratie vanwege de moord op een student de vorige dag, door manschappen van het bataljon Colombia die getraind waren voor de oorlog in Korea, en het was de eerste botsing op straat tussen burgers en de militaire regering. Vanwaar ik stond was alleen het geschreeuw te horen van de discussie tussen de studenten die probeerden op te rukken naar het presidentiële paleis, en de militairen die dat wilden verhinderen. Te midden van de rumoerige menigte konden we niet verstaan wat er geschreeuwd werd, maar de spanning was voelbaar. Plotseling, zonder voorafgaande waarschuwing, klonk er een mitrailleursalvo en meteen daarop nog twee. Verscheidene studenten en enkele voorbijgangers waren op slag dood. De overlevenden die probeerden gewonden naar het ziekenhuis te brengen, werden daarvan weerhouden door soldaten die klappen uitdeelden met hun geweerkolven. De troepen ontruimden het gebied en sloten de straten af. In de wilde vlucht herbeleefde ik in enkele seconden alle ontzetting van 9 april, op hetzelfde tijdstip en op dezelfde plaats.

Ik legde de drie blokken in de steil oplopende straat naar het gebouw van *El Espectador* bijna rennend af en trof de redactie aan in staat van paraatheid. Ik vertelde hortend en stotend wat ik had kunnen zien op de plaats van het bloedbad, maar degene die er nog het minst van wist was al bezig met het eerste vluchtige verslag over de identiteit van de negen dode studenten en de toestand van de gewonden in de ziekenhuizen. Ik was ervan overtuigd dat ik opdracht zou krijgen de gewelddadigheden te verslaan omdat ik de enige was die er getuige van was geweest, maar Guillermo Cano en José Salgar waren het er al over eens dat het een collectief verslag moest worden waaraan ieder zijn steentje zou bijdragen. De verantwoordelijke redacteur, Felipe González Toledo, zou er ten slotte wel eenheid in aanbrengen.

'Maakt u zich geen zorgen,' zei Felipe tegen me, meevoelend met mijn teleurstelling. 'De mensen weten dat wij hier overal gezamenlijk aan werken, ook al staat er geen naam onder.'

Ulises troostte me op zijn beurt met de gedachte dat het redactionele artikel dat ik moest schrijven weleens het belangrijkste kon zijn, omdat het ging om een zeer ernstig probleem met betrekking tot de openbare orde. Hij had gelijk, maar het artikel lag zo gevoelig en was zo compromitterend voor de politiek van de krant dat het door verschillende handen op de hoogste niveaus geschreven werd. Ik denk dat het een rechtvaardige les was voor iedereen, maar ik vond het ontmoedigend. Hiermee kwam een eind aan de wittebroodsweken van de militaire regering en de vrije pers. Die waren acht maanden daarvoor begonnen met de machtsovername door generaal Rojas Pinilla, die het land een korte zucht van verlichting deed slaken na het bloedbad van twee opeenvolgende conservatieve regeringen, en ze duurden tot die bewuste dag. Voor mij was het ook een vuurproef voor mijn dromen als gewoon verslaggever.

Kort daarna werd de foto gepubliceerd van het lijk van een kind dat ze niet hadden kunnen identificeren in de ontleedkamer van het forensisch instituut, een foto die me sterk deed denken aan die van een vermist kind die een paar dagen daarvoor gepubliceerd was. Ik liet beide foto's zien aan de chef van de juridische afdeling, Felipe González Toledo, en hij belde de moeder van het kind dat nog niet gevonden was. Het was een les voor het leven. De moeder van het vermiste kind wachtte Felipe en mij op in de hal van het forensisch instituut. Ze zag er zo arm en nietig uit dat ik vurig hoopte dat het lijkje niet dat van haar kind zou zijn. In de grote, ijskoude kelder stonden in fel licht, opgesteld in rijen, als stenen katafalken, ongeveer twintig tafels met lijken onder smerige lakens. Gedrieën volgden we de rustige bewaker tot de voorlaatste tafel achter in het vertrek. Onder de rand van het laken staken de zolen van een paar treurige laarsjes uit, met het sterk versleten metalen beslag van de hakken. De vrouw herkende ze, werd doodsbleek, maar wist zich met het laatste restje moed te vermannen, totdat de bewaker met een zwaai als van een stierenvechter het laken wegtrok. Het lichaam van het ongeveer negen jaar oude jongetje, met wijdopen, verbaasde ogen, droeg dezelfde armoedige kleren als waarmee het levenloos in een greppel langs de kant van de weg was gevonden. De moeder slaakte een gil en zakte kermend in elkaar. Felipe hielp haar overeind en probeerde haar met troostende woorden weer tot zichzelf te brengen, terwijl ik me afvroeg of dit alles het beroep waarvan ik droomde wel waard was. Eduardo Zalamea vond van niet. Ook hij was van mening dat de sensatieberichten die zoveel weerklank vonden bij de lezers, een moeilijke specialiteit waren die niet alleen een heel eigen karakter vereisten, maar ook een hart dat overal tegen bestand was. Ik heb het nooit meer geprobeerd.

Door een heel andere werkelijkheid werd ik genoodzaakt filmcriticus te worden. Het was nooit bij me opgekomen dat ik dat zou kunnen zijn, maar in de Olympiabioscoop van don Antonio Daconte in Aracataca en later op de rondreizende leerschool van Álvaro Cepeda had ik een vaag vermoeden gekregen van de basiselementen voor het schrijven van artikelen over film volgens een zinvoller criterium dan tot dan toe in Colombia gebruikelijk was. Ernesto Volkening, een groot schrijver en Duits literair criticus die zich na de Tweede Wereldoorlog in Bogotá gevestigd had, had op Radio Nacional een programma waarin hij filmpremières besprak, maar dat was bestemd voor een beperkt publiek van specialisten. Er waren nog andere uitstekende maar incidentele filmcritici in de kringen rond de boekhandelaar Luis Vicens, die sinds de Spaanse Burgeroorlog in Bogotá woonde. Hij was het die het eerste filmhuis oprichtte, in samenwerking met de schilder Enrique Grau en de criticus Hernando Salcedo, en met de inzet van de journaliste Gloria Valencia de Castaño Castillo, die er het grootste aandeel in had. Er was in het land een enorm publiek voor actiefilms en sentimentele drama's, maar de kwaliteitsfilm bleef voorbehouden aan een groepje ontwikkelde liefhebbers, en de distributeurs waagden zich steeds minder aan films die maar drie dagen liepen. Voor het veroveren van een nieuw publiek in die gezichtloze massa was een lastige maar niet onmogelijke opvoedkundige aanpak vereist en moesten bioscoopbezoekers die ontvankelijk waren voor kwaliteitsfilms worden gestimuleerd en distributeurs die die films wel wilden maar niet konden financieren worden geholpen. Het grootste probleem was dat de distributeurs de pers ermee dreigden de aankondigingen van de films, die een substantiële bron van inkomsten voor de kranten vormden, te zullen intrekken als vergelding voor ongunstige kritieken. *El Espectador* was de eerste die het risico nam, en ik kreeg de taak de premières van de week te bespreken, meer als een soort elementaire wegwijzer voor liefhebbers dan als gewichtigdoenerij. Een voorzorgsmaatregel die we in gemeenschappelijk overleg namen, was dat ik mijn vrijkaartjes niet gebruikte, om aan te tonen dat ik het toegangsbewijs uit eigen zak had betaald.

De eerste recensies stelden de distributeurs gerust, omdat er films in besproken werden die een goed voorbeeld waren van de Franse cinema. Bijvoorbeeld *Puccini*, een uitvoerige samenvatting van het leven van de grote musicus, *So This Is Love*, de goed vertelde levensgeschiedenis van de zangeres Grace Moore, en *La fête à Henriette*, een ingetogen komedie van Julien Duvivier. De ondernemers die we bij de uitgang van de bioscoop troffen, gaven blijk van hun voldoening over onze kritieken. Álvaro Cepeda belde me daarentegen vanuit Barranquilla om zes uur 's morgens uit bed toen hij hoorde van mijn vermetelheid.

'Hoe haalt u het in uw hoofd om zonder mijn toestemming films te bespreken, verdomme!' schreeuwde hij stikkend van het lachen door de telefoon. 'Terwijl u geen snars weet van films!'

Hij werd vanzelfsprekend mijn vaste assistent, hoewel hij het nooit eens is geweest met het idee dat het er niet om ging school te maken, maar een elementair publiek zonder academische opleiding voor te lichten. De wittebroodsweken met de bioscoopondernemers waren ook niet zo zoet als we aanvankelijk dachten. Toen we ons op de puur commerciële film richtten, klaagden zelfs de tolerantsten over onze meedogenloze besprekingen. Eduardo Zalamea en Guillermo Cano waren behendig genoeg om ze via de telefoon te sussen, tot eind april, toen een distributeur die zich het air van woordvoerder aanmat ons er in een open brief van beschuldigde dat we het publiek wilden afschrikken om zijn belangen te schaden. Volgens mij was de kern van het probleem dat de briefschrijver de betekenis van het woord 'afschrikken' niet kende, maar ik voelde me aan de rand van de nederlaag staan, want ik achtte het uitgesloten dat don Gabriel Cano, gezien de stagnerende groei van de krant, louter uit esthetisch genoegen de filmadvertenties zou opgeven. Dezelfde dag waarop de brief binnenkwam, riep hij zijn zonen en Ulises voor spoedoverleg bijeen, en ik ging ervan uit dat de rubriek daarmee dood en begraven was. Toch zei don Gabriel, toen hij na de vergadering langs mijn bureau liep, zonder het onderwerp met name te noemen en met de schalksheid van een grootvader: 'Maakt u zich maar geen zorgen, jonge naamgenoot.'

De volgende dag verscheen in 'Dag in dag uit' het antwoord aan de distributeur, door Guillermo Cano opzettelijk in academische stijl geschreven, met aan het eind het alleszeggende: 'Het publiek wordt niet afgeschrikt, noch wordt het belang van wie dan ook geschaad wanneer er in de pers een serieuze en verantwoorde filmkritiek verschijnt die enigszins lijkt op die in andere landen en die de oude, bedenkelijke praktijken van de buitensporige loftuiting van zowel het goede als het slechte doorbreekt.' Het was niet de enige brief, noch ons enige antwoord. Bioscoopmedewerkers overstelpten ons met verbitterde bezwaarschriften en we ontvingen tegenstrijdige brieven van verwarde lezers. Maar het was allemaal vergeefs: de rubriek bleef voortbestaan totdat de filmkritiek in het land niet langer een incidenteel verschijnsel was, maar een normaal onderdeel werd van pers en radio.

Vanaf dat moment heb ik, in een kleine twee jaar tijd, vijfenzeventig kritieken geschreven, waar de uren die ik gebruikt heb om de films te zien nog bij opgeteld zouden moeten worden. Daarnaast zo'n zeshonderd redactionele artikelen, elke drie dagen een nieuwsbericht met of zonder naamsvermelding, en minstens tachtig ondertekende of anonieme reportages. Mijn literaire bijdragen werden sindsdien in het 'Zondagsmagazine' van dezelfde krant gepubliceerd, zoals verscheidene korte verhalen en de volledige serie van 'La Sierpe', die in het tijdschrift *Lámpara* was onderbroken vanwege interne meningsverschillen.

Het ging me voor het eerst van mijn leven voor de wind, maar ik had geen tijd om ervan te genieten. Het gemeubileerde appartement met wasserijservice dat ik gehuurd had, was niet meer dan een slaapkamer met een badkamer, telefoon en ontbijt op bed, en een groot raam met de eeuwige motregen van de treurigste stad ter wereld. Ik gebruikte het alleen om er vanaf drie uur 's nachts te slapen, na een uur gelezen te hebben, tot de vroege nieuwsberichten op de radio waarmee ik me op de hoogte stelde van de actualiteiten van de nieuwe dag.

Ik kon niet nalaten met een zeker gevoel van bezorgdheid te denken dat het de eerste keer was dat ik een vaste, eigen plaats had om te leven, maar zonder tijd om het echt tot me door te laten dringen. Ik was zo druk bezig mijn nieuwe leven enigszins op orde te brengen dat mijn enige uitgave van belang de roeiboot was die ik stipt elk einde van de maand naar de familie zond. Pas nu besef ik dat ik amper tijd had me met mijn privé-leven bezig te houden. Misschien omdat ik in mijn achterhoofd nog het idee van de Caribische moeders had dat de vrouwen uit Bogotá zich liefdeloos aan de mannen van de kust overgaven, alleen maar om hun droom van het wonen aan zee te kunnen verwezenlijken. Maar in mijn eerste vrijgezellenappartement in Bogotá had ik over liefde niet te klagen, nadat ik de portier gevraagd had of ik om middernacht vriendinnen mocht ontvangen en hij me zijn wijze antwoord had gegeven: 'Dat is verboden, meneer, maar ik zie niet wat ik niet hoor te zien.'

Eind juni stond José Salgar plotseling onaangekondigd voor mijn werktafel terwijl ik een redactioneel artikel zat te schrijven en keek me langdurig zwijgend aan. Ik onderbrak mijn werk midden in een zin en vroeg nieuwsgierig: 'Wat is er aan de hand?'

Hij knipperde niet eens met zijn ogen, terwijl hij zijn rode potlood de onzichtbare bolerodanser liet spelen, en er verscheen een diabolische glimlach op zijn lippen waarvan de bedoeling maar al te duidelijk was. Zonder dat ik hem daarom gevraagd had legde hij uit dat hij me geen toestemming had gegeven voor de reportage over het bloedbad onder de studenten op de carrera Séptima omdat het een moeilijk onderwerp was voor een beginneling. In plaats daarvan bood hij me nu, op een directe manier maar zonder de minste bedoeling me uit te dagen, voor zijn rekening en risico het verslaggeversdiploma aan als ik bereid was een levensgevaarlijk voorstel te accepteren: 'Waarom gaat u niet naar Medellín om ons te vertellen wat daar verdomme precies is gebeurd?'

Ik begreep hem niet meteen, want hij had het over iets wat meer dan twee weken eerder gebeurd was, wat het vermoeden rechtvaardigde dat het hier om oud nieuws ging. Iedereen wist dat er op 12 juli 's morgens een aardverschuiving was geweest in La Media Luna, een steile berghelling aan de oostkant van Medellín, maar de ophef van de pers, de verwarring van de autoriteiten en de paniek van de getroffenen hadden een reeks administratieve en humanitaire verwikkelingen veroorzaakt die het zicht op de werkelijkheid versluierden. Salgar vroeg me niet of ik wilde proberen voorzover mogelijk te achterhalen wat daar gebeurd was, maar gaf me ronduit opdracht de hele waarheid en niets dan de waarheid over het gebied te reconstrueren in zo min mogelijk tijd. Toch deed iets in de manier waarop hij het zei me vermoeden dat hij me eindelijk de vrije teugel liet.

Tot dan toe was het enige wat de hele wereld over Medellín wist dat Carlos Gardel er gestorven was, verkoold bij een vliegramp. Ik wist dat er grote schrijvers en dichters woonden, en dat zich daar de Presentaciónschool bevond, waar Mercedes Barcha dat jaar met haar studie begonnen was. In het licht van een dergelijke waanzinnige opdracht kwam het me helemaal niet meer onwerkelijk voor om stukje voor stukje de ineenstorting van een berg te reconstrueren. Vandaar dat ik om elf uur 's morgens in Medellín landde, in zo'n angstaanjagende storm dat ik een moment het idee had het laatste slachtoffer van de aardverschuiving te zijn.

Ik liet mijn koffer achter in hotel Nutibara met kleren voor twee dagen en een stropdas voor noodgevallen en ging de straat op, in een idyllische stad die nog onder het wolkendek van de restanten van de stormdepressie lag. Álvaro Mutis had me naar het vliegveld vergezeld om me te helpen mijn vliegangst te bezweren en had me adressen gegeven van mensen die goed op de hoogte waren van het leven in de stad. Maar de beangstigende waarheid was dat ik geen idee had waar ik moest beginnen. Ik liep in het wilde weg door de glimmende straten onder het gouden meel van een schitterende zon na de storm, en na een uur moest ik schuilen in het eerste het beste warenhuis omdat het ondanks de zon opnieuw begon te regenen. Toen voelde ik in mijn borst de eerste hartkloppingen van de paniek. Ik probeerde ze te onderdrukken met de magische formule die mijn grootvader altijd in het heetst van de strijd gebruikte, maar door de angst voor de angst zonk de moed me in de schoenen. Ik besefte dat ik nooit in staat zou zijn te doen wat me was opgedragen, en ik had niet het lef gehad dat te zeggen. Toen begreep ik dat het enige verstandige was een brief met dankbetuiging aan Guillermo Cano te sturen en naar Barranquilla terug te keren, naar de staat van genade waarin ik me zes maanden eerder had bevonden.

Met het geweldige gevoel van opluchting dat ik aan de hel was ontsnapt, nam ik een taxi om terug te keren naar het hotel. Op het nieuws van twaalf uur werd door twee stemmen een uitgebreid commentaar gegeven alsof de aardverschuivingen gisteren hadden plaatsgevonden. De chauffeur ging bijna schreeuwend tekeer tegen de nalatigheid van de regering en de slechte hulpverlening aan de getroffenen, en op een of andere manier voelde ik me schuldig aan zijn gerechtvaardigde woede. Maar toen klaarde het opnieuw op en de lucht werd helder en geurde naar de explosie van bloemen in het parque Berrío. Plotseling, ik weet niet waarom, voelde ik hoe de klauw van de waanzin naar me uithaalde.

'Weet u wat,' zei ik tegen de chauffeur, 'voordat u naar het hotel gaat brengt u me naar de plaats van de aardverschuiving.'

'Maar daar is niets te zien,' zei hij. 'Alleen de brandende kaarsen en de kruisjes voor de doden die ze niet hebben kunnen opgraven.'

Zo kwam ik erachter dat zowel de slachtoffers als de overlevenden afkomstig waren uit verschillende delen van de stad, en dat de overlevenden massaal dwars door de stad getrokken waren om hun verwanten en buurtgenoten die bij de eerste aardverschuiving bedolven waren te redden. De grote tragedie vond plaats toen de nieuwsgierigen zich daar verdrongen en een ander deel van de berg als een verwoestende lawine naar beneden gleed, zodat de enigen die het konden navertellen de weinigen waren die aan de opeenvolgende aardverschuivingen waren ontkomen en zich levend aan de andere kant van de stad bevonden.

'Ik begrijp het,' zei ik tegen de chauffeur, terwijl ik probeerde het beven van mijn stem te onderdrukken. 'Brengt u me dan naar de overlevenden.'

Hij keerde midden op straat en gaf vol gas. Zijn stilzwijgen was waarschijnlijk niet alleen het gevolg van de snelheid van dat moment, maar ook van de hoop mij met zijn argumenten te kunnen overtuigen.

Het begin van de reeks gebeurtenissen lag bij twee kinderen van acht en elf jaar die op dinsdag 12 juli om zeven uur 's morgens hun huis hadden verlaten om hout te kappen. Ze hadden zich zo'n honderd meter verwijderd toen ze het geraas hoorden van de aardverschuiving en de steenlawine die langs de berghelling op hen afkwamen. Ze wisten ternauwernood te ontkomen. In het huis werden hun drie jongere zusjes met hun moeder en een pasgeboren broertje levend begraven. De enige overlevenden waren de twee kinderen die net het huis hadden verlaten, en de vader, die vroeg naar zijn werk bij de zandwinning was gegaan, tien kilometer van zijn huis.

De plek was een onherbergzaam terrein zonder begroeiing langs de weg van Medellín naar Rionegro, waar zich om acht uur 's morgens geen andere bewoners bevonden zodat er niet nog meer slachtoffers konden vallen. De radiozenders verspreidden het bericht aangevuld met zoveel bloedige details en dringende oproepen dat de eerste vrijwilligers eerder arriveerden dan de brandweer. Tegen het middaguur volgden er nog twee aardverschuivingen zonder slachtoffers, die de algehele nervositeit nog vergrootten, en een plaatselijke radiozender installeerde zich ter plekke om rechtstreeks van de plaats van de ramp uit te zenden. Op dat tijdstip hadden zich daar al bijna alle bewoners van de aangrenzende dorpen en wijken verzameld, plus de nieuwsgierigen uit de hele stad die waren aangetrokken door de oproepen op de radio, en de passagiers die uit de interlokale bussen gestapt waren maar meer in de weg liepen dan dat ze zich nuttig maakten. Behalve de paar lichamen die 's morgens bedolven waren, verloren bij de daaropvolgende aardverschuivingen nog eens driehonderd mensen het leven. Toch waren bij het invallen van de duisternis nog altijd meer dan tweeduizend vrijwilligers zo goed en zo kwaad als het ging bezig met het verlenen van hulp aan de overlevenden. Aan het begin van de avond was er nog nauwelijks ruimte om te ademen. De menigte stond dicht opeengepakt en gedroeg zich chaotisch toen zich om zes uur met donderend geraas een nieuwe verwoestende lawine van zeshonderdduizend kubieke meter aarde naar beneden stortte en evenveel slachtoffers veroorzaakte als wanneer het in het parque Berrío in Medellín zou zijn gebeurd. De ramp had zich zo snel voltrokken dat doctor Javier Mora, wethouder van publieke werken van de gemeente, tussen de puinhopen het kadaver van een konijn vond dat geen tijd had gehad om een goed heenkomen te zoeken.

Twee weken later, toen ik op de plek aankwam, waren nog maar vierenzeventig lichamen geborgen en was een groot aantal overlevenden in veiligheid gebracht. De meesten waren geen slachtoffers van de aardverschuivingen, maar van de onvoorzichtigheid en de wanordelijke solidariteit. Net als bij aardbevingen was het ook hier niet mogelijk om het aantal mensen met problemen te schatten dat van de gelegenheid gebruik had gemaakt om spoorloos te verdwijnen en zo aan hun schulden te ontkomen of van vrouw te wisselen. Toch speelde ook geluk een rol, want later onderzoek toonde aan dat al op de eerste dag, terwijl men bezig was met de reddingswerkzaamheden, een massa rotsen dreigde los te raken die een nieuwe lawine van vijftigduizend kubieke meter had kunnen veroorzaken. Meer dan twee weken later kon ik met hulp van de gekalmeerde overlevenden de geschiedenis reconstrueren, wat op het moment zelf niet mogelijk was omdat dit met het oog op de realiteit misplaatst en ongepast zou zijn geweest.

Mijn taak beperkte zich tot het boven tafel krijgen van de waarheid, die verloren was gegaan in een warboel van tegenstrijdige vermoedens, en het reconstrueren van het menselijk drama in de volgorde waarin dit zich had voltrokken, los van elke politieke en sentimentele berekening. Álvaro Mutis had me op weg geholpen door me naar de publiciste Cecilia Warren te sturen, die de gegevens waarmee ik terugkeerde van de plaats van de ramp voor me ordende. De reportage werd in drie hoofdstukken gepubliceerd en bezat op zijn minst de verdienste dat ze met twee weken vertraging belangstelling wekte voor een vergeten nieuwsbericht en orde schiep in de chaos van de tragedie.

Toch is mijn beste herinnering uit die dagen niet wat ik deed, maar wat ik op het punt stond te doen, dankzij de waanzinnige verbeelding van mijn oude kameraad uit Barranquilla, Orlando Rivera, Figuurtje, die ik tijdens een van de weinige adempauzes tijdens het onderzoek onverwacht tegen het lijf liep. Hij woonde sinds een paar maanden in Medellín en was net gelukkig getrouwd met Sol Santamaría, een heel charmante en ruimdenkende non die hij had geholpen het klooster te verlaten na zeven jaar armoede, gehoorzaamheid en kuisheid. Tijdens een van onze drinkgelagen onthulde Figuurtje me dat hij samen met zijn echtgenote en voor eigen rekening en risico een meesterlijk plan had voorbereid om Mercedes Barcha uit haar internaat te krijgen. Een bevriende pastoor, befaamd om zijn koppelaarstalent, zou klaarstaan om ons wanneer we maar wilden in de echt te verbinden. De enige voorwaarde was vanzelfsprekend dat Mercedes akkoord ging, maar we konden geen manier bedenken om haar dat binnen de vier muren van haar gevangenschap te vragen. Nu verbijt ik me meer dan ooit van woede om het feit dat ik niet de moed heb gehad dat prachtige melodrama door te zetten. Mercedes hoorde pas meer dan vijftig jaar later van het plan, toen ze het las in de eerste versie van dit boek.

Het was een van de laatste keren dat ik Figuurtje zag. Op het carnaval van 1960, vermomd als Cubaanse tijger, gleed hij uit op de praalwagen die hem na het bloemengevecht terugbracht naar zijn huis in Baranoa, en brak zijn nek op het met afval en restanten van het carnaval bedekte plaveisel.

Op de tweede avond dat ik aan de aardverschuivingen in Medellín werkte, werd ik in mijn hotel opgewacht door twee redacteuren van het dagblad *El Colombiano* – zo jong dat ze zelfs nog jonger waren dan ik – die vastbesloten waren me te interviewen naar aanleiding van mijn tot dan toe gepubliceerde korte verhalen. Het kostte hun moeite me te overreden, want ik had toen en heb nog steeds een wellicht ongerechtvaardigd vooroordeel ten aanzien van interviews, opgevat als een bijeenkomst van vraag en antwoord waarbij beide partijen hun uiterste best doen een onthullend gesprek te voeren. Ik had al last van dat vooroordeel bij de kranten waar ik had gewerkt, en vooral bij *Crónica*, waar ik de medewerkers probeerde aan te steken met mijn terughoudendheid. Toch stemde ik toe in dat eerste interview voor *El Colombiano*, en het was van een suïcidale openhartigheid.

Tegenwoordig is het aantal interviews waarvan ik in een periode van vijftig jaar en over de hele wereld het slachtoffer ben geweest ontelbaar, maar nog altijd ben ik niet overtuigd van de doelmatigheid van het genre, voor de ene noch voor de andere partij. De overgrote meerderheid van de interviews die ik niet heb kunnen vermijden, over welk onderwerp dan ook, kan gevoeglijk beschouwd worden als een belangrijk onderdeel van mijn fictie, want dat is precies wat ze zijn: verzinsels over mijn leven. Toch beschouw ik ze als van onschatbare waarde, niet om te publiceren, maar als basismateriaal voor de reportage, in mijn ogen het belangrijkste genre van het mooiste beroep ter wereld.

Hoe dan ook, het waren geen tijden om feest te vieren. De regering van generaal Rojas Pinilla, inmiddels openlijk in conflict met de pers en met een groot deel van de publieke opinie, had de maand september bekroond met het besluit het verafgelegen en vergeten departement El Chocó te verdelen tussen zijn drie welvarende buren: Antioquia, Caldas en Valle. Quibdó, de hoofdstad, was vanuit Medellín alleen te bereiken via een eenbaansweg die in zo'n slechte staat verkeerde dat je voor de honderdzestig kilometer meer dan twintig uur nodig had. Tegenwoordig zijn de omstandigheden niet veel beter.

Op de redactie van de krant gingen we ervan uit dat we niet veel konden doen ter voorkoming van de opdeling, die was verordend door een regering die toch al op slechte voet stond met de liberale pers. Primo Guerrero, de ervaren correspondent van *El Espectador* in Quibdó, berichtte na drie dagen dat door een demonstratie waaraan hele families inclusief kinderen deelnamen, het centrale plein was bezet en dat ze vastbesloten waren daar dag en nacht te blijven totdat de regering afzag van haar voornemen. De foto's van de opstandige moeders met hun kinderen op de arm werden in de loop van de dagen steeds somberder als gevolg van de duidelijke sporen van de doorwaakte nachten bij al die mensen die blootgesteld waren aan het slechte weer. Op de redactie versterkten we deze berichten dagelijks met redactionele artikelen of verklaringen van politici en intellectuelen die uit El Chocó afkomstig waren en in Bogotá woonden, maar de regering leek vastbesloten te winnen langs de weg van de onverschilligheid. Nadat er verscheidene dagen verstreken waren, kwam José Salgar echter met zijn jongleurspotlood naar mijn bureau en stelde voor dat ik zou uitzoeken wat zich in werkelijkheid in El Chocó afspeelde. Ik probeerde tegen te stribbelen met het weinige gezag dat ik met de reportage over Medellín verdiend had, maar blijkbaar was dat nog onvoldoende. Guillermo Cano, die met zijn rug naar ons toe zat te schrijven, schreeuwde zonder om te kijken: 'Kom op, Gabo, de meiden in El Chocó zijn mooier dan die u zo graag wilde zien in Haïti!'

En dus vertrok ik zonder me zelfs maar af te vragen hoe je een reportage kon schrijven over een protestdemonstratie waarbij men weigerde geweld te gebruiken. Ik werd vergezeld door de fotograaf Guillermo Sánchez, die me al maanden lastigviel met zijn gezeur dat we samen oorlogsreportages moesten gaan maken. Omdat ik het spuugzat was, had ik tegen hem geschreeuwd: 'Welke oorlog, verdomme!'

'Doe niet zo onnozel, Gabo,' confronteerde hij me in één klap met de waarheid, 'ik hoor u zelf de hele tijd zeggen dat dit land sinds de onafhankelijkheid in staat van oorlog verkeert.'

In de vroege ochtend van dinsdag 21 september verscheen hij meer gekleed als soldaat dan als persfotograaf op de redactie, zijn hele lichaam behangen met camera's en tassen, om samen een verzwegen oorlog te gaan verslaan. De eerste verrassing was dat je El Chocó vanuit Bogotá kon bereiken via een secundair vliegveld zonder enige vorm van dienstverlening, gelegen te midden van vrachtwagenwrakken en verroeste vliegtuigen. Het onze, als door een wonder nog luchtwaardig, was een van de legendarische Catalina's uit de Tweede Wereldoorlog, die een burgeronderneming in gebruik had genomen als vrachtvliegtuig. Er zaten geen stoelen in. Het interieur was kaal en donker, met kleine, beslagen raampjes en lag vol met balen vezels voor het maken van bezems. Wij waren de enige passagiers. De copiloot, in hemdsmouwen, jong en knap als een vliegenier uit een film, zei ons op de balen te gaan zitten, omdat die hem het comfortabelst leken. Hij herkende me niet, maar ik wist dat hij een uitstekend honkballer was geweest die in de competitie voor La Matuna uit Cartagena had gespeeld.

Het opstijgen was zelfs voor een zo doorgewinterde passagier als Guillermo Sánchez angstaanjagend door het oorverdovende gebrul van de motoren en het gerammel van de romp als van een stuk oudroest, maar eenmaal gestabiliseerd in de heldere hemel boven de savanne gleed het toestel voort met de branie van een oorlogsveteraan. Na de tussenlanding in Medellín werden we echter verrast door een zondvloedachtige stortbui boven een dichtbegroeid oerwoud tussen twee bergkammen, en daar moesten we recht tegenin. Toen maakten we mee wat misschien maar heel weinig stervelingen hebben meegemaakt: het regende in het vliegtuig door de gaten in de romp. De vriendelijke copiloot bracht ons, tussen de balen door springend, de kranten van die dag, zodat we die als paraplu konden gebruiken. Ik bedekte met de mijne zelfs mijn gezicht, niet zozeer om me tegen het water te beschutten, als wel om niet te laten zien dat ik huilde van angst.

Nadat we zo'n twee uur aan het lot en het toeval overgeleverd waren geweest helde het vliegtuig over naar links, daalde in aanvalspositie boven een dichtbegroeid oerwoud en maakte twee verkenningsrondjes boven het hoofdplein van Quibdó. Guillermo Sánchez, klaar om vanuit de lucht de door het afmattende waken uitgeputte demonstranten vast te leggen, zag alleen dat het plein er volledig verlaten bij lag. Het gammele amfibievliegtuig vloog een laatste rondje om na te gaan of er geen levende of dode obstakels op de kalme rivier de Atrato dreven en maakte in de lome warmte van het middaguur een geslaagde landing op het water.

De met planken opgelapte kerk, de door vogels ondergepoepte cementen banken en een eenzame muilezel die aan de takken van een reusachtige boom stond te rukken, waren de enige tekenen van het menselijk bestaan op het stoffige en verlaten plein, dat aan niets zozeer deed denken als aan een Afrikaanse hoofdstad. Ons eerste voornemen was om zo snel mogelijk foto's te nemen van de protesterende menigte en ze met het vliegtuig terug te sturen naar Bogotá, terwijl we intussen voldoende informatie uit de eerste hand verzamelden om die telegrafisch door te zenden voor de editie van de volgende dag. Niets van dit alles was mogelijk, omdat er niets gebeurde.

We liepen zonder getuigen door de zeer lange straat evenwijdig aan de rivier, met links en rechts winkeltjes die wegens lunchtijd gesloten waren en grote huizen met balkons en roestige daken. Het was het volmaakte decor, maar het drama ontbrak. Onze goede collega Primo Guerrero, correspondent van *El Espectador*, lag te luieren in een fleurige hangmat onder het afdak van takken voor zijn huis, alsof de stilte die hem omringde de rust van het graf was. De openhartigheid waarmee hij ons zijn zorgeloosheid uit de doeken deed, kon niet objectiever zijn. Na de demonstraties van de eerste dagen was de spanning afgenomen bij gebrek aan onderwerpen. Toen was met theatrale middelen de hele bevolking opgetrommeld, waren er een paar foto's gemaakt, die niet werden gepubliceerd omdat ze weinig geloofwaardig waren, en had men de patriottische toespraken gehouden die het land inderdaad hadden geschokt, maar de regering was onvermurwbaar gebleven. Primo Guerrero had, met een ethische buigzaamheid die misschien zelfs God hem heeft vergeven, louter met behulp van telegrammen het protest in de pers levend gehouden.

Ons professionele probleem was simpel: we hadden die Tarzan-expeditie niet ondernomen om te berichten dat het nieuws niet bestond. Aan de andere kant hadden we de middelen bij de hand om ervoor te zorgen dat het toch waar was en het zijn doel zou bereiken. Primo Guerrero stelde vervolgens voor om nogmaals de mobiele demonstratie bijeen te roepen, en niemand had een beter idee. Onze meest enthousiaste medewerker was kapitein Luis A. Cano, de nieuwe gouverneur, die benoemd was nadat de vorige uit protest was afgetreden, en hij had de helderheid van geest om het vliegtuig te laten wachten, zodat de krant de nog verse foto's van Guillermo Sánchez op tijd zou krijgen. Zo kwam het dat het noodgedwongen verzonnen nieuws ten slotte het enige juiste was, opgeblazen door de pers en de radio in het hele land en door de militaire regering onderschept in een poging haar gezicht te redden. Diezelfde avond werden alle politici uit El Chocó opgetrommeld – van wie sommigen zeer invloedrijk waren in bepaalde delen van het land – en twee dagen later verklaarde generaal Rojas Pinilla dat zijn eigen besluit om El Chocó onder de buurtregio's op te delen werd ingetrokken.

Guillermo Sánchez en ik keerden niet onmiddellijk terug naar Bogotá, omdat we de krant hadden weten te overreden ons toe te staan het binnenland van El Chocó af te reizen om de werkelijkheid van die fantastische wereld grondig te leren kennen. Na tien dagen van stilzwijgen, toen we bruinverbrand door de zon en omvallend van de slaap het redactielokaal binnenstapten, ontving José Salgar ons blij maar op zijn eigen wijze.

'Weten jullie,' vroeg hij ons met zijn onverwoestbare zelfverzekerdheid, 'hoe lang El Chocó al geen nieuws meer is?'

De vraag confronteerde me voor het eerst met de dodelijke voorwaarde van de journalistiek. Inderdaad had niemand meer interesse getoond in El Chocó sinds de publicatie van het presidentiële besluit om het departement niet op te delen. Toch steunde José Salgar me in mijn riskante poging om de oude kost weer op te warmen.

Wat we in vier lange artikelen probeerden over te brengen was de ontdekking van een ander land binnen Colombia, een gebied waarvan we ons geen voorstelling konden maken. Een zeldzaam stuk vaderland met bloeiende oerwouden en onophoudelijke stortregens, waar alles een onwaarschijnlijke versie van het dagelijks leven leek. Het grote probleem bij de aanleg van toegangswegen over land was de enorme hoeveelheid woeste rivieren, en er was ook niet meer dan één brug in het hele gebied. We vonden een weg van vijfenzeventig kilometer dwars door het oerwoud, die tegen enorme kosten was aangelegd om Itsmina te verbinden met Yuto, maar die uiteindelijk door geen van beide dorpen liep vanwege een vergeldingsmaatregel van de wegenbouwer, die ruzie had met de twee burgemeesters.

In een van de dorpen in het binnenland vroeg de postbode ons om de post van zes maanden mee te nemen voor zijn collega in Itsmina. Een pakje Colombiaanse sigaretten kostte daar net als in de rest van het land dertig centavo, maar als het wekelijkse bevoorradingsvliegtuigje vertraging had, gingen de sigaretten elke dag dat het te laat was in prijs omhoog, totdat de bevolking zich genoodzaakt zag buitenlandse sigaretten te roken, die ten slotte goedkoper waren dan de nationale. Een zak rijst kostte vijftien peso meer dan op de plek waar de rijst geteeld werd, omdat die over een afstand van tachtig kilometer dwars door het oerwoud vervoerd moest worden op muilezels die zich als katten vastklauwden aan de berghellingen. De vrouwen in de armste dorpen zeefden goud en platina in de rivieren, terwijl de mannen visten, en op zaterdag verkochten ze aan de handelsreizigers een tiental vissen en vier gram platina voor slechts drie peso.

Dit alles gebeurde in een samenleving die beroemd was om haar weetgierigheid, maar de scholen waren schaars en lagen ver uit elkaar, en de leerlingen moesten elke dag tientallen kilometers te voet of per kano heen en terug reizen. Sommige scholen waren zo overvol dat een en hetzelfde lokaal op maandag, woensdag en vrijdag gebruikt werd voor jongens en op dinsdag, donderdag en zaterdag voor meisjes. Door de omstandigheden gedwongen waren ze de meest democratische van het land, want de zoon van de wasvrouw, die nauwelijks te eten had, ging naar dezelfde school als de zoon van de burgemeester.

Heel weinig Colombianen, inclusief ikzelf, wisten in die tijd dat zich midden in het hart van het oerwoud van El Chocó de modernste stad van het land verhief. De naam van die stad was Andagoya, gelegen op het punt waar de rivieren San Juan en Condoto samenkomen. Ze had een perfect telefoonsysteem en aanlegsteigers voor schepen en bootjes die daar hun thuishaven hadden, en mooie, met bomen omzoomde straten. De huizen, klein en schoon, met grote, omrasterde stukken grond en schilderachtige houten toegangstrappen, leken wel uitgestrooid over het gras. In het centrum bevonden zich een casino met nachtclub en restaurant, en een bar waar geïmporteerde drank kon worden genuttigd tegen een lagere prijs dan in de rest van het land. Het was een stad die bewoond werd door mensen uit de hele wereld, mensen die het heimwee vergeten waren en daar beter leefden dan in hun eigen land, onder het absolute gezag van de plaatselijke bestuurder in het deel van El Chocó dat grenst aan de Stille Oceaan. Want Andagoya was in werkelijkheid een buitenlandse mogendheid in privé-eigendom, waar de draglines goud en platina uit de prehistorische rivieren roofden, waarna die zonder door iemand gecontroleerd te worden in een eigen boot via de mondingen van de San Juan naar plaatsen over de hele wereld werden vervoerd.

Dat was het departement El Chocó dat wij aan de Colombianen wilden onthullen, maar zonder enig resultaat, want toen het geen nieuws meer was keerde alles weer terug op zijn plaats en bleef het de meest vergeten streek van het land. Ik denk dat de reden duidelijk is: Colombia was van oudsher een land met een Caribische identiteit dat via de navelstreng van Panama verbonden was met de wereld. De gedwongen amputatie veroordeelde ons ertoe te worden wat we vandaag de dag zijn: een land met een Andesmentaliteit waar de omstandigheden zodanig waren dat het kanaal tussen de twee oceanen niet van ons werd maar van de Verenigde Staten.

Het wekelijkse ritme van de redactie zou dodelijk zijn geweest als we niet op vrijdagmiddag, terwijl we ons langzaam losmaakten van onze taak, zouden zijn samengekomen in de bar van hotel Continental, aan de overkant van de straat, om stoom af te blazen, wat meestal tot vroeg in de ochtend duurde. Eduardo Zalamea gaf die avonden een eigen naam: de 'culturele vrijdagen'. Het was de enige gelegenheid waarbij ik met hem kon praten om de literaire nieuwtjes in de wereld niet te missen, die hij als onverzadigbare lezer nauwgezet bijhield. De overlevenden op die van alcohol doordrenkte bijeenkomsten met onvoorspelbare afloop waren – afgezien van twee of drie eeuwige vrienden van Ulises – wij, de redacteuren, die er niet voor terugschrokken om tot het aanbreken van de dag de zwaan de nek om te draaien.

Het had me altijd verbaasd dat Zalamea nooit enige opmerking maakte over mijn artikelen, hoewel vele daarvan geïnspireerd waren op de zijne. Maar toen de 'culturele vrijdagen' werden ingesteld, liet hij zijn gedachten over het genre de vrije loop. Hij bekende me dat hij het niet eens was met de criteria die ten grondslag lagen aan veel van mijn stukken, en hij deed me andere aan de hand, echter niet op de toon van een chef tegen zijn leerling, maar van schrijver tot schrijver.

Een ander regelmatig toevluchtsoord na de voorstellingen in het filmhuis waren de middernachtelijke bijeenkomsten in het appartement van Luis Vicens en zijn echtgenote Nancy, op een paar straten van *El Espectador*. Hij, medewerker van Marcel Colin Reval, de hoofdredacteur van het tijdschrift *Cinématographie française* in Parijs, had als gevolg van de oorlogen in Europa zijn filmdromen ingeruild voor het mooie beroep van boekhandelaar in Colombia. Nancy was daarbij de magische gastvrouw, die in staat was om een eetkamer voor vier personen geschikt te maken voor twaalf. Ze hadden elkaar leren kennen kort nadat hij in Bogotá aangekomen was, in 1937, bij een familiediner. Er was aan tafel nog maar één plaats vrij, naast Nancy, die ontzet de laatste gast zag binnenkomen, een man met wit haar en de door de zon verbrande huid van een bergbeklimmer. Wat een pech, had ze gedacht, dat ik nu net naast die Catalaan moet zitten die waarschijnlijk niet eens Spaans kent. Wat het spreken van de taal betreft zat ze er niet ver naast, want de pas aangekomene sprak een rauw, met Frans doorspekt soort Catalaans-Spaans, en zij was een ongeremde en goed van de tongriem gesneden vrouw uit Boyacá. Ze konden het vanaf hun eerste begroeting zo goed met elkaar vinden dat ze voor de rest van hun leven samen zijn gebleven.

Hun avondjes na afloop van de grote filmpremières werden geïmproviseerd in een appartement dat volgepropt stond met alle mogelijke kunst, en waarvan de muren vol hingen met schilderijen van beginnende Colombiaanse schilders, van wie sommigen later wereldberoemd zouden worden. Hun gasten werden gekozen uit de crème de la crème van de kunsten en letteren, en de mensen uit de groep van Barranquilla sloten zich daar af en toe bij aan. Sinds de verschijning van mijn eerste filmkritiek was ik er kind aan huis en wanneer ik voor middernacht van de krant kwam, liep ik erheen en dwong hen tot diep in de nacht op te blijven. De onderwijzeres Nancy, die behalve een voortreffelijk kokkin ook een verwoed koppelaarster was, improviseerde onschuldige etentjes om me in contact te brengen met de aantrekkelijkste vrije meisjes uit de kunstwereld, en ze heeft het me nooit vergeven dat ik op mijn achtentwintigste tegen haar zei dat mijn echte roeping niet schrijver of journalist was, maar verstokt vrijgezel.

Álvaro Mutis voltooide, in de korte perioden tussen zijn wereldreizen, in stijl mijn intrede in de culturele gemeenschap. In zijn hoedanigheid van hoofd public relations van Esso in Colombia organiseerde hij lunches in de duurste restaurants, waarmee hij in werkelijkheid mensen in de kunsten en letteren op waarde probeerde te schatten, en vaak met genodigden uit andere steden van het land. De dichter Jorge Gaitán Durán, die geobsedeerd was door het idee een groot literair tijdschrift te maken dat een fortuin kostte, kon gedeeltelijk dankzij de stimuleringsfondsen voor de kunst van Álvaro Mutis zijn wens in vervulling laten gaan. Álvaro Castaño Castillo en zijn vrouw, Gloria Valencia, probeerden al jarenlang een radiozender op te zetten die volledig gewijd zou zijn aan goede muziek en toegankelijke culturele programma's. We plaagden hen allemaal met de onwezenlijkheid van hun project, behalve Álvaro Mutis, die alles deed wat hij kon om hen te helpen. Zo hebben ze het radiostation HJCK opgericht, 'De wereld in Bogotá', met een zender van 500 watt, wat in die tijd het minimum was. De televisie bestond nog niet in Colombia, maar Gloria Valencia wist een metafysisch wonder te verrichten door op de radio een modeshow uit te zenden.

De enige rust die ik mezelf in die chaotische tijden gunde, waren de trage zondagmiddagen in het huis van Álvaro Mutis, die me leerde zonder klassenvooroordelen naar muziek te luisteren. Dan gingen we languit op het tapijt liggen om met ons hart en zonder geleerde bespiegelingen naar de grote meesters te luisteren. Het vormde de oorsprong van een hartstocht die in het verborgen zaaltje van de Nationale Bibliotheek begonnen was en die we nooit meer zijn kwijtgeraakt. Inmiddels heb ik alle muziek gehoord waar ik de hand op heb kunnen leggen, vooral de romantische kamermuziek, die voor mij het hoogtepunt van kunst is. In Mexico had ik tijdens het schrijven van *Honderd jaar eenzaamheid* – tussen

1965 en 1966 – maar twee platen, die ik volledig stukdraaide: de *Préludes* van Debussy en *A Hard Day's Night* van de Beatles. Later, toen ik in Barcelona eindelijk zoveel platen had als ik altijd al had gewild, vond ik een alfabetische rangschikking te conventioneel en ordende ik ze voor mijn privégemak op instrument: de cello, mijn lievelingsinstrument, van Vivaldi tot Brahms; de viool, van Corelli tot Schönberg; de klavecimbel en de piano, van Bach tot Bartók. Totdat ik het wonder ontdekte dat alles wat klinkt muziek is, zelfs de borden en het bestek in de vaatwasser, zolang ze de illusie maar instandhouden dat ze ons de weg wijzen waarlangs het leven zich voltrekt.

Mijn beperking was altijd dat ik niet met muziek kon schrijven omdat ik dan meer lette op wat ik hoorde dan op wat ik schreef, en tegenwoordig ga ik nog steeds heel zelden naar een concert, omdat ik het gevoel heb dat er op de stoel in een concertzaal een soort lichtelijk schaamteloze intimiteit ontstaat met de vreemden die naast je zitten. Toch heb ik, in de loop van de tijd en met de toenemende mogelijkheden om goede muziek in huis te hebben, geleerd te schrijven met achtergrondmuziek die past bij wat ik aan het schrijven ben. De nocturnes van Chopin voor rustige gedeelten of de sextetten van Brahms voor gelukkige middagen. Ik heb echter al jaren niet meer naar Mozart geluisterd sinds ik plotseling de perverse gedachte kreeg dat Mozart eigenlijk niet bestaat, want op zijn best is hij Beethoven en op zijn slechtst is hij Haydn.

In de jaren waarin ik deze herinneringen ophaal, heb ik het wonder weten te bewerkstelligen dat geen enkele soort muziek me stoort bij het schrijven, al ben ik me misschien niet bewust van andere deugden, want tot mijn grote verbazing meenden twee Catalaanse musici, nog heel jong en enthousiast, een verrassende verwantschap te hebben ontdekt tussen *De herfst van de patriarch*, mijn zesde roman, en het *Derde pianoconcert* van Béla Bartók. Het is waar dat ik daar eindeloos naar luisterde terwijl ik schreef, omdat het me in een heel speciale en enigszins vreemde gemoedstoestand bracht, maar ik had nooit gedacht dat het me zo zou kunnen beïnvloeden dat je het zelfs aan mijn manier van schrijven kon merken. Ik weet niet hoe de leden van de Zweedse Academie achter die zwakheid zijn gekomen, maar in elk geval was het bij de overhandiging van mijn prijs op de achtergrond te horen. Ik was daar vanzelfsprekend oprecht dankbaar voor, maar als ze het me hadden gevraagd zou ik – met al mijn dankbaarheid en respect voor hen en voor Béla Bartók – graag een van de spontane romances van Francisco el Hombre op de feesten van Aracataca hebben gehoord.

Er was in die jaren in Colombia geen cultureel project, geen plan voor het schrijven van een boek of het maken van een schilderij dat niet eerst het kantoor van Mutis passeerde. Ik was zelf getuige van zijn gesprek met een jonge schilder die alles klaar had om zijn verplichte reis door Europa te maken, behalve het geld voor de reis. Álvaro kon niet eens wachten tot hij het hele verhaal gehoord had, maar haalde meteen de magische map uit zijn bureau.

'Hier is je vliegticket,' zei hij.

Ik was altijd verbijsterd over de vanzelfsprekendheid waarmee hij deze wonderen zonder het minste machtsvertoon verrichtte. Daarom vraag ik me nog steeds af of hij niet iets te maken had met het verzoek dat de secretaris van de Colombiaanse Bond voor Schrijvers en Kunstenaars, Óscar Delgado, tijdens een cocktailparty tot me richtte om mee te dingen naar de nationale prijs voor korte verhalen, die door de geringe deelname op het punt stond niet toegekend te worden. Hij drukte zich zo onhandig uit dat het voorstel me onfatsoenlijk voorkwam, maar iemand die het hoorde legde me uit dat je in een land als het onze geen schrijver kon zijn zonder te weten dat literaire prijzen louter sociale schijnvertoningen zijn. 'Zelfs de Nobelprijs,' besloot hij zonder een spoortje boosaardigheid, en zonder er zelfs maar bij na te denken was ik vanaf dat moment op mijn hoede voor een andere buitengewone beslissing die zevenentwintig jaar later op mijn weg kwam.

De jury van de prijsvraag voor korte verhalen bestond uit Hernando Téllez, Juan Lozano y Lozano, Pedro Gómez Valderrama en drie andere schrijvers en critici van de grote bonden, zodat ik verder geen ethische of economische afwegingen maakte, maar op een avond de laatste correcties aanbracht in 'Een dag na zaterdag', het verhaal dat ik in Barranquilla in een vlaag van inspiratie had geschreven op de burelen van *El Nacional.* Nadat het meer dan een jaar in de la had gelegen, leek het me in staat een goede jury te bekoren. En zo gebeurde het ook, met als prettige bijkomstigheid de buitengewone premie van drieduizend peso.

Rond diezelfde tijd, en zonder enig verband met de prijs, viel don Samuel Lisman Baum mijn kantoor binnen, de cultureel attaché van de Israëlische ambassade, die net een uitgeverij begonnen was met een gedichtenbundel van maestro León de Greiff: *Fárrago Quinto Mamotreto.* De uitgave zag er fatsoenlijk uit en de berichten over Lisman Baum waren goed, zodat ik hem een kopie vol doorhalingen en correcties van *Afval en dorre bladeren* gaf en hem snel wegstuurde met de belofte later verder te praten. Vooral over geld, wat trouwens uiteindelijk het enige was waar we nooit over hebben gepraat. Cecilia Porras maakte een nieuwe omslag, waar ze ook nooit voor betaald heeft gekregen, op grond van mijn beschrijving van het personage van het kind. De drukkerij van *El Espectador* schonk het cliché voor het omslag in kleurendruk.

Ik vernam niets meer tot een maand of vijf later, toen uitgeverij Sipa in Bogotá – waar ik nooit van had gehoord – me opbelde bij de krant om te zeggen dat de oplage van vierduizend exemplaren klaar was om te worden verspreid, maar ze wisten niet wat ze ermee moesten doen omdat niemand enig idee had waar Lisman Baum uithing. Zelfs de verslaggevers van de krant konden geen spoor van hem vinden en tot op de dag van vandaag is dat niemand gelukt. Ulises stelde de drukkerij voor om de exemplaren aan de boekhandels te verkopen met het oog op de perscampagne die hij zelf begonnen was met een artikel, waar ik hem nooit voor heb bedankt. De kritieken waren uitstekend, maar het grootste deel van de oplage bleef in de magazijnen en er is nooit vastgesteld hoeveel exemplaren er zijn verkocht, zoals ik ook nooit een cent aan auteursrechten heb ontvangen.

Vier jaar later nam Eduardo Caballero Calderón, die de Basisbibliotheek van de Colombiaanse Cultuur leidde, een pocketeditie van *Afval en dorre bladeren* op in een collectie met uitgaven die in boekenstalletjes in Bogotá en andere steden werden verkocht. Hij betaalde de rechten, karig maar punctueel, die voor mij de sentimentele waarde hadden dat ze de eerste waren die ik voor een boek kreeg. In die uitgave was een aantal wijzigingen aangebracht die ik niet als de mijne herkende, maar ik heb er nooit moeite voor gedaan om te verhinderen dat ze in volgende uitgaven zouden worden opgenomen. Bijna dertien jaar later, toen ik na de presentatie van *Honderd jaar eenzaamheid* in Buenos Aires Colombia aandeed, vond ik in boekenstalletjes in Bogotá talrijke exemplaren die waren overgebleven van de eerste uitgave van *Afval en dorre bladeren* en die voor één peso per stuk werden verkocht. Ik kocht er zoveel ik maar kon dragen. Sindsdien heb ik in boekhandels in Latijns-Amerika andere verspreide restanten gevonden die men probeerde te verkopen als historische boeken. Ongeveer twee jaar geleden verkocht een Engels antiquariaat een door mij gesigneerd exemplaar van de eerste uitgave van *Honderd jaar eenzaamheid* voor drieduizend dollar.

Geen van die gevallen leidde me ook maar een moment af van de journalistieke mallemolen. Het aanvankelijke succes van de serie reportages had ons gedwongen voer te zoeken om een onverzadigbaar roofdier te voeden. De dagelijkse spanning was onhoudbaar, niet alleen bij het herkennen van en het zoeken naar onderwerpen, maar ook bij het schrijven zelf, dat voortdurend bedreigd werd door de verleidingen van de fictie. Bij *El Espectador* bestond geen twijfel: de onveranderlijke grondstof voor het beroep was de waarheid en niets dan de waarheid, en dat hield ons in een onleefbare spanning. José Salgar en ik gingen ten slotte zo op in ons werk dat we geen moment rust kenden, zelfs niet op zondag.

In 1956 werd bekend dat paus Pius XII aan een hikaanval leed die hem het leven zou kunnen kosten. Het enige antecedent dat ik me herinner is het meesterlijke verhaal 'P & O' van Somerset Maugham, waarin de hoofdpersoon midden op de Indische Oceaan stierf aan een hikaanval die hem in vijf dagen volledig had uitgeput, hoewel hij uit de hele wereld alle mogelijke buitensporige recepten had ontvangen, maar ik geloof dat ik dat verhaal toen nog niet kende. In het weekend durfden we niet te ver te gaan bij onze uitstapjes naar de dorpen op de savanne, omdat de krant van plan was een speciale editie uit te brengen in het geval dat de paus zou sterven. Ik was er een voorstander van dat we de editie klaar zouden hebben liggen, met alleen een aantal leemten om op te vullen bij het eerste bericht van zijn dood. Twee jaar later, toen ik al correspondent was in Rome, werd er nog steeds gewacht op de ontknoping van de pauselijke hik.

Een ander onweerstaanbaar probleem bij de krant was de neiging ons alleen bezig te houden met spectaculaire onderwerpen die steeds meer lezers zouden kunnen trekken, terwijl ik de meer bescheiden neiging had om ook een ander, minder bedeeld publiek dat meer met het hart dacht niet uit het oog te verliezen. Van de enkele onderwerpen die ik wist te vinden, bewaar ik de herinnering aan een heel eenvoudige reportage die me door het raampje van een tram in de schoot geworpen werd. Boven de ingang van een prachtig koloniaal huis op nummer 567 van de carrera Octava in Bogotá hing een bord met een opschrift dat een geringschatting leek van zichzelf: 'Kantoor voor Onbestelbare Post van de Nationale Posterijen'. Ik kan me absoluut niet herinneren dat ik daar iets te zoeken had, maar ik stapte uit de tram en belde aan. De man die opendeed was de verantwoordelijke van het kantoor, met zes systematische medewerkers die waren aangetast door de roest van de routine en wier romantische opdracht bestond uit het vinden van de bestemming voor elke slecht geadresseerde brief.

Het was een mooi huis, heel groot en stoffig, met hoge plafonds, uitgeslagen muren, donkere gangen en galerijen boordevol papieren zonder eigenaar. Van het gemiddelde van honderd onbestelbare brieven die dagelijks binnenkwamen, waren er op zijn minst tien voldoende gefrankeerd, maar waren de enveloppen blanco en stond er niet eens de naam van de afzender op. De employés van het kantoor noemden ze de 'brieven voor de onzichtbare man' en spaarden geen moeite om ze te bezorgen of te retourneren. Maar het ceremonieel van het openen van die enveloppen op zoek naar sporen getuigde van een tamelijk nutteloze hoewel prijzenswaardige bureaucratische striktheid.

De reportage bestond uit maar één aflevering en werd gepubliceerd onder de titel 'De postbode belt wel duizend keer', met als ondertitel 'De begraafplaats van de verdwenen brieven'. Toen Salgar het gelezen had, zei hij tegen me: 'Deze zwaan hoef je de nek niet om te draaien, want die is dood geboren.' Hij publiceerde het, met alles erop en eraan, wat al heel wat was, maar je kon aan zijn gezicht zien dat hij net zo pijnlijk getroffen was door de bittere ontgoocheling over wat het had kunnen worden als ik. Rogelio Echavarría prees het oprecht, misschien omdat hij dichter was, maar met een uitspraak die ik nooit ben vergeten: 'Het punt is dat Gabo zich zelfs vastklampt aan een gloeiende spijker.'

Ik voelde me zo ontmoedigd dat ik voor eigen rekening en risico, en zonder het Salgar te vertellen, besloot op zoek te gaan naar de geadresseerde van een brief die me in het bijzonder was opgevallen. Hij was gefrankeerd en afgestempeld in de leprozenkolonie Agua de Dios en gericht aan 'de mevrouw in het zwart die elke dag in de kerk van Las Aguas naar de mis van vijf uur gaat'. Na allerlei nutteloze inlichtingen te hebben ingewonnen bij de parochiepriester en zijn assistenten bleef ik de gelovigen van de mis van vijf uur verscheidene weken zonder enig resultaat ondervragen. Het verbaasde me dat de trouwste misgangsters drie hoogbejaarde dames waren die altijd in zware rouw gekleed gingen, maar geen van hen had ook maar iets te maken met de leprozenkolonie van Agua de Dios. Het was een mislukking die ik niet zo snel te boven kwam, niet alleen uit eigenliefde of omdat ik een goede daad had willen verrichten, maar omdat ik ervan overtuigd was dat achter de geschiedenis van die vrouw in het zwart een andere fascinerende geschiedenis schuilging.

Naarmate ik dieper wegzonk in het moeras van de reportage, werd mijn band met de groep van Barranquilla steeds sterker. Zij kwamen niet vaak naar Bogotá, maar ik viel hen telefonisch op elk tijdstip en met elk dringend probleem lastig, vooral Germán Vargas, vanwege zijn opvoedkundige opvatting van de reportage. Ik vroeg hun bij elke moeilijkheid, en dat waren er vele, om raad of zij belden mij wanneer er aanleiding was om me geluk te wensen. Álvaro Cepeda had ik altijd bij de hand, als een klasgenoot in het bankje naast me. Na de hartelijke plagerijen over en weer, die binnen de groep voorgeschreven waren, trok hij me dan uit het moeras met een eenvoud die me altijd is blijven verbazen. De raad die ik Alfonso Fuenmayor vroeg, was daarentegen meer literair van aard. Hij had het magische vermogen me uit de nesten te helpen met voorbeelden van grote auteurs of me het reddende citaat te geven dat hij opdiepte uit zijn onuitputtelijke arsenaal. Zijn grootste grap was toen ik hem vroeg een kop te bedenken voor een artikel over straatventers die eten verkochten en die door de gezondheidsautoriteiten werden belaagd. Alfonso gaf onmiddellijk het antwoord: 'Wie eten verkoopt gaat niet dood van de honger.'

Ik bedankte hem uit de grond van mijn hart en vond het zo passend dat ik de verleiding niet kon weerstaan hem te vragen van wie die uitspraak was. Ik was verbluft door de waarheid, die ik me niet herinnerde: 'Die is van u, maestro.'

Inderdaad had ik dat een keer verzonnen in een of ander niet-ondertekend artikel, maar ik was het weer vergeten. Het verhaal circuleerde jarenlang onder mijn vrienden in Barranquilla en ik heb hen er nooit van kunnen overtuigen dat het geen grap was.

Een gelegenheidsbezoek van Álvaro Cepeda aan Bogotá leidde me een paar dagen af van de galeistraf van het dagelijkse nieuws. Hij had een idee om een film te maken waarvan hij alleen de titel had: *La langosta azul* ('De blauwe sprinkhaan'). Het was een geslaagde vergissing, want Luis Vicens, Enrique Grau en de fotograaf Nereo López namen het serieus. Ik hoorde niets meer van het project totdat Vicens me een eerste versie van het draaiboek stuurde met het verzoek iets van mijzelf toe te voegen aan het oorspronkelijke uitgangspunt van Álvaro. Ik heb er iets aan toegevoegd wat ik me nu niet meer herinner, maar ik vond het een grappig verhaal met een voldoende dosis waanzin om het van ons te laten lijken.

Iedereen deed een beetje van alles, maar de rechtmatige vader was Luis Vicens, die veel dingen inbracht die hij had overgehouden aan zijn bezoek aan Parijs. Mijn probleem was dat ik midden in een van die uitvoerige reportages zat die me geen moment rust gunden, en toen ik me eindelijk vrij kon maken waren de opnamen van de film in Barranquilla al in volle gang.

Het is een eenvoudig werkstuk, waarvan de grootste verdienste de beheersing van de intuïtie lijkt, die misschien wel de beschermengel van Álvaro Cepeda was. Bij een van de talrijke huiselijke vertoningen was de Italiaanse regisseur Enrico Fulchignoni aanwezig, die ons verraste met de reikwijdte van zijn mededogen: hij vond de film heel goed. Dankzij de vasthoudendheid en de vermetelheid van Tita Manotas, de vrouw van Álvaro, is dat wat er nog over is van *La langosta azul* op alternatieve festivals over de hele wereld gedraaid.

Dit soort dingen leidde ons soms enige tijd af van de werkelijkheid van ons land, die verschrikkelijk was. Colombia beschouwde zichzelf vrij van guerrilla's sinds de strijdkrachten de macht hadden overgenomen onder de vlag van de vrede en de overeenkomst tussen de strijdende partijen. Niemand twijfelde eraan dat er iets was veranderd, totdat het bloedbad onder de studenten op de carrera Séptima plaatsvond. De militairen, gretig op zoek naar argumenten, wilden ons journalisten bewijzen dat er een andere oorlog woedde dan de eeuwige oorlog tussen liberalen en conservatieven. Zo was de situatie toen José Salgar naar mijn bureau kwam met een van zijn angstaanjagende ideeën: 'Bereidt u zich maar voor op een kennismaking met de oorlog.'

Degenen die, zonder nadere bijzonderheden, waren uitgenodigd om kennis te maken met de oorlog, stonden stipt om vijf uur 's morgens klaar om naar Villarrica te vertrekken, een dorp op honderddrieëntachtig kilometer van Bogotá. Generaal Rojas Pinilla was halverwege, tijdens een van zijn vele rustpauzes, op de militaire basis van Melgar in afwachting van ons bezoek en had ons een persconferentie beloofd die vóór vijf uur 's middags zou zijn afgelopen, zodat we tijd genoeg zouden hebben om met foto's en nieuws uit de eerste hand terug te keren.

De verslaggevers van *El Tiempo* waren Ramiro Andrade met de fotograaf Germán Caycedo, een stuk of vier anderen, wier namen ik me niet meer kan herinneren, en Daniel Rodríguez en ik namens *El Espectador*. Sommigen droegen passende kleding, omdat men ons gewaarschuwd had dat we misschien een paar stappen in het oerwoud zouden moeten doen.

We gingen per auto naar Melgar en daar werden we verdeeld over drie helikopters, die ons verder vervoerden door een smalle verlaten kloof van het centrale bergmassief met hoog oprijzende, scherpe zijwanden. Wat echter de meeste indruk op me maakte was de gespannenheid van de jonge piloten, die bepaalde delen van het gebied meden omdat de guerrilla daar de vorige dag een helikopter had neergehaald en een andere had beschadigd. Na zo'n vijftien spannende minuten landden we op het enorme, verlaten plein van Villarrica, waar de salpeterkorst niet stevig genoeg leek om het gewicht van de helikopter te dragen. Rondom het plein stonden houten huizen met vernielde winkels en grote woningen die van niemand waren, behalve een pasgeschilderd gebouw, dat het hotel van het dorp was geweest totdat de terreur zijn intrede had gedaan.

Recht voor de helikopter waren vaag de uitlopers van het gebergte te onderscheiden en het zinken dak van het enige huis, dat nauwelijks zichtbaar was door de nevelslierten die opstegen uit de diepte. Volgens de officier die ons vergezelde zaten daar de guerrillero's met voldoende krachtige wapens om ons neer te maaien, zodat we zigzaggend en gebukt naar het hotel moesten rennen als voorzorgsmaatregel tegen mogelijke schoten vanuit de bergen. Pas toen we daar waren, drong het tot ons door dat het hotel veranderd was in een kazerne.

Een kolonel in oorlogstenue, met het knappe uiterlijk van een filmster en op een intelligente manier innemend, legde ons zonder veel ophef uit dat de voorhoede van de guerrilla zich sinds enkele weken in het huis in de bergen bevond en dat ze van daaruit al enkele pogingen hadden ondernomen om 's nachts het dorp binnen te vallen. Het leger was ervan overtuigd dat de guerrillero's iets zouden proberen als ze de helikopters op het plein zagen, en de troepen waren paraat. Maar na een uur van provocaties, zelfs uitdagingen met luidsprekers, gaven de guerrillero's nog geen teken van leven. Teleurgesteld stuurde de kolonel een verkenningspatrouille om zich ervan te vergewissen dat er nog iemand in het huis zat.

De spanning nam af. Wij journalisten verlieten het hotel en verkenden de omliggende straten, inclusief die met de minste versterkingen rondom het plein. De fotograaf en ik begonnen samen met enkele anderen langs een kronkelend ruiterpad aan de beklimming van de berg. In de eerste bocht lagen soldaten in schietpositie tussen het struikgewas. Een officier raadde ons aan terug te keren naar het plein, omdat er van alles kon gebeuren, maar we negeerden zijn advies. We waren van plan verder te klimmen tot we op een of andere vooruitgeschoven groep guerrillero's zouden stuiten die onze dag zou redden met een sensationeel nieuwtje.

Daar was geen tijd voor. Plotseling waren er verscheidene gelijktijdige bevelen te horen en meteen daarop volgde een salvo van de militairen. We lieten ons vlak bij de soldaten op de grond vallen, die het vuur openden op het huis. In de kortstondige verwarring verloor ik Rodríguez uit het oog, die wegrende naar een strategische positie voor zijn zoeker. Het vuurgevecht was kort maar zeer hevig en daarna heerste er een doodse stilte.

We waren net teruggekeerd op het plein toen we een militaire patrouille uit het oerwoud zagen komen met een lichaam op een draagbaar. De aanvoerder van de patrouille was heel opgewonden en stond niet toe dat er foto's gemaakt werden. Ik zocht met mijn blik naar Rodríguez en zag hem zo'n vijf meter rechts van me opduiken, met zijn camera in de aanslag. Toen beleefde ik een heel intens ogenblik, twijfelend tussen de neiging tegen hem te schreeuwen dat hij de foto niet moest nemen uit angst dat ze per ongeluk op hem zouden schieten, en het professionele instinct de foto tegen elke prijs te maken. Ik had geen tijd om te reageren, want op hetzelfde moment was de woedende schreeuw van de aanvoerder van de patrouille te horen: 'Er worden geen foto's gemaakt!'

Rodríguez liet zonder haast zijn camera zakken en kwam naast me staan. De groep liep zo dicht langs ons heen dat de zurige lucht van de levende lichamen en de stilte van het dode tastbaar waren. Toen ze gepasseerd waren fluisterde Rodríguez in mijn oor: 'Ik heb de foto.'

Dat was waar, maar hij is nooit gepubliceerd. De uitnodiging was in een ramp geëindigd. Er waren nog twee gewonden bij het leger en minstens twee dode guerrillero's, die ze al hadden overgebracht naar de schuilplaats. Het gezicht van de kolonel stond nu somber. Hij deelde ons simpelweg mee dat het bezoek was afgelast, dat we een halfuur hadden om te lunchen en dat we meteen daarna over de weg naar Melgar zouden reizen, omdat de helikopters gereserveerd waren voor de doden en gewonden. Het aantal van beide is nooit bekendgemaakt.

Niemand had het meer over de persconferentie van generaal Rojas Pinilla. We kwamen in een jeep met zitplaatsen voor zes personen langs zijn huis in Melgar en arriveerden na middernacht in Bogotá. Het voltallige redactielokaal wachtte ons op, want het Bureau voor Informatievoorziening en Perszaken had opgebeld om zonder nadere details mee te delen dat we over land zouden komen, maar ze hadden er niet bij gezegd of dat dood of levend was.

Tot dan toe was het enige geval van inmenging van de militaire censuur dat bij de dood van de studenten in het centrum van Bogotá geweest. Er was geen censor binnen de redactie nadat de laatste, die was aangesteld door de vorige regering, bijna in tranen ontslag had genomen omdat hij de valse primeurs en de ironische afleidingsmanoeuvres van de redacteuren niet langer kon verdragen. We wisten dat het Bureau voor Informatievoorziening en Perszaken ons niet uit het oog verloor, en ze belden regelmatig met waarschuwingen en vaderlijke raad. De militairen, die aan het begin van hun bewind een schoolse hartelijkheid tegenover de pers aan de dag hadden gelegd, werden onzichtbaar of ontoegankelijk. Toch was er een aanwijzing die in stilte steeds vastere vormen aannam en de nooit bewezen of weerlegde overtuiging deed postvatten dat de aanvoerder van die kiem van guerrilla-activiteiten in Tolima een jongen van tweeëntwintig was, die op zijn eigen manier carrière maakte en wiens naam men heeft kunnen bevestigen noch ontkennen: Manuel Marulanda Vélez of Pedro Antonio Marín, 'Tirofijo'.* Meer dan veertig jaar later antwoordde Marulanda – toen hem in zijn legerkamp naar dit gegeven werd gevraagd – dat hij zich niet kon herinneren of hij inderdaad die jongen was geweest.

Het was niet mogelijk om meer nieuws te bemachtigen. Ik ging er wanhopig naar op zoek nadat ik terug was uit Villarrica, maar kon geen opening vinden. Het Bureau voor Informatievoorziening en Perszaken was voor ons gesloten, en het onaangename voorval in Villarrica werd begraven onder militaire terughoudendheid. Ik had de hoop al laten varen toen José Salgar voor mijn bureau kwam staan, een koelbloedigheid voorwendend die hij nooit heeft gehad, en me een telegram liet zien dat hij net had ontvangen.

'Hier heb ik wat u niet hebt gezien in Villarrica,' zei hij.

Het was het drama van een schare kinderen die zonder vooropgezet plan en zonder rechtsmiddelen door de strijdkrachten uit hun dorpen en van straat waren gehaald om de vernietigingsoorlog tegen de guerrilla in Tolima te vergemakkelijken. Ze hadden hen van hun ouders gescheiden zonder de tijd te nemen om vast te stellen wie het kind van wie was, en veel van de kinderen zelf konden het niet zeggen. Het drama was begonnen met een stroom van twaalfhonderd volwassenen die, na ons bezoek aan Melgar, naar verschillende dorpen in Tolima waren vervoerd, daar her en der waren ondergebracht en vervolgens aan hun lot waren overgelaten. De kinderen, uit louter logistieke overwegingen gescheiden van hun ouders en verspreid over verschillende tehuizen in het land, waren met ongeveer drieduizend, van uiteenlopende leeftijd en afkomst. Slechts dertig van hen hadden geen vader en moeder meer, onder wie een tweeling van dertien dagen oud. De mobilisatie vond in het grootste geheim plaats, met steun van de perscensuur, totdat de correspondent van *El Espectador* ons vanuit Ambalema, zo'n tweehonderd kilometer van Villarrica, de eerste aanwijzingen ervoor doorseinde.

Binnen zes uur hadden we driehonderd kinderen van vijf jaar gevonden in het kindertehuis in Bogotá, velen van hen zonder papieren. Helí Rodríguez, twee jaar oud, kon amper zijn naam uitspreken. Hij wist helemaal niets, niet eens waar hij was, of waarom, hij kende de namen van zijn ouders niet en kon ook geen enkele aanwijzing geven over waar ze hen konden vinden. Zijn enige troost was dat hij het recht had om tot zijn veertiende in het tehuis te blijven. Het budget van het weeshuis was tachtig centavo per kind per maand, een bedrag dat ze kregen van de departementale regering. Tien kinderen gingen er de eerste week vandoor met de bedoeling zich als verstekeling in een van de treinen naar Tolima te verstoppen, en we konden geen spoor van hen vinden.

Velen werden in het tehuis administratief gedoopt met achternamen uit de streek om hen uit elkaar te kunnen houden, maar het waren er zoveel, ze leken zo op elkaar en ze waren zo beweeglijk dat ze in de pauzes niet van elkaar te onderscheiden waren, vooral in de koudste maanden, wanneer ze zich rennend door de gangen en op de trappen warm moesten houden. Het kon niet anders of ik werd door dat schrijnende bezoek gedwongen me af te vragen of de guerrilla waardoor de soldaat in de strijd was gedood, ooit zoveel schade onder de kinderen van Villarrica zou hebben kunnen aanrichten.

De geschiedenis van die logistieke dwaasheid werd in verschillende opeenvolgende artikelen gepubliceerd zonder iemand te raadplegen. De censuur deed er het zwijgen toe en de militairen antwoordden met de gebruikelijke verklaring:

de gebeurtenissen in Villarrica maakten deel uit van een brede communistische mobilisatie tegen de militaire regering, en deze zag zich dan ook gedwongen met oorlogsmethoden te werk te gaan. Ik had aan één regel uit dit communiqué genoeg om op de gedachte te komen de informatie rechtstreeks te betrekken bij Gilberto Vieira, algemeen secretaris van de Communistische Partij, die ik nog nooit had gezien.

Ik herinner me niet of ik de volgende stap met toestemming van de krant zette of dat ik op eigen initiatief handelde, maar ik weet nog heel goed dat ik verschillende vergeefse pogingen heb gedaan om in contact te komen met een leider van de clandestiene Communistische Partij die me zou kunnen informeren over de toestand in Villarrica. Het grootste probleem was dat de clandestiene communisten op ongekende wijze werden afgeschermd door het militaire regime. Toen nam ik contact op met een communistische vriend, en twee dagen later verscheen er opnieuw een horlogeverkoper voor mijn bureau die al een tijdje naar me op zoek was om de termijnen te innen die ik in Barranquilla niet betaald had. Ik betaalde wat ik kwijt kon en zei quasi-nonchalant dat ik dringend met een van de grote leiders moest praten, maar hij antwoordde met de geijkte formule dat hij niet de juiste weg was en ook niet wist wie dat wel zou kunnen zijn. Maar nog diezelfde middag werd ik, zonder voorafgaand bericht, verrast door een harmonieuze en zorgeloze stem aan de telefoon: 'Hallo, Gabriel, met Gilberto Vieira.'

Hoewel hij van de oprichters van de Communistische Partij de meest vooraanstaande was, had Vieira tot dan toe nog geen minuut in ballingschap of in de gevangenis doorgebracht. Toch gaf hij me, ondanks het risico dat beide telefoons werden afgeluisterd, het geheime adres van zijn huis en vroeg of ik hem diezelfde middag nog wilde komen opzoeken.

Het was een appartement op een zesde verdieping met een kleine woonkamer, boordevol politieke en literaire boeken, en twee slaapkamers, waar je via steile donkere trappen buiten adem aankwam, niet alleen door de hoogte maar ook door het besef dat je een van de best bewaarde geheimen van het land binnenging. Vieira woonde er met zijn vrouw, Cecilia, en een pasgeboren dochtertje. Omdat zijn vrouw niet thuis was, had hij de wieg met de baby binnen handbereik gezet en wiegde hij haar heel zachtjes wanneer ze begon te huilen tijdens de zeer lange pauzes in het gesprek, dat zowel over politiek als over literatuur ging, echter met weinig gevoel voor humor. Je kon je onmogelijk voorstellen dat die roze en kale veertiger met zijn heldere doordringende ogen en zijn zorgvuldige woordkeus de door de geheime diensten van het land meest gezochte man was.

Van het begin af aan besefte ik dat hij op de hoogte was van mijn leven sinds ik bij *El Nacional* in Barranquilla het horloge had gekocht. Hij las mijn reportages in *El Espectador* en herkende mijn anonieme artikelen, waarin hij probeerde mijn bijbedoelingen te ontdekken. Desondanks was hij het met me eens dat doorgaan op die lijn, zonder me door iemand bij wat voor activistische politiek dan ook te laten betrekken, de beste dienst was die ik het land kon bewijzen.

Zodra ik de kans kreeg de reden van mijn bezoek te onthullen, ging hij op dat onderwerp door. Hij was, alsof hij er zelf was geweest, op de hoogte van de situatie in Villarrica, waarover we door de officiële censuur geen letter mochten publiceren. Toch verstrekte hij me belangrijke gegevens die me duidelijk maakten dat wat daar gebeurde de aanloop vormde voor een langdurige oorlog na een halve eeuw van incidentele schermutselingen. Zijn taalgebruik, op die dag en op die plaats, had meer weg van dat van Jorge Eliécer Gaitán dan van dat van de Marx op zijn nachtkastje, en hij sprak over een oplossing die niet die van 'het proletariaat aan de macht' leek te zijn, maar een soort verbond van rechtelozen tegen de heersende klassen. Het resultaat van dit bezoek was niet alleen dat het verhelderde wat er gebeurd was, maar ook dat het me een methode aan de hand deed om het beter te begrijpen. Zo legde ik het ook uit aan Guillermo Cano en aan Zalamea, en ik liet de deur op een kier staan voor het geval ooit het slot van de onvoltooide reportage zou opduiken. Overbodig te zeggen dat er tussen Vieira en mij een zeer hechte vriendschapsband ontstond, die ons contact vergemakkelijkte, zelfs in de moeilijkste tijden van zijn illegaliteit.

Een ander groot drama was zich onderhuids aan het ontwikkelen toen in februari 1954 de cirkel werd doorbroken met het slechte nieuws in de pers dat een Korea-veteraan zijn onderscheidingen had verpand om te kunnen eten. Hij was maar een van de vierduizend mannen die willekeurig gerekruteerd waren op een ander onvoorstelbaar moment in onze geschiedenis, toen voor de boeren die van hun land verdreven waren door het regeringsgeweld, elk lot beter was dan niets. De steden, die overbevolkt waren door de verdrevenen, boden geen enkele hoop. Colombia was, zoals bijna elke dag herhaald werd in redactionele artikelen, op straat, in de cafés, in de gesprekken thuis, een onleefbare republiek. Voor veel verdreven boeren en talrijke jongens zonder perspectief vormde de oorlog in Korea een oplossing voor persoonlijke problemen. Er zat van alles tussen, zonder duidelijk onderscheid, en er werd nauwelijks gekeken naar lichamelijke condities, bijna zoals de Spanjaarden hiernaartoe kwamen om Amerika te ontdekken. Toen ze druppelsgewijs terugkeerden naar Colombia had die heterogene groep eindelijk een gemeenschappelijk kenmerk: ze waren veteranen. Een paar van hen hoefden maar in een handgemeen verwikkeld te raken of ze werden allemaal met de vinger nagewezen. De deuren werden voor hen gesloten met het goedkope argument dat ze geen recht hadden op werk omdat ze geestelijk onevenwichtig waren. Aan de andere kant waren er niet voldoende tranen voor de ontelbaren die terugkwamen in de vorm van duizend kilo as.

Het nieuws van de man die zijn onderscheidingen had verpand, vormde een wreed contrast met een ander bericht van tien maanden eerder, toen de laatste veteranen naar het land terugkeerden met bijna een miljoen dollar in contanten, die na inwisseling bij de banken de dollarkoers in Colombia deden zakken van drie peso en dertig centavo naar twee peso negentig. Maar wat nog meer daalde was het aanzien van de veteranen naarmate ze zich geconfronteerd zagen met de realiteit van hun land. Vóór hun terugkeer waren er hier en daar berichten gepubliceerd dat ze speciale beurzen voor winstgevende studies zouden ontvangen, dat ze een levenslang pensioen zouden krijgen, en faciliteiten om in de Verenigde Staten te blijven wonen. Het tegendeel was waar: kort na hun aankomst werden ze ontslagen uit het leger, en het enige wat velen van hen nog in hun zakken hadden waren de portretten van hun Japanse vriendinnen, die in Japan op hen bleven wachten in de kampen waar de mannen naartoe waren gebracht om te herstellen van de oorlog.

Het kon niet anders of dit nationale drama deed me denken aan dat van mijn grootvader kolonel Márquez, die eeuwig op zijn veteranenpensioen had gewacht. Ik was ten slotte tot de conclusie gekomen dat die krenterigheid een represaille was tegen een subversieve kolonel die in een verbitterde strijd verwikkeld was met de conservatieve hegemonie. De overlevenden van Korea daarentegen hadden tegen de communistische zaak gevochten en zich ingezet voor het imperialistische streven van de Verenigde Staten. En toch verschenen ze niet op de societypagina's, maar in de schandaalrubrieken. Een van hen, die twee onschuldigen had doodgeschoten, vroeg aan zijn rechters: 'Als ik in Korea honderd mensen heb gedood, waarom mag ik er dan niet tien doden in Bogotá?'

Deze man was, net als andere delinquenten, in de oorlog terechtgekomen toen de wapenstilstand al was getekend. Toch waren velen als hij ook het slachtoffer van het Colombiaanse machismo, waarbij het doden van een Korea-veteraan als een triomf werd beschouwd. Er was nog geen drie jaar verstreken sinds de eerste lichting was teruggekeerd, en al meer dan tien veteranen waren het slachtoffer geworden van dodelijk geweld. Om diverse redenen hadden verscheidenen kort na hun terugkeer de dood gevonden bij zinloze ruzies. Een van hen was doodgestoken in een café, na een woordenwisseling over het herhaaldelijk draaien van een bepaalde plaat op de jukebox. Sergeant Cantor, die zijn naam eer had aangedaan door in de rustpauzes tijdens de oorlog te zingen en zichzelf te begeleiden op gitaar, werd enkele weken na zijn terugkeer doodgeschoten. Een andere veteraan werd, eveneens in Bogotá, neergestoken, en om hem te kunnen begraven moest er een collecte onder de buurtbewoners worden gehouden. Ángel Fabio Goes, die in de oorlog een oog en een hand was kwijtgeraakt, werd gedood door drie onbekenden, die nooit werden opgepakt.

Ik herinner me als de dag van gisteren dat ik het laatste hoofdstuk van de serie artikelen zat te schrijven toen de telefoon op mijn bureau ging en ik onmiddellijk de opgewekte stem van Martina Fonseca herkende: 'Hallo?'

Met bonzend mijn hart liet ik het artikel halverwege liggen en stak de avenida over om haar in hotel Continental te ontmoeten na haar twaalf jaar niet te hebben gezien. Het was niet eenvoudig haar vanuit de deuropening te ontdekken tussen de andere vrouwen die zaten te lunchen in de overvolle eetzaal, totdat ze me met haar handschoen een teken gaf. Ze was gekleed volgens haar gebruikelijke persoonlijke smaak, met een suède jas, een versleten vos over haar schouder en een jagershoedje, en de jaren begonnen al te zeer zichtbaar te worden aan de door de zon verweerde rimpelige huid en de doffe ogen, en ze leek gekrompen door de eerste tekenen van een onrechtvaardige ouderdom. We moeten allebei wel gemerkt hebben dat twaalf jaar heel lang was op haar leeftijd, maar we wisten het goed te verbergen. Ik had geprobeerd haar op te sporen tijdens mijn eerste jaren in Barranquilla, totdat ik hoorde dat ze in Panama woonde, waar haar zeeman loods was op het kanaal. Het was echter niet uit trots maar uit verlegenheid geweest dat ik geen contact met haar had opgenomen.

Ik geloof dat ze net geluncht had met iemand die haar alleen had gelaten om plaats te maken voor mijn bezoek. We dronken drie dodelijke koppen koffie en rookten samen een half pakje goedkope sigaretten, terwijl we tastend op zoek waren naar een manier om een gesprek te voeren zonder te praten, totdat zij me durfde te vragen of ik nog weleens aan haar had gedacht. Toen pas zei ik haar de waarheid: ik was haar nooit vergeten, maar haar afscheid was zo wreed geweest dat het me wezenlijk had veranderd. Zij was meelevender dan ik: 'Ik zal nooit vergeten dat je als een zoon voor me bent.'

Ze had mijn artikelen, mijn verhalen en mijn enige roman gelezen, en ze praatte erover met een scherpzinnigheid en felheid die alleen het gevolg konden zijn van liefde of verbittering. Toch deed ik niets anders dan de valkuilen van de nostalgie ontwijken, met de verachtelijke lafheid waartoe alleen wij mannen in staat zijn. Toen ik er eindelijk in slaagde de spanning te verminderen durfde ik haar te vragen of ze de zoon had gekregen die ze zo graag gewild had.

'Die is geboren,' zei ze opgewekt, 'en hij is al bijna klaar met de lagere school.'

'Net zo zwart als zijn vader?' vroeg ik met de kleingeestigheid die kenmerkend is voor jaloezie.

Zij deed als altijd een beroep op haar gezond verstand. 'Net zo wit als zijn moeder,' zei ze. 'Zijn vader is niet het huis uit gegaan, zoals ik vreesde, maar is dichter bij mij gekomen.' En als reactie op mijn zichtbare verwarring bevestigde ze met een dodelijke glimlach: 'Maak je geen zorgen: hij is van hem. En bovendien hebben we twee dochtertjes die op elkaar lijken alsof het er maar één is.'

Ze was blij dat ze gekomen was, vertelde me een paar herinneringen die niets met mij te maken hadden, en ik was zo ijdel te denken dat ze een intiemer antwoord verwachtte. Maar net als alle mannen vergiste ook ik me in tijd en plaats. Toen ik de vierde koffie en een pakje sigaretten bestelde, keek ze op haar horloge en stond zonder verdere omhaal van woorden op.

'Goed, jongen, ik ben blij dat ik je gezien heb,' zei ze. En ze besloot met: 'Ik kon er niet meer tegen om zoveel van je gelezen te hebben en niet te weten hoe je bent.'

'En hoe ben ik?' waagde ik het te vragen.

'O, nee!' lachte ze hartelijk. 'Dat zul je nooit weten.'

Pas toen ik weer op adem gekomen was achter mijn schrijfmachine, drong het tot me door hoezeer ik er altijd naar verlangd had haar terug te zien en hoe panische angst me had belet de rest van mijn leven bij haar te blijven. Dezelfde vernietigende angst die ik vaak had gevoeld wanneer de telefoon ging.

Het nieuwe jaar 1955 begon voor de journalisten op 28 februari met het nieuws dat acht mariniers van de torpedojager Caldas van de Colombiaanse Marine tijdens een storm overboord geslagen en verdwenen waren toen ze zich op nog geen twee uur varen van Cartagena bevonden. Het schip had vier dagen eerder het anker gelicht in Mobile in de staat Alabama, na daar verscheidene maanden gelegen te hebben voor een voorgeschreven onderhoudsbeurt.

Terwijl de voltallige redactie vol spanning naar het eerste radiobulletin van de ramp luisterde, had Guillermo Cano zich in zijn draaistoel naar mij toe gewend en hield me in zijn blikveld met een bevel dat op het puntje van zijn tong lag. José Salgar bleef, op weg naar de drukkerij, ook voor me staan met gespannen zenuwen door het nieuws. Ik was een uur daarvoor uit Barranquilla teruggekeerd, waar ik een informatief artikel had voorbereid over het eeuwige drama van de Bocas de Ceniza, en ik begon me al weer af te vragen hoe laat het volgende vliegtuig naar de kust zou vertrekken om de primeur over de acht schipbreukelingen te schrijven. Maar al snel bleek uit het radiobericht dat de torpedojager om drie uur 's middags in Cartagena zou aankomen en dat er verder geen nieuws was omdat ze de lichamen van de acht verdronken mariniers niet hadden teruggevonden. De spanning van Guillermo Cano was op slag verdwenen.

'Wat een pech, Gabo,' zei hij. 'De grote sensatie is verdronken.'

De ramp bleef beperkt tot een reeks officiële bulletins, en de informatie werd behandeld met het voorgeschreven eerbetoon aan gevallenen in actieve dienst, maar dat was alles. Aan het eind van de week onthulde de marine evenwel dat een van de schipbreukelingen, Luis Alejandro Velasco, uitgeput was aangespoeld op een strand in Urabá, met een zonnesteek maar buiten levensgevaar, na tien dagen zonder eten of drinken op een vlot zonder riemen te hebben rondgedobberd. We waren het er allemaal over eens dat het de reportage van het jaar kon worden als we erin zouden slagen hem alleen te spreken, al was het maar een halfuur.

Dat bleek onmogelijk. De marine hield hem afgezonderd van de buitenwereld terwijl hij in het marineziekenhuis in Cartagena herstelde. Daar werd hij enkele vluchtige minuten bezocht door een slimme redacteur van *El Tiempo*, Antonio Montaña, die vermomd als arts het ziekenhuis was binnengeglipt. Maar te oordelen naar de resultaten had hij van de schipbreukeling alleen een paar potloodtekeningen gekregen over zijn positie aan boord op het moment dat hij door de storm werd meegesleurd, en wat onsamenhangende verklaringen waaruit duidelijk werd dat hij orders had gekregen niets te vertellen. 'Als ik geweten had dat het een journalist was zou ik hem hebben geholpen,' verklaarde Velasco een paar dagen later. Eenmaal hersteld, en nog altijd onder de hoede van de marine, stond hij een interview toe aan de correspondent van *El Espectador* in Cartagena, Lácides Orozco, die echter niet kon achterhalen wat wij graag wilden weten, namelijk hoe een windvlaag een dergelijke ramp met zeven doden had kunnen veroorzaken.

Luis Alejandro Velasco zat inderdaad in de ijzeren greep van een belofte die hem verhinderde zich vrijelijk te bewegen of te praten, zelfs nadat hij was overgebracht naar het huis van zijn ouders in Bogotá. Elk technisch of politiek aspect werd met welwillend meesterschap voor ons opgelost door de fregatluitenant Guillermo Fonseca, maar met dezelfde elegantie omzeilde hij essentiële gegevens met betrekking tot het enige wat ons toen interesseerde: de waarheid over het avontuur. Alleen om tijd te winnen schreef ik een reeks sfeerreportages over de terugkeer van de schipbreukeling naar het huis van zijn ouders, nadat zijn begeleiders in uniform me opnieuw hadden belet met hem te spreken, terwijl ze wél een onbenullig interview toestonden aan een plaatselijke radiozender. Het was duidelijk dat we in handen waren van meesters in de officiële kunst van het laten bekoelen van nieuws, en voor het eerst kwam de schokkende gedachte bij me op dat ze voor de publieke opinie iets zeer ernstigs over de ramp verborgen hielden. In mijn herinnering was dit niet zozeer een vermoeden als wel een voorgevoel.

Het was een maart met ijskoude winden en de fijne motregen versterkte de last van mijn wroeging. Voordat ik de confrontatie met het redactielokaal aanging, vluchtte ik, terneergeslagen door mijn nederlaag, het tegenovergelegen hotel Continental in en bestelde een dubbele borrel aan de verlaten bar. Ik stond met trage teugjes te drinken, zonder zelfs maar mijn dikke ministeriële overjas te hebben uitgetrokken, toen ik vlak bij mijn oor een zoetgevooisde stem hoorde: 'Wie alleen drinkt, sterft alleen.'

'Moge God je horen, schoonheid,' antwoordde ik met het hart op de tong, in de overtuiging dat het Martina Fonseca was.

De stem liet een spoor van lauwwarme gardenia's achter, maar zij was het niet. Ik zag haar door de draaideur naar buiten gaan en met haar onvergetelijke gele paraplu verdwijnen op de door de motregen modderig geworden avenida. Na mijn tweede glas stak ik ook de straat over en bereikte gesteund door de twee borrels het redactielokaal. Guillermo Cano zag me binnenkomen en slaakte een voor iedereen bedoelde vrolijke kreet: 'Ah, eens kijken wat de grote Gabo ons brengt!'

Ik antwoordde naar waarheid: 'Niets anders dan oude kost.'

Ik besefte dat de meedogenloze plaaggeesten van de redactie van me waren gaan houden toen ze me zwijgend, mijn doorweekte overjas achter me aan slepend, zagen passeren en niemand de moed had om te beginnen met het rituele fluitconcert.

Luis Alejandro Velasco bleef intussen genieten van zijn onderdrukte roem. Zijn begeleiders stonden hem niet alleen allerlei publicitaire perversiteiten toe, maar sponsorden hem zelfs. Hij kreeg vijfhonderd dollar en een nieuw horloge om op de radio naar waarheid te vertellen dat het zijne het in de barre weersomstandigheden had uitgehouden. De fabrikant van zijn tennisschoenen betaalde hem duizend dollar om te vertellen dat de zijne zo sterk waren geweest dat hij ze niet had kunnen stukbijten toen hij iets wilde hebben om op te kauwen. Op een en dezelfde dag hield hij een politieke toespraak, liet zich kussen door een schoonheidskoningin en werd als toonbeeld van een vaderlandslievende moraal aan weeskinderen ten voorbeeld gesteld. Ik begon hem al te vergeten toen Guillermo Cano me op een gedenkwaardige dag meedeelde dat hij in zijn kantoor zat en bereid was een contract te tekenen om zijn volledige avontuur te vertellen. Ik voelde me vernederd.

'Hij is al geen oude kost meer, maar bedorven kost,' hield ik vol.

Het was de eerste en enige keer dat ik weigerde voor de krant mijn plicht te doen. Guillermo Cano legde zich neer bij de realiteit en stuurde de schipbreukeling zonder verdere verklaring weg. Later vertelde hij me dat hij nadat hij hem weg had laten gaan, begon na te denken en niet kon begrijpen wat hij zojuist had gedaan. Toen had hij de portier opdracht gegeven de schipbreukeling terug te sturen en had hij mij opgebeld met de onherroepelijke mededeling dat hij de exclusieve rechten voor het volledige verhaal had gekocht.

Het was niet de eerste keer en het zou ook niet de laatste zijn dat Guillermo koppig vasthield aan een verloren zaak en uiteindelijk gelijk bleek te hebben. Terneergeslagen maar in zo fatsoenlijk mogelijke bewoordingen liet ik hem weten dat ik de reportage alleen zou maken uit gehoorzaamheid aan mijn werk, maar dat ik er niet mijn handtekening onder zou zetten. Zonder dat ik erover had nagedacht bleek dat een toevallige maar trefzekere beslissing voor de reportage, want het dwong me het verhaal in de eerste persoon van de hoofdrolspeler te vertellen, op zijn eigen manier en met zijn persoonlijke idealen, en ondertekend met zijn naam. Zo beschermde ik mezelf tegen elke andere mogelijke schipbreuk op het vasteland. Dat wil zeggen, het zou letterlijk de monologue intérieur tijdens een eenzaam avontuur worden, zoals het leven dat had aangereikt. Het was een wonderbaarlijk besluit, want Velasco bleek een intelligente man, met een onvergetelijke fijngevoeligheid en ontwikkeling en op zijn tijd een uitstekend gevoel voor humor. En dat alles ook nog eens onderworpen aan een onberispelijk karakter.

Het interview was lang, minutieus en duurde drie volle uitputtende weken, en ik deed het in de wetenschap dat het niet bedoeld was om rauw op te dienen, maar om in een andere pan gekookt te worden: de reportage. Ik begon er met enig wantrouwen aan en probeerde de schipbreukeling op tegenstrijdigheden te betrappen om te ontdekken of hij iets voor me verborgen hield, maar al snel was ik ervan overtuigd dat dit niet het geval was. Ik hoefde niets te forceren. Het was alsof ik door een weiland met bloemen liep en alle vrijheid had om de mooiste uit te kiezen. Velasco kwam stipt om drie uur 's middags naar mijn bureau op de redactie, dan namen we de aantekeningen van de vorige keer door en gingen verder met waar we gebleven waren. Elk hoofdstuk dat hij me vertelde typte ik 's avonds uit en werd de volgende middag geplaatst. Het zou eenvoudiger en betrouwbaarder zijn geweest als ik eerst het hele avontuur opgeschreven had en het pas gepubliceerd had als het gecorrigeerd was en alle details grondig gecontroleerd waren. Maar daarvoor was geen tijd. Het onderwerp verloor met de minuut aan actualiteit en elk ander opzienbarend nieuws kon het naar de achtergrond drukken.

We gebruikten geen opnameapparaat. Die waren net uitgevonden en de beste waren even groot en zwaar als een schrijfmachine, en de magneetband raakte in de war als engelenhaar. Alleen al het uittypen was een hele toer. Zelfs vandaag de dag weten we dat opnameapparaten heel nuttig zijn om ons te helpen dingen te onthouden, maar daarbij moeten we nooit het gezicht van de geïnterviewde uit het oog verliezen, dat veel meer kan zeggen dan zijn stem, en soms precies het tegendeel ervan. Ik moest me tevredenstellen met de routinematige methode van het maken van aantekeningen in een schoolschrift, maar ik geloof dat me juist daardoor geen woord of nuance van het gesprek is ontgaan, en dat ik met elke stap beter kon doordringen in het verhaal. De eerste twee dagen waren moeilijk, omdat de schipbreukeling alles in één keer wilde vertellen. Toch leerde hij heel snel door de volgorde en de strekking van mijn vragen, en vooral door zijn eigen vertellersinstinct en zijn aangeboren talent om de fijne kneepjes van het vak te begrijpen.

Om de lezer voor te bereiden alvorens hem in het diepe te gooien begonnen we het verhaal met de laatste dagen van de marinier in Mobile. Ook spraken we af het niet te laten eindigen op het moment dat hij voet aan wal zette, maar wanneer hij bejubeld door de menigte in Cartagena aankwam, wat het punt was waarop de lezers voor zichzelf de draad van het verhaal konden volgen met de gegevens die ze al hadden. Dit gaf ons veertien hoofdstukken om de spanning gedurende twee weken vast te houden.

Het eerste werd op 5 april 1955 gepubliceerd. Die editie van *El Espectador*, vooraf aangekondigd op de radio, was in een paar uur uitverkocht. De explosieve kern kwam de derde dag aan de orde, toen we besloten de werkelijke oorzaak van de ramp, volgens de officiële versie een storm, te onthullen. Op zoek naar een grotere nauwkeurigheid vroeg ik Velasco het met alle details te vertellen. Hij was inmiddels zo gewend aan onze gezamenlijke methode dat ik in zijn ogen een ondeugende schittering zag voordat hij antwoordde: 'Het probleem is dat er geen storm was.'

Wat er wél was, lichtte hij toe, was twintig uur waarin het hard waaide, wat kenmerkend was voor dat gebied in die tijd van het jaar, maar niet voorzien werd door degenen die verantwoordelijk waren voor de reis. De bemanning had voordat ze het anker lichtte verscheidene maanden achterstallig salaris ontvangen en dat op het laatste moment uitgegeven aan allerlei huishoudelijke apparaten om mee te nemen naar huis. Het was allemaal zo onverwacht dat niemand zich ongerust moet hebben gemaakt toen het ruim van het schip al snel vol was en ze de grootste dozen op het dek vastbonden: koelkasten, wasmachines, kachels. Een verboden lading op een oorlogsschip, en in zo'n hoeveelheid dat ze vitale delen van het dek in beslag nam. Misschien dacht men dat daar op een reis zonder officieel karakter, van minder dan vier dagen en met uitstekende weersvooruitzichten, niet al te streng de hand aan hoefde te worden gehouden. Hoe vaak hadden anderen dat tenslotte al niet eerder gedaan en zouden dat ook na hen blijven doen zonder dat er iets gebeurde? De pech voor iedereen was dat winden die nauwelijks sterker waren dan voorspeld, de zee onder een stralende zon in beroering brachten en het schip meer deden overhellen dan voorzien, waardoor de touwen van de slecht gestuwde lading braken. Als het niet zo'n zeewaardig schip als de Caldas was geweest zou het onherroepelijk vergaan zijn, maar nu sloegen acht van de mariniers die aan dek wachtliepen overboord. De belangrijkste oorzaak van het ongeluk was dus niet een storm, zoals de officiële bronnen vanaf de eerste dag hardnekkig hadden beweerd, maar dat wat Velasco in zijn reportage verklaarde: de slecht gestuwde lading van huishoudelijke apparaten op het dek van een oorlogsschip.

Een ander aspect dat steeds onder tafel was gehouden, was wat voor soort reddingsvlotten ter beschikking stonden van degenen die overboord geslagen waren, van wie alleen Velasco zich had kunnen redden. Men gaat ervan uit dat er twee soorten voorgeschreven vlotten aan boord moeten zijn geweest die tegelijk met de acht mannen in zee gevallen zijn. Ze waren van kurk en canvas, drie meter lang en anderhalve meter breed, met een veiligheidsplatform in het midden en uitgerust met levensmiddelen, drinkwater, roeispanen, eerstehulpkist, visgerei en navigatie-instrumenten, en een bijbel. In die omstandigheden konden tien personen acht dagen aan boord overleven, zelfs zonder visgerei. Op de Caldas was echter ook een lading kleinere reddingsvlotten aanwezig, zonder enige uitrusting. Afgaande op de verhalen van Velasco lijkt het erop dat het zijne daar een van was. De vraag die wel voor altijd onbeantwoord zal blijven, is hoeveel andere overlevenden erin geslaagd zijn aan boord van een van de andere vlotten te klimmen zonder dat die hen ergens heen brachten.

Dit zijn ongetwijfeld de belangrijkste redenen geweest waarom de officiële verklaringen over de schipbreuk zijn vertraagd. Totdat men besefte dat het een onhoudbare eis was, omdat de rest van de bemanning al thuis aan het bijkomen was en het hele verhaal overal in het land vertelde. De regering bleef tot het eind bij haar versie van de storm en gaf deze een officieel karakter met stellige verklaringen in een formeel communiqué. De censuur ging niet zo ver dat ze de resterende hoofdstukken verbood. Velasco handhaafde op zijn beurt voorzover mogelijk een soort dubbele loyaliteit, en er is nooit iets van gebleken dat hij onder druk zou zijn gezet om de waarheid niet te onthullen, en ook heeft hij ons dat nooit gevraagd, of geprobeerd te verhinderen dat wij de waarheid onthulden.

Na het vijfde hoofdstuk werd er gedacht aan het maken van een extra editie van de eerste vier hoofdstukken om tegemoet te komen aan de vraag van de lezers die het hele verhaal wilden verzamelen. Don Gabriel Cano, die we in die uitzinnige dagen niet op de redactie hadden gezien, daalde af uit zijn duiventil en liep rechtstreeks naar mijn bureau.

'Zeg eens, naamgenoot,' vroeg hij me, 'hoeveel hoofdstukken krijgt die schipbreukeling?'

We zaten in het relaas van de zevende dag, het moment waarop Velasco een visitekaartje had opgegeten omdat hij niets anders te eten kon vinden en hij tevergeefs zijn schoenen probeerde stuk te bijten toen hij iets wilde hebben om op te kauwen. Zodat we nog zeven hoofdstukken te gaan hadden. Don Gabriel wond zich op.

'Nee, naamgenoot, nee,' reageerde hij geïrriteerd. 'Het moeten minstens vijftig hoofdstukken worden.'

Ik voerde mijn argumenten aan, maar de zijne waren gebaseerd op het feit dat de oplage van de krant al bijna verdubbeld was. Volgens zijn schattingen kon die oplopen tot een in de nationale pers ongekende hoogte. Er werd een redactievergadering belegd, de economische, technische en journalistieke details werden bestudeerd en men sprak een redelijke limiet van twintig hoofdstukken af. Oftewel zes meer dan voorzien.

Hoewel mijn naam niet voorkwam in de gedrukte hoofdstukken, was de methode van werken algemeen bekend geworden, en op een avond dat ik mijn plicht als filmcriticus vervulde, ontspon zich in de foyer van de bioscoop een levendige discussie over het verhaal van de schipbreukeling. De meeste aanwezigen waren vrienden met wie ik na de voorstelling altijd van gedachten wisselde in de naburige cafés. Hun meningen hielpen me om de mijne helder te krijgen voor het wekelijkse artikel. Met betrekking tot het verhaal van de schipbreukeling was de algemene wens, met heel weinig uitzonderingen, dat het zo lang mogelijk door zou gaan.

Een van die uitzonderingen was een al wat oudere, knappe man met een kostbare kameelharen overjas en een bolhoed, die me een drietal straten volgde toen ik in mijn eentje van de bioscoop terugliep naar de krant. Hij werd vergezeld door een heel mooie vrouw, net zo goed gekleed als hij, en een minder onberispelijk geklede vriend. Hij nam zijn hoed af om me te groeten en stelde zich voor met een naam die ik niet heb onthouden. Zonder eromheen te draaien zei hij dat hij het niet eens kon zijn met mijn reportage over de schipbreukeling, omdat ik daarmee het communisme rechtstreeks in de kaart speelde. Zonder al te zeer te overdrijven legde ik hem uit dat ik alleen maar de bewerker was van het door de hoofdpersoon vertelde verhaal. Maar hij had zo zijn eigen ideeën en dacht dat Velasco in dienst van de USSR in de strijdkrachten was geïnfiltreerd. Ik had op dat moment het gevoel dat ik sprak met een hoge officier van het leger of de marine en werd al enthousiast bij de gedachte aan een mogelijke opheldering. Maar blijkbaar was dat alles wat hij me wilde zeggen.

'Ik weet niet of u het bewust doet of niet,' zei hij, 'maar u bewijst het land hoe dan ook een slechte dienst, die voor rekening van de communisten komt.'

Zijn oogverblindende echtgenote maakte een geschrokken gebaar en probeerde hem aan zijn arm mee te trekken met een smekende toon in haar zachte stem: 'Alsjeblieft, Rogelio!' Hij maakte de zin af met dezelfde beheersing als waarmee hij begonnen was: 'Gelooft u me, alstublieft, dat ik alleen zo vrij ben u dit te zeggen omdat ik grote bewondering heb voor wat u schrijft.'

Hij gaf me opnieuw een hand en liet zich meevoeren door zijn gekwelde echtgenote. De man die hen vergezelde was zo verrast dat hij niet eens afscheid nam.

Het was het eerste van een reeks incidenten die ons serieus deden nadenken over de risico's op straat. In een armoedige kroeg achter de krant, die tot vroeg in de ochtend bezocht werd door arbeiders uit de buurt, hadden twee onbekenden een paar dagen eerder zonder aanleiding geprobeerd Gonzalo González te molesteren, die daar zijn laatste kop koffie van de avond dronk. Niemand begreep welke beweegredenen ze gehad konden hebben tegen de meest vredelievende man ter wereld, behalve dat ze hem met mij hadden verward vanwege onze Caribische manier van doen en kleden en de twee g's van zijn pseudoniem: Gog. Hoe dan ook, de beveiligingsdienst van de krant waarschuwde me dat ik 's avonds beter niet meer alleen de straat op kon gaan in een stad die steeds gevaarlijker werd. Voor mij was die stad echter zo vertrouwenwekkend dat ik na mijn werk rustig naar mijn appartement wandelde.

Op een ochtend van een van die heftige dagen kreeg ik het gevoel dat mijn laatste uur geslagen had bij het gerinkel van brekend glas doordat er vanaf de straat een steen tegen het raam van mijn slaapkamer was gegooid. Het was Alejandro Obregón, die de sleutels van zijn huis kwijt was en geen van zijn vrienden wakker had getroffen noch een hotelkamer had kunnen vinden. Moe van het zoeken naar een plek om te slapen, en van het drukken op de kapotte bel, had hij een oplossing voor zijn vermoeiende nacht gevonden in de vorm van een steen van de naburige bouw. Hij begroette me nauwelijks toen ik de deur opendeed, om me niet klaarwakker te maken, en ging languit op de grond liggen, om tot twaalf uur de volgende middag te slapen.

Het gevecht om de krant bij de deur van *El Espectador* voordat die de straat op ging werd steeds heviger. De werknemers van het stadscentrum gingen later naar hun werk om hem te kunnen kopen en het hoofdstuk in de bus te kunnen lezen. Ik denk dat de belangstelling van de lezers was begonnen uit humanitaire motieven, maar bleef bestaan uit literaire en ten slotte uit politieke overwegingen, zij het steeds gesteund door de interne spanning van het verhaal. Velasco vertelde me voorvallen waarvan ik vermoedde dat hij ze verzonnen had, en ontdekte symbolische of sentimentele betekenissen, zoals die van de eerste meeuw die maar niet weg wilde gaan. En wat hij vertelde over de vliegtuigen was van een cinematografische schoonheid. Een bevriende zeeman vroeg me hoe het kwam dat ik de zee zo goed kende, en ik antwoordde dat ik niets anders had gedaan dan letterlijk Velasco's observaties noteren. Vanaf een bepaald punt hoefde ik niets meer toe te voegen.

Het marinecommando was er minder van gecharmeerd. Kort voor het einde van de serie stuurde het een protestbrief naar de krant waarin we het verwijt kregen volgens weinig maritieme maatstaven en op een niet erg elegante manier geoordeeld te hebben over een tragedie die overal had kunnen gebeuren waar vlooteenheden opereerden. 'Ondanks de rouw en het verdriet waardoor zeven respectabele Colombiaanse gezinnen en alle marinemensen getroffen zijn' – aldus de brief – 'heeft men zich er niet van laten weerhouden om als beginnende kroniekschrijvers een feuilleton te schrijven dat wemelt van de ontechnische en onlogische woorden en begrippen, en die in de mond te leggen van de fortuinlijke en verdienstelijke marinier die op moedige wijze zijn leven heeft gered.' Om die reden verzocht de marine om de tussenkomst van het Bureau voor Informatievoorziening en Perszaken teneinde de publicaties die in de toekomst over het incident zouden verschijnen met de hulp van een marineofficier vooraf goed te keuren. Gelukkig waren we toen de brief werd bezorgd al bij het voorlaatste hoofdstuk, zodat we ons tot de daaropvolgende week van den domme konden houden.

Met het vooruitzicht van de uiteindelijke publicatie van de hele tekst, hadden we de schipbreukeling gevraagd ons te helpen met de lijst en de adressen van collega's van hem die fototoestellen hadden, en zij stuurden ons een collectie van tijdens de reis gemaakte foto's. Daar was van alles bij, maar de meeste foto's waren van groepjes aan dek, met op de achtergrond de dozen met huishoudelijke artikelen – koelkasten, kachels, wasmachines – en daarop de duidelijk leesbare fabrieksmerken. Dit gelukkige toeval was voor ons genoeg om alle ontkenningen van officiële zijde te weerleggen. De reactie van de regering kwam onmiddellijk en die was heel stellig, maar de verkoop van het bijvoegsel overtrof alle voorgaande verkopen en alle voorspellingen. De onverslaanbare Guillermo Cano en José Salgar hadden maar één vraag: 'En wat gaan we verdomme nu doen?'

Op dat moment, duizelig van de roem, hadden we daarop geen antwoord. Alle onderwerpen kwamen ons banaal voor.

Vijftien jaar na de publicatie van het verhaal in *El Espectador* gaf uitgeverij Tusquets in Barcelona het uit in een luxe-editie, en de boeken vlogen als warme broodjes over de toonbank. Geïnspireerd door een gevoel van rechtvaardigheid en uit bewondering voor de heldhaftige marinier schreef ik aan het eind van het voorwoord: 'Er zijn boeken die niet toebehoren aan degene die ze schrijft maar aan degene die ze heeft ondergaan, en dit is er een van. De auteursrechten zullen dan ook zijn voor de man die ze verdient: de anonieme landgenoot die tien dagen zonder eten of drinken heeft moeten lijden op een vlot om dit boek mogelijk te maken.'

Dat was geen loze kreet, want de helft van de rechten van het boek werd op mijn instructie door uitgeverij Tusquets gedurende veertien jaar rechtstreeks overgemaakt aan Luis Alejandro Velasco. Totdat de advocaat Guillermo Zea Fernández uit Bogotá hem ervan overtuigde dat volgens de wet de rechten hém toebehoorden, hoewel hij wist dat dit niet zo was, maar dat ik daartoe besloten had uit eerbetoon aan zijn heldendom, zijn vertellerstalent en zijn vriendschap.

De rechtsvordering tegen mij werd ingediend bij de arrondissementsrechtbank in Bogotá. Mijn advocaat en vriend Alfonso Gómez Méndez gaf daarop aan uitgeverij Tusquets opdracht de laatste alinea van het voorwoord in alle volgende drukken te schrappen en Luis Alejandro Velasco geen cent aan auteursrechten meer te betalen totdat de rechtbank uitspraak had gedaan. Zo gebeurde het ook. Na een langdurig gevecht waarbij gebruik werd gemaakt van documenten, getuigenissen en technische bewijsstukken, besloot de rechtbank dat ik de enige auteur van het werk was en werden de verzoeken die de advocaat van Velasco had ingediend afgewezen. Daarmee waren de betalingen die hij tot dan toe op mijn beschikking had ontvangen niet gebaseerd op erkenning van de marinier als medeauteur, maar een vrijwillig besluit van degene die het verhaal had geschreven. De auteursrechten werden, eveneens op mijn beschikking, sindsdien geschonken aan een onderwijsinstelling.

We hebben nooit meer zo'n verhaal gevonden, want het ging nu eenmaal niet om het soort verhalen dat je op papier verzint. Die worden verzonnen door het leven, en bijna altijd op volkomen onverwachte momenten. Dat leerden we daarna, toen we probeerden een biografie te schrijven van de fantastische wielrenner uit Antioquia, Ramón Hoyos, die dat jaar voor de derde achtereenvolgende keer nationaal kampioen was geworden. We lanceerden het verhaal met de ophef die we van de reportage over de marinier geleerd hadden, en rekten het uit tot negentien hoofdstukken, totdat we beseften dat het publiek de voorkeur gaf aan de Ramón Hoyos die bergen beklom en als eerste over de finish kwam, maar dan in het echte leven.

Een heel klein lichtpuntje van herstel zagen we op een middag toen Salgar me opbelde met het verzoek onmiddellijk bij hem te komen in de bar van hotel Continental. Daar zat hij met een oude, ernstig kijkende vriend, die hem zojuist aan een metgezel had voorgesteld, een echte albino in arbeiderskleren, met zulke witte haren en wenkbrauwen dat hij in het schemerdonker van de bar leek op te lichten. De vriend van Salgar, een bekend ondernemer, stelde hem voor als een mijningenieur die bezig was met opgravingen op een braakliggend terrein zo'n tweehonderd meter van *El Espectador*, op zoek naar een fabelachtige schat die aan generaal Simón Bolívar had toebehoord. De ondernemer – een heel goede vriend van Salgar, zoals hij dat sindsdien ook van mij werd – stond in voor de waarheid van het verhaal. Het was verdacht door de eenvoud ervan: toen de bevrijder zich opmaakte om, verslagen en stervende, zijn laatste reis vanuit Cartagena te vervolgen, zou hij er de voorkeur aan hebben gegeven een omvangrijke schat achter te laten die hij tijdens de ontberingen van zijn oorlogen verzameld had als een welverdiende reserve voor zijn oude dag. Toen hij zijn bittere reis wilde vervolgen – naar Caracas of naar Europa, dat is niet bekend – was hij zo voorzichtig de schat in Bogotá te verbergen, beschermd door een codesysteem van Spartaanse eenvoud, zoals dat in zijn tijd heel gebruikelijk was. Ik voelde een onweerstaanbare opwinding bij de herinnering aan deze informatie toen ik *De generaal in zijn labyrint* aan het schrijven was, waarin het verhaal van de schat essentieel zou zijn geweest, ware het niet dat ik niet genoeg gegevens kon vinden om het geloofwaardig te maken, en als fictie leek het me te zwak. Dat fabelachtige fortuin, nooit opgehaald door zijn eigenaar, was wat de schatgraver zo ijverig zocht. Ik begreep niet waarom hij het ons had verteld, totdat Salgar me uitlegde dat zijn vriend, onder de indruk van het verhaal van de schipbreukeling, ons wilde informeren zodat we zijn vorderingen dagelijks konden volgen en het verhaal met hetzelfde vertoon konden publiceren.

We gingen naar het terrein. Het was het enige onbebouwde stuk grond ten westen van het parque de los Periodistas en vlak bij mijn nieuwe appartement. De vriend liet ons op een kaart uit de koloniale tijd de coördinaten van de schat zien aan de hand van de echte details van de bergen Monserrate en Guadalupe. Het verhaal was fascinerend en de beloning zou een bericht zijn dat even sensationeel was als dat van de schipbreukeling, en met een groter bereik in de wereld.

We bleven de plek met een zekere regelmaat bezoeken om op de hoogte te blijven van de ontwikkelingen, en daarbij luisterden we eindeloos lang, gesteund door brandewijn en citroenlimonade, naar de ingenieur en voelden we ons steeds verder af staan van het wonder, totdat er zoveel tijd verstreken was dat we niet eens meer de illusie koesterden. Het enige wat we later konden vermoeden, was dat het verhaal van de schat niets anders was dan een dekmantel om zonder vergunning midden in het centrum van de stad een mijn met iets zeer waardevols te exploiteren. Hoewel ook dát weer een dekmantel kon zijn om de schat van de bevrijder onaangeroerd te laten.

Het waren niet de beste tijden om te dromen. Sinds het verhaal van de schipbreukeling was me aangeraden een tijdje buiten Colombia door te brengen, totdat de toestand van de doodsbedreigingen, echt of vals, die ons uit diverse kringen bereikten, enigszins gekalmeerd was. Het was het eerste waar ik aan dacht toen Luis Gabriel Cano me zonder omhaal van woorden vroeg wat ik de komende woensdag ging doen. Omdat ik geen plannen had zei hij op zijn gebruikelijke onverstoorbare toon dat ik dan mijn papieren maar in orde moest maken om als speciale verslaggever van de krant naar de conferentie van de Grote Vier af te reizen, die de week daarop in Genève zou worden gehouden.

Het eerste wat ik deed was mijn moeder bellen. Het nieuws was zo groot voor haar dat ze vroeg of ik het had over een of ander landgoed dat Genève heette. 'Het is een stad in Zwitserland,' zei ik. Zonder van haar stuk te raken, met die eindeloze zelfbeheersing waarmee ze de meest onverwachte opwellingen van haar kinderen verwerkte, vroeg ze hoe lang ik daar zou blijven, en ik antwoordde dat ik op zijn laatst over twee weken terug zou zijn. In werkelijkheid ging ik maar voor de vier dagen die de conferentie zou duren. Maar om redenen die niets te maken hadden met mijn eigen wil bleef ik niet twee weken maar bijna drie jaar. Toen was ik het die de roeiboot nodig had, al was het maar om één keer per dag te kunnen eten, maar ik zorgde er wel voor dat de familie dat niet te weten kwam. Iemand probeerde een keer mijn moeder in de war te brengen met het gemene verhaal dat haar zoon als een prins in Parijs leefde na haar te hebben bedrogen met het smoesje dat hij daar maar twee weken zou blijven.

'Gabito bedriegt niemand,' zei ze met een argeloze glimlach. 'Het punt is dat zelfs God soms weken van twee jaar moet maken.'

Het was nooit bij me opgekomen dat ik in feite net zo rechteloos was als de miljoenen die door het geweld waren verdreven. Ik had nooit gestemd omdat ik geen identiteitspapieren had. In Barranquilla legitimeerde ik me met mijn officiële aanstelling als redacteur van *El Heraldo*, waarop een valse geboortedatum stond om de dienstplicht te ontlopen, een overtreding waar ik me al twee jaar aan schuldig maakte. In noodgevallen legitimeerde ik me met een ansichtkaart die ik gekregen had van de telegrafiste uit Zipaquirá. Een door de voorzienigheid gezonden vriend bracht me in contact met de zaakwaarnemer van een reisbureau die zijn baan riskeerde door op de datum van mijn geplande vertrek naar Europa een plaats voor me te reserveren in het vliegtuig, middels het vooruitbetalen van tweehonderd dollar en mijn handtekening onder aan tien blanco velletjes verzegeld papier. Zo kwam ik er bij toeval achter dat er een verrassend bedrag op mijn bankrekening stond, dat ik door mijn drukke verslaggeversbestaan niet had kunnen uitgeven. De enige uitgave, afgezien van mijn persoonlijke onkosten, die die van een arme student niet overstegen, was de maandelijkse overmaking van de roeiboot voor de familie.

Aan de vooravond van de vlucht dreunde de zaakwaarnemer van het reisbureau de naam van elk document afzonderlijk op, terwijl hij ze een voor een op het bureau legde, zodat ik ze niet door elkaar zou halen: mijn identiteitsbewijs, het militaire dienstboekje, het bewijs dat ik geen belastingschuld had en het vaccinatiebewijs tegen de pokken en de gele koorts. Ten slotte vroeg hij me een aanvullend bedrag voor de broodmagere jongen die zich beide keren op mijn naam had laten inenten, zoals dat al jarenlang dagelijks gedaan werd voor klanten die haast hadden.

Ik reisde naar Genève met net genoeg tijd voor de opening van de conferentie met Eisenhower, Boelganin, Eden en Faure, met het Spaans als enige taal en een onkostenvergoeding voor een derdeklas hotel, maar geruggensteund door mijn bankreserves. De terugkeer was een paar weken later gepland, maar ik weet niet door wat voor vreemd voorgevoel ik alles wat van mij was in het appartement onder mijn vrienden verdeelde, inclusief een geweldige bibliotheek met filmboeken, die ik in twee jaar had opgebouwd dankzij de adviezen van Álvaro Cepeda en Luis Vicens.

De dichter Jorge Gaitán Durán kwam afscheid nemen op het moment dat ik nutteloze papieren aan het verscheuren was en hij keek nieuwsgierig in de prullenmand of hij iets kon vinden wat hij zou kunnen gebruiken voor zijn tijdschrift. Hij haalde er drie of vier doormidden gescheurde velletjes uit en las ze nauwelijks terwijl hij ze als een legpuzzel op het bureau uitspreidde. Hij vroeg me waar ze vandaan kwamen en ik antwoordde dat het 'Isabel en de regen in Macondo' was, een fragment uit de eerste versie van *Afval en dorre bladeren* dat ik had geschrapt. Ik waarschuwde hem dat het al eens was gepubliceerd in *Crónica* en in het 'Zondagsmagazine' van *El Espectador*, onder dezelfde door mij gekozen titel en met een, naar ik me herinner, haastig in een lift gegeven toestemming. Dat kon Gaitán Durán niet schelen en hij publiceerde het in het volgende nummer van het tijdschrift *Mito*.

Het afscheid de avond tevoren in het huis van Guillermo Cano was zo tumultueus verlopen dat toen ik op het vliegveld aankwam het vliegtuig naar Cartagena, waar ik die nacht zou slapen om afscheid te nemen van mijn familie, al was vertrokken. Gelukkig kon ik rond twaalf uur 's middags nog een andere vlucht nemen. Daar deed ik goed aan, want de sfeer thuis was sinds de laatste keer ontspannener, en mijn ouders en broers en zusters bleken zich in staat te voelen het hoofd boven water te houden zonder de roeiboot, die ik in Europa meer nodig zou hebben dan zij.

Ik reisde de volgende dag heel vroeg over de weg naar Barranquilla om de vlucht naar Parijs van twee uur te kunnen halen. Op het busstation van Cartagena kwam ik Lácides tegen, de onvergetelijke portier van De Wolkenkrabber, die ik sindsdien niet meer gezien had. Hij stortte zich op me en omhelsde me oprecht, met tranen in zijn ogen, zonder te weten wat hij moest zeggen of hoe hij me moest bejegenen. Na een gehaaste gedachtewisseling, omdat zijn bus er net aan kwam en de mijne op het punt stond te vertrekken, zei hij met een geestdrift die me in mijn ziel raakte: 'Wat ik niet begrijp, don Gabriel, is waarom u nooit hebt gezegd wie u was.'

'Ach, mijn beste Lácides,' antwoordde ik, meer aangedaan

dan hij, 'dat had ik u niet kunnen zeggen, omdat ik tot op de dag van vandaag zelf niet eens weet wie ik ben.'

Uren later, in de taxi die me onder de ondankbare en transparantste hemel ter wereld naar het vliegveld van Barranquilla bracht, drong het ineens tot me door dat we op de avenida Veinte de Julio reden. In een reflex die al vijf jaar deel uitmaakte van mijn leven, keek ik naar het huis van Mercedes Barcha. En daar zat ze, als een standbeeld in het portiek, slank en ver weg, en stipt volgens de mode van het jaar gekleed in een groene jurk met goudgeel kantwerk, het haar geknipt als zwaluwenvleugels en met de diepe rust van een vrouw die wacht op iemand die niet zal komen. Ik kon het trillende gevoel in mijn borst dat ik haar op een donderdag in juli op zo'n vroeg tijdstip voor altijd zou verliezen niet onderdrukken, en heel even dacht ik erover de taxi te laten stoppen om afscheid te nemen, maar ik wilde liever niet nog eens een zo onzeker en hardnekkig lot als het mijne tarten.

Toen het vliegtuig al in de lucht was, voelde ik nog steeds buikkrampen van spijt. Er bestond toen nog de goede gewoonte om in de rugleuning van de stoel vóór je iets te stoppen wat 'schrijfbenodigdheden' heette. Een stukje papier met gouden biesjes en een omslag van hetzelfde roze, roomkleurige of blauwe linnenpapier, dat soms geparfumeerd was. Op mijn weinige voorgaande reizen had ik ze gebruikt om afscheidsgedichten op te schrijven, waar ik dan vogeltjes van vouwde, die ik bij het verlaten van het vliegtuig in de lucht gooide. Ik koos een hemelsblauw velletje en schreef mijn eerste serieuze brief aan Mercedes, die om zeven uur 's morgens in het portiek van haar huis had gezeten, in haar groene bruidskleed zonder bruidegom en met het haar van een rusteloze zwaluw, zonder zelfs maar te vermoeden voor wie ze zich die ochtend had aangekleed. Ik had haar weleens eerder speelse briefjes gestuurd die ik uit de losse pols had geschreven, en dan kreeg ik alleen mondelinge en altijd ontwijkende antwoorden wanneer we elkaar toevallig tegenkwamen. Dit briefje wilde niet meer zijn dan vijf regels om haar officieel te laten weten dat ik op reis was. Toch voegde ik een postscriptum toe dat me verblindde als een bliksemstraal midden op de dag toen ik er mijn naam onder zette: ‘Als ik binnen een maand geen antwoord op deze brief krijg, blijf ik voor altijd in Europa.’ Ik gunde mezelf nauwelijks tijd om er nog eens over na te denken voordat ik de brief om twee uur ’s nachts op het verlaten vliegveld van Montego Bay in de brievenbus gooide. Het was al vrijdag. De donderdag daarop vond ik, toen ik na weer een nutteloze dag van internationale meningsverschillen mijn hotel in Genève binnenging, de brief met haar antwoord.

alameda – wandelpromenade met aan beide zijden bomen, vereeuwigd in een beroemde Peruaanse wals
almojábanas – gebak van kaas en meel
arrepas – kleine, platte maïsbroodjes
Azorín – Spaans romanschrijver en essayist (1873-1967)

Barea, Arturo – Spaans schrijver en uitgever (1897-1957)
Bello, Andrés – Venezolaans humanist, dichter en filoloog (1781-1865)
Breva, Juan – beroemde flamencozanger uit Málaga (1844-1918), die zichzelf op de gitaar begeleidde

cachaco – scheldnaam voor bewoner uit het binnenland, met name uit Bogotá
Calleja, Saturnino Fernández – Spaans uitgever en bekend schrijver van educatieve boeken en kinderliteratuur (1855-1915)
Capitolio Nacional – parlementsgebouw
Carreño, don Manuel Antonio – Venezolaans pedagoog (1812-1874), beroemd om zijn *Handboek van de wellevendheid en goede manieren*
Castellanos, Juan de – kroniekschrijver (1522-1607), belangrijke bron voor de geschiedenis van Colombia
Catharina van Siena – Italiaanse heilige (1346-1380), leefde ten tijde van het Grote Schisma, de tweede vrouw die tot kerkdoctor werd uitgeroepen; haar verzamelde brieven

beslaan zes delen, en zij slaagde erin de paus uit Avignon naar Rome terug te laten keren

Catilinariae – redevoeringen van Cicero tegen de revolutionair Catilina (63 v.Chr.)

claves – percussie-instrumenten bestaand uit twee stokjes

comadre, compadre – peettante/peetoom. Relatie met specifieke consequenties in Latijns-Amerika; zo mag men bijvoorbeeld niet verliefd worden op elkaar. Meer algemeen gebruikt om innige vriendschap aan te geven

copla, 'gebroken' – een combinatie van een vier- of vijflettergrepig vers met een achtlettergrepig vers

corregimiento – regionale onderverdeling. Provincies bestaan uit districten die op hun beurt weer uit corregimientos bestaan

costumbrisme – stroming in de literatuur van de negentiende eeuw met bijzondere aandacht voor de zeden en gewoonten van een bepaald land of een bepaalde streek

culteranismo – zeventiende-eeuwse barokke stijl in Spanje, rijk aan latinismen en beeldspraak, waarvan Luis de Góngora de exponent bij uitstek is

cumbiamba – een van de vele Latijns-Amerikaanse ritmes naast cumbia, salsa, merengue, son, cha-cha-cha, tango, et cetera

El Darién – het smalle, ontoegankelijke grensgebied tussen Colombia en Panama

Fernando VII – koning van Spanje (1784-1833)

fotuts del cul – (Catalaans) letterlijk: in de kont geneukt

Francisco el Hombre – beroemde vallenatozanger en accordeonist. Volgens de legende kwam Francisco op een dag de duivel tegen, die hij bedwong door het credo achterstevoren te zingen

Gallegos, Rómulo – Venezolaans schrijver en politicus (1884-1969), *Doña Bárbara* is zijn beroemdste roman

Gómez de la Serna, Ramón – Spaans schrijver (1888-1963), beroemd om zijn taalgrappen en scherpe humor; hij schreef behalve romans talloze aforismen

goudcyanide – cyanide wordt (evenals kwik) gebruikt bij de goudwinning om het goud aan het erts te onttrekken; dit gebeurt in open mijnen langs rivieren, waardoor grote milieuproblemen ontstaan omdat het na afloop in het water terechtkomt

Gran Puerta del Reloj – grote poort met klokkentoren, kenmerkende hoofdingang van de ommuurde stad Cartagena de Indias

griel – steltloper (*Burhinus bistriatus*), zingt vooral 's nachts

guacharaca – inheems instrument bestaande uit een dikke rietstengel van ongeveer een meter lengte met inkepingen overdwars waar met een soort strijkstok langs gestreken wordt

Guajiros – tot de Arawak-familie behorend inheems volk, woonachtig op het schiereiland La Guajira, tussen Noord-Colombia en Venezuela

guanábana – zuurzak, tropische vrucht (*Anona reticulata*)

Hernández, Felisberto – Uruguayaans pianist en schrijver (1902-1964)

Jiménez, Juan Ramón – Spaans dichter (1881-1958), hij ontving in 1956 de Nobelprijs voor de Literatuur

jonge jenever – bestaat niet in Colombia, maar is hier gekozen vanwege de grap in de originele tekst: *varón* – jongen, of: *va-rón* – pak aan die rum

La Mojana – oerwoudgebied waarin Sucre ligt, met veel meren en kanalen, berucht om de overstromingen die zich daar voordoen

Larra, Mariano José de – Spaans schrijver (1809-1837), vertegenwoordiger van het costumbrisme. Op 13 februari 1837 pleegde hij zelfmoord door zich een kogel door het hoofd te schieten

León, Fray Luis de – Spaans mystiek schrijver en dichter (1537-1591)
liquilique – kraagloos overhemd (zoals Gabriel García Márquez zelf droeg bij de Nobelprijsuitreiking)

Madrid – er is een opvallend verschil tussen het Spaans van Spanje en dat van Latijns-Amerika. Dit valt onder andere op aan de werkwoordsvervoegingen van de tweede persoon meervoud: in Spanje is 'jullie leven' *vivís* en in Latijns-Amerika *viven*
Mala Crianza, calle de la – straat van de Slechte Opvoeding
mambises – naam van de opstandelingen tegen de Spaanse overheersing op de Antillen
Medardo – Franse heilige. Hij werd tot bisschop gekozen in 545 en was beroemd om zijn charitatieve werken
mojarras – hoge, zilverige vissen behorende tot de familie *Gerreidae*
Mojica, José – Mexicaans acteur en operazanger (1895-1974) die aanvankelijk furore maakte in de Amerikaanse film maar later toetrad tot de orde der franciscanen
muizenmoordenaar – *Gliricidium seoium*, schaduwrijke boom waarvan de zaden als muizengif worden gebruikt

Neerlandia, verdrag van – verdrag dat op 24 september 1902 werd getekend op de haciënda Neerlandia en dat een eind maakte aan de Oorlog van Duizend Dagen, waarbij de liberalen bakzeil haalden
Núñez de Arce, Gaspar – Spaans politicus en dichter (1834-1903)

Ocampo, Victoria – Argentijns schrijfster van zeer goeden huize (1891-1979), oprichtster van het tijdschrift *Sur*, belangrijk voor de introductie van de Europese cultuur, schoonzuster van Jorge Luis Borges
Oorlog van Duizend Dagen – periode van burgeroorlog tussen de liberalen en de conservatieven in Colombia, van 1886 tot 1902

Piedra y Cielo – Steen en Hemel, dichtersgroep genoemd naar de gelijknamige bundel van Juan Ramón Jiménez

quintacolumnista – lid van de vijfde colonne, collaborateur; hier gebruikt als woordspeling

Reyes, Alfonso – Mexicaans dichter, schrijver, essayist, criticus en vertaler (1889-1959)
Rita van Casia – Italiaanse heilige (1381-1457), aanbeden als 'de heilige van het onmogelijke'

San Juan de la Cruz – Johannes van het Kruis (1542-1591), Spaans theoloog en mysticke dichter
Santiago – Sint-Jakob
Saroyan, William N. – Amerikaans schrijver (1908-1981) van o.a. *The Human Comedy*

tertulia – regelmatige bijeenkomst in cafés van vaste groep vrienden of beroepsgenoten
tiple – kleine gitaar
tiplero – gitaarspeler
Tranquilina – de rustige
'Tirofijo' – 'Scherpschutter', Manuel Marulanda Vélez, oprichter en leider van de Fuerzas Armadas Revolucionarias de Colombia (FARC), de Revolutionaire Strijdkrachten van Colombia. Zijn echte naam was Pedro Antonio Marín, maar hij nam de naam Manuel Marulanda Vélez over van een boer die wreed was vermoord door conservatieve bendes

vallenato – typische muziek van de Colombiaanse noordkust. De naam is afgeleid van 'nato del Valle' (geboren in de Valle), waarmee Valledupar wordt bedoeld. Een combo bestaat uit drie vaste instrumenten: accordeon, *caja* of Afrikaanse trommel en *guacharaca*, en een zanger, die in zijn liedjes dagelijkse gebeurtenissen bezingt

Vega, Garcilaso de la – Spaans renaissancedichter (1503-1536), beroemd om zijn herdersdichten

zapotesap – *Manilkara zapote*, boom die de bron is voor de fabricage van kauwgom, met peervormige, zeer smakelijke vruchten, waarvan sap wordt gemaakt